Repetition to perfection.

题目原文下载1　　题目原文下载2　　阅读视频课　　逻辑视频课

注：本书提供题目原文的两种下载路径：题目原文下载1和题目原文下载2，可自行选择下载。

GRE

阅读170篇
精讲精析

陈琦 张禄/编著

浙江教育出版社·杭州

图书在版编目(CIP)数据

GRE阅读170篇精讲精析 / 陈琦，张禄编著. -- 杭州：浙江教育出版社，2020.1（2022.7重印）
ISBN 978-7-5536-9395-8

Ⅰ．①G… Ⅱ．①陈… ②张… Ⅲ．①GRE－阅读教学－自学参考资料 Ⅳ．①H319.4

中国版本图书馆CIP数据核字（2019）第172154号

GRE阅读170篇精讲精析

GRE YUEDU 170 PIAN JINGJIANG JINGXI

陈 琦 张 禄 编著

责任编辑	赵清刚
美术编辑	韩 波
责任校对	马立改
责任印务	时小娟
封面设计	大愚设计
出版发行	浙江教育出版社
	地址：杭州市天目山路40号
	邮编：310013
	电话：（0571）85170300－80928
	邮箱：dywh@xdf.cn
印　　刷	三河市良远印务有限公司
开　　本	787mm×1092mm 1/16
成品尺寸	185mm×260mm
印　　张	28.25
字　　数	606 000
版　　次	2020年1月第1版
印　　次	2022年7月第4次印刷
标准书号	ISBN 978-7-5536-9395-8
定　　价	65.00元

2019年3月1日，微臣团队在日本团建的最后一天，张禄和我在酒店吃早餐时跟我说："琦叔，我把市面现有的所有新GRE阅读文章的解析都写完了。咱们可以考虑出版了。"之后，经过半年多的教研、审稿、润色、编校、录制配套讲解，这本《GRE阅读170篇精讲精析》终于和大家见面了。

对于这本把市面上几乎所有新GRE阅读真题解析都穷尽的阅读书，起初我并不认为它的出版是必要的。微臣在2017年陆续出版了两本GRE阅读备考书籍。其中，《GRE阅读白皮书》（"白皮书"）用微臣独创的 "3秒版本""句间关系"的方法对流传20多年的"大白本"中的204篇老GRE时代的阅读文章进行了解析。使用"白皮书"的考生能够从根本上提升学术英文阅读的能力。同年4月，为了帮助考生进行考前冲刺，我们将当时新GRE阅读中超高频的40篇文章进行解析并收录于《GRE语文高频题目精练与精析》（"金皮书"）。可以说，"提升阅读能力+考前题目冲刺"的"白""金"组合已经足够帮助考生的GRE阅读备考了。

同时，一直以来，微臣学校倡导GRE、托福备考只需要"适度补习"的理念。如果把微臣学校比作一家医院，那么每位来"问诊"的学员，如果开点药就能治好的，绝对不打点滴，更不会让他上手术台。如果能够通过适量，甚至极少的材料习得并掌握解题方法，就绝不要让考生沉浸在题海中。这也是我初期并不想出版这本书的根本原因，我们已经给了考生足够多的练习题目和讲解了。

但是现实中，总有考生像追求最新款手机一样追求最新题目。他们忽略了作为标准化考试的GRE，在出题思路上一直保持的一致性。更有考生，并不是以备考者的心态去备考，而是以收藏家的方式去集齐所有题目。于是，市面上迎合这种诉求的材料甚嚣尘上。"280篇""1200题"等标榜题目数量的材料成了消耗考生精力的"毒药"。这些"毒药"，并没有让考生在练习中知其所以然，反而让考生盲目追求刷题的数量。考生面对做对的题目，其实并没有什么收获；而对于练习过程中无法解决的问题，这些材料又不能给出有价值的反馈。更不用说，这些材料作为非正式出版物，在题目、答案的精准方面肯定相比于正规出版物要大大逊色。

所以后来，我们决定出版这本书，因为它是一剂"解药"，用来解那些刷题的考生的困扰。但我内心依然认为这是一本在GRE备考过程中"非必要"的书，因为在这本书出版前，微臣就已经有了大量语文部分超高分（Verbal 168+）的学员。正如，在托福考试中我培训出来的老师以及学员，在没有使用市面上的所谓托福"独家真题"时，依然可以取得托福听力满分。这说明"独家真题"不是备考的必要条件，而有效解题方法才是"灵丹妙药"。

下面我要说说这本书的作者，微臣团队的资深阅读教师张禄，他用这本书证明了自己。张禄在2015年2月加入微臣学校之前，在北京新东方学校国内部教授四、六级课程。加入微臣之后，他以一个"练习生"的身份去认真学习我所提出的GRE阅读方法，认真纠正批课过程中暴露的问题。再后来，并不需要我的督促，他能主动认真地完成市面上每一篇文章的解析。和大多数人先说我有个大想法，然后要资源不同，张禄一张口就是这事做完了，可以发布了。这本书就是这样一个例子。我认为这本书的完成，意味着张禄在GRE阅读方面已经成为标杆人物，微臣的四年修炼就如同获得了一个博士的学位，辛苦、充实、收获极大，这本书就好比他的博士毕业论文。希望这是微臣GRE阅读的最后一本书，但是如果市面上的"毒药"有了新的变种，微臣还是会义不容辞地更新内容。接下来，微臣学校会在托福方面进行投入，也期待张禄能够在托福阅读方面帮助更多考生，早日形成一套自己独创的教学方法，打开新的局面。

最后，对于要开始练习本书题目的考生，我真心希望这本书不仅能在你的GRE备考中发挥价值，更希望它能成为一本双语学术读物陪伴着你。每次当你看到朋友圈又有人开始打卡各种国外期刊、国外小说的阅读活动时，不妨给他们推荐下本书，让他们去感受下书中文章的语言之美、逻辑之美，以及译文和解析的用心。

陈琦

重复，到极致

2015年3月，我刚刚加入微臣，教的第一个班就是"阅读80篇"。顾名思义，就是带着学生刷完80篇GRE真题文章。这80篇文章是我GRE教学生涯的开始，也是这本书的开始。

相比于今天市面上丰富的题目素材，在当年，这80篇阅读是考生在考场外一睹GRE阅读真题"容貌"的为数不多的材料之一。当时，大家接触最多的还是老GRE时代流传的"大白本"。而作为一名新老师，这些经典的GRE阅读文章便成了我练习基本功的不二之选。2015~2017年，我在GRE课上给大家一遍遍重复"大白本"里的经典篇章。《GRE阅读白皮书》就是在这两年间，在反复推倒重写后才与大家见面的。

《GRE阅读白皮书》收录整理了"大白本"里的204篇经典篇章。这些文章流传已久，其中疑难文章和题目的讨论遍布各大留学论坛，加上这些文章也经历过两年间在课堂上的多次打磨，因此内容在质量上是过关的。但是这本书还远未达到极致。

"白皮书"偏重于对文章思路的点拨，是微臣"3秒（3s）版本""句间关系"方法论的有效应用，因此是用于提升基本学术阅读能力的必读书。但是这本书中的长文章太多（因为老GRE时代，长文章和短文章的比例是1:1）且并不偏重于对题目的讲解，于是很多学生会提出"文章都能看懂，但是题目做不对"的问题。

在《GRE阅读白皮书》的序言最后，我写道：新的故事正在路上。争取写出一本新GRE阅读的解析书，这本解析书就是这个"新故事"。

"阅读80篇"在这两年间我已经讲了几十轮，也该写成解析了。于是在2017年3月《GRE阅读白皮书》出版后，我花了两周左右的时间，写完了其中40篇文章的解析，组成了《GRE语文高频题目精练与精析》（"金皮书"）的阅读部分。同年的五一劳动节期间，我又写完了《GRE阅读170篇精讲精析》的"逻辑篇"的第一稿。

一位业界前辈说过："教师的课堂内容有三个境界：简练、精练、凝练。"所谓简练，指上课没有废话，讲的都是正确且有用的；精练，指课堂内容要针针见血，直逼要害；凝练，如果把课堂内容转化成逐字稿，那么这份逐字稿要做到"一字千金"，一个字都改不了。要想实现这三个境界的跨越，只有通过一遍遍的重复和复盘。

同样一篇文章，讲的遍数太少，课下总会有学生围上来问问题。针对学生提出的问题不断优化课程内容之后，会发现学生已经没什么问题可问了。这个时候，这篇文章的解析就可以写下来，沉淀到书籍里。"金皮书"的40篇文章解析看似两周就完成了，但是背后对于这40篇文章的投入，则是整整两年的备课与教学。

随着市面上GRE阅读题目的增加，80篇的课程从2015年至今已经迭代多次，文章换了好几批。这期间，我们还在线上开设了"阅读点睛班"，追踪每场GRE考试后得到的新题，并在线上讲解这些新题。感谢这些课程，让我不断刷新自己对GRE阅读的认知。截至目前，针对新GRE考试的阅读文章（包含逻辑单题）已经多达290篇。除去其中40篇文章的解析早出版在"金皮书"中之外，剩余的250篇文章和逻辑题的解析就在这本书中了。

这250篇文章和逻辑题的解析，开始写作于2018年8月初，于2018年12月1日初稿完成。用了不到4个月，我都是在工作之余的时间写的，工作量算下来可能有300个小时。可是这300个小时背后，是过往四年多、上万小时对于这些文章的教研和教学，以及数万名学生在课堂上对于这些文章的反馈。

课堂内容重复凝炼，最终形成了此书。我相信这本书依然远远称不上做到了"极致"，但是至少在追求"极致"的路上，我们更近些。因为没有任何一种"极致"能离得开"重复"。"寿司之神"小野二郎，90多岁了，捏了一辈子的寿司，还扬言要死在寿司料理台前。我个人也认为，死在工作岗位上，是一个人与世界告别的最体面的方式。追求"极致"需要一遍又一遍的重复，直到生命最后一刻。

最后，也是最重要的，感谢为这本书做出贡献的所有人。最感谢过去几年听过我的课的几万名学生，是你们一个个刁钻的问题使我获得了新的灵感来更好地讲解这些GRE阅读文章，也使得课堂内容趋近"凝练"。

感谢琦叔创造的以"3s版本""句间关系"为基础的GRE阅读方法论。在此方法论的加持下，GRE阅读第一次以如此简洁的方式呈现在各位考生面前。同时，感谢琦叔在本书编写过程中组织集体教研对本书重点篇目进行集中修订，在出版过程中提供了巨大支持。这极大地提升了文章内容精准度，充实了文章内涵，确保了本书的顺利出版。

感谢梁诗瑶、刘星铄、苏琪、肖宇彤、薛智中、杨雨静六位优秀的微臣学员参与本书内容的修订和本书附录短语部分的编写。他们站在学生的角度，为每一篇文章提出中肯的建议，使得本书的内容在极大程度上接近学生需求，解决学生们的问题。感谢GRE语文170分的李一鸣同学为本书中的疑难题目提供的解题思路。

感谢大愚文化的编辑们在本书的编辑和出版过程中提供的巨大支持。

感谢所有为GRE阅读教学做出贡献的前辈以及奋斗在GRE教学一线的老师们。在本书编写过程中每每遇到困惑，老师们的出版物和资料会给我们启发和帮助。老师们在GRE教学上的丰硕成果，督促我们针对GRE阅读提供更简洁、高效和精准的讲解。

编者水平有限，书中难免会有疏漏之处。在此恳请各位读者不吝指出，让我们共同为广大GRE考生提供优质、负责任的备考资料。如发现本书内容有错漏之处，敬请发信至：zhanglu@weichenedu.cn。

张禄

文章标题，即文章的 3s 版本。空格需要考生填写，答案在本书目录。

Passage 扫描章节开头二维码下载题目

彗星是_____的

全文翻译。英文原文及题目请扫描书中二维码下载。

原文翻译

❶研究行星形成的天文学家曾经认为彗星一定是组成外部行星材料的纯洁的残骸，因为彗星大多数待在遥远的奥尔特星云，那里的温度接近绝对零度。❷认为彗星是纯洁的残骸这一观点从20世纪70年代开始发生转变，当时实验室模拟表明有足够多的紫外辐射到达彗星使得其表面变暗，并且还有足够多的宇宙射线会改变彗星表面附近的化学键甚至是分子结构。❸尽管如此，天文学家依然认为当彗星接近太阳的时候——也是他们可以研究彗星的地方——太阳巨大的热量会去除被腐蚀过的表面，暴露出彗星的内部。❹然而，与此同时，科学家们意识到彗星可能含有衰变的放射性同位素，这些同位素会使彗星内部的温度升高，使其内部发生变化。

文章 3s 版本解析。

3s 版本

❶纯洁。

shift away ❷不纯。

Nevertheless ❸纯洁。

, though, ❹不纯。

全文3s版本：**彗星是不纯洁的。**

文章点拨。对文章中的重难点进行简要分析，并补充必要的语言知识点。

文章点拨

1. 很多人读完这篇文章会觉得文章是在引用不同观点，而对于彗星是否纯洁没有给出定论。其实本文最终是有结论的，那就是彗星是不纯洁的。与一般引用不同观点的文章不同，这篇文章的每一句都是在批判了前一句话之后才抛出本句的观点。

第 ❶ 句是天文学家的观点，他们认为既然彗星待在接近绝对零度的地方（通常认为绝对零度的地方不会发生化学反应），那么彗星就应该是纯洁的。

第 ❷ 句实验室模拟认为，就算是在绝对零度，足够的紫外辐射和宇宙射线也可以让彗星发生变化，因此第 ❶ 句被反驳。

第 ❸ 句 Nevertheless 说明天文学家承认了第 ❷ 句的批判，但是他们认为当彗星接近太阳的时候，那些被紫外光线所侵蚀的部分会被太阳的热量所去除。

第 ❹ 句科学家却认为，即使彗星受腐蚀的表面被去除了，自身的衰变的放射性同位素也会让彗星的内部变得不纯。

……

每道题提供中文翻译，并对正确选项及错误选项进行讲解。

题目讲解

1. 根据文章，天文学家认为下列哪一项或哪几项导致彗星发生了变化?

　　A.（正确）宇宙射线

　　B.（错误）放射性衰变

　　C.（正确）紫外辐射

解析：A、C：本题问的是天文学家的观点，因此定位到❶❸两句。第 ❶ 句认为彗星是纯洁的，排除。第 ❸ 句天文学家承认了第 ❷ 句彗星不纯洁的理由，包含紫外辐射和宇宙射线，因此选项 A、C 正确。

B：干扰选项，定位在本文最后一句话，这句话是科学家说的，不是天文学家的观点。

　　《GRE阅读170篇精讲精析》共收录近年来GRE阅读真题170篇和逻辑题80道，每篇文章均配有符合中文阅读习惯的原文翻译、3s版本、文章点拨、题目讲解和所有选项的分析，是夯实GRE阅读方法论，提升做题能力和正确率，帮助考生在GRE语文部分取得高分的必备材料。

本书正文共包含如下部分：

阅读篇

◆ 必做30篇：这30篇文章是笔者根据过往教学经验精选出来的文章，能帮助考生训练GRE阅读要求的全部方法论和题型做法。精心研读这30篇文章胜过盲目刷题100篇。

◆ Easy模式：共23篇简单的文章，适合语言能力和逻辑能力较薄弱的考生，利用这些难度较低的文章实操GRE阅读方法论和各题型的做法。

◆ Medium模式：共67篇中等难度的文章，这也是所有考生在考试时都会遇到的难度，可用于进一步夯实方法论和提高做题能力，同时检验自己的进步程度。

◆ Hard模式：共19篇高难度文章，以长篇文章为主，语言难度和逻辑复杂度都极高，可用于挑战自己的阅读能力极限，或者作赏析之用。语文目标分数165+的考生可尝试。

◆ Practice Tests部分：共4套题目，包含31篇阅读和8道逻辑题，可用于模考，检验学习成果。

逻辑篇

　　逻辑篇包括削弱题、假设题、加强题、评价题、解释题、结论题和Boldface题等7种题型的方法论讲解，以及共计72道逻辑题例题的分类解析，帮助考生短时间内从零掌握逻辑题做法。

另外，书中还配有：

◆ 讲解视频二维码：本书的阅读和逻辑题均配有讲解视频，包括免费的试听部分和收费部分，考生可以按需购买，"亲临"微臣课堂。

◆ 目录：本书目录便是每篇文章的3s版本，方便考生快速查询文章。另外，通读目录可以帮助考生了解GRE阅读常考话题。

◆ 文章难度和题型分类：对文章和各题目的难度分别进行标定，考生可以按照自身水平做针对性练习。对每道题目分门别类，考生在练习过程中可针对易错题型进行集中训练。

◆ 重点短语：用于积累和集中记忆书中出现的陌生短语。

◆ 练习题目：扫描书中二维码，下载配套英文习题。

◆ 答案：配套练习题的答案以附录形式呈现，方便考生快速检查正误，检验练习效果。

GRE阅读学习方法之 道、术、法、器

方法论讲解

一、GRE阅读之道：量变产生质变

GRE阅读考查的不是知识（GRE阅读既不要求背景知识，也不像GRE填空要求那么高的词汇量），而是能力，包括长难句、逻辑、做题能力等等。能力的习得一定是"量变到质变"的过程。阅读的训练是存在平台期的。阅读能力的提升本质上是在考验一个人的延迟满足能力。阅读的训练过程给人极大的挫败感。你读10篇、20篇、100篇文章之后，分数可能一点没涨，但是读到第101篇的时候，会发现自己突然有了很大的进步。把自己想象成一位漫步在海边的智者，这时迎面驶来一艘航船，你跳上这艘船，根本不问这艘船将驶向何方。

GRE阅读之"道"，一言以蔽之：Just read it! 读就是了。

二、GRE阅读之术：读懂文章，做对题目

1. 读懂文章

除了基本的语言能力之外，读GRE文章必须解决两个问题：记不住，读得慢。

1.1 3秒（3s）版本

很多考生在做阅读的过程中都有读了下句忘上句、读了第二段忘第一段的经历，即大脑内存太小，导致信息记忆能力不强。但是提升大脑内存这种"硬件"层面的问题短时间内很难解决，于是我们反其道而行之，从"软件"算法的层面去优化考生的大脑内存。

"3s版本"就是用来帮助考生解决"记不住"的问题的，其背后的原理是"**充分利用短时记忆的内存**"。所谓"3s版本"，指的是考生在读每一个句子、每一个段落以及每一篇文章之后，都要概括出一个3秒钟的理解的版本。"3秒"在这里是一个重要的限定标准。因为人的短时记忆能存储的内容不多（基本是4~7个字节，比如收到的验证码就是4~7位），鉴于考生不可能在读文章的过程中记住所有信息，必须学会提炼极其精简的内容放入大脑内存，而4~7位的内容基本就是3秒内能够容纳的信息量。所以不要笑话金鱼的记忆只有7秒，如果考生们能有7秒的记忆，阅读水平将是现在的两倍。

3s版本的处理方法：

对于一个句子来说，其3s版本可以用"主干原则"来归纳。

① 简单句：3s版本就是其主干本身。

② 主从复合句：3s版本是其主句的主干。

③ 观点句：3s版本是观点内容的主干。

例如：People fear that oil is pricy because it is running out.

这句话的fear that表明这是一个观点句，因此，尽管在语法上这句话的主干是People fear that，但是这句话真正的重点则是观点内容，即that引导的宾语从句。而这个宾语从句本身又是一个主从复合句，因此本句话的3s版本遵从观点内容中的主句主干，即oil is pricy。

段落及文章的3s版本归纳方法，请见下文的"2.4主旨题"方法论部分。

1.2 句间关系

1.2.1 句间关系的定义

句间关系，指连续两个句子之间的关系。句间关系只有两种：**同向**和**反向**。两句话讲的是一回事，这两句话就是同向，否则就是反向。

1.2.2 简单句间关系的判定标志：But、Yet、However、Nevertheless

两句话由上述四个单词中的任何一个进行连接，则两句话句间取反。

例如：He is a bad man. But he often helps the elderly.（他是个坏人。但是经常帮助老人。）

但是没有出现But、Yet、However、Nevertheless时，句间关系如果取反，则被称为"复杂句间关系"。复杂句间关系包括"换对象""负态度""封装结构"。

1.2.3 句间关系的功能

句间关系的功能是"**做预判**"。而做预判的目的便是**加快阅读速度**。在这里可以打一个比方：你在看一部悬疑片之前，有人给你剧透了最后的凶手，那么即使这部电影的剧情无比复杂，你看一遍也能看懂为什么凶手就是那个人。可是如果没有剧透，那么电影只看一遍可能也看不太懂。这里的"剧透"，就相当于在读文章时利用句间关系做出的"预判"。如果接下来要读到的内容是早就已经预料到的内容，那么你对本来读不懂的内容也能有一个大体上的把握，本来读得慢的内容也会读快。

1.2.4 句间关系和3s版本在阅读中的实际应用

有了3s版本和句间关系，我们阅读一篇GRE文章的流程可以概括为：读首句→归纳3s版本→利用句间关系预判第二句内容→读第二句→归纳第二句3s版本→预判第三句→……，直到总结出文中所有句子的3s版本，进而可以得到全文3s版本，这时一篇GRE文章就算是阅读完毕了。

我们以Passage 054为例。

❶Prominent among theories of the function of sleep is Meddis' immobilization hypothesis, which holds that sleep...plays a protective role... **❷**Meddis reasoned that... **❸**Sleep would prevent an animal from moving or responding to...predators.

❶However, that hypothesis cannot easily explain... **❷**Neither does the hypothesis explain...

第一步：读第**❶**句，因为这句话是观点句，其3s版本为holds that之后的观点内容主干，即"睡眠起到保护作用"。

第二步：**❷❸**两句没有出现取反标志，因此可预知第一段整体都是在支持第**❶**句的观点；第二段开头出现However，取反，同时第二段内部再也没有其他句间取反标志，因此第二段整体上和第一段取反。由此可以对全文大方向做出预判：文章最终会取反首句观点。

第三步：带着对于全文大方向的预判，精读文章剩余句子。

读完第一段第**❷**句，这句话确实是将前一句的观点进行了详细展开。第**❸**句的内容是解释第**❶**句的观点背后的原理。接着，读完第二段第**❶**句发现这句话果然是在批判上一段观点。第二段第**❷**句依然在批判第一段观点。

第四步：总结出全文3s版本："睡眠起到保护作用"这一观点不对。

1.2.5 复杂句间关系的判定标志

在没有出现But、Yet、However、Nevertheless时，句间关系如果取反，则被称为"复杂句间关系"。复杂句间关系包括"换对象""负态度""封装结构"。

① 换对象

出现以下三种情况之一，都可以认为两句话之间是换对象取反：

a. <u>**同一类别下的两个不同对象**</u>。对象不同，属性不同。例如本书Passage 055中的两句话：

   Other woods expand and contract at different rates than oak, so repairs to oak ships done with those woods split or leak. **Only teak** matches oak's expansion coefficient and stays watertight.

other woods和teak均属于"木头"这一类别下的两个不同对象，因而即使这两句话之间没有出现But等转折词，两句话在含义上依然取反。other woods无法匹配oak，而teak可以匹配。

b. **观点的持有者不同**。第一句是A持有的观点，第二句是B持有的观点，观点持有者不同，他们所对应的观点也往往不同。例如本书Passage 074中的两句话：

❷Some researchers believe that... ❸Peter Leonard theorizes alternatively that...

前一句是Some researchers的观点，后一句是Peter Leonard的观点。两句话发表观点的人变了，于是可以预判，两句话在内容上取反。

c. **时间点不同**。时间不同，状态不同。不同时间发生的事件或提出的观点必然是有差异的。例如本书第一套模考Section 1的Passage 1中的两句话：

❷Furthermore, recent studies suggest that... ❸Until recently, such traits were thought...

前一句recent表明这个观点的提出是在现在，后一句Until recently表示的是过去的观点。两个观点被提出的时间不同，因此内容也不同。

② 负态度

后一句出现具有批判含义的单词（如：challenge、criticize、wrong等），则该句与前一句取反。例如Passage 109中的第二段第❶句：

Elizabeth Barnes criticizes Stimpson's approach as subjective and therefore uncritical.

由criticizes一词可知，这句话批判了前文的观点。

除了上述常见的句间取反标志外，还有why then（详见Passage 001）、"Though"（详见Passage 002）等取反标志。

Though引导句间取反的详细用法，请扫描右则二维码查看。

1.2.6 封装

在句间关系的预判过程中，如果发现预判与实际句意不一致的情况，除了看不一致的句子是否出现了"换对象""负态度"，还有一种重要的结构是封装。

1.2.6.1 But封装

以Passage 071为例：

❶Attempts to identify New Guinean's hunter-gatherers face the well-known difficulty of defining what constitutes a hunter-gather group. ❷According to the common definition, hunter-gathers are those.... ❸Yet those criteria beg numerous questions... ❹The very presence... blurring the lines between wild and domesticated... ❺Moreover, it is unclear how groups should be classified...

第❶句认为很难给狩猎采集者下定义。第❷句没有出现取反标志，因此预判此句依然在讲"很难给狩猎采集者下定义"。但是第❷句的实际含义则是针对狩猎采集者给出了一个定义。这和预判显然是矛盾的。

针对这种情况，我们的处理方式是做"封装"。只要发现某个句子的预判和实际句意不一致，后面不远之处一定会出现一个转折句。接下来要做的，便是把预判和句意不一致的句子和后面的转折句"封装"到一起。所谓"封装"是指让原来的两句话合并成为一句话。封装之后组成的"大句子"，其3s版本与更之前的一句话取同。这样一来，文中的句间关系矛盾就可以被解决了。

所以，上文句间关系的具体处理方法是：

第❷句出现了预判和句意矛盾的现象，紧接着第❸句出现了Yet，因此可以把❷❸封装成一句话，这句话的3s版本与第❶句取同，还是在讲"很难给狩猎采集者下定义"。❹❺两句也和前面内容取同，因此全文3s版本：很难给狩猎采集者下定义。

这是第一种封装，我们称之为"**but封装**"。即当对某个句子的预判与实际句意不一致时（句间关系混乱），后面不远之处又出现了转折，可以把句间关系混乱的句子同转折句封装到一起，与句间关系混乱的句子的前一句取同。

1.2.6.2 广义封装

还有一种封装，称之为"**广义封装**"。它指当把某几个句子单独来看时，都与这些句子之前的内容没有什么关系，但是当我们把这些句子都封装起来再看时，会发现封装后的句子组合是与前一句取同的。这种封装，称之为"广义封装"。

我们以Passage 056的片段为例：

❶The waters... ❷When abalones did not rebound... ❸Continue declines in abalone were attributed to poaching, but an invasion by rock lobsters during the early 1990s probably intensified the trend. ❹Rock lobsters prey on sea urchins, and increased rock lobster densities coincided with significant decreases in urchins. ❺In that area, urchins feed largely by trapping drift kelp, and in doing so provide juvenile abalone with both protective shelter and nourishment. ❻Without urchins' presence, juvenile abalones are less likely to survive to adulthood.

第❸句讲龙虾的入侵加剧了鲍鱼的减少，第❹句没有取反标志，因此这句话应该继续讲龙虾和鲍鱼的关系。但是第❹句实际上讲的是龙虾导致海胆减少。这句话和前一句没有关系，因此要做广义封装，把❹❺❻看成一句。❹❺❻封装后表达的是：龙虾入侵→海胆减少→海胆无法继续为小鲍鱼提供保护→鲍鱼减少，这和第❸句的内容取同。

在练习时，考生不必刻意区分"but封装"和"广义封装"。两种封装的处理方法都是：当发现句间关系混乱时，把所有乱掉的句子封装成一个整体，直到句间关系恢复正常。

2. 做对题目

2.1 可定位细节题

可定位细节题的特点是根据题干提供的信息可以在原文找到具体的定位范围，而正确答案便是定位范围内某一句话或某几句话的同义改写。题型标志是"According to the passage"。

以Passage 002的第2题选项C为例：

2. **According to the passage,** astronomers' belief that comets are pristine relics was

C. based on consideration of the conditions that prevail where comets are located

根据题干的astronomers可知，本题应该定位到astronomers的观点，即文章第1、3句。选项C同义改写第1句的内容：Astronomers...believed that comets—because they remain mostly in the distant Oort cloud, where temperatures are close to absolute zero—must be pristine relics...

选项中的prevail与mostly对应，conditions则指的是温度接近绝对零度的Oort cloud。

选项中的conditions被称为选项的"虚词"。

凡是选项中需要在原文找出具体对应的词，都叫作"虚词"。虚词通常由a、an、one、certain、可数名词复数、不可数名词引导。**选项中的虚词一定要在原文找到具体对应，这是一个选项成为正确选项的重要前提**。

2.2 推断题

推断题和可定位细节题类似，都是对原文信息的改写，但区别在于推断题的定位范围往往不如可定位细节题具体，对于原文的改写也不如可定位细节题直接。题型标志多样，常见的有：It can be inferred from the passage that...、The passage suggests that...、The author would probably agree with which of the following claims?等。

以Passage 011第2题选项E为例：

2. Which of the following can be **inferred from** the passage about the "tension"?

E. Ellison thought that it could not be adequately represented by sculpture.

选项E需要经过如下几步得出：①艾里森坚持认为只有语言才能捕捉美国人身份的复杂性→②视觉艺术无法体现身份的复杂性+sculpture是视觉艺术的一种→③雕塑无法体现身份的复杂性。（详细内容请见Passage 011的题目讲解）

2.3 功能题

功能题通常问某句话在文中的功能是什么，题型标志常见的有：

Which of the following best describes the **function** of ...?

The author mentions ... most likely **in order to**...

The highlighted portion serves **primarily to**...

功能题的正确答案就是这句话的3s版本。另外，定位句的句内句间关系可以帮助我们判断其功能，缩小选择范围。如果定位句与前一句取反，那么优先考虑有负向含义动词（challenge、criticize等）的选项；如果定位句和前一句取同，那么优先考虑有正向含义动词（support、illustrate等）的选项；如果定位句是让步句，那么优先选择由concede、acknowledge、qualify等词引导的选项。注意，句内句间关系只能更快地帮助我们排除掉可能错误的选项，最终的正确选项依然要通过定位句的3s版本来确定。

以Passage 011的第1题为例：

❶Ralph Ellison was passionately interested in the visual arts. ❷He...even apprenticing with sculptor Richmond Barthé for a time. ❸Yet he was wary of projects aiming to provide a visual rendering of his novel Invisible Man...

1. It can be inferred that the author mentions Ellison's apprenticeship with Richmond Barthé primarily **in order to**

ABCD选项内容略

E. qualify Ellison's reservations about visual renderings of his work by showing that he was not indifferent to visual art

根据题干可知本题定位句是第❷句，这句话和前一句取同，3s版本都是"拉尔夫·艾里森对视觉艺术感兴趣"，而选项E表达的也是对视觉艺术感兴趣，因此选项E正确。另外，通过第❸句的Yet可知，第❸句是转折，因此前两句都是让步，所以也可以在选项中优先定位到由qualify开头的选项E，再通过其内容确定就是定位句的3s版本。

2.4 主旨题

主旨题通常问全文的主旨，在长文章中偶尔也会问段落主旨，题型标志有：

The primary purpose of the passage is to...

Which of the following best describes the organization of the passage?

主旨题的正确答案就是文章或段落的3s版本，而文章或段落的3s版本取决于其结构。GRE阅读常见的结构有总分、对比、引用不同观点和驳论文。

2.4.1 总分结构

总分结构往往是针对同一观点给出多个例子，或是针对同一问题给出多个观点。总分结构文章往往会用问题作为文章的开头（例如Passage 001、007、071），而后文都是围绕着这个问题展开的，因此这一问题本身便是总分结构文章的主旨句。

针对总分结构文章的主旨题，其正确答案便是对主旨句的同义改写（例如Passage 071的第1题）。

2.4.2 对比结构

对比结构通常是文中的新老观点之间的对比，通常的展开形式是：老观点—被批判—新观点。对于这类文章，其3s版本是新观点。

对比结构文章的主旨题的正确选项需要表达出"老观点被提出、被批判，之后提出新观点"。例如Passage 028第1题选项C "discussing new research that may challenge a long-held scientific assumption about Earths climatic history"，其中的new research表示"新观点"，challenge表示"批判"，long-held scientific assumption表示"老观点"，而全文确实是老观点—被批判—新观点的对比结构，故选项C正确。

2.4.3 引用不同观点

此类结构和对比结构类似，都包含对多种观点的对比。但是区别在于，对比结构会涉及对老观点的批判，而引用不同观点类的文章并不涉及对其他观点的批判；对比结构对观点有倾向性，即读完文章可以判断哪个观点是正确的，但是在引用不同观点的文章中，作者只是客观地引用多个观点而不加评价。

此类结构的文章的主旨题需要表达"引用不同观点"这一内容，常见的正确选项写法是citing competing views（例如Passage 010第1题）。

2.4.4 驳论文

驳论文的展开方式通常为"老观点—被批判"，与对比结构的区别是驳论文只负责批判老观点，不负责提出新观点。驳论文的3s版本是"批判老观点"。

此类结构的主旨题正确选项通常要包含"老观点"和"批判"这两个含义，例如Passage 030第1题选项D "Challenge an orthodox position concerning historical explanation"，"challenge"对应"批判"，an orthodox position对应"老观点"。

2.5 词汇题

常见的题型标志是：In the context in which it appears, "XXX" most nearly means...，问的是文中某个单词（或短语）可以替换成哪个选项且不引起原文内容的改变。

GRE阅读和TOEFL阅读都有词汇题，问法相同。但是TOEFL是语言考试，因此词汇题主要用来考查考生的词汇量。考生只要认识题目所问单词以及选项，直接选择符合题目所问单词的本意的选项即可。但是GRE阅读的词汇题被问及的单词通常一词多义，因此GRE阅读的词汇题倾向于考查考生根据上下文推断单词在文中所表达的含义的能力。具体例子请见Passage 003第2题。

2.6 类比题、态度题、逻辑题

前两类题型出现频率很低，请参考Passage 016第2题、Passage 076第3题来学习这两类题型的做法。

GRE阅读中偶尔也会出现逻辑题（例如Passage 029第3题），做法请参考本书"逻辑篇"的详细讲解。

三、GRE阅读之法：如何练习GRE阅读

知道了如何读懂文章、做对题目之后，接下来要做的就是用有效的措施巩固这些方法，提升阅读实力和做题能力。

练习阶段：在精不在多，每天4篇，每篇研读3遍。

第一遍，阅读文章，填写文章标题处的3s版本，完成配套练习题目。

第二遍，针对文章进行精读，参考本书给出的翻译，自己总结每一句话的**3s版本和句间关系，同时对照本书给出的总结内容，寻找差距**。

针对题目，参照书中对于题目选项的解释，理解每道题的每个选项，为什么对，为什么错。当然，书中的解释不一定是本题的唯一合理解释，仅用作帮助加深对题目的理解。

第三遍，在第一次精读之后，隔天再回头做一次精读，增加对文章的印象，温故知新。最终，如果能够把每一篇文章给身边备考的同学讲清楚，那么这篇文章就被真正地理解了，否则只是处于"我以为我明白的"幻觉之中，考场上还是速度慢，正确率低。

冲刺阶段：大量做题，仔细思考书中对于题目的解释，形成正确的做题习惯，彻底解决"文章能读懂，题目做不对"的问题。每天练习10~20篇。做题时间严格按照考试标准限制时间：短文章3.5分钟，中文章5.5分钟，长文章8.5分钟，逻辑题2分钟。

四、GRE阅读之器：练习GRE阅读必不可少的参考资料

1.《GRE高分必备短语搭配》

GRE文章及题目中会出现大量的生僻短语。《GRE高分必备短语搭配》收录了GRE考试中高频出现的短语。掌握这些短语对之后的GRE填空、阅读和写作都大有裨益。

2.《GRE/GMAT/LSAT长难句300例精讲精练》

读长难句的能力将会直接决定阅读速度和对于题目的理解，并且会影响对后文中涉及的GRE阅读方法论的运用。请各位考生务必掌握《GRE/GMAT/LSAT长难句300例精讲精练》一书中"使用说明"部分的长难句的分析方法。

3.《GRE阅读白皮书》

掌握了单词、短语和长难句这些基本语言能力后，就可以开始训练GRE篇章阅读能力了。《GRE阅读白皮书》共收录204篇GRE经典阅读文章，按照阅读知识点进行分类整理，适合GRE备考初期用来训练正确的阅读方法，提升阅读的准确度和速度。

4.《GRE语文高频题目精练与精析》

    共收录40篇GRE阅读和逻辑题解析，与本书题目不重复，可用作考前冲刺练习的材料。

五、结语

    上述GRE阅读之道、法、术、器，只是给各位考生的备考提供了一条经大量考生检验行之有效的道路，最终阅读实力的提升和取得满意的成绩则离不开各位考生大量有效的练习。希望各位考生在学习本书的过程中，不要囫囵吞枣，一味刷题，求量而不求质，要做到一步一个脚印，仔细研读书中解析，找出自身差距，争取每一篇文章、每一道题目都能学有所获，有所启发。

目录

Unit 03　Medium 模式（上）

Unit 04　Medium 模式（下）

Unit 05　Hard 模式

Unit 06　Practice Tests: Set One

Unit 07　Practice Tests: Set Two

Unit 08　Practice Tests: Set Three

Unit 09　Practice Tests: Set Four

逻辑篇

Unit 01 逻辑方法总论

Unit 02 削弱题

Unit 03 假设题

Unit 04 加强题

Unit 05 评价题

Unit 06 解释题

Unit 07 结论题

Unit 08 Boldface 题

附录

阅读篇

题目原文下载1

题目原文下载2

阅读视频课

Unit 01

必做 30 篇

题目原文下载1　　题目原文下载2

GRE 会教你两件事情：成绩让你明白何谓"念念不忘，必有回响"；过程让你明白为了一个目标，你可以逼迫自己到怎样一个程度。

——黄天成
新加坡南洋理工大学
微臣教育新加坡线下班
2019 年 8 月 GRE 考试 Verbal 169

Passage *001* 扫描"题目原文下载"二维码下载题目 [1]

民法为什么＿＿＿＿＿＿＿＿

原文翻译

❶历史学家弗雷德里克·威廉·梅特兰观察到，法律文件是最好的——实际上，通常也是唯一的——关于某个特定时期经济和社会历史的可用证据。❷那么，为什么历史学家花了如此长的时间才开始系统化地研究早期近代英国（16~18世纪）的民事法律（非刑事法律）呢？❸梅特兰提供了一个理由：这一研究主题要求研究者"精通一套极其正式的辩护和程序体系"。❹但是，那些研究这些法律文件的人所面临的复杂问题和同一时期英国刑法历史学家所刚刚克服的复杂问题并非完全不同。❺对于历史学家忽略了这一研究主题的另一可能的解释是他们所广泛持有的假设：早期近代英国的大多数人几乎没有接触过民法。❻如果真的是这样，法律问题的历史就不会和普遍历史研究有多大关系了。❼但是最近的研究表明，这一时期的民事诉讼涉及工匠、商人、专家、店主以及农民，并不仅仅局限于有限的有资产的男性精英。❽除此以外，16世纪后期和17世纪早期男性和女性的民事诉讼都有了惊人的增长，使得这一时期成为英国历史上人均最爱打官司的时期。

3s 版本

❶法律文件是最好的。

Why, then ❷民法研究得很晚。

❸原因一：民法难。

Yet ❹不是因为难。

❺❻原因二：民法用的人少，所以没必要研究。

But ❼❽民法用的人很多。

全文3s版本：民法为什么研究得晚。

文章点拨

❶❷句的功能在于制造矛盾。既然法律文件是最好的资料，那么民法作为法律文件的一种，为什么如此晚才被研究呢？

第❷句中 focus 一词是瞬时动作，因此本句只能理解成"花了很长时间才开始研究民法"而非"花了很长时间一直在研究民法"。

第❷句中 why then 这一组合翻译成"那么为什么"，通常用于和前句的内容构成矛盾，引发后文进行解释。

第❸句提出原因一，认为因为民法太难，所以被忽略了。第❹句借助刑法，通过说明刑法和民法都很难，但是刑法没有被忽略，来排除"难"这一因素。

第❺❻句是原因二，认为因为用的人少，所以民法没有被研究的价值。第❼❽两句通过列举证据说明当时和民法有关的人很多，来反驳原因二。

全文最终没有得到民法被忽略的原因的定论，因此主旨句是第❷句所提出的问题。

---

[1] 扫描书中任意一处的"题目原文下载 1"或"题目原文下载 2"即可获取题目原文。

题目讲解

1. 文章提到早期近代英国的刑法历史和同一时期的民法历史之间的区别在于刑法历史

   A.（错误）对于历史学家和它们的读者来说更有学术兴趣

   B.（正确）被历史学家研究得更加彻底

   C.（错误）和普遍社会历史更相关

   D.（错误）包含对更大比例人口的研究

   E.（错误）并不要求精通极其正式的辩护和程序

解析：B：根据第 ❹ 句可知，刑法和民法一样难，但是刑法没有被忽略，因此选项 B 正确。

   A：文中未提及。

   C：是否和普遍的社会历史相关是在原因二中讨论的，本题定位原因一，因此定位错误。

   D：文中未提及。

   E：表述相反。

2. 本文作者提到在早期近代英国参与民事诉讼的人的职业，最有可能的目的是

   A.（错误）表明大多数历史学家关于那一时期的民法系统的参与者的假设有可能是正确的

   B.（错误）支持一种理论，该理论认为相比于那一时期英国的刑法系统，更多的人参与了民法系统

   C.（错误）反驳一种声称，该声称认为法律问题更多地揭露出一个国家的普通公民，而不是精英

   D.（正确）阐明在那一时期使用英国民法系统的人的多样性

   E.（错误）表明关于参与早期近代英国法律系统的人的最新数据有可能是不正确的

解析：D：本题是功能题，答案就是定位句 3s 版本。本题定位到第 ❼ 句，3s 版本就是参与民法的人多，因此选项 D 正确。

   A：表述相反，assumptions 指参与民法的人少，而本句的目的是用来说明参与民法的人多。

   B：刑法属于定位错误，本文没有提及参与民法和刑法的人数对比。

   C：本文没有提及精英和普通公民之间的对比。

   E：定位句本身就相当于"数据"，不可能认为自己是不正确的。

3. 以下关于"广泛持有的假设"的表述，哪一项是文章作者提到的？

   A.（错误）因为这一假设是对的，因此专注于普遍社会历史的史学家和专注于法律历史的史学家对于民法的历史同样感兴趣。

   B.（正确）因为这一假设是错的，因此早期近代英国的民法历史可以补充那一时期的普遍历史研究。

   C.（错误）这一假设是基于对早期近代英国的有资产男性精英的错误数据。

   D.（错误）这一假设没有为历史学家为什么没能研究早期近代英国的民法提供一种可信的解释。

   E.（错误）这一假设基于和早期近代英国的刑法的类比。

解析：B：本题正确选项是 B，选项 B 相当于同义改写了第 ❻ 句这一虚拟语气的实际情况。这句话的字面含义是"假设是正确的"，因此实际情况是"假设不对"，对应选项 B 中的 Because it is inaccurate；字面含义"法律历史和普遍社会历史研究无关"，实际情况"法律历史和普遍历史研究有关"，选项 B 中用 enrich 体现了民法历史和普遍历史的相关性。

   A：Because it is true 表述相反，因为这一假设是错的。

   C：这一假设和有资产男性精英的数据无关，并不是基于错误数据。

D：错在 failure。failure=not，但是由第 ❷ 句可知，民法不是没有被研究，只是研究得太晚了。

E：刑法属于定位错误，该假设没有和刑法类比。

Passage 002

彗星是_____的

原文翻译

❶研究行星形成的天文学家曾经认为彗星一定是组成外部行星材料的纯洁的残骸，因为彗星大多数待在遥远的奥尔特星云，那里的温度接近绝对零度。❷认为彗星是纯洁的残骸这一观点从20世纪70年代开始发生转变，当时实验室模拟表明有足够多的紫外辐射到达彗星使得其表面变暗，并且还有足够多的宇宙射线会改变彗星表面附近的化学键甚至是分子结构。❸尽管如此，天文学家依然认为当彗星接近太阳的时候——也是他们可以研究彗星的地方——太阳巨大的热量会去除被腐蚀过的表面，暴露出彗星的内部。❹然而，与此同时，科学家们意识到彗星可能含有衰变的放射性同位素，这些同位素会使彗星内部的温度升高，使其内部发生变化。

3s 版本

❶纯洁。

shift away ❷不纯。

Nevertheless ❸纯洁。

, though, ❹不纯。

全文3s版本：**彗星是不纯洁的。**

文章点拨

1. 很多人读完这篇文章会觉得文章是在引用不同观点，而对于彗星是否纯洁没有给出定论。其实本文最终是有结论的，那就是彗星是不纯洁的。与一般引用不同观点的文章不同，这篇文章的每一句都是在批判了前一句话之后才抛出本句的观点。

第 ❶ 句是天文学家的观点，他们认为既然彗星待在接近绝对零度的地方（通常认为绝对零度的地方不会发生化学反应），那么彗星就应该是纯洁的。

第 ❷ 句实验室模拟认为，就算是在接近绝对零度，足够的紫外辐射和宇宙射线也可以让彗星发生变化，因此第 ❶ 句被反驳。

第 ❸ 句 Nevertheless 说明天文学家承认了第 ❷ 句的批判，但是他们认为当彗星接近太阳的时候，那些被紫外光线所侵蚀的部分会被太阳的热量所去除。

第 ❹ 句科学家却认为，即使彗星受腐蚀的表面被去除了，自身的衰变的放射性同位素也会让彗星的内部变得不纯。

因此，本文最后得出结论：彗星不纯。

2. 在大多数情况下，though 在句子里充当连词时的含义是"虽然"，表示句内的对比关系；但是当 though 单独存在于两个逗号中间或者置于句尾时，though 就可以起到句间转折的作用，表示句子与句子之间的取反关系，这时的 though 在功能上等于 however。

《韦氏词典》的解释如下：

though：*adv.* used when you are saying something that is different from or contracts with a previous statement.

例：If water flowed for an extended period, researchers reasoned, it should have altered and weathered the volcanic minerals, creating clays or other oxidized, hydrated phases. It turns out, though, that the scientists were not looking closely enough.

分析：though 之前的一句话表明研究者的观点，though 所在的那句话却说"这些科学家并没有足够仔细地观察"，表明否定前一句的观点。前后两句在内容上取反，因此 though 在这里起到句间转折的作用。

译文：研究者们推断，如果水长期流动的话，它就会改变并且侵蚀火山矿物质，产生黏土或者造成其他氧化的含水状态。然而，结果却表明这些科学家并没有足够仔细地观察。

3. 注意，第 ❷ 句的 shift 是名词。该部分的分析如下：

The conceptual shift (away from seeing comets as pristine relics) began [in the 1970s]...

The conceptual shift 是主语，away from seeing comets as pristine relics 是介词结构作后置定语修饰主语，本句话的谓语是 began。

题目讲解

1. 根据文章，天文学家认为下列哪一项或哪几项导致彗星发生了变化?
   A.（正确）宇宙射线
   B.（错误）放射性衰变
   C.（正确）紫外辐射

解析：A、C：本题问的是天文学家的观点，因此定位到 ❶❸ 两句。第 ❶ 句认为彗星是纯洁的，排除。第 ❸ 句天文学家承认了第 ❷ 句彗星不纯洁的理由，包含紫外辐射和宇宙射线，因此选项 A、C 正确。

　　　　B：干扰选项，定位在本文最后一句话，这句话是科学家说的，不是天文学家的观点。

2. 根据本文，天文学家认为彗星是纯洁的残骸这一观点
   A.（错误）被对彗星接近太阳时所发生的事情的分析所推翻
   B.（错误）被通过观察所揭露出的外部行星的组成所支持
   C.（正确）基于对彗星所在地方的普遍环境条件的考虑

解析：C：彗星所在地方的普遍环境条件指的是第 ❶ 句中的绝对零度的奥尔特星云，prevail 对应 mostly，因此选项 C 正确。

　　　　A：对彗星接近太阳时所发生的事情的分析对应第 ❸ 句，该句支持了彗星是纯洁的这一观点。

　　　　B：彗星纯洁与否和外部行星的组成无关。

本文的另一种题目版本：

3. 作者认为文章最后一句话描述的结果具有下列哪一种影响？

    A.（错误）最后一句话为对行星形成感兴趣的天文学家提供了一个新的话题。

    B.（错误）最后一句话使得天文学家采取了大量不同的策略用于确定彗星内部的组成。

    C.（正确）最后一句话质疑了天文学家针对彗星所做的假设。

    D.（错误）最后一句话质疑了天文学家研究彗星内部的能力。

    E.（错误）最后一句话使得天文学家修正了他们对于外部行星组成的解读。

解析： C：本题属于功能题，正确答案是定位句 3s 版本。由最后一句的句间关系可知，该句的功能在于反驳前一句，因此选项 C 正确。

    A：无关选项。

    B：无关选项。

    D：最后一句反驳的是前一句天文学家的观点，而非天文学家的能力。

    E：最后一句只是反驳了天文学家的观点，没有使天文学家修正自己的观点。另外，文章讨论的是彗星是否纯洁，这和外部行星的组成无关。

4. 从文章能推断出，作者最同意下列哪一项或哪几项关于"实验室模拟"的陈述？

    A.（正确）这些模拟表明尽管奥尔特星云温度很低，但是那里有充分的能量可以改变彗星。

    B.（错误）天文学家一开始不情愿接受模拟所揭露出来的彗星的组成。

    C.（正确）这些模拟本身没有排除一种可能性，即彗星含有来自太阳系早期物质的纯洁残留物。

解析： A：由【文章点拨】可知，第 ❷ 句的实验想要表明的是：即使奥尔特星云是绝对零度，紫外射线等依然可以让彗星不纯，因此选项 A 正确。

    C：第 ❷ 句只能表明彗星的表面不纯，但是内部依然有可能是纯的，因此选项 C 正确。

    B：由【文章点拨】可知，第 ❸ 句天文学家其实承认了第 ❷ 句彗星不纯的理由。

Passage 003

麦卡锡杂文中的_____更值得关注，并对杂文创作起到积极作用

原文翻译

> ❶评论界一致认为玛丽·麦卡锡将主要被当作一位杂文家而非一位小说家被人记住。❷但是，尽管她拥有令人敬畏的思辨和**分析**天赋，尽管她因为是一位将情感牺牲给理性的学者而有了名气，但是使得麦卡锡最好的杂文充满力量的是她创作小说的天赋，而非完全是学术天赋。❸她通过讲故事或者通过描述、吸引人的图像以及微妙的角色描写来阐明她的观点。❹尽管她对于事实有精确的感受，但是麦卡锡最大的贡献在于模糊了非诗歌类文学作品之间的区别，在于展示了小说如何能够给杂文家赋予灵感，以及杂文如何能够获益于小说的写作技法。

⤵ 3s 版本

❶麦卡锡是杂文家（essayist）。

But ❷麦卡锡的杂文中小说占主导力量。

❸❹展开说明小说在杂文中的呈现形式。

全文3s版本：麦卡锡杂文中的小说更值得关注，并对杂文创作起到积极作用。

⤵ 文章点拨

1. 注意本文内容上的程度差异，本文没有否认麦卡锡是一位杂文家，而是说她既是杂文家又是小说家。

2. 本文是文科文章，全篇都在对"杂文"和"小说"进行对比，用到的同义替换有：

杂文：essay、polemical、discursive、intellectual、make her points、exacting sense of fact、thinking mind，由这些同义替换可以看出，文中的 essay 很像学生在学校写的 essay，偏学术；小说：novel、feeling、fictional、telling stories、way of description, arresting images, and subtle characterization。

注意，第❹句中的 prose 表示非诗歌类文学作品，既包含杂文也包含小说，而不是通常翻译成的"散文"。

⤵ 题目讲解

1.　文章作者认为玛丽·麦卡锡的作品特点是

　　A.（正确）在她的杂文中使用了小说里更常用的写作技法

　　B.（正确）缩小了叙述文和说明文的区别

　　C.（正确）认真关注事实的准确性

解析： A：devices more typical in works of fiction 可以对应第 ❸ 句的 ways of description, arresting images, and subtle characterization，或者对应第 ❹ 句的 the techniques of fiction。

　　B：对应第 ❹ 句的 blur the distinctions between different kinds of prose writing。narrowing=blur，differences=distinctions，narrative and expository=different kinds of prose writing。

　　C：对应第 ❹ 句的 exacting sense of fact。careful attention=sense，factual=fact，accuracy=exacting。

2.　根据文章上下文，"discursive"的含义是

　　A.（错误）多产的

　　B.（错误）诡辩的

　　C.（错误）混乱的

　　D.（正确）善于分析的

　　E.（错误）迂回的

解析： D：这道题目是词汇题，本题可以根据上下文进行推断。首先，根据第 ❷ 句 gift 一词可知 discursive 是褒义词，因此答案可以锁定 A 和 D。同时根据文章内容，这个单词在含义上应该和 essay 有关，因此 D 正确。这道题显示出了 GRE 阅读词汇题"熟词僻意"的考查倾向。discursive 最常见的含义是"混乱的"，因此很多考生受到迷惑会选择选项 C，但是这篇文章中的 discursive 考查的是另一个不常见的含义"善于分析的"。《韦氏词典》的释义如下：marked by <u>analytical</u> reasoning。

Passage  004

人类的_____被挑战

❤️ **原文翻译**

> ❶在1980年代，对构成我们感知意识的大脑过程进行研究的神经科学家将受试者对主观移动意愿的感知（W）和对实际移动的感知（M）同客观的脑电图活动（称为准备态电势，简称RP）进行了比较。❷正如人们所期待的，W超前于M：研究对象有意识地感知到移动的意愿超前于实际移动的有意识体验。❸这一点似乎表明主观体验的次序和大脑中潜在事件的次序之间存在适当的一致性。❹但是实际上研究者发现，主观体验和客观测量的神经事件之间存在着令人惊讶的时序关系：与传统的自由意志概念构成直接矛盾的是，神经对移动所做的准备（RP）超前于对移动意愿的有意识感知（W）几百毫秒。

❤️ **3s 版本**

❶神经科学家将人类神经活动的主观过程和客观过程进行了比较。

❷对于移动意识的感知超前于对于实际移动的感知（W→M）。

❸主观意愿超前于客观动作（人类有主观意志）。

But ❹客观动作反而超前于主观意愿，即人类的主观意志被挑战（RP→W）。

全文3s版本：人类的主观意志被挑战。

❤️ **文章点拨**

本文的题材属于理工科中非常难的一类——神经科学类。同样题材的文章考生还可以参考《GRE 阅读白皮书》中的 Passage170。

为了便于考生理解本篇文章，我们用一个例子来描述本文所提及的实验：一些神经科学家分析一个人在网上购物时的神经活动，比如这个人正在点击鼠标购买一件他喜欢的商品。文中的 W 指的是人们对于主观移动意愿的判断，即这个人知道自己想要买这件商品。M 指的是对于实际移动的判断，即这个人知道自己已经点击鼠标买了这件商品。而 RP 指的是客观的神经活动，即这个人在点击鼠标的时候大脑神经系统实际发生的生物化学过程，或简单理解为"点击鼠标"这个动作本身。

W 当然要超前于 M（第 ❷ 句），因为这个人肯定要先意识到自己想买这件商品，之后才能意识到自己已经点击鼠标买了这件商品。

第 ❸ 句其实是个让步句（从 might 一词可以看出），而这句话的 As expected 则表明此前人们已经做过一些实验得到结论（老观点），这些老观点认为主观过程会超前于客观过程，于是 1980 年代所做的新研究也应该可以证明主观超前于客观。

但是第 ❹ 句的 in direct contradiction of the classical conception of free will 可以表明，其实新观点和老观点不一致。新的实验表明 RP 超前于 W，即那个人点击鼠标的动作是发生在他意识到自己想点击鼠标之前的。

这个实验颠覆性地证明了人类潜意识的存在以及人类其实是没有自由意志的。如果人类有自由意志，那么实验中的人肯定应该先意识到自己想要买这件商品，然后才能点击鼠标买下这件商品。但是这个实验则证明，这个人其实是先点击鼠标买了这件商品，然后大脑才意识到自己想要买。那么在人类大脑意识到自己想要买商品之前，帮助人类做出点击鼠标进行购买的动作的便是"潜意识"。所以，人们做了某件事情，可能并不是他们想做这件事，而是被"潜意识"所控制，因此人类没有自由意志。

尤瓦尔·赫拉利的《人类简史》对上述实验和结论有过描述。美剧《西部世界》的情节也体现了上述结论。

题目讲解

1. 基于文中信息，下列哪一项事件链最贴近自由意志的传统理论？

   A.（正确）W → RP → M

   B.（错误）RP → W → M

   C.（错误）M → W → RP

   D.（错误）RP → M → W

   E.（错误）RP 发生之后，W 和 M 同时发生（RP → W+M）

解析：A：本题考查的是老观点中 W、M、RP 三者的发生顺序。根据第 ❷ 句 As expected，可知新老观点都认为 W → M。最后一句中的新观点证明 RP → W，而这与传统概念相矛盾，因此老观点认为 W → RP。因此，老观点存在两种可能：W → M → RP，或者 W → RP → M，故选项 A 符合。

2. 根据文章上下文，"temporal"最接近的含义是

   A.（错误）世俗的

   B.（错误）世俗的，平凡的

   C.（错误）数量的

   D.（错误）生理的

   E.（正确）时序的

解析：E：根据最后一句话可知，temporal 在文中表示"和时间有关的"，因此选项 E 正确。

3. 文章作者提及自由意志传统概念的主要目的是

   A.（错误）证明之前关于某些大脑过程的理论是基于错误的假设

   B.（错误）表明文章所讨论的进行研究的神经科学家的推理可能有瑕疵

   C.（错误）为神经科学家所得到的出乎意料的结论给出可能的解释

   D.（错误）质疑神经科学家关于大脑过程时序的结论

   E.（正确）表明神经科学家的研究令人惊讶的原因

解析：E：本题考查老观点的功能。老观点的出现往往是用来衬托新观点的，所以选项 E 正确。

A、B、D：通常老观点是被新观点反驳的，本文的新观点指的就是神经科学家的结论，而选项 A、B、D 都说明老观点质疑新观点，这是不合理的。

C：既然老观点会被新观点反驳，老观点也就不能解释新观点，故排除选项 C。

Passage 005

没有_____的情况下也可能存在生命，并推测木卫二可能有生命

原文翻译

❶在地球发现了地表以下的生命，它们独立于地表生命而存在，这一发现反驳了认为生物过程不仅仅需要液态水还需要阳光的观点，因此极大地提升了地球之外存在生命的可能性。❷以木星的卫星木卫二为例。❸太空探测器表明这是一个覆盖着厚厚的一层冰的天体。❹但是，随着木卫二围绕着它的行星运行，它会在自身、姐妹卫星和木星之间的引力作用下发生扭曲。❺通过摩擦，这种扭曲在卫星内部产生的热量足以熔化冰。❻尽管那里不可能存在依赖光合作用的生命，因为那里几乎没有阳光，但是一些可以在土地深层活跃的微生物依然可能存在。

3s 版本

❶没有阳光（但有液态水）的情况下也可能存在生命。

❷❸木卫二有冰（没有液态水）。

however ❹木卫二在引力作用下会发生扭曲。

❺扭曲产生摩擦导致冰化成了水。

小结：❹❺封装，证明木卫二有液态水，与❷❸取反。

❻木卫二没有阳光，但是可能有生命。

全文3s版本：没有阳光（但有液态水）的情况下也可能存在生命，并推测木卫二可能有生命。

文章点拨

1. 本文第❶句，地表之下发现的生命反驳了一种观点，这种观点是生命既需要液态水，也需要阳光。注意，反驳之后得到的结论是生命可以没有阳光，但是要有液态水。

2. 本文的论证逻辑是：通过地球地表之下发现了生命这一事实得出一个假说：没有阳光也可以有生命。基于这一假说得出一个推论：没有阳光的木卫二上也可能有生命。注意，这只是一个推论，木卫二究竟有没有生命这一点在本中没有被验证。

题目讲解

1. 文中提及的木卫二上的生命形式会依赖于

A.（错误）木卫二冰层提供的保护使生命免受阳光的有害物质

B.（正确）木卫二上存在水

C.（正确）木卫二围绕木星的运动

解析：B、C：根据本文，在木卫二上要想形成生命，其流程是：围绕木星转→扭曲→摩擦→产生热量→融化冰→水→生命，因此选项B、C正确。很多考生认为选项C不对，因为根据上面的流程，"围绕木星转"这个条件离形成生命"太远了"。注意，题干中的 depend on 是逻辑题中假设题的题型关键词，

A depend on B 等于是在说"A 是 B 的前提",根据逻辑题关于"假设"的定义,得出结论之前的内容都是假设,所以只要是在上面流程中的因素,都是木卫二上形成生命所依赖的条件。

A:文中未提及。

2. 标黑体句子"以木星的卫星木卫二为例"用于引出

A.(错误)使得一个假说得以验证的例子

B.(正确)基于实证性发现的推断

C.(错误)来自新的被提出的假说的推断

D.(错误)一个明显不重要的偶发事件的大规模影响

E.(错误)用于反驳一个声称的矛盾的起源

解析:B:根据本文的论证流程,木卫二有生命是一个推论(对应选项 B 的 speculation),它是基于地球地表下发现了生命这一事实(对应选项 B 的 empirical discovery),因此选项 B 正确。

注:empirical:实证性的(originating in or based on observation or experience),基于观察、体验和实验的都称之为 empirical,原文中地球地表下发现生命是一个客观的观察。

A:a hypothesis 对应"没有阳光也可以有生命",但是使得这个假说得以验证的例子是地球,而非木卫二,木卫二是基于这个假说得到的推论,该项可以改成:an instance derived from a hypothesis。

C:文中看不出"没有阳光也可以有生命"这一假说是新被提出的。

D:a large-scale effect 和 insignificant contingency 在文中没有对应。

E:a contradiction 在文中没有对应。

Passage 006

希拉·奥格尔维认为不需要培训这一观点<u>对/不对</u>

 **原文翻译**

❶历史学家希拉·奥格尔维反驳了一种观点,这种观点认为1560年至1760年的欧洲手工业行会的培训是必要的。❷但是,她的主要证据只是建立在一个行会的女性雇员上。❸就像大多数其他的行会一样,维尔德堡纺织工人行会禁止女性成为技工;但是,它排除了技工的遗孀。❹实际上,遗孀们在所有技工中占14%。❺奥格尔维认为这些"没受过培训的"遗孀证明了"培训的不必要性"。❻但是维尔德堡中成为技工的遗孀们并不是未受过培训的,正如奥格尔维在别的地方所注意到的那样,妻子和孩子与技工一起工作,她们的培训有可能是不正规的,但尽管如此,这些培训确实是存在的。❼至少80%的遗孀嫁给技工的时间要长于标准的六年学徒期,并且剩下的人里又不知道有多少人是在纺织家庭中长大的。

3s 版本

❶奥格尔维认为不需要培训。

however ❷奥格尔维不对(需要培训)。

❸❹遗孀可以成为技工。

❺奥格尔维认为这些遗孀可以说明培训是不必要的。

But❻❼这些遗孀经受的是潜移默化的培训。

小结：❸❹❺广义封装，说明培训是不必要的，再与❻❼But封装，说明这些遗孀经受的是潜移默化的培训，与❷顺承，所以全文主旨句在❷。

全文3s版本：奥格尔维认为不需要培训这一观点不对。

文章点拨

第❶句的 view 之后的内容是奥格尔维质疑的内容，因此可知奥格尔维的观点是"不需要培训"。

第❷句 however 与上一句取反，因此本句表达的是奥格尔维的观点不对，即培训是必要的。

第❸❹句描述了一个事实：维尔德堡行会中的遗孀可以成为技工。这两句话的内容和需不需要培训无关，因此可以预知需要做"广义封装"来和第❷句取同。

第❺句应该和前两句取同，但是讲的是奥格尔维的观点，认为不需要培训。因此，如果我们把❸❹❺广义封装，这三句话组成的整体是一个递进结构，主旨在第❺句，即"不需要培训"，但是因为这三句话整体上没有出现取反标志，因而应该和第❷句取同，即"需要培训"。所以❸❹❺广义封装后和第❷句应该取同，结果取反，于是预知应该做 But 封装。

第❻❼句说明遗孀经受的是潜移默化的培训，因此和❸❹❺作 But 封装后，整体的句义与第❷句取同，因此全文主旨是第❷句，批判奥格尔维的观点，认为培训其实还是必要的。

题目讲解

1. 根据上下文，最后一句话的主要功能是

   A.（正确）提供证据以削弱奥格尔维的论证中的核心观点

   B.（错误）总结奥格尔维引用的用来支持她分析的数据的最重要的方面

   C.（错误）阐明维尔德堡纺织工人行会和同时期其他手工业行会是多么的不同

   D.（错误）量化了维尔德堡中成为技工的遗孀通常所接受的正规培训的数量

   E.（错误）澄清了成为技工的遗孀作为行会成员的地位的模糊性

解析：A：本题是功能题，正确答案是定位句 3s 版本，即"这些遗孀经受的是潜移默化的培训"。a central claim 对应"不需要培训"这一观点，undermine 则说明"需要培训"，与定位句 3s 版本一致。同时，最后一句话是客观事实，因此对应 evidence。

B：定位句用来反驳奥格尔维，而非总结。

C：本文没有讨论维尔德堡和其他行会的不同。

D：表述错误，遗孀经受的培训应该是不正规的。

E：文章没讨论遗孀的地位。

2. 作者对奥格尔维的论证的评价主要关注奥格尔维

   A.（错误）过度地概括了一个非典型行业的研究

   B.（错误）没能够将正规的学徒培训和随后的实践经历区分开来

   C.（正确）对某些行会成员没有接受培训的假设

D.（错误）没有充分承认一个行会规矩的某些例外

E.（错误）尝试将一种虚假的一致性强加到一段历史时期之中

解析： C：本题相当于问奥格尔维的论证缺陷是什么。根据文章，奥格尔维的问题在于认为遗孀没有受过培训，但是实际上她们受到潜移默化的培训。选项 C 的 certain guild members 便是对应那些成为技工的遗孀。

A：an atypical industry 在文中没有对应。

B："正规的学徒培训和随后的实践经历"指的都是那些经历过正规培训的学徒，与遗孀无关。

D：exceptions 对应那些可以成为技工的遗孀（根据第 ❸ 句，通常情况下女性不能成为技工，但是遗孀就可以）。第 ❺ 句里奥格尔维对这些遗孀发表了评价，因此奥格尔维知道这些遗孀的存在，因此也表明了奥格尔维承认这些例外的存在。

E：an extended period in history 在文中没有对应。

Passage

关于火星北部盆地的形成过程提出了＿＿＿＿＿个可能性

原文翻译

　　❶什么导致了火星北部的低洼平坦的表面？❷在地球的表面，更高的和更低的区域拥有不同种类的地壳：其中一种，很薄并且密度很高，被地球引力强拉向了地球中心，地球的水自然地没过它，形成海洋。❸创造这种海洋地壳的过程驱动了板块构造。

　　❶火星的北部是否也是通过这种与火星其他区域不同的地壳所形成的呢？❷一些研究者确实在北部盆地的边缘看到了构造活动的痕迹，这说明盆地是通过新地壳的形成而形成的，就像地球的海洋盆地。❸但是，麦吉尔指出北部基岩的结构早于一些特征，据说这些特征标志着板块构造过程的开始。❹麦吉尔认为通过某种新颖的方式，这一古老的表面作为一个单独的整体下沉到了它现在的深度。❺这可以解释为什么盆地边缘的特征看起来比盆地地面的特征要年轻，（尽管）盆地边缘本应该随着表面的下沉而形成。

　　❶第三种可能性是北部低洼地带来自撞击。❷有些研究者认为这些洼地来自一系列相互重叠的大型撞击坑。❸其他人认为反驳这种撞击模式的可能性是非常大的，并提出了一个单一的事件——比现在的太阳系所包含的任何一个小行星都要大的天体的撞击。

3s 版本

　　❶提出问题：火星北部盆地是怎么形成的？

　　❷❸地球的盆地是通过引力给拉下去的。

　　第一段 3s：地球的盆地是通过引力给拉下去的。

　　❶提出猜想：火星的盆地是否也和地球盆地的形成过程一样？

　　❷一些研究者：火星盆地的形成过程和地球盆地的形成过程一样。

　　However ❸麦吉尔不认可这种观点。

❹❺麦吉尔认为火星盆地是通过一种新颖的方式形成的。

第二段 3s：两种观点：1. 火星盆地＝地球盆地；2. 火星盆地来自新颖方式。

❶第三种可能：撞击。

❷有的人认为撞了好几次。

换对象❸还有的人认为撞了一次。

小结：❷❸封装与❶取同。

第三段 3s：撞击形成了火星盆地。

全文3s版本：关于火星北部盆地的形成过程提出了三个可能性。

文章点拨

第一段：

通过第❶句这一特殊疑问句可知本文的主旨是讨论火星北部低洼地带的形成过程是什么，同时文章应该是总分结构。但是第❷句讲的却是地球的盆地如何形成，由此可知这里的地球只是论证火星的一个桥梁。作者先把地球盆地的形成过程讲明白了，后面的火星盆地的形成过程就更容易理解了。地球盆地的形成过程很好理解，就是通过引力把地壳下拉，形成洼地。同时第一段还起到了给第二段提供"背景知识"的作用：1）higher- and lower-lying areas have different types of crust 这句话我们要得到的信息就是只要地壳的厚度不一样，就被认为是不同种类的地壳，尽管这些地壳有可能是来自一块地壳；2）The processes that generate this oceanic crust drive plate tectonics 这句话则告诉我们，只要是通过引力下拉形成洼地的过程都称之为板块构造（plate tectonics）。

第二段：

第❷句提出本文第一种观点：火星盆地的形成过程和地球盆地的形成过程一样。这句话只要读懂 like ocean basins on Earth 便知其意。这句话中 signs of tectonic activity 暗示的便是火星盆地有引力下拉的迹象，new crust 的意思则是地壳下拉，中间部分变薄，便是新的地壳。

第❸句麦吉尔批判了前一句的观点。如果火星盆地的形成过程和地球盆地的形成过程一样，那么 bedrock 的形成会导致板块构造，但是麦吉尔的观察则是火星 bedrock 的结构特征早于标志着板块构造开始的特征。比如，如果火星盆地的形成和观点一一致，那么过程应该是 bedrock →板块构造，但是麦吉尔观察到的是 bedrock → feature →板块构造，也就是说，bedrock 依然发生在板块构造之前，但是发生得太早了，远远早于板块构造的开始，因此观点一被批判。第❹句麦吉尔提出了自己的观点，认为火星盆地是通过一种新颖的方式形成的。the ancient surface 指代前面的 bedrock。之所以是 ancient 是因为 bedrock 超前于板块构造的开始所应该具备的特征，因此"古老"。第❺句则是麦吉尔通过理论和现实的一致性来支持自己的理论。which would have formed as the surface dropped 这部分是虚拟语气，设想的是如果火星盆地的形成方式和地球盆地的一样，那么随着 bedrock 的下沉，盆地两侧的边缘就应该随之形成了，即 bedrock 和边缘是同一时间。但是实际观察到的是 basin's edge...seem to be younger than structures at its floor，即边缘晚于 bedrock/floor。据此，我们可以想象麦吉尔所谓的新颖观点应该是盆地底部的薄地壳早已存在，两边的部分是后来"上涨"形成的。

第三段：

本段提出第三种观点，认为火星盆地是撞出来的。但是这一观点也存在两个派别：一派认为因为撞了好多次的坑相互重叠之后变成了现在的大坑。还有一派认为只要撞一次即可，只是这个撞击者要比目前太阳系的任何小行星都要大。第❸句的语法分析如下：

Others [arguing that the odds (against such a pattern of impacts) are large], postulate a single event.

第一套主谓宾：Others postulate a single event。

第二套主谓宾：the odds are large。

题目讲解

1. 本文的主要目的是

   A.（错误）探索火星地质和地球地质可以类比的方面

   B.（错误）描述火星表面的某种特征是如何形成的

   C.（错误）指出新的数据对于一项科学研究所产生的影响

   D.（正确）总结一个大规模地质特征的可能解释

   E.（错误）呈现一个科学家的理论的推理过程，并且展现了其缺点

   解析：D：a large-scale geological feature 对应火星北部盆地，potential explanations 对应文中三种观点。根据第三段第❶句 The third possibility 可知，文中三种观点均为可能性的推测，没有定论，因此对应该项的 potential。

   A：文中未提及。

   B：如果选择选项 B 则表明关于火星盆地的形成过程在文中已经得到了定论。

   C：文中未提及。

   E：文中没有提及麦吉尔观点的缺点。

2. 下列哪一项关于地球的地质特征可以从文章中推断出来？

   A.（正确）地壳中最低洼区域的相对海拔在某种程度上是由行星内部的力量引起的。

   B.（错误）海洋盆地和周围的高度差大于火星北部盆地和周围的高度差。

   C.（错误）低洼区域是通过和形成了火星北部盆地的不同的过程形成的。

   D.（错误）海洋的重量不会影响海洋盆地的深度。

   E.（错误）海洋地壳的比例在上升。

   解析：A："相对海拔"可以是正数，也可以是负数。文中盆地的相对海拔是负数，"行星内部的力量"对应地球引力。

   B：文中未提及。

   C：文中未提及。

   D：文中未提及。

   E：文中未提及。

3. 如文中所示，麦吉尔对火星北部盆地的形成方式的解读和文中提及的其他理论的不同之处在于只有麦吉尔的观点

   A.（错误）解释了某些北部基岩特征的形成

   B.（正确）并没有明确指出导致北部盆地比周围更低的力量是什么

   C.（错误）认为北部盆地是一种无法和地球上任何地形相类比的地形

   D.（错误）否认了北部盆地的特征是板块活动所导致的

   E.（错误）将北部洼地的形成归因于行星内部的力量

解析：B：观点一的力量是引力，观点三的力量是撞击力，只有麦吉尔提出了"新颖的方式"，但没有明确指出产生盆地的力量是什么，因此选项 B 正确。

A：所有的观点都在解释北部基岩特征的行程。

C：观点三也没有和地球相类比。

D：观点三也否认了板块活动。

E：尚不清楚麦吉尔的观点是否是内部力量。

Passage **008**

科学被理想化了，科学自带_____性、_____性和_____性

📝 原文翻译

❶认为科学是由相对客观的知识所组成的稳定整体，法律可以利用科学来解决法律争议，这一期待看起来没什么不对。❷但是，这种期待通常意味着对于科学事业的浪漫化，因而不仅掩盖了科学本身的不稳定性和争议性，也掩盖了甚至是最好的科学的社会及舆论方面。❸我们看到法律中的科学被理想化了，只要有一种观点认为如果两位科学家有争论，其中一位一定是"垃圾科学家"。❹这一观点忽略了理论上的推断以及数据的局限性，而这些会导致真正的科学争议。❺同样，我们看到法律中的科学被理想化了，只要我们把"偏见、利益和动机"同不靠谱的科学知识产生关联。❻这种关联会错过那些**有着强烈的理论偏见、机构利益和经济动机的科学家**所带来的实践进步。❼最后，我们看到法律中的科学被理想化了，只要一位立法者、执政官或者法官想要从科学中获得确定性，而没有意识到科学或然性的本质以及动态的历史。❽承认科学辩论、科学方法论的传统方面、与出版物和拨款有关的社交和"社会资本"的重要性以及科学言论里具有说服力的方面，这些既不是对科学进步的批评，也不是夸大其词。❾认为这些特征在某种程度上标志着坏的科学就是把科学理想化了。

📝 3s 版本

❶科学是稳定的。

However ❷科学被理想化了，科学自带不稳定性、争议性和社会性。

❸❹科学的争议性。

❺❻科学的社会性。

❼科学的不稳定性。

❽❾科学被理想化了。

全文3s版本：科学被理想化了，科学自带不稳定性、争议性和社会性。

📝 文章点拨

本文的难点在于大量的同义改写以及多重否定的使用。

第❶句 3s 版本的归纳符合主干原则。本句主干是"The expectation...may seem benign."，这是一个表达观点的句子，重点是 expectation 的内容主干"science is a stable body"。

第❷句反驳前一句，并给出原因，因为科学本身具有不稳定性、社会性和争议性的特征。❸~❼句对这三个特征分别进行了展开。

第❸❹句对应的是科学的争议性。第❸句的含义是，在理想化的情况下，如果两位科学家发生了争论，有一位一定是错的（即"垃圾科学家"），因此科学不应该有争议，但这是理想化的情况，那么现实就是科学应该有争议。第❹句的 genuine scientific disputes 便是在肯定科学的争议性。

第❺❻句对应科学的社会性。bias, interest, and motivation 都具有社会性特征。第❺句认为这些社会性特征会和不靠谱的科学产生联系，这是一种理想情况。因此在现实情况中，这些社会性特征是靠谱的。

第❻句的含义是，如果社会性表示不靠谱的科学，人们就会错过真正的科学进步，那么承认科学的社会性就会让人们意识到真正的进步，因此科学应该有社会性。

第❼句对应科学的不稳定性。这句话的前半部分提到，想要从科学中获得确定性就是在把科学理想化，所以现实情况中科学是不确定的。后面的"或然性""动态"均表明科学的不稳定性。

第❽句采用主语倒装，承认科学的三方面特征既不是批判科学也不是在夸张，也就是说我们应该认可科学的这三方面特征。

第❾句：这三方面特征＝坏科学＝理想化⇨三方面特征＝好科学＝现实。

🔎 **题目讲解**

1. 文章的主要目的是
   A.（正确）解释为什么关于科学的一种特定观点是有问题的
   B.（错误）解释关于科学的一种特定观点为什么流行
   C.（错误）呈现关于科学知识的本质的一场辩论
   D.（错误）表明科学证据不能解决法律争议
   E.（错误）研究用于解决科学争议的特定方法的缺陷

解析： A：a particular view of science 指科学被理想化。全文都是在反驳这一观点，因此选项 A 正确。

B：文中未提及 prevalence。

C：本文没有呈现辩论，因为本文立场很明确，那就是科学被理想化，科学应该具有争议性、社会性和不稳定的特征。

D：将科学用于解决法律争议只是第❶句中的细节。

E：文中未提及 a particular approach。

2. 作者认为下列哪一项会导致一位科学家被误认为是垃圾科学家？
   A.（错误）一位科学家误解了用于支持一个特定声称的数据的结论性。
   B.（错误）一位科学家被要求在一个争议中作证，这个争议被大多数非科学家认为过于技术性。
   C.（错误）一位科学家被要求在一个争议中作证，这一争议包含超出科学知识领域之外的问题。
   D.（正确）一种普遍的观点认为好的科学解决争议，有利于得出一个单一有效的结论。
   E.（错误）一种普遍的观点认为大多数科学家经常操纵证据来达成想要的结果。

解析： D：根据 junk scientist 定位到❸❹两句。这道题考查的是什么原因会导致一位科学家被误认为是垃圾科学家，答案应该是科学没争议，因此选项 D 正确，"得出一个单一有效的结论"即表明科学没争议。

A：和本题无关。

B：和本题无关。

C：和本题无关。

E：和本题无关。

3. 作者提到"有着强烈的理论偏见、机构利益和经济动机的科学家"的主要目的是

A.（错误）解释为什么关于科学理想化的观点是有价值的，即使它有时会导致站不住脚的假设

B.（错误）指出即使是出于好意的科学家也可能会低估那些可以把他们的结论往某个方向扭曲的因素

C.（正确）表明经常被认为会玷污科学作品的趋势不见得能排除掉有价值的科学成就

D.（错误）将被误认为是"垃圾科学家"的那种研究者同那些工作取得了有价值的科学进步的科学家进行了区分

E.（错误）强调了一种观点：科学证据可以被用于支持一些无法相互融合的说法

解析：C：根据题干可知，答案定位到"社会性"。tendencies 对应第 ❺ 句的 bias, interest, and motivation，即社会性特征。contaminate 对应 unreliable，valuable scientific achievements 对应 practical advances。选项 C 想表达的是"科学的社会性会带来真正的科学进步"，这是文中关于社会性的态度，正确。

A：作者提及科学社会性的目的肯定是反对科学理想化，而选项 A 支持科学理想化，与作者的目的相反。

B：文中未提及。

D：junk scientists 定位错误。

E：文中未提及。

Passage  009

美国民权运动极大地归功于_____

📖 原文翻译

❶1950年代开始并且在1960年代和1970年代达到顶峰的美国民权运动极大地归功于非裔美国人报纸。❷这并不是说非裔美国人报纸开启了民权运动时代。❸但是，通过使用一种引人注目的号召性报道的形式而非标准的客观新闻风格，非裔美国人报纸持续地从1950年代开始推动着非裔美国人去追求更多的权利，这使得1950年代开始推动民族平等的人相比非裔美国人报纸不存在的时候能够站在一个更高的起点。❹这一点被很多美国人所忽略，他们似乎认为民权运动时代爆发于一个静止的、犹如一个休眠中的喷泉。❺但那并不是历史真实的样子。

📖 3s 版本

❶民权运功极大地归功于非裔美国人报纸。

This is not to suggest ❷非裔美国人报纸导致了民权运动。

But ❸非裔美国人报纸对民权运动起到了推动作用。

小结：❷❸封装，与❶取同。

❹这一点被很多美国人所忽略，他们认为民权运动由静止中爆发。

But ❺历史的真相是民权运动极大地归功于非裔美国人报纸。

小结：❹❺封装，与❸取同。

全文3s版本：美国民权运动极大地归功于非裔美国人报纸。

题目讲解

1. 文章的主要目的是
   A.（错误）挑战一个特定的学术观点
   B.（错误）确定一个历史发展的特定原因
   C.（错误）呈现对于一个长期存在的辩论的总结
   D.（错误）解释一个有缺陷的理论的起源
   E.（正确）纠正一个普遍持有的误解

解析：E：本文属于"老观点—批判—新观点"结构的文章。第❹句是本文所要批判的观点：民权运动爆发于静止。第❺句是批判，认为历史的真相并非如此。❶~❹句是本文作者的观点，认为民权运动归功于非裔美国人报纸。选项E的correct意为"纠正"，既有批判也有新观点；a commonly held misconception 对应第❹句的 many Americans。

A：challenge只包括了批判，没有包含新观点，这是驳论文主旨题常选的选项。另外本文反驳的是 many Americans 的观点，这不一定是 scholarly。

B：第❷句已经明确说明非裔美国人报纸不是民权运动的原因。

C：debate表明两个观点不分对错。

D：没有讨论理论的"起源"。

2. 根据文章，非裔美国人报纸为民权运动做贡献主要是通过
   A.（错误）揭露出一般来说很客观的报纸解读中的偏见
   B.（错误）将运动的领导者和当地社区进行连接
   C.（错误）给领导者提供了平台可以使他们被更多人听到
   D.（正确）为之后的民族努力打下了根基
   E.（错误）为早就在进行中的努力提供动力

解析：D：pushing nationally for equality to start at a far higher level than if the African American press had not existed 可以让民族平等运动开始于一个更高的水平，这就意味着非裔美国人报纸为全国的努力打下了很好的根基。

A：根据第❸句的 using a compelling form of advocacy journalism rather than the standard objective newspaper style，我们只能看出非裔美国人报纸的报道未必客观，但是没有揭露客观报纸的偏见。

B：文中未提及。

C：文中未提及。

E：根据第❸句的 allowed those who in the 1950s began pushing nationally for equality to start at a far higher level，efforts 始于1950年代，这也是非裔美国人报纸开始起作用的时间，因此应该是非裔美国人报纸推动了这些努力的开始，而不能说这些努力在非裔美国人报纸出现之前就已经在进行中了。

Passage 010

引用了不同的关于_____的观点

原文翻译

❶一个鼓励女性参与到1779年在爱尔兰发动的抵制进口货运动的爱尔兰报纸评论似乎和一种观点相一致：消费者联合抵制行为的政治用途起源于北美，之后向东传播，跨越大西洋，来到了爱尔兰。❷这一观点也是大多数历史学家的共识。❸比如，布林认为消费者联合抵制行为很明显就是美国的原创发明。❹布林确实也承认有少量独立的抵制行为发生在其他国家。❺但是，玛丽·奥多德认为从17世纪后期开始，爱尔兰政治言论就倡导了不要消费进口货以及对于女性家庭手工业的支持，这些方式和后来北美用到的方式惊人地相似。

3s 版本

❶消费者抵抗行为起源于北美（并非作者的观点）。

❷北美（历史学家的观点）。

❸北美（布林的观点）。

did acknowledge ❹少量独立运动起源于其他国家（布林的观点）。

小结：❸❹都是布林的观点，封装，因为❹是让步，因此❸更重要，布林的主要观点还是认为抵制运动起源于北美。

However ❺起源于爱尔兰（玛丽·奥多德的观点）。

全文3s版本：引用了不同的关于抵制运动起源地的观点。

文章点拨

1. 本文第❶句主干是 "An Irish newspaper editorial appears consistent with a perception"，由 perception 一词可知这句话的 3s 版本归纳适用于"主干原则"中的"观点句"，因此此句重点是 perception 的内容的主干 "the political use of the consumer boycott originated in North America"。

2. ❸❹ 两句的句间关系比较特殊。通常我们见到的封装结构都是让步句子在前，转折句子在后，但是这两句话中让步的句子是第 ❹ 句。但是不论让步和转折谁前谁后，同一个人的观点最重要的还是转折部分，在这两句话里就是第 ❸ 句。因此布林的观点侧重于"北美"，这也就解释了为什么第 ❺ 句 However 之后看起来句义和第 ❹ 句取同，因为 However 取反的是布林的观点。

3. 本文没有作者观点，只是作者引用了不同的观点。

题目讲解

1. 本文的主旨是

A.（错误）解决一个争议

B.（错误）倡导一个行为的过程

C.（错误）追溯一个行为的发展

D.（正确）引用关于一个话题的对立观点

E.（错误）按照时间顺序记录一系列事件

解析： D：本题属于主旨题，正确答案就是文章的 3s 版本，因此选项 D 正确。an issue 对应抵制活动起源于哪里这个话题，competing views 对应"北美"和"其他国家"这两种观点。

A：本文关于抵制行为起源于何处没有给出定论，因此充其量是"呈现争议"，而没有"解决争议"。

B：文中未提及。

C：evolution 指"发展"，意为从起源到结束的全过程，但是本文只研究了起源。

E：本文只讨论了一个事件（抵制行为）的起源，而没有讨论一系列事件（events）。

2. 根据上下文，标黑体句子的功能是

A.（正确）限定前一句的观点

B.（错误）纠正一个错误的假设

C.（错误）提供证据支持文章首句的观点

D.（错误）给后一句的观点提供了依据

E.（错误）明确一个观点的受欢迎程度

解析： A：本题属于句子功能题，正确答案是定位句的 3s 版本，因此正确选项应该体现"少量运动起源于其他国家"。前一句的观点是"起源于北美"，定位句则是承认还有少量运动不起源于北美，因此限定了前一句，符合本句 3s 版本，选项 A 正确。

注：当 qualify 的宾语是观点的时候，翻译成"限定"，意指不完全的否定，目的是让其限定的观点没有那么极端。

B：correct 作动词意为"纠正"，程度比选项 A 中的 qualify 要强，指的是推翻一个观点之后再提出一个新观点，原文标黑体句子只是针对布林的观点做出限制，而非纠正。

C：首句的 3s 版本指的是北美，不符合标黑体句子的 3s 版本。

D：后一句的 3s 版本尽管和标黑体句子的一样，但是并非是布林的观点，因此不能是标黑体句子给后一句提供依据。

E：a point of view 指代不明。

Passage

解释为什么拉尔夫·艾里森拒绝将自己的作品_____

原文翻译

❶拉尔夫·艾里森对视觉艺术非常感兴趣。❷他在1930年代将自己沉浸在哈莱姆地区的艺术场馆中，甚至还和雕塑家里士满·巴特一起做了一段时间的学徒。❸但是，他对将自己的小说《看不见的人》（Invisible Man）进行视觉化的呈现是非常谨慎的。❹尽管他非常不情愿地让富兰克林图书馆出版了两部这本小说的插图版本，但是他发现结果非常令人沮丧，于是反复拒绝将这本书拍成电

影。❺尽管他很喜欢视觉艺术，但是艾里森坚持认为只有语言才能捕捉美国人身份的复杂性。❻这种复杂性是由冲突组成的，而这些冲突来自美国人的书面思想（比如在建国文件中所概述的思想），以及塑造了民族意识的历史和当代经历之间的碰撞。

3s 版本

❶❷拉尔夫·艾里森很喜欢视觉艺术。

Yet ❸❹拉尔夫·艾里森拒绝将自己的小说进行视觉化处理。

❺❻拒绝视觉化的原因。

全文3s版本：解释为什么拉尔夫·艾里森拒绝将自己的作品视觉化。

文章点拨

1. 本文第 ❶ 句给出一个结论：拉尔夫·艾里森喜欢视觉艺术。第 ❷ 句是服务于这一结论的例子。第 ❸ 句 Yet 取反，轮到他自己的作品的时候，他拒绝将其视觉化。第 ❹ 句详细描述了这种拒绝。第 ❺❻ 句给出原因：只有语言才能描述美国人身份的复杂性，也就是说，视觉艺术无法描述这种复杂性。第 ❻ 句详细介绍这种身份复杂性的来源，是书面思想和历史行为之间的冲突，这里的 written ideals 和"语言"对应。

2. 本文关于视觉艺术的同义替换：visual arts、art scene、sculptor、visual rendering、illustrated versions、film versions。

题目讲解

1. 从文章可以推断出，作者提及艾里森与里士满·巴特的学徒经历的主要目的是
   A.（错误）表明艾里森利用了视觉艺术中的某些方面来发展他的《看不见的人》中的思想
   B.（错误）表明艾里森认为的语言优越性来自他在其他艺术形式中的经历
   C.（错误）表明艾里森接触过令很多 1930 年代哈莱姆艺术领先人物感兴趣的艺术形式
   D.（错误）表明在 1930 年代，哈莱姆艺术场馆提供了一种环境，在这里艺术家有可能从事好几种媒体
   E.（正确）通过表明艾里森对视觉艺术并非那么冷漠来限定他对其作品的视觉化呈现的保留

解析： E：本题属于功能题，正确答案是定位句 3s 版本，即"拉尔夫·艾里森喜欢视觉艺术"，因此选项 E 正确。qualify 和 reservations 抵消掉，等于在说"支持视觉艺术"，not indifferent=不冷漠=喜欢，因此选项 E 就是在讲拉尔夫·艾里森喜欢视觉艺术。

A：但是视觉艺术和拉尔夫·艾里森的小说无关。

B：语言优越性和视觉艺术无关。

C：文中未提及 many leading figures。

D：文中未提及 artists were likely to work in several media。

2. 关于"冲突"，下列哪一项可以从文章中推断出来？
   A.（错误）这种冲突部分来自艾里森努力缓解的社会公正。
   B.（错误）这种冲突受到艾里森关注的部分原因是他的《看不见的人》的电影版本的经历。
   C.（错误）艾里森认为这种冲突来自美国建国理想中的冲突。
   D.（错误）艾里森认为这种冲突是通过描述小说角色也无法完全解决的问题。
   E.（正确）艾里森认为这种冲突无法被雕塑充分体现。

解析：E：根据第❺句可知，"艾里森坚持认为只有语言才能捕捉美国人身份的复杂性"，这意味着视觉艺术无法体现身份的复杂性，sculpture是视觉艺术的一种，因此雕塑无法体现身份的复杂性，选项E正确。

　　A：文中未提及。

　　B：文中未提及。

　　C：该选项有两个错误：a. 这种冲突来自 written ideals 和 experiences 这两者之间的矛盾，而非 ideals 内部的矛盾。b. 第❻句是作者自己的观点，而非艾里森的观点。

　　D：文中未提及。

Passage

由热带树木在温度不同的年份生长速率不同得出结论：热的时候树木释放＿＿＿＿＿导致温度上升

原文翻译

❶生态学家认为在持续温暖的热带，树木的生长率很慢但是很稳定，每年都没什么变化。❷但是，一项在哥斯达黎加拉塞尔瓦的研究表明树木在炎热的年份长得慢，在寒冷的年份长得快：1984年至2000年，被研究的六种树木发生了巨大的变化，这些树木在寒冷年份的木质增长量是炎热的1997~1998年厄尔尼诺时期的两倍。❸因为树木的增长是光合作用和呼吸作用相互平衡的结果（在光合作用中，树木从大气中吸收二氧化碳并释放氧气；在呼吸作用中反过来），所以拉塞尔瓦的数据首次暗示是人类释放的二氧化碳导致全球温度快速上升，而这又促使热带树木释放更多的二氧化碳，因此加剧了全球变暖。❹这一点严肃质疑了一种受欢迎的理论：热带森林就像一块海绵，吸收人类释放到大气层中过量的二氧化碳。❺拉塞尔瓦的数据和基林提出的全球二氧化碳变化模型是一致的，他认为热带大陆吸收的二氧化碳在寒冷年份里会增加并且在炎热的年份下降，导致大气中二氧化碳含量的年度变化。

3s 版本

❶生态学家认为热带树木每年的生长率都差不多。

However ❷拉塞尔瓦的研究表明热带树木在热的时候（厄尔尼诺时期）长得慢，冷的时候长得快。

❸对上一句进行解释：$CO_2 \uparrow \rightarrow$ 温度 $\uparrow \rightarrow$ 呼吸作用 $\uparrow \rightarrow CO_2 \uparrow$。

❹拉塞尔瓦质疑了树木可以无条件吸收二氧化碳的理论。

❺拉塞尔瓦与基林的观点一致：冷的时候二氧化碳会被吸收，热的时候被释放。

全文3s版本：由热带树木在温度不同的年份生长速率不同得出结论：热的时候树木释放CO_2导致温度上升。

文章点拨

一、本文内容

　　本文的难度在于弄清树木什么时候长得快、什么时候长得慢、CO_2 和树木增长以及温度之间的关系。这些内容之间的关系如下：

第 ❶ 句认为热的时候树木的增长率不变，但是这一观点在第 ❷ 句就被反驳了，因此第 ❶ 句可以忽略不计。

第 ❷ 句是拉塞尔瓦的研究数据，是客观事实。从这句话中我们可以得出结论：热 = 厄尔尼诺 = 长得慢；冷 = 长得快。

第 ❸ 句增加了新内容：光合作用和呼吸作用。根据这句话所做的介绍以及前一句的结论，我们可以进一步得出：热 = 厄尔尼诺 = 长得慢 = 呼吸作用强（因为呼吸消耗能量，这会削弱树木的增长）= CO_2 上升（呼吸作用释放 CO_2）；冷 = 长得快 = 光合作用强（光合作用帮助树木增长）= CO_2 被吸收。

理解了第 ❸ 句，❹❺ 两句就很容易理解了。

二、本文结构

文章首先用第 ❷ 句的事实反驳了第 ❶ 句的老观点，因此本文的重点是从第 ❷ 句开始的。

❷~❺ 句之间是递进关系。根据前面的解析可知，第 ❸ 句是基于第 ❷ 句所得出的结论。而基于第 ❸ 句的结论，作者推翻了第 ❹ 句中的 popular theory，支持第 ❺ 句中基林的观点。因此本文的主旨应该是用拉塞尔瓦的数据（第 ❸ 句）支持基林的观点（第 ❺ 句）。

🔖 **题目讲解**

1. 文章的主要目的是
   A.（错误）呈现额外的证据来支持一个受欢迎的理论
   B.（错误）表明两个看起来相互矛盾的理论之间的相似性
   C.（正确）指出一个特定研究对两个相关理论的影响
   D.（错误）为一种广为人知的现象提供另一个解释
   E.（错误）将解释一种现象的两个对立理论进行调和

解析： C：a particular study 对应拉塞尔瓦的研究，two related theories 分别是第 ❹ 句的 popular theory 和第 ❺ 句基林的理论，implications 指的是拉塞尔瓦的理论反驳了 popular theory，支持了基林的理论。

由【文章点拨】内容可知，选项 C 概括了文章的主旨，正确。

A：a popular theory 在第 ❹ 句中被反驳了，没有被支持。

B：也不符合，因为一个理论被反驳，一个理论被支持，没有相似性。

D：a well-documented phenomenon 在文中难以定位，可以认为指的是全球变暖，也可以认为指的是树木的生长速度，但是文章没有给这两种现象中的任何一种提供替代性解释，这两种现象各自只有一个解释，因此不能认为 a well-documented phenomenon 指的是第一句，因为第一句是一种观点而非现象。

E：没有对两个理论进行 reconcile。

2. 文章支持下列哪一项关于拉塞尔瓦研究中的树木的陈述？
   A.（正确）在厄尔尼诺时期，这些树相比 1984~2000 年的寒冷时期增加的木质更少。
   B.（错误）在厄尔尼诺时期，这些树相比 1984~2000 年的寒冷时期通常有更高的光合作用速率。
   C.（错误）在厄尔尼诺时期，这些树相比 1984~2000 年的寒冷时期释放更多的氧气。
   D.（错误）在厄尔尼诺时期，这些树相比 1984~2000 年的寒冷时期吸收更多的 CO_2。
   E.（错误）在整个 1984~2000 年的时间段内，这些树木吸收的 CO_2 数量保持不变。

解析： A：参考【文章点拨】的内容可知选项 A 正确。

3. 文章表明随着温度上升，热带地区的树木
   A.（错误）持续以缓慢但是稳定的速率增长
   B.（错误）减少增长并且加强光合作用
   C.（错误）释放更多 CO_2 和氧气
   D.（正确）增加呼吸作用并且减少光合作用
   E.（错误）增长更多并且吸收更多 CO_2

解析：D：参考【文章点拨】的内容可知选项 D 正确。

　　通过上面两道题可以看出，GRE 阅读特别喜欢考查"事件链"，尤其是理工科文章中的生物类和环境类，比如本文的"热＝厄尔尼诺＝长得慢＝呼吸作用强（因为呼吸消耗能量，这会削弱树木的增长）＝CO_2 上升（呼吸作用释放 CO_2）"这样几个环节之间的相互作用。对于生物类文章，通常以食物链的形式展现各个环节之间的关系，比如 A 动物多，导致 B 动物少，又导致 C 动物多，D 动物少……对于环境类，主要考查自然环境中各个部分的相互作用，比如这篇文章考查的便是温度、CO_2、树木增长等方面的关联。建议考生考试的时候如果遇到"事件链"，请务必做好笔记，"事件链"通常会出题。

Passage 013

女性摄影历史的研究情况很_____

原文翻译

❶女性摄影历史的研究情况很令人困惑。❷最近几年目睹了业余爱好者爱丽丝·奥斯丁的角色在其死后被**夸张**成了先锋派记录家的角色，而大量的知名大师——比如马里昂·帕尔菲，其关于南部的民权运动的照片被用于保护性立法所需要的早期证据——只得到了学者少量的关注。❸并且，尽管纳奥米·罗森布鲁姆的具有梗概性质的《女性摄影师史》（*History of Women Photographers*）以一种普遍有用的方式在整个1920年报道了这个主题，但是一旦她触及1920年代，当摄影这一媒介的场地、形式、应用和运动发生了指数式发展时，她反而用更加简洁的方式列出了一些人们不熟悉的摄影师人名，只用一两句话就概括了他们的职业生涯。

3s 版本

❶女性摄影历史的研究情况很令人困惑。

❷摄影师的角度：值得研究的没有被研究，不值得被研究的反而被研究。

And ❸学者的角度：重要的年代给予了敷衍了事的研究。

全文3s版本：女性摄影历史的研究情况很令人困惑。

题目讲解

1. 作者引用了罗森布鲁姆的书最可能的目的是
   A.（错误）表明被女性摄影历史学家研究得最彻底的作品通常不值得那种关注
   B.（错误）为一个观察提供解释：并非女性摄影历史的所有方面都得到了同样水平的关注

C.（正确）提供一种方法的例子：以这种方法对女性摄影历史进行研究一直以来不令人满意

D.（错误）表明研究女性摄影历史时采取严格的时间顺序的研究方法是低效的

E.（错误）为一种观点提供支持：女性摄影中某些名人得到了不恰当的名声

解析：C：本文是总分结构，后两句均为第❶句的例子，因此❷❸两句的 3s 版本均和第❶句的一样，选项 C 正确。unsatisfactory 对应第❶句的 confounding。

A：文中未提及。

B：observation 的内容是对的，根据第❸句，1920 年罗森布鲁姆研究得很认真，但是 1920 年代就敷衍了事了，这对应选项 B 的"并非所有方面都得到了同样水平的研究"，但是本句没有"解释"这种观察为什么会发生。

D：文中未提及。

E：文中未提及。

2. 下列哪一项关于马里昂·帕尔菲的陈述是被文章支持的？

A.（错误）如果马里昂·帕尔菲的作品是在一个摄影的大多数方面处于静止而非转变状态的时代完成的，她的照片会得到历史学家更多的认可。

B.（错误）爱丽丝·奥斯丁比马里昂·帕尔菲落得更多的骂名，主要是因为奥斯丁拍摄的主题令她那个时代的人更感熟悉。

C.（正确）除了为某些历史事件提供记录之外，马里昂·帕尔菲的照片还在随后的事件中扮演了一定的角色。

解析：C：certain historical events 对应第❷句的民权运动，subsequent events 对应保护性立法。

A：强行将马里昂·帕尔菲的受欢迎程度和其所处的时代产生联系。

B：爱丽丝·奥斯丁在文中得到的是好名声，而非"骂名"。

3. 根据文章上下文，"inflation"最接近的含义是

A.（正确）夸张

B.（错误）获得

C.（错误）评价

D.（错误）扭曲

E.（错误）减轻

解析：A：由第❷句可知，inflation 和 scant 的含义取反，因此 inflation 在文中和"多"有关系，所以选项 A 正确。

Passage  014

政府投资给了工厂，而这些工厂能/不能刺激经济

📝 原文翻译

❶很多学者认为二战期间政府对美国南方制造业的投资刺激了区域性的经济发展，这一发展一直持续到了战后时期。❷但是这些投资很多都流向了专业化工厂，其中许多工厂不适合战后生产。❸大

规模的战时政府投资导致军工厂在数量和规模上有了显著上升。❹在战争结束的时候，建立了216个军需设施，耗资超过35亿美元，其中很多工厂位于南方。❺事实上，根据一项估计，在亚拉巴马州、阿肯色州、密西西比州和田纳西州，联邦政府出资的制造业建设资本中有70%以上进入了军工厂。

❶即使在战前制造业经济发达的北方地区，一旦战争的需求不再存在，这些工厂也难以处理。❷在南方，很少有工业家有能力或愿意去将这些工厂转变成和平时期的功能。❸因此，在战争结束的时候，几乎所有的南方军工厂都被关闭、闲置、低产能运转，或者转变成了非制造业功能，通常变成了仓库。❹尽管一些工厂几年后在朝鲜战争时期被重新启用，但是这些工厂对于南方战后经济的影响是微乎其微的。

3s 版本

❶政府投资刺激经济。

But ❷政府投资给了工厂，而这些工厂不能刺激经济。

❸~❺政府投资给了工厂。

第一段 3s：政府投资给了工厂。

❶~❹这些工厂不能刺激经济。

小结：第二段❶~❹与第一段❸~❺封装，与第一段❷取同。

第二段 3s：这些工厂不能刺激经济。

全文3s版本：政府投资给了工厂，而这些工厂不能刺激经济。

题目讲解

1. 文章的主旨是

A.（错误）提出一个替代性解释

B.（正确）反驳一个广泛持有的观点

C.（错误）将一种现象的两个观点进行对比

D.（错误）解释为什么一个特定观点是有影响力的

E.（错误）评价用于支持一个特定观点的证据

解析：B：本文是驳论文，全篇文章都是在反驳第一段第❶句的老观点，因此选项 B 正确。a widely held position 对应第❶句中的 Many scholars。

A：注意，本文是驳论文，没有提供替代性解释。同时，explanation 强调的是事件发生的原因，但是本文的重点在于政府投资所带来的结果。

C：本文只有老观点这一个观点，不存在对比两个观点。

D：a particular claim 指的是第一段第❶句的老观点，但是这个观点被反驳了，因此不可能 has been influential。

E：文章没有对证据进行评价。

2. 根据文章，二战期间在南方建立的一些南方军事工厂

A.（正确）之后重新开放并再一次作为军工厂被使用

B.（正确）在战后作为非制造业目的被使用

C.（错误）一开始的设想是即使在战争结束之后都可以持续以高产能生产军火

解析：A：对应第二段第 ❹ 句。

　　　　B：对应第二段第 ❸ 句。

　　　　C：文中未提及。

3.　在文中，作者提及"亚拉巴马州、阿肯色州、密西西比州和田纳西州"的主要目的是

　　A.（错误）表明一些州相比其他州更擅长预测战后经济的需求

　　B.（错误）找出证据用于支持文章开头的学者所持有的观点

　　C.（错误）表明联邦政府对某些制造业的投资是过量的

　　D.（错误）确定得到联邦财政拨款最多的州

　　E.（正确）提供信息以支持段落之前所提出的政府投资本质的观点

解析：E：定位句 3s 版本是用来说明政府的投资大量地进入了军工厂，因此选项 E 正确。the nature of government investment 指的就是政府将大量的钱投入了军工厂，而这四个州作为信息来支持这一点。

　　　　A：文中没提到预测。

　　　　B：表述相反，文章开头学者的观点是政府投资刺激了经济，但是定位句是用来说明投资没刺激经济的。

　　　　C、D：注意，第一段第 ❺ 句的 70% 指的是这四个州花的钱多，而不是联邦政府花的钱多。这句话的理解方式是，联邦政府拨了一部分钱给这四个州，这四个州拿到这笔钱后从里面抽出了绝大多数（70%）投入军事设施，因此是州政府花钱多，而非联邦政府花钱多。另外，文章其实一直讨论的是政府投资有没有刺激南方经济，而这四个州正是美国南方的州。如果你认为联邦政府花的钱多，那么文章应该讨论政府投资没有刺激全国经济才对。

Passage 015

科学家通过研究岛屿生态系统，将结果运用于_____

📖 原文翻译

❶生态学家研究了数百万的物种如何共享这个世界而非同时独享这个星球；他们普遍关注单一的生态系统，比如一片草原、一片潮滩或者一个沙丘。❷即使在这些范围之内，他们的研究也会被**多孔边界**所阻碍。❸因此，生态学家在岛屿上做了一些他们最重要的研究，因为岛屿是大自然自己的独立实验室，在过去的几百万年间可能只被占领了几次。❹在这些岛屿上，生态学家发现了特定栖息地的大小如何决定它能支持多少物种。❺生态学家将这一知识运用到陆地，证明碎片化的生态环境如何变得像群岛一样，在那里可能会发生物种灭绝。

📖 3s 版本

❶生态学家通过研究单一的生态系统来研究物种。

frustrated ❷这些研究被多孔边界所阻碍。

❸生态学家开始研究（相互独立的）岛屿。

❹这些岛屿的研究使得科学家知道栖息地的大小会决定物种数量。

❺这些知识可以用于解释陆地的生态系统。

全文3s版本：科学家通过研究岛屿生态系统，将结果运用于陆地。

文章点拨

本文的难点在于对 porous frontiers 的理解，以及最后一句提及陆地的目的。

根据上下文，porous frontiers 可以理解为"只要某一生态环境和外界有连接，就会受到影响"，这一点解释了为什么即使看似单一的生态系统（草原、沙丘等）依然会对研究者产生阻碍。为了避免 porous frontiers 的影响，研究者便开始研究岛屿，因为岛屿之间相互孤立，不存在 porous frontiers。通过对岛屿的研究，科学家们得到结论：栖息地大小决定物种数量。进而这一结论被运用于陆地（"陆地"与"岛屿"相对），陆地上的一些"碎片化生态系统"变得像"群岛"一样，这些群岛之间相互孤立，没有 porous frontiers，因此容易被研究。

题目讲解

1. 从文章可以推测出"多孔边界"指的是

   A.（错误）一个生态系统面积缩小的趋势

   B.（错误）改变生态系统特征的人为过程

   C.（正确）物种从外部迁移到一个生态系统中

   D.（错误）"生态系统"这个术语的含义的变化

   E.（错误）缺少对濒危栖息地的保护

解析： C：根据文章可知，多孔边界和后文的 isolated 相反。isolated 在文中指的是独立的、只被占领过几次的岛屿环境，因此那些多孔边界指的便是被多次占领并且不独立的环境，因此选项 C 正确。

2. 根据上下文，"isolated"最接近的含义是

   A.（错误）完全不受污染

   B.（错误）比较不寻常

   C.（错误）极其罕见

   D.（正确）相对不易进入

   E.（错误）严格被限制

解析： D：根据文章，isolated 岛屿指的是只被占领过几次的地方，因此是"不易进入的"，所以选项 D 正确。

Passage 016

介绍_____的形成过程

原文翻译

❶恒星之间的空间充满了一些物质，这些物质在星际环境中是无法凝结形成固体颗粒的。❷但令人惊讶的是，被称为星际颗粒的细小冷冻态粒子确实在这些空间中形成了。❸这些颗粒是由恒星热核聚变和超新星爆炸过程中合成的化学元素形成的。

❶对星际颗粒的研究因为无法得到在实验室实验中可以使用的天然标本而受阻。❷迄今为止，关于星际颗粒的唯一信息来源是恒星电磁辐射，这些辐射在穿越包含星际颗粒的空间后到达地球。❸通过观察被颗粒散射和吸收的波长，科学家确定了颗粒的内部结构包括一个由硅酸盐（像岩石一样的物质）组成的内核和一个全部由有机物质组成的外壳。❹人们认为每个颗粒一开始都是从成熟恒星中弹射出来的硅酸盐"幼苗"。❺然后在幼苗周围形成的外壳中发生持续的物理和化学进化。

3s 版本

❶恒星之间不应该有固态颗粒。

Yet ❷恒星之间有星际颗粒。

❸这些颗粒来自热核聚变和超新星爆炸。

第一段 3s：恒星之间有星际颗粒。

❶星际颗粒无法被直接研究。

❷星际颗粒的研究方法。

❸~❺星际颗粒的形成过程。

第二段 3s：介绍星际颗粒的形成过程。

全文 3s 版本：介绍星际颗粒的形成过程。

题目讲解

1. 作者使用术语"幼苗"最可能的目的是

   A.（错误）表明星际颗粒比研究者之前认为的要小很多

   B.（错误）表明星际颗粒的形成过程很脆弱

   C.（错误）描述一种星际颗粒

   D.（正确）表明大多数星际颗粒开始的时候都是小颗粒，之后长成更大的天体

   E.（错误）描述星际物质的有机性质

解析：D：本题属于功能题，定位部分的 3s 版本便是在介绍星际颗粒的形成过程，因此选项 D 正确。

   A：文中未提及。

   B：文章没有说星际颗粒的形成过程很脆弱。

   C：文中未提及。

   E：文中未提及。

2. 下列哪一项描述的过程和文中描述的星际颗粒的进化过程最类似?

   A.（错误）一层层剥开洋葱。

   B.（错误）户外的一块铁渐渐被锈蚀。

   C.（错误）一个气球通过打气而膨胀。

   D.（错误）一块木头渐渐被削成了一块巧克力的大小。

   E.（正确）一块糖是由层层巧克力包裹着一个坚果制成的。

解析：E：根据文章最后三句所描述的星际颗粒的组成，星际颗粒是由一个硅酸盐核心 + 有机物外壳组成的，与之最类似的是选项 E。

A：描述的是变小的过程。

B：干扰项，从 corroded 一词可知，该项描述的是一个变小的过程，但是原文的星际颗粒是变大的。

C：尽管气球变大了，但是没有核心。

D：描述的是变小的过程。

3.　从文章可以推断出目前用于分析星际颗粒结构的方法最能被描述成

A.（错误）史无前例的

B.（正确）间接的

C.（错误）综合性的

D.（错误）有争议的

E.（错误）不合理的

解析： B：根据第二段第 ❶ 句可知，因为没法得到星际颗粒的标本，因此星际颗粒的研究方法都是间接的，选项 B 正确。

Passage

陶罐在烧制之后被改变的原因并非是为了＿＿＿＿＿＿

📝 原文翻译

> ❶考古学家研究了新墨西哥州查科峡谷在博尼图时期（约公元900年~1140年）的印第安人陶器，他们发现很多陶罐在烧制之后被改变了来修正它们的装饰性设计——通常是在白色光滑的表面上绘制黑色复杂的几何图案。❷在一些情况下，新的设计直接覆盖了旧的设计；较少的情况下直接用白色涂料覆盖一开始的设计。❸克朗和威尔斯不认为这些改变是为了修正设计缺陷。❹很多查科陶罐有设计缺陷，但是没有被改变。❺除此以外，当缺陷被修正时，修正工作是在烧制之前的——通过直接画在缺陷处，或者把原有设计刮掉再用新的设计，这比重新绘制并且回炉重造更省时间。

📝 3s 版本

❶❷很多陶罐在烧制之后被改变了。

❸克朗和威尔斯不认为这种改变是为了修正设计缺陷。

❹有的陶罐有缺陷，但是没有被改变。

❺如果要修正缺陷，不应该在烧制之后再去改变陶罐。

全文3s版本：陶罐在烧制之后被改变的原因并非是为了修正缺陷。

📝 文章点拨

1. doubt that...=不同意……；doubt whether...=不确定……是否正确。但是请注意，suspect that...=think that...。

2. ❹❺ 两句的功能在于为克朗和威尔斯的质疑提供支持。第 ❹ 句相当于"设计改变是用来修正缺陷的"这一观点的例外；第 ❺ 句则认为，如果要修正缺陷，那么在烧制之前就修正是更省时间的，但是实际上这些陶罐是在烧制之后才做出的修正。

📝 **题目讲解**

1. 文章作者提到克朗和威尔斯的目的是
   A.（错误）将可能导致查科陶工改变他们的陶罐设计的不同因素进行区分
   B.（错误）介绍为什么查科陶工改变他们的陶罐设计的新证据
   C.（正确）表明查科陶罐被改变的一种可能原因是如何被否定的
   D.（错误）提出一个假设关于为什么查科陶罐被改变来修正它们的装饰性设计
   E.（错误）解释考古学家如何辨别查科陶罐最初的装饰方法

解析： C：本题属于功能题，定位句 3s 版本：改变不是用于修正设计缺陷的。因此克朗和威尔斯的意义在于排除掉"修正缺陷"这一观点，选项 C 正确。

　　　　B：定位句是观点，不是证据。文章的证据是最后两句，但是这两句也只是在解释为什么"修正缺陷"这一解释不对，而没有解释为什么陶罐的设计被改变。

　　　　D：克朗和威尔斯是用来反驳一个假说，而非呈现一个假说。注意，本文要解决的问题是这些陶罐为什么被改变了，克朗和威尔斯只是排除了一种解释，他们本身没有解决这个问题，因此他们并没有给出任何的假说或观点。

2. 根据文章，关于博尼图时期的查科陶罐，下列哪一项是正确的？
   A.（正确）相对少数的陶罐一开始的设计被隐藏在白色表面之下。
   B.（错误）相对少数的陶罐在烧制之后被改变。
   C.（错误）很多的陶罐的改变增加了它们图案的复杂性。
   D.（错误）很多的陶罐在形状和结构上有缺陷。
   E.（错误）很多的陶罐被改变了不止一次。

解析： A：对应第 ❷ 句，一些陶罐的新的设计直接覆盖了旧的设计；更不经常的情况是，一开始的设计直接用白色涂料覆盖，因此选项 A 正确。

　　　　B：表述相反，因为真实情况是这些陶罐都是烧制完成后再被改变。

Passage  018

本杰明·富兰克林并非是_____

📖 **原文翻译**

　　❶本杰明·富兰克林在美国历史上被认为是一个典型的自力更生的人。❷关于"自力更生"，爱默生问道："那个能教导富兰克林的大师在哪呢？"❸事实上，富兰克林广泛地接受指导，他的科学作品是通过高度协作完成的。❹在英国的朋友寄来了他的电学实验所需的设备，其他在费城的朋友

帮助他在那里建立了工作室。❺菲利普·斯英格建造了生成电荷的设备，而托马斯·霍普金森证明了尖端导体的电势能。❻富兰克林除了是这个集体的理论学家之外，还撰写并且出版了研究成果。❼他作为个体研究者的名声在一定程度上来自一种简化处理，以这种方式，当一个人把一个集体的发现写了出来之后，历史有的时候会将集体的努力归功于这一个人。

3s 版本

❶❷美国历史和爱默生认为富兰克林是自力更生的。

换对象❸作者认为富兰克林广泛地接受指导。

❹❺❻富兰克林不是自力更生的例子。

❼解释为什么富兰克林容易被当作独立的研究者。

全文3s版本：富兰克林并非是独立科学家。

文章点拨

本文的难点在于前三句的句间关系。第❶句是美国历史的观点，认为富兰克林是独立的，第❷句爱默生的观点相当于前一句美国历史观点的例子。爱默生提出的问题用到了虚拟语气，其字面含义是"如果有大师教导了富兰克林，那么这个大师在哪里？"，其言外之意便是没有大师教导过富兰克林。第❸句及之后的句子都是作者的观点，和前两句是观点持有者的换对象，开始讲富兰克林并不独立，并解释了为什么富兰克林曾经会被误认为是独立的。

题目讲解

1. 下列哪一项最好地描述了标黑体句子的作用？

   A. （错误）这句话阐明了作者所不认同的一个关于富兰克林的观点。

   B. （错误）这句话介绍了富兰克林在合作过程中所扮演的角色的新证据。

   C. （正确）这句话借助一个普遍的学术现象解释了富兰克林的名声。

   D. （错误）这句话强调了富兰克林在工作室中依赖于别人的程度。

   E. （错误）这句话描述了富兰克林撰写科学成果的方法。

解析：C：本题属于功能题，正确答案是定位引3s版本。本题定位在第❼句，3s版本是解释为什么富兰克林容易被当作独立的研究者，因此选项C正确。a broad scholarly phenomenon 对应第❼句的 shorthand，Franklin's reputation 指的是人们认为富兰克林是独立的。

A：这句话就是作者提出的，作者不可能反对自己的观点。

B：无关选项。

D：这句话重点解释为什么人们认为富兰克林是独立的，而非强调富兰克林对集体的依赖程度。

E：无关选项。

2. 文中提到爱默生的主要目的是

   A. （错误）找出对富兰克林的一个特定理解的起源

   B. （正确）阐明作者所不认同的一个关于富兰克林的观点

   C. （错误）指出关于富兰克林的历史遗产的有争议的说法

   D. （错误）引入一个问题，富兰克林的主要科学影响对象是谁

   E. （错误）表明富兰克林抵制同其他科学家合作

解析：B：本题也属于功能题，正确答案是定位句 3s 版本，即富兰克林是自力更生的，因此选项 B 正确，
作者所不认同的观点正是"自力更生"。

A：origin 在文中没有对应。

C：文中未提及 historical legacy。

D：文中没有提到富兰克林影响了谁。

E：定位句只能说明富兰克林没人教，这和抵制合作无关。

Passage **019**

尽管大卫·贝拉斯科的作品引发了＿＿＿＿＿＿，但是被那些崇尚＿＿＿＿＿＿
的评论家所嘲讽

原文翻译

❶大卫·贝拉斯科1912年的百老汇作品《州长夫人》（*The Governor's Lady*）凭借其在一家儿
童餐馆的布景引起了轰动，这家餐馆是食品标准化的发源地，也是现代日常生活的标志。❷尽管贝拉
斯科对一个可立刻被辨认出来的布景进行了细致入微的再现，给公众留下了深刻的印象，但是这部作
品被激进的戏剧评论家所嘲讽，这些评论家支持的是像麦克斯·莱恩哈一样的欧洲艺术家的新舞台艺
术理论。❸新舞台艺术理论摒弃了戏剧的字面主义；它从现代画家的主观性和极简主义中获得灵感，
倡导用简化的舞台布景来传达戏剧剧本的中心思想。❹这些评论家认为贝拉斯科是一个仅仅捕捉表面
现实的工匠：一个真正的艺术家会删除不重要的东西以创造出更有意义、更有表现力的舞台形象。

3s 版本

❶大卫·贝拉斯科的作品引起轰动。

deride❷大卫·贝拉斯科的作品被激进的戏剧评论家所嘲讽。

❸❹激进的戏剧评论家所支持的新舞台艺术理论认为好的戏剧应该是极简主义的。

全文3s版本：尽管大卫·贝拉斯科的作品引发了轰动，但是被那些崇尚极简主义的评论家所嘲讽。

文章点拨

本文将细节化和极简化两种舞台布景风格进行了对比，对于这两种风格，文中用了大量的同义改写。
细节化：meticulously detailed、immediately recognizable setting、theatrical literalism、craftsman、merely
captured surface realities；极简化：subjectivity、minimalism、simplified、express a dramatic text's central
ideas、eliminated the inessential.

细节化的舞台布景的典型例子就是西方的歌剧，其舞台华丽，让人一眼就能识别出这个故事发生在一
个怎样的背景中。比如威尔第的歌剧《阿依达》在国家大剧院上映的时候，剧本里有一处情节是发生在一
艘船上，于是舞台上真的摆了一艘船。

极简化的舞台布景的典型例子就是京剧。京剧想要表现一艘船渡河，不会真的摆一艘船在舞台上，而
是几名演员象征性地模仿划船姿势，就表示划船了。

题目讲解

1. 关于贝拉斯科的作品《州长夫人》，文章作者暗示了下列哪一项？

   A.（错误）这部作品被那些误解了贝拉斯科的现代主义概念的戏剧评论家所忽视。

   B.（错误）这部作品想要安排一些新舞台艺术的元素来服务贝拉斯科对现实主义舞台布景的偏好。

   C.（错误）这部作品证明了戏剧字面主义可以有效地被用于传达一部戏剧剧本的核心思想。

   D.（正确）这部作品激发了一些反应，这些反应表达了大众的娱乐品味和激进的戏剧评论家的品味之间的不一致。

   E.（错误）这部作品依赖于一个令人印象深刻的现实主义舞台背景的吸引力，用于弥补作品其他方面的缺陷。

   解析：D：根据第 ❶ 句，贝拉斯科的作品引起了轰动（sensation），说明大众是喜欢贝拉斯科的作品的，但是贝拉斯科被激进的戏剧评论家所嘲讽（deride），这表明评论家的品味和大众不一致（a discrepancy）。

   A：misunderstood 表明一件事情本来是对的，但是被误认为是错的，原文没有评论到底谁的舞台风格是正确的，因而也就不存在"误解"一说。

   B：因为贝拉斯科的作品就是细节化的，没有安排新舞台艺术的极简化元素。

   C：表达核心思想的是新舞台艺术理论，而非贝拉斯科的作品。

   E：表述不对，没有弥补缺陷。

2. 从文章可以推测出来，戏剧评论家最有可能同意下列哪一项关于戏剧作品的陈述？

   A.（错误）想要删除不重要的内容的戏剧作品往往也会删除增强戏剧表现力的戏剧元素。

   B.（正确）如实地重现日常生活视觉细节的戏剧作品不太可能公正地体现出一部好的作品的核心思想。

   C.（错误）相比于依赖戏剧字面主义的作品，采取现代绘画极简主义特点的戏剧作品对现代观众更有吸引力。

   D.（错误）想要体现现代生活真相的戏剧作品不应该尝试采用新舞台艺术的元素。

   E.（错误）由于剧院自身的局限性，那些试图呈现看起来很真实的日常生活现实场景的戏剧作品很可能会失败。

   解析：B：本题考查的是评论家的观点，因此正确选项的大方向就是细节化不好，极简化好。评论家认为极简化的戏剧布景才能表达剧本的核心含义，也就是说细节化的作品不能表达核心含义，do justice to 表示"公正对待"，即能表达出某个事物本身的优点，e.g.：a brief summary that does not do justice to the complexity of this issue。

   A：eliminate theatrical elements that enhance the expressiveness of a play 与评论家观点矛盾。

   C：吸引观众的是细节化的戏剧布景，评论家的目标只是表现剧本的核心含义。

   D：与评论家的观点矛盾。

   E：文中未提及 theater's inherent limitations。

Passage 020

马蒂斯的艺术<u>好/不好</u>研究

原文翻译

❶马蒂斯的艺术凭借其令人惊讶的直觉性和谜一样的深度，使得人们对它的分析变得困惑。❷希拉里·斯珀林评价《钢琴课》（*The Piano Lesson*）时，她写道"这幅画并不局限于任何单一的来源或含义"，她的这一评论可以被应用于马蒂斯的任何作品。❸毕加索作品的主题，比如其用传统标志和符号创作的拼贴画都比马蒂斯的作品更加适用于传统的肖像分析。❹类似地，毕加索和布拉克的立体主义尽管拒绝了传统视角，但是通过使用研究传统规则的工具，他们的作品依然可以被当作对传统规则的违背来研究。❺但是马蒂斯采取的解决手段总是特立独行的，并且不与任何思想体系相关联。❻直觉是他唯一的思想体系。

3s 版本

❶马蒂斯的艺术不好研究。

❷马蒂斯的艺术并不局限于任何单一的含义。

换对象❸毕加索的作品适用于传统分析方法。

Similarly ❹毕加索和布拉克的作品都可以通过传统的工具来研究。

But ❺马蒂斯无法用特定的思想去研究。

❻马蒂斯靠的是直觉。

全文3s版本：马蒂斯的艺术不好研究。

文章点拨

本文是典型的文科文章，内容抽象，有大量同义替换，但是句间关系简单，没有封装。很多考生在读这篇文章的时候会觉得文中大量艺术专业内容会对理解产生影响，纠结马蒂斯、毕加索和布拉克分别是谁、有什么特点。其实，越是这种抽象的文章，就越可以充分利用文中句内、句间关系去推测这些抽象的含义究竟是什么。

第❶句：immediacy、mysterious depths、confounding problems 这几个词之间用 and 或逗号连接，因此取同，所以这三个词考生只要认识一个，就知道第一句在表达什么。读完这句话，留下的印象就是马蒂斯的作品很深奥/混乱/有问题。

第❷句：没有句间取反标志，因此先预判这句话和上一句取同，也就是表达马蒂斯的作品不好理解。这一句最有意义的内容是 not be confined to any single source or meaning。既然不会局限于特定的意义，说明还是不好研究。

第❸句：开始讲毕加索的作品，和马蒂斯的作品换对象取反。这句话关注 traditional、more susceptible to conventional，可知毕加索的作品传统，马蒂斯的作品非传统。

第❹句：Similarly，和上一句取同，这句话关注 nevertheless 句内转折之后的内容，can nevertheless be studied、using the same tools that one uses to study those norms。使用和研究传统规则一样的工具去研究毕加索和布拉克，说明毕加索和布拉克还是好研究。

第 **5** 句：But 句间取反，又回到马蒂斯，预判还是马蒂斯不好研究。这句话关注 idiosyncratic、unrelated to any system of ideas。既然不与任何思想体系有关，那就说明没法研究马蒂斯。

第 **6** 句：没有句间取反标志，与上一句取同。这句话的 Intuition 说明了一切。马蒂斯用的是直觉，就是在说明马蒂斯不好研究。

题目讲解

1. 本文表明了下列关于布拉克的立体主义的哪一点？
   A.（正确）布拉克的立体主义比马蒂斯的作品更容易用系统化的分析来研究。
   B.（错误）布拉克的立体主义在形式上比马蒂斯的大多数作品更加极端。
   C.（错误）布拉克的立体主义被马蒂斯的特立独行和直觉的方法所影响。
   D.（错误）布拉克的立体主义不会局限于任何单一的来源或含义。
   E.（错误）布拉克的立体主义过分依赖于传统标志和符号。

解析： A：通过 **4 5** 两句对马蒂斯和布拉克的对比可知选项 A 正确。根据第 **4** 句，布拉克的立体主义可以通过现成的工具去研究，第 **5** 句马蒂斯与任何思想体系无关，因此布拉克比马蒂斯更容易用系统化分析来研究。

　　　B：文中未提及 radical。

　　　C：马蒂斯和布拉克是对立关系，布拉克不可能被马蒂斯影响。

　　　D：描述的是马蒂斯的特征。

　　　E：文中未提及 overly。

2. 文章指出下列哪一项是马蒂斯的艺术不好分析的原因？
   A.（正确）传统的分析工具不适用于马蒂斯的艺术。
   B.（正确）马蒂斯的艺术特征不受系统化的影响。
   C.（错误）毕加索和布拉克所拒绝的规则不是马蒂斯所拒绝的。

解析： A：由第 **4** 句可知，毕加索和布拉克的艺术能用传统工具研究，因此马蒂斯的不能，选项 A 正确。

　　　B：对应第 **5** 句，马蒂斯不与任何思想体系有关。

　　　C：我们不知道马蒂斯是否拒绝了这些规则。

Passage 021

用_____来达成的统治方式比通过_____的方式更有效

原文翻译

1 目前对早期近代专制主义（一个拥有绝对权威的人进行的统治）的研究强调了统治者和被统治者之间的持续的谈判。**2** 那些通常以特别明显的方式展现个人权威的统治者会花费很多时间来安排交易和阻止反抗，持续地和贵族等阶级进行谈判来让他们接受自己的统治。**3** 有效的统治者并不是那些无理镇压反对者的人，而是那些既能够避免激怒那些难以被轻易征服的反对者，同时又能通过政治任命的方式渐渐地将大多数其他人引诱进自己的宫廷中的人。❹16世纪托斯卡纳区的一位公爵，美第奇家族的科西莫一世的统治就体现了这种**策略**。❺科西莫从一个弱势的岗位做起，后来成为欧洲最有权势的统治者之一，建立了一个存在时间远远超过他一生的王朝。

3s 版本

❶current studies：关注通过谈判达成统治目的的统治者。

❷谈判式统治方法的具体方式。

换对象❸作者：有效的统治者通过政治任命达到自己的统治目的。

❹❺以科西莫为例说明政治任命的统治方式很成功。

全文3s版本：用政治任命来达成的统治方式比通过谈判的方式更有效。

文章点拨

本文的难点在于第❸句与前两句的关系，重点是要能分辨出这两部分的观点发出者分别是谁。前两句是当前研究者（current studies）的关注重点，他们关注的是通过谈判来达成统治目的的统治者。第❸句是作者的观点，作者认为通过政治任命来达成统治目的的方式更有效果，并且在最后两句还列举了一个成功案例。这里要注意，作者并没有批判前两句的观点，即作者并没有否认谈判式的统治方法，只不过作者认为政治任命更有效。

题目讲解

1. 下列统治者的哪一项行为可以最好地充当文中"策略"的例子？

   A.（错误）不顾父母反对而和邻国统治者的儿子/女儿结婚。

   B.（错误）进行大规模游行以庆祝最近的军事胜利。

   C.（错误）将继承人在其成年之前安插到一个有权势的岗位上。

   D.（错误）抢夺当地土豪的财产以增加个人财富。

   E.（正确）奖励一个潜在的竞争对手梦寐以求的宫廷岗位以换取忠诚。

解析：E：本题属于类比题。根据原文，"策略"指的是政治任命，因此选项 E 正确。

2. 下列哪一项最好地体现了标黑体句子的作用？

   A.（错误）它反对了很多当前研究中所呈现的早期近代专制主义的观点。

   B.（正确）它指出了一个关于早期近代专制主义的真相，这一真相经常被同时代的学者所忽视。

   C.（错误）它介绍了一种统治方法，这种方法是被当代学者认为非常典型的早期近代专制统治者的方法。

   D.（错误）它反驳了一个关于早期近代专制统治者的观点，因为作者认为没有充分的证据。

   E.（错误）它质疑了早期近代统治者的策略，而这些统治者是作者认为尤其成功的。

解析：B：本题属于功能题，正确答案是标黑体句子的 3s 版本。根据原文，标黑体句子的 3s 版本是：作者认为用政治任命来达成的统治方式更有效。既然作者没有反驳当前研究者，那么便只是针对当前研究者的观点进行了补充说明，对应 overlook，第一句的 emphasize 也暗示 current studies 会忽略一些地方。

A、D：作者没有反驳当前研究者的观点，只是两种研究的关注点不同。当前研究强调的是谈判，而作者强调政治任命，认为这才是有效的统治方法，但是并没有否认谈判的存在，选项 A、D 明显是作者在反驳当前研究者，故排除。

C："当代学者认为非常典型的早期近代专制统治者的方法"是谈判，与标黑体句子的3s版本不符。

E："作者认为尤其成功的方法"是政治任命，作者是支持这一点的，而非反对。

Passage 022

落后农业时期通过生产陶器来弥补_____

原文翻译

❶现代和历史上的落后农业时期的数据表明个人和社区会专门生产陶器用于贸易，主要为了弥补农业用地不足导致的自给不足。❷哈里研究了这种陶器专门化和农业**歉收**之间的关系是否发生在美国西南部的史前居民中。❸在亚利桑那州西布兰赤的公元900年~1100年的遗址中，大量的陶器生产材料表明全村的陶器产量已经超过了生活所需的数量。

3s 版本

❶落后农业时期通过生产陶器来弥补农业不足。

❷❸用于验证这一观点的研究。

全文3s版本：落后农业时期通过生产陶器来弥补农业不足。

文章点拨

本文看似简单，只有三句话，但是很容易将最后两句理解错。很多考生会误以为第❷句的investigated whether是反驳语气，然后第❸句既然陶器产量超过家用所需求的数量，就意味着陶器生产和农业歉收没有关系。这种理解方式是脱离文章事实的。

第❶句是文章的主旨，认为陶器生产可以用来弥补农业歉收。❷❸两句是用来验证这一观点的哈里所做的研究。哈里的研究结果发现，陶器的产量超过家庭需要量，这就意味着陶器有剩余，而有剩余才能用来卖，才能去弥补农业的歉收。

另外，第❶句的suggest是一般现在时，第❷句的investigated是过去时，这也在一定程度上说明了哈里的研究是用于得出第❶句结论的。

题目讲解

1. 文章最后一句话的主要目的是
   A.（错误）引用一个可能影响在西布兰赤定居的决定的特定因素
   B.（正确）确定一个可能的原因关于为什么西布兰赤的居民专门生产陶器
   C.（错误）表明西布兰赤的居民可能用剩余农产品与其他定居点进行贸易
   D.（错误）呈现证据支持一个认为西布兰赤并不是一个陶器消费区的观点
   E.（错误）引用一个理由去质疑西布兰赤的陶器专门化是用来弥补生活不足的

解析：B：参考【文章点拨】可知，选项 B 正确。a possible reason 指的是为了弥补食物短缺而生产陶器。

　　A：文中未提及。

C：文中未提及。

D：文中未提及。

E：doubt 不对，因为最后一句是支持第一句观点的。

2. "marginality" 可以替换成下列哪一个词?

A.（错误）特点

B.（错误）不重要

C.（错误）不一致

D.（正确）不足

E.（错误）无用

解析：D：marginality 和第 ❶ 句的 shortfalls、inadequate、insufficient 均构成对应关系，因此选项 D 正确。

Passage 023

_____这一说法是错误的

原文翻译

❶最近很多工作验证了一个观点：女性相比男性在公司的升迁过程中会遇到更多的障碍。❷这一**观点**被称为劣势上升模型，这是著名的玻璃天花板理论的核心要素。❸尽管大众普遍接受玻璃天花板的思想以及一些与之一致的发现，但是迄今为止的大多数研究都没能支持劣势上升模型。❹实际上，基于私营公司的几项研究发现，随着公司中女性的地位不断上升，她们的升迁空间会增加，而不是下降。❺在公立部门，研究者并没有发现在升迁中存在性别差异，或者低级别工作中的大多数女性处于劣势。

❶在横向比较了各国员工的样本之后，巴克斯特和赖特在美国没有发现任何证据表明女性升至高位的可能性相比男性是下降的，而且**有限的证据**也只是在瑞典和澳大利亚少量存在。❷总而言之，这些发现表明玻璃天花板应该是个错误的说法。❸女性在高层组织中很稀少有可能仅仅体现了各个等级之间劣势的集合效应，这些劣势在各等级之间是一致的，甚至是下降的。

3s 版本

❶女性在升迁过程中会遇到障碍。

❷这被称之为劣势上升模型。

failed负态度取反❸大多数研究没能找到支持这一观点的证据。

❹❺私营公司和公立部门都不存在劣势上升。

第一段 3s：大多数研究没能找到支持劣势上升的证据。

❶巴克斯特和赖特也没有找到劣势上升的太多证据。

❷所以玻璃天花板这一说法是错误的。

❸女性在各等级是有劣势的，但是并不会随着职位上升而增加。

第二段 3s：玻璃天花板这一说法是错误的。

全文3s版本：玻璃天花板这一说法是错误的。

📖 文章点拨

文章的难度在于第二段第 ❸ 句。很多人会将这句话理解为女性依然会面临玻璃天花板的现象，于是认为这句话和前文取反。注意，本文一直没有否认女性受到歧视，否认的是女性升迁的职位越高，面临的歧视越大。最后一句的 cumulative effect 指的便是，女性在每个级别都可能受到歧视，但是每升一级，受到的歧视并不会变多（这可以被认为是升迁过程中的正常淘汰，并不是歧视），但是因为每一级都受到了歧视，因此升至高位的女性也很少。

📖 题目讲解

1. 本文的主要目的是
   A.（错误）比较关于一个反复出现的问题的两种解释
   B.（正确）总结和一个假说有关的证据
   C.（错误）指出一系列发现的不一致
   D.（错误）解释一个观点的长期存在
   E.（错误）重新考虑一个正在发生的问题的起源

解析：B：本题属于主旨题。本文主旨是玻璃天花板这一说法并不准确，同时文章引用了大量的证据来支持这一说法，因此选项 B 正确。但要注意，选项 B 中的 a hypothesis 对应第 ❶ 句的观点，女性会遭遇劣势上升，而文章通过总结与之相关的证据来反驳这一观点。hypothesis 一词翻译成"假说"，其实就是观点。evidence 是不可数名词，表达"好多证据"要写成 pieces of evidence。

　　A：本文只是列举证据来说明玻璃天花板这个现象存在不存在，并没有解释任何事情。

　　C：本文确实有一系列发现（对应文章给出的各种证据），但是没有指出它们之间的不一致。

　　D：文中未提及。

　　E：文中未提及。

2. 基于文章，下列哪一项关于瑞典和澳大利亚的"有限的证据"是正确的?
   A.（正确）这些证据倾向于支持劣势上升模型。
   B.（错误）这些证据与大多数其他国家女性的职场流动性的发现有关。
   C.（错误）这些证据表明了这些国家之间重要的文化相似性。
   D.（错误）这些证据指出了没有被这些国家广泛认识的一个现象。
   E.（错误）这些证据帮助解释了玻璃天花板的长期存在。

解析：A：根据第二段第 ❶ 句，这些"有限的证据"确实表明女性会在这两个国家遭遇劣势上升，因此选项 A 正确。

　　B：这些有限的证据只能说明瑞典和澳大利亚的情况，跟其他大多数国家无关。

　　C：与"文化"无关。

　　D：只能说这两个国家有这些现象，但是并不确定这些现象有没有被认识到。

　　E：这些证据可以说明存在玻璃天花板，但是不能说"长期存在"。

3. 文章作者和那些接受了那个"观点"的人最有可能同意下列哪一项说法?

    A.（错误）相比于她们在高位的时候，在相对低的组织层级上，女性会经历更少的劣势。

    B.（错误）女性升迁的时候经历的劣势不超过男性所经历的。

    C.（错误）女性经历的劣势的程度会随着女性的升迁而保持不变。

    D.（错误）女性升迁所遇到的障碍在不同国家间差异很大。

    E.（正确）女性在升迁的每一阶段都会遇到劣势。

解析：E：本题的关键在于识别出文中各个观点的持有者。这道题目考查的是作者和 proposition 之间的共同点。proposition 对应第一段 ❶❷ 句，认为女性升迁过程中面临越来越多的障碍。文中作者的观点认为女性不会面临玻璃天花板。这看起来两个观点没什么共同点，但是注意文章最后一句也是作者说的，作者认为各个等级之间的劣势存在集合效应，在每个层级中的劣势是一样甚至是递减的。两个观点取一个交集，便可知道 proposition 和作者都认为女性会面临劣势，故选项 E 正确。

A：这是 proposition 的观点（第 ❶ 句中的 increasing obstacles relative to men as they move up），但是作者认为随着升迁，女性遇到的障碍不变或下降。

B：这与 proposition 相悖。

C：这是作者的观点。

D：作者和 proposition 都没有提到国家差异。

Passage 024

将塞涅卡视作八部悲剧的作者的证据充分/不充分

📝 原文翻译

    ❶现存的八部拉丁文悲剧的手稿被称为 *Marci Lucii Annei Senecae Tragoediae*。❷因为没有人叫这个名字，所以现代学者认为这些戏剧应该是知名哲学家、演说家和政治家小吕齐乌斯·安涅·塞涅卡的作品。❸显然，这些悲剧是塞涅卡在活着的时候写的：戏剧中提到了早期的诗人，其中最知名的是奥维德，这表明这些戏剧不可能在公元20年之前完成，并且这些剧本必须在公元96年之前完成，当时昆体良引用了其中一部悲剧：《美狄亚》（*Medea*）。

    ❶但是，令人惊奇的是，塞涅卡本人竟然从没有谈过这些剧本，因为这些剧本中有一些文章可以被用来阐明他的哲学观点。❷对此至少有两种可能的解释。❸在罗马帝国早期，剧作家有时会因为写了直接针对国王的话而被流放或者受到制裁；因此，塞涅卡的缄默可能是出于谨慎。❹但是，如果有人可以将自己的名字写进剧本后还安然无恙，那么这只能是塞涅卡了，因为他是国王的老师。❺尽管赫尔曼认为塞涅卡的谦虚可以作为一种解释，但是塞涅卡并不反感在其他作品中提及自己的名字。❻将塞涅卡视作这些悲剧的作者的证据看起来都不充分。

⤵ **3s 版本**

❶❷悲剧作者被认为是塞涅卡。

❸对于悲剧完成时间的推测。

第一段 3s：悲剧作者被认为是塞涅卡。

however ❶塞涅卡本人没有谈过这些剧本。

❷对此至少有两种解释。

❸塞涅卡出于谨慎而没有提及这些悲剧。

But ❹塞涅卡并不需要谨慎。

❺塞涅卡也不可能是出于谦虚而没有提及这些作品。

❻将塞涅卡视作这些悲剧的作者的证据并不充分。

第二段 3s：将塞涅卡视作八部悲剧的作者的证据并不充分。

全文3s版本：将塞涅卡视作八部悲剧的作者的证据并不充分。

⤵ **文章点拨**

第一段：

前两句认为，因为这八部悲剧的名字里有 Senecae，于是人们就认为这些剧是塞涅卡写的。第 ❸ 句的功能是利用这八部剧的完成时间和塞涅卡活着的时间吻合来支持这一观点。这八部剧里引用了奥维德，那么这些剧的完成时间肯定要在奥维德之后，要不然不可能引用奥维德。因此我们可以推知，文中的公元 20 年指的是奥维德完成他第一部作品的最早时间，也是八部悲剧的最早可能时间。而昆体良又引用了八部剧中的《美狄亚》，既然要被引用，那么八部剧就要完成在昆体良之前，因此最晚完成时间是公元 96 年。

这种通过引用时间来推断作品完成时间范围的手法在古代文学研究中多被使用，也是 GRE 阅读中古代文学类文章喜欢考查的手法，比如《GRE 阅读白皮书》Unit 17 Passage 153 中就有类似考点：

Then, in 1952, a fragment of papyrus found at Oxyrhynchus was published stating the official circumstances and results of a dramatic contest. The fragment announced that Aeschylus won first prize with his Danaid tetralogy, of which *The Suppliant Women* is the opening play, and defeated Sophocles in the process. Sophocles did not compete in any dramatic contest before 468 B.C., when he won his first victory. Hence, except by special pleading (e.g., that the tetralogy was composed early in Aeschylus' career but not produced until the 460 B.C.), the Danaid tetralogy must be put after 468 B.C. In addition, a few letters in the fragment suggest the name Archedemides, archon in 463 B.C., thus perhaps tying the plays to that precise date, almost exactly halfway between Aeschylus' *Seven Against Thebes* of 467 B.C. and his *Oresteia*.

大家能否根据上文推断出段落中涉及的几部作品完成的先后顺序呢？

答 案：Sophocles 获 胜：468B.C. → *Seven Against Thebe*：467B.C. → Danaid 四 部 曲（*The Suppliant Women*）：463B.C. → *Oresteia*：459B.C.

第二段：

however 取反，可预判这一段是作者反对上一段的观点。作者给出的理由是：塞涅卡在其他作品中会提及自己的名字，但是没有在这八部悲剧中提及自己的名字。虽然之后给出了两个理由来解释这一矛盾，但是两个理由均不充分。第一个理由认为可能是为了避免被流放，但是塞涅卡是国王的老师，塞涅卡不需要这么谨慎。第二个理由认为塞涅卡是出于谦虚，但是塞涅卡在其他作品中会提及自己的名字，说明他没有那么谦虚。因此最终作者的结论就是，认为这八部悲剧的作者是塞涅卡这一观点的证据并不充分。

题目讲解

1. 作者提及《美狄亚》的主要目的是

   A.（错误）给出一部剧本的例子，这部剧本中对某些作家的引用可以被用来确定 *Marci Lucii Annei Senecae Tragoediae* 是何时被创作的

   B.（错误）承认一种可能性，*Marci Lucii Annei Senecae Tragoediae* 有可能是昆体良而非塞涅卡写的

   C.（错误）表明 *Marci Lucii Annei Senecae Tragoediae* 有可能是在塞涅卡生命的末期被创作的

   D.（错误）认为 *Marci* 有可能是 *Marci Lucii Annei Senecae Tragoediae* 八部剧中最后被完成的一部

   E.（正确）指出 *Marci Lucii Annei Senecae Tragoediae* 被创作的最晚可能时间是如何被确定的

解析：E：本题属于功能题。本题定位到第一段第 ❸ 句，其 3s 版本是"对悲剧完成时间的推测"，因此应该选择和时间有关的选项，选项 E 正确。在这句中，昆体良引用了《美狄亚》，说明这时《美狄亚》已经被完成了，所以八部悲剧的完成时间最晚不能晚于昆体良引用《美狄亚》的时间。

A：如果选择选项 A，那么 a play in which references to certain authors 表明的是《美狄亚》这部剧中提及了某些作家，而这可以用来确定八部悲剧的创作时间。但是根据原文，我们只知道有的作家引用了《美狄亚》，看不出来《美狄亚》里面引用了哪些作家。

2. 文章作者关于八部拉丁文悲剧给出了下列哪个观点？

   A.（错误）关于这些作品都是由同一个作家创作的证据很间接。

   B.（错误）学者们坚持将这些剧本归功于塞涅卡，尽管有证据表明一些剧本是在他出生之前被完成的。

   C.（错误）剧本手稿中的证据表明这些剧本是小吕齐乌斯·安涅·塞涅卡创作的。

   D.（错误）这些剧本包含一些会被认为直接针对国王的台词。

   E.（正确）这些剧本包含了可以阐明塞涅卡哲学思想的材料。

解析：E：对应第二段第 ❶ 句，这是作者说的，因此正确。

A：本文讨论的是这些作品是否由塞涅卡完成，而非是否由同一人完成。

B：文中未提及。

C：关于这些作品是否为塞涅卡创作的，在文中一直都是推测，没有确凿的证据去证明；另外，作者的观点是证明塞涅卡是作者的证据是 circumstantial。

D：作者认为，因为塞涅卡是国王的老师，所以就算他写了一些针对国王的话，也不需要保持沉默。至于作品中到底有没有针对国王的台词，作者并没有说。

3. 如果塞涅卡真的写了这些悲剧，文章作者最有可能同意塞涅卡有可能会

   A.（错误）将这些剧本作为自己哲学思想的展示平台

   B.（正确）在他的其他作品中提及这些剧本

   C.（错误）因为某些台词而遭受流放或受到制裁的风险

   D.（错误）因为谦虚而避免将他的名字写在剧本里

   E.（错误）在他生命的后半部分写了这些剧本

解析：B：第二段第 ❺ 句："Seneca is not averse to referring to his other writings"，由此可知，如果塞涅卡真的写了这些悲剧，他也会在其他作品中提及这些悲剧的，故选项 B 正确。

A：根据第二段第 ❶ 句，我们只知道这八部悲剧中的一些文章可以体现塞涅卡的哲学思想，但是这并不能说明如果塞涅卡写了这八部悲剧就会把它们当成展示哲学思想的平台。

C：根据第二段第❹句，就算塞涅卡写了一些大逆不道的东西，也不会被流放。

D：认为塞涅卡谦虚的是赫尔曼，不是作者。

E：无法从文中得知。

Passage

波动资源获得理论可以＿＿＿＿＿＿关于生物入侵的相互冲突的理论

原文翻译

❶尽管有很多假说用来解释为什么有的植物种群相比其他的更容易受到外来物种的入侵，但是田野实验的结果都是不一致的，并且关于生物入侵的统一理论还没有出现。❷但是，一个基于波动资源获得性的理论可以统一大多数的现有假说，并且成功地解决了之前的研究中很多**明显相互冲突和模糊**的结论。❸这一被提出的理论认为只要未被使用的资源数量上升，一个植物种群就会变得更容易受到入侵。

❶资源释放机理的多样性在一定程度上可以解释为什么缺少关于生物入侵的一致的生态关系。❷特别是这一理论预测一个种群的生物多样性和易受入侵的程度之间没有必然关系，因为近乎彻底的生物入侵既会发生在物种丰富的地方，也会发生在物种贫乏的地方。❸尽管朗斯代尔发现物种丰富度和生物入侵之间存在正相关，但是这也有可能来自一种趋势，即生物多样性高的地方本身是缺少营养的，因此对人类所导致的营养输入的影响更加敏感。

3s 版本

❶关于生物入侵没有统一的理论。

However ❷波动资源获得理论可以统一这些相互冲突的理论。

❸波动资源获得理论的内容（只要冗余资源多了，种群就会被入侵）。

第一段 3s：只要冗余资源多了，种群就会被入侵。

❶之前得不到统一理论的原因。

❷生物入侵和生物多样性无关。

❸即使生物入侵和生物多样性有关，但是最直接的原因还是冗余资源。

第二段 3s：支持波动资源获得理论。

全文3s版本：波动资源获得理论可以统一关于生物入侵的相互冲突的理论。

文章点拨

本文首句提出问题，大家得不到统一的理论来解释生物入侵这一现象。第❷句 However 取反，用作者的波动资源获得理论可以统一这一现象。第❸句顺承前文，进一步展开作者的理论，认为只要是冗余资源多了，就会发生生物入侵。

第二段整体上和上一段取同，从功能上讲支持作者的观点。第 ❶ 句给出得不到统一理论的原因是资源释放机理太多。而作者的理论没有具体针对某一种资源释放机理，而是说只要冗余资源多了，就会发生生物入侵，因此作者的理论可以统一这些矛盾的理论。第 ❷ 句通过"排除他因"的手法，通过排除生物多样性对入侵的影响来加强作者的理论。第 ❷ 句后半句说近乎彻底的入侵既会发生在生物多样性高的地方，也会发生在生物多样性低的地方，以此来说明生物多样性和入侵没有关系。第 ❸ 句首先承认，即使多样性和入侵有关，但是导致入侵的直接原因还是人类导致的冗余资源的输入，相当于直接加强作者的理论。

🔽 题目讲解

1. 本文主要关注
   A.（错误）评价一个理论实验上的成功
   B.（错误）解释为什么不可能出现关于一个现象的一致的理论解读
   C.（正确）倡导对于一个理论僵局的可能的解决方法
   D.（错误）从一个被提出的理论中推测可被验证的预测
   E.（错误）描述解释某些实验结果中所包含的困难

   解析： C：a potential solution 对应作者的波动资源获得理论，a theoretical impasse 对应全文第 ❶ 句描述的没有统一的理论。全文主旨是支持作者的理论，而作者的理论就是用来统一这些矛盾理论的，因此选项 C 正确。

   A：a theory 对应作者的理论，但是没有对它做实验，文中未提及。

   B：对应第二段第 ❶ 句，属于细节。

   D：文中未提及 testable predictions。

   E：对应第一段第 ❶ 句，属于细节。

2. 从文章中可以推测出作者最有可能同意下列哪一项对田野调查结果的评价？
   A.（错误）很多结果与入侵敏感性的预测相矛盾，这些预测基于种群中未被使用的资源的可获得性。
   B.（正确）如果波动资源获得理论被考虑进去，就可以解释很多结果之间明显的不一致现象。
   C.（错误）结果中明显的不一致和矛盾出现是因为设法让它们符合一个不成熟的关于入侵性的统一理论。
   D.（错误）入侵性没有产生统一的理论是因为没有研究能够精确地评价入侵的程度。
   E.（错误）这些结果倾向于体现入侵敏感性的程度，这种程度低于外来物种在野外盛行情况下所预期的程度。

   解析： B：作者的波动资源获得理论就是用来解决理论之间的矛盾的，这很明显是作者的态度，所以选项 B 正确。

   A：如果基于冗余资源做的预测和入侵性相矛盾，就意味着作者的理论不能用来解决理论矛盾，与作者态度相反。

   C：文中未提及 an inadequate general theory of invasibility。

   D：文中未提及 none of the studies has been able to assess the degree of an invasion accurately。

   E：文中未提及 the prevalence in the wild of nonnative species。

3. 根据作者所说的，基于波动资源获得理论有可能会解决"明显相互冲突和矛盾的结果"是因为

A.（错误）它解释了一个特定的条件下如何能够产生不同的结果

B.（错误）它没有假设所有的结果都是这个理论想要解释的现象的例子

C.（错误）它预料到研究方法论看似微小的差异对结果都能产生明显的影响

D.（错误）它的解读是基于一种数据趋势而不是基于这些结果是来自因果关联这样一个推断

E.（正确）它表明了为什么类似的结果可以由不同的条件在不同情况下产生

解析： E：根据第二段第 ❶ 句，作者的理论之所以能够统一不同的理论，就是因为导致生物入侵的资源释放机理太多了，对应选项 E。a similar outcome 对应生物入侵，very different circumstances 指不同的资源释放机理，different occasions 指的是生物多和生物少的不同情况。

A：正好和选项 E 相反。

B：根据第一段第 ❷ 句，作者的理论确实只能解决大多数相互矛盾的假说，因此对应选项 B 的说法，作者的理论不能解释所有的现象。但是这道题问的是为什么作者的理论可以解释相互矛盾的结果，但是选项 B 的侧重点是作者的理论不能解释的部分，不符合题意。选项 B 虽然原文提到，但是不符合题意。

C：文中未提及 minor variations in research methodology。

D：文中未提及 a statistical tendency。

Passage 026

品种增多不会增加消费者＿＿＿＿＿＿的概率

原文翻译

❶有更多的品种可供选择增加了消费者对产品匹配他们喜好的期望。❷增加期待看起来是合乎逻辑的，因为拥有更多的商品品种理应增加个人喜好被满足的概率。❸然而实际上，当品种增加的时候，消费者所能实现的自己的喜好被匹配的概率却不会增加多少。❹品种的增加不见得会使某种商品的种类增加，市场可能根本无法提供人们预期的产品，或者当缺少复杂的搜索工具的时候，即使有这种商品存在，消费者也可能会错过他们喜欢的东西。❺因此，增加的品种会增加期待无法被满足的概率，**这使得消费者对于从更多的品种中进行选择变得更加不满意。**

3s 版本

❶❷有更多的品种可供选择会提升消费者的期望值。

however❸实际上期望值被满足的概率不会增加多少。

❹增加的品种不见得能匹配消费者的喜好，或者消费者遇不到他们想要的东西。

❺品种增加会降低消费者期待被满足的概率，进而使得消费者满意率下降。

全文3s版本：品种增多不会增加消费者喜好被匹配的概率。

文章点拨

对于本文的理解，可以以沃尔玛和小便利店为例。因为沃尔玛规模更大，因此顾客认为自己在沃尔玛更有可能买到自己想买的东西。但是这一心愿被满足的概率不会增加，因为沃尔玛太大了，顾客有可能根本遇不到想买的，或者沃尔玛也不卖顾客想要的东西。如此一来，沃尔玛规模大，顾客的期待上升，但是因为还是买不到想买的东西，于是顾客更加失望。

题目讲解

1. 在标黑体句子中，作者的假设是

   A.（错误）消费者对给他们呈现的品种选择的态度几乎全部取决于选择范围的大小

   B.（错误）有清晰喜好的消费者相比没有清晰喜好的消费者做决策的速度更快

   C.（正确）消费者对满足特定期待的预测直接影响了他们对选择的满意度

   D.（错误）有大量品种选择的消费者通常会适应他们之前的喜好

   E.（错误）有更多选择品种的消费者通常会太快地做决定

解析： C：文章最后一句属于推理，因为消费者期待被满足的概率下降，所以不满的程度增加，因此这个推理所依赖的前提之一就应该是：消费者的期待是否被满足与其满意程度相关，因此选项 C 正确。

2. 下列哪一项最好地描述了第一句在作者的论证中所起到的作用？

   A.（正确）这句话为作者的结论提供了前提。

   B.（错误）这句话提供了信息去支持后一句的推断。

   C.（错误）这句话介绍了被作者证明不合逻辑的概念。

   D.（错误）这句话总结了作者进一步反驳的观点。

   E.（错误）这句话呈现了文章想要解释的现象。

解析： 这道题比较难，很多考生会认为既然第 ❸ 句出现了 however，那么这句话的功能肯定是被后文反驳，因此会错选成选项 C 或者选项 D。这就是没明白本文的论证过程。

第 ❶ 句的功能其实是本文的基本前提：可选择的种类越多，消费者的喜好被满足的期望值就会越高。

第 ❷ 句是对这一前提的解释：因为可供选择的商品种类多了，消费者的喜好当然更容易被满足。前两句都是从理论上进行论证，因此是 logical 的，所以这道题排除选项 C。同时可以看出，第 ❷ 句是用来支持第 ❶ 句的，而不是第 ❶ 句支持第 ❷ 句，所以排除选项 B。

第 ❸ 句的 however 其实是把理论拉回到现实中。现实中，品类越多，消费者的喜好被匹配的概率反而降低。注意，在这里第 ❶ 句并没有被反驳，第 ❶ 句只是说人们的"期待值"会升高，而现实状况中，期待值确实是升高了，但是这种期待值被"满足"或"匹配"的概率是降低的，因为消费者可能遇不到他们想要的东西。

第 ❹ 句是结论，消费者的期待被满足的概率下降，进而满意度下降。

综上，作者的论证过程是：种类↑→期待↑→事实上喜好被满足的概率↓→满意度↓。故第 ❶ 句是作者最终结论的前提条件，选项 A 正确，选项 D 错误。而第 ❶ 句也并非现象，因为第 ❶ 句只是理论，所以选项 E 也错误。

Passage 027

水稻种植很有可能起源于_____

原文翻译

❶自从1970年代之后，中国长江流域考古遗址中已经发现了发达的水稻种植社会的证据，这些证据超前于东亚其他地方水稻种植证据几千年。❷在这一证据被发现之前，人们普遍认为水稻种植起源于更南的地方。❸这一设想基于以下两点：人们认为野生水稻的地理分布范围不会蔓延到长江那么靠北的地方，以及东南亚和印度发现了非常早期的国内水稻种植证据（尽管现在被认为不像起初报道得那么久远）。❹南方起源论的支持者认为长江沿岸的水稻种植社会早就已经高度发达，而水稻种植的第一阶段证据是缺少的。❺他们认为第一批发展出水稻农业的狩猎采集者一定是在这个南方区域，也就是现在野生水稻的地理分布范围内这么做的。❻尽管1984年的一项调查报告表明，大多数野生水稻集中在长江流域以南，但是两个北方的独特品种也在长江的中下游省份被发现，这个证据表明长江湿地既是今天也是历史上野生水稻的地理分布范围。

3s 版本

❶水稻种植起源于长江。

Before时间对比❷起源于更南的地方。

❸~❺用于支持水稻种植起源于南方的理由。

Yet ❻水稻种植很有可能起源于长江。

全文3s版本：水稻种植很有可能起源于长江。

文章点拨

1. 本文从句间关系的角度去分析便非常容易理解。第 ❶ 句是新观点，认为水稻种植起源于长江。第 ❷ 句before 表示时间对比，讲老观点，认为水稻不是起源于长江。❷❸❹❺ 句取同，都在讲"不是长江"。第 ❻ 句 Yet 再次句间取反，还是在说起源于长江。因此本文最终结论就是水稻种植起源于长江。

2. 但是，文中很多的句子不好理解，因此在句间关系之外，还要详细研究本文每句话的论证原理。

第 ❶ 句：长江遗址中的水稻种植证据比别的地方的证据超前，这就是在说明水稻种植起源于长江。

第 ❷ 句：时间对比，老观点认为起源于更靠南的地方。注意，对于中国考生来说，长江已经是南方了。但是这篇文章认为长江是北方，长江以南是南方（GRE 阅读经常将长江认为是北方）。

第 ❸ 句：给出两个证据说明水稻种植起源于南方。证据一：野生水稻不会蔓延到长江。注意，本文研究的是"水稻种植"，而"野生水稻"是水稻种植的前提，因此，如果长江没有野生水稻，那么长江不可能种植水稻。这一证据通过排除长江来加强南方起源论。证据二：早期水稻种植的证据被发现于东南亚和印度。东南亚和印度位于长江以南，因此这两个地方成为额外的证据来加强水稻种植起源于南方这一观点。

第 ❹ 句：如果某地是某物的起源地，那么这个地方必然会经历从无到有、从落后到发达的过程。但是这句话则说长江的水稻种植社会 already highly developed 并且"缺少第一阶段的证据"，这说明长江没有经历过水稻种植的落后阶段，因而其高度发达的水稻社会是从别处迁移而来的。这句话通过排除长江来支持南方起源论。

第❺句：通过说明南方是今天野生水稻的分布范围，来说明南方在过去也很有可能是野生水稻的分布范围，而这满足了南方是水稻种植起源地的前提，因此也是在加强南方。

第❻句：Yet 句间取反，主句部分依然在证明长江是水稻种植的起源。根据 1984 年的一项调查，长江有两种野生水稻，这就加强了长江在过去可能有更多的野生水稻的可能性，满足了长江是水稻种植起源地的前提，因此加强了长江是水稻种植起源地的可能性。

总结：本文作者的观点更加倾向于长江是水稻种植的起源地。

3. 除了要区分长江和南方之外，本文还需要区分"野生水稻"和"水稻种植"的相关表达。水稻种植：rice-farming、rice cultivation、domestic rice、rice agriculture；野生水稻：wild or free-living rice、hunter-gatherers、rice's wild ancestor。

📖 **题目讲解**

1. 下列哪一项，如果正确，最能削弱作者基于 1984 年调查所得到的结论？

    A.（错误）长江盆地以南的区域中，现在的野生水稻产地比过去少了。

    B.（错误）1984 年之后的调查表明长江上游、中游和下游都有野生水稻。

    C.（正确）长江流域的野生水稻品种是最近刚刚迁徙到北方的。

    D.（错误）长江流域早期的水稻种植社会不像考古学家一开始认为得那么高度发达。

    E.（错误）在东亚，野生水稻历史上分布范围比今天的分布范围更广。

解析： C：本题的选择方向是"削弱"长江是水稻种植的发源地。长江的野生水稻是近期刚刚迁移过去的，说明长江过去不存在野生水稻，因此长江不可能是水稻种植的起源地，选项 C 正确。

    A：南方今天的野生水稻更少→南方过去的野生水稻多→南方是水稻种植起源地→削弱长江是水稻种植起源地，排除选项 A。但是因为中间的推理步骤太多，根据逻辑题"不完备性"原则，每削弱一次，削弱的强度会减弱，因此选项 A 相比选项 C，选项 C 的削弱程度更强。

    B：上游也有了野生水稻，相当于增加额外证据来加强长江是起源地。

    D：不发达则说明长江水稻种植社会可能经历过特别落后的阶段，加强了长江是起源地的可能性。

    E：今天的长江只分布了两种野生水稻，如果历史上的分布范围更广，那么长江在过去会有更多的野生水稻，加强了长江是起源地的可能性。

2. 基于这篇文章，水稻种植起源于长江的怀疑论者可以利用下列哪一项作为支持？

    A.（错误）缺少证据支持长江沿岸早期存在水稻种植社会

    B.（正确）缺少长江流域水稻种植第一阶段的证据

    C.（错误）关于野生水稻的历史分布范围的最近发现

    D.（错误）关于东南亚非常早期的水稻种植的新信息

    E.（错误）关于狩猎采集者如何在东亚发展了水稻农业的新理论

解析： B：本题选择的方向是"削弱"长江是水稻种植的发源地。该选项对应第❹句。

    A：该选项也能说明长江不是起源地，但是注意审题，Based on the passage，因此应该选原文本身的内容。根据第❶句，长江有早期的水稻种植社会，所以排除选项 A。

C、D、E：均为"新"，加之本题要求选原文提到的，而文章提到的和"新"有关的内容都在支持长江是水稻种植的发源地，而非削弱，所以均不选。

3. 关于"南方起源论"，下列哪一项可以从文中推断出来？

   A.（错误）这一理论基于对狩猎采集者第一次发展水稻种植的非传统理解。

   B.（错误）这一理论没有考虑到一个明显的事实：北方缺少水稻种植的第一阶段证据。

   C.（错误）这一理论主要是根据1984年对野生水稻地理分布的调查而发展起来的。

   D.（正确）重新评估一些考古学证据的时间削弱了对这一理论的支持。

   E.（错误）长江流域发达的水稻种植社会的证据支持了这一理论。

解析： D：该选项定位到第❸句括号里的内容。以前人们认为东南亚的水稻种植发生在非常早期，因此这一证据可以用来支持南方起源论。但是括号部分说，东南亚的证据不如一开始认为得那么久远，也就是说最近的证据表明东南亚的水稻种植的时间其实并不久远，因此东南亚的证据便无法再用来支持南方起源论了。

A：南方起源论在文中是老观点，老观点不能基于"非传统"的内容，这在时间上是矛盾的，因为老观点被提出的时候，还没有出现新观点，老观点何谈基于新观点？

B：根据第❹句，南方起源论尤其考虑到了这一点。选项C和选项A犯了一样的错误，1984在文中对应新观点，老观点被提出时，还没有新观点。

E：该选项对应的是第❶句，而第❶句的 sophisticated rice-farming societies 则是支持长江是水稻种植的起源地的，而非支持南方。

Passage **028**

GRIP的观点是对的，间冰期气候是_____的

↘原文翻译

❶基于年轮、花粉样本和其他记录的证据，科学家们长期以来认为间冰期——冰河时代之间的温暖间隔——就如全新世（Holocene）这个持续了8000~10000年的最年轻的间冰期一样温和、稳定。❷但是在格陵兰岛的新的研究质疑了这一假设。

❶格陵兰岛冰芯项目（GRIP）和格陵兰岛冰盖项目（GISP2）这两组的研究者，分析了两个不同的冰柱子，每个都是两英里深，是从格陵兰岛的冰层里拔出来的。❷这些冰核含有气体、尘埃和其他化学物质，它们存在于格陵兰岛数千年的降雪中，之后被压缩到了冰中。❸通过研究这些成分，科学家得到了关于气候的很多方面的详细资料，包括气温、降雪和大气中温室气体的浓度。

❶冰核上层所得到的发现证实了科学家们已经知道的事实——上个冰河时代的气候是快速波动的。❷但是科学家们对GRIP冰核底层的发现感到惊讶，这一发现近距离观察的并非是我们正在经历的这段间冰期，而是埃姆间冰期（Eemian interglacial），大约135000~115000年之前的一段时间。❸GRIP的数据似乎表明埃姆间冰期的气候波动程度就像冰河时代一样剧烈。

❶研究者们关于埃姆间冰期气候的线索来自对两种略微不同的氧同位素比例的测量：氧-16和氧-18，这两种同位素包含在GRIP冰核中。❷这种比例表明了气温在季节和年度上的波动。❸当空气很温暖的时候，含有更重的同位素氧-18的水蒸气比含有氧-16的水蒸气更容易凝结形成降雪。❹因此，在温暖时期降的雪相比寒冷时期降的雪含有更高比例的氧-18。❺气候快速波动的证据也有其他来源，比如测量寒冷时期冰层中尘土和钙离子的数量：风非常大，导致由松软表面物质组成的松软沉积物中富含钙的尘土在整个冰层上刮来刮去。❻因此，冰层中不同数量的尘土也表明了气候条件的变化。

❶但是，对GISP2底层冰核的研究结果并没有证实GRIP的发现。❷GRIP表明的上一次间冰期剧烈的气候波动在GISP2的冰核中并没有被看到。❸根据GISP2的科学家观察，漂在上面的冰的重量压迫了冰核的底部。❹这会破坏底层的冰，破坏年度层并且通过这种方式导致记录之间的不一致。❺但是，一些气象学家认为GRIP的记录是两个记录中更可靠的。❻他们认为产生这一记录的冰芯是从靠近冰层分界线（ice divide）的地方钻出来的，那里压力更小。

3s 版本

❶老观点：间冰期是温和的。

But ❷老观点被质疑。

第一段 3s：老观点被质疑。

❶❷❸讲述试验方法。

第二段 3s：试验方法。

换对象❶新观点和老观点在冰河时代上达成共识：冰河时代气候是波动的。

But ❷关于间冰期的气候，新老观点不一样。

❸新观点认为间冰期的气候是波动的。

第三段 3s：新观点：间冰期的气候是波动的。

❶~❹原理一：通过氧-16和氧-18比例的变化来表明以前的气候变化。

also ❺❻原理二：通过钙离子分布情况来分析以前的气候变化。

第四段 3s：GRIP的测量原理。

However ❶❷ GISP2不同意GRIP。

❸❹上层的冰压迫了底层的冰，导致记录出现了不一致。

Still ❺❻气象学家认为GRIP的观点是对的。

第五段 3s：GRIP的观点是对的。

全文3s版本：GRIP的观点是对的，间冰期气候是波动的。

文章点拨

本文是一篇结构非常完整的理工科文章，包含了试验方法、原理和结论。同时第一段和第三段又组成了一篇完整的新老观点对比型文章。

本文作为一篇长文章，信息量巨大，但是并不要求考生在考场上把所有的细节信息都理解透彻。下面为大家模拟在考场上遇到这篇文章时考生应该把握的程度：

第一段：

第 **1** 句：根据 have for a long time 判断出这是老观点，预判这一观点在后文会被批判，其内容是 interglacials 是 mild and uniform 的。考生不需要知道 interglacials 是什么意思。

第 **2** 句：看到 But，心里想到两种预判：批判或者直接提出新观点。读完这句话可知是批判老观点，于是第一段 3s 版本：老观点不对。同时还可以预判新观点：间冰期是不稳定的。

第二段：

读完之后发现是试验方法，不重要。期待后面给出的试验结论。

第三段：

带着"新观点认为间冰期不稳定"这一预判来到第三段：

第 **1** 句：根据 what scientists already knew 可知，这句话既说了新观点也说了老观点，老观点＝新观点＝ice age 是波动的。第一段最后说新观点不同意老观点，但是这一段开头则说新观点等于老观点，这与预判相矛盾，因此可以期待后文出现的转折，做 But 封装。当然，这句话也可以看作换对象取反，第一段新老观点的冲突在于间冰期，但是这句话讨论的是冰河时代。

第 **2** 句：看到 But 可知这句话是重点，这句话会继续展开关于间冰期的新观点是不同意老观点的，但是这句话读完之后依然不知道新观点的具体内容是什么。

第 **3** 句：顺承前一句，因此会比前一句讲得更深刻，预判这句话会告诉我们新观点的具体内容。抓住这句话的观点内容主干：Eemian climate swung，新观点认为间冰期是波动的。此时，本文的主旨已经出现：间冰期是波动的。

第四段：

根据第 **1** 句 clues 一词可知这段内容可能和原理有关，要做好大量流程做广义封装的准备。

第 **1** 句：间冰期的波动的线索来自对氧同位素的测量。这句话还不需要封装，因为依然讲的是间冰期的波动。

234 句单独来看都和间冰期波动无关，因此封装起来，描述了第一个原理。这个原理的具体情况可以不用理解太深，只要知道：既然间冰期是波动的，而 GRIP 又是通过氧 -18 和氧 -16 的比例来判断气候，因此氧 -18 和氧 -16 的比例一直在变。

第 **5** 句 also 一词可预知，**56** 讲的是另一种原理。这一原理大家需要理解的程度：钙离子分布的变化可以表明当时气候的变化。

*原理一的具体解读：根据第二段的试验方法可知，GRIP 研究的是从冰层里钻出来的冰柱子。这根冰柱子形成于 135000~115000 年前之间，跨越了这 2 万年的间冰期。关于过去的气候情况当然是没有直接的记录，只能通过间接的证据来判断。氧-18 和氧-16 的比例可以体现当时的温度。温度高的时候，氧-18 多，温度低的时候，氧-16 多。GRIP 通过分析整根冰柱子氧-18 和氧-16 的比例，发现一会儿氧-18 多，一会儿氧-16 多，这说明在这两万年的间冰期期间，温度一会儿高一会儿低，证明间冰期的气候是波动的。

*原理二的具体解读：根据 "cold periods: winds were strong, causing calcium-rich dust...to blow across the ice sheet" 这一信息可知，温度越低，钙离子在冰层中的分布就越均匀。因此，在上文提到的冰柱子里，钙离子一会儿均匀一会儿不均匀，这说明一会儿冷一会儿热，也证明了间冰期的气候是波动的。

第五段：

第 **1** 句根据 However 可以预判，GRIP 的观点被反驳。**234** 句取同，都在反驳 GRIP 的观点。第 **5** 句 Still 再取一次反，反驳了对于 GRIP 的反驳。两次取反相当于没说，因此这一段还是在支持 GRIP 的观点。

题目讲解

1. 本文的主旨是
   A.（错误）反驳了关于地球气候历史的某些科学理论
   B.（错误）概括了冰河时代地球气候历史的新发现
   C.（正确）讨论了新的研究，这一研究可能会质疑关于地球气候历史的一个长久以来的科学假设
   D.（错误）描述了地球从冰河时代进入到间冰期时所发生的气候变化
   E.（错误）协调了关于气候变化的相互矛盾的证据

解析：C：本文属于主旨题，考查新老观点对比，因此正确选项应该包含"新观点""老观点"和"批判"。很明显，选项 C 符合这个条件。new research 对应 GRIP 的观点，即间冰期的气候是波动的；a long-held scientific assumption 对应老观点，即间冰期的气候是稳定的。

　　　A：本文不是驳论文，因此正确选项不应该以负态度词开头。

　　　B：ice ages 不是本文的重点。

　　　D：文中未提及。

　　　E：文中未提及 reconciling。

2. 下列哪一项描述的研究最能和 GRIP 的科学家所做的测试相类比？
   A.（错误）研究撒哈拉沙漠形成的科学家测量了沙漠表层土壤的侵蚀速率。
   B.（错误）想要确定特定化石年龄的科学家测量了衰变的碳原子的百分比。
   C.（错误）研究苍蝇视力的科学家测量并且比较了几种苍蝇物种视网膜中维生素 A 的含量。
   D.（错误）研究地球生命发展的科学家测量并且比较了在进化过程中不同生物所消耗的氧气的数量。
   E.（正确）绘制早期热带雨林中降水量波动图的科学家测量了老树年轮中的气体的含量。

解析：E：本题属于类比题，正确答案是和类比对象共同点最多的选项。根据题干中的 testing 一词，本题要类比 GRIP 所做的实验方法。原文研究的是气候的波动，选项 E 研究的是降水量的波动；原文研究了气体，选项 E 也研究了气体；原文研究冰柱子，选项 E 研究树，都是柱形；原文通过冰层来判断时代，选项 E 的年轮也是一层一层的，同时也能用于断代。选项 E 有四个共同点，其他选项都没有这么多的共同点，因此选项 E 正确。

3. 根据文章，下列哪一项最精确地陈述了在 GRIP 的发现之前科学家对于地球气候的认识？
   A.（错误）在地球历史上，间冰期变得越来越温和。
   B.（错误）地球总体的气候在地球形成之后都很温和。
   C.（错误）在间冰期和冰河时代，地球气候波动得都很剧烈。
   D.（正确）在冰河时代，地球气候非常多变，而间冰期的气候很温和、稳定。
   E.（错误）在间冰期，地球气候非常多变，而冰河时代气候一直很冷。

解析：D：本题属于细节题，根据题干可知问的是老观点，因此本题的定位点是第一段第❶句和第三段第❶句。第一段第❶句中，老观点认为间冰期是温和的；第三段第❶句中，老观点认为冰河时代是波动的，因此选项 D 正确。

4. 关于 GRIP 冰核底层发现的氧-18 和氧-16 同位素,文章表明下列哪一项最有可能是正确的?

A.(错误)冰层中的氧-18 比氧-16 多。

B.(错误)冰层中的氧-16 比氧-18 多。

C.(正确)氧-18 和氧-16 的比例在冰层中发生变化。

D.(错误)包含氧-18 的冰层压迫包含氧-16 的冰层,因而有可能破坏了这些冰层。

E.(错误)氧-16 更轻,因此更多存在于上层,而氧-18 存在下层。

解析: C:本题考查第四段对于原理一的理解。根据【文章点拨】可知,GRIP 的冰层中氧-18 和氧-16 的比例一直在变,因此选项 C 正确。

Passage 029

_____导致欧洲教堂变了

📝 原文翻译

❶建筑形态学研究的是变化的文化和环境条件如何对建筑形式产生变化。❷当被运用到当今美国西南部的新墨西哥州的教堂时,这些教堂代表17世纪和18世纪的西班牙殖民建筑,建筑形态学在很大程度上揭露了美国土著文化如何改变了那些西班牙传教士的欧洲传统教堂建筑,而这些传教士想要把美国土著人转变成有欧洲信仰的人。

❶很多对这些教堂的研究详细记录了它们独特建筑形式的历史和设计,大多数研究将这些教堂同16世纪欧洲"前辈"的明显不同归因于当地气候和机械化程度不高的建筑技术。❷手工劳动以及当地可用的泥砖和木材的限制使得人们不得不偏离原先的欧洲教堂样式。❸但是,一种适应于西南部生活的教堂形式的出现则根植于某个比材料和技术更加基本的因素。❹新的建筑是西班牙殖民和美国土著社会的文化力量的产物,每种文化都有关于形式和空间的不同想法以及用符号化的手段传达这些想法的不同方式。

❶比如,欧洲教堂[1]和当地的土教堂[1]——一种圆形的、有一部分在地下的空间,被很多西南部的美国土著用于重要的仪式——共享某些空间特征。❷就像欧洲教堂想要取代的土教堂,典型的欧洲教堂有厚厚的土砖墙(由晒干的泥土和稻草组成)、伸到地下的地面以及一两个小窗户。❸为了迎合欧洲传统,这些欧洲教堂的天花板要比传统的土教堂更高。❹但是,因为少量小窗户带来的光线有限,这些欧洲教堂依然会体现出具有土教堂特色的低矮、盒子状、处于地下的内部结构。❺因此,尽管正如之前的研究所表明的,建筑的实用因素可能有助于形成欧洲教堂的形状,但是提供符合土著传统的神圣场合也是教堂设计中重要的考量因素。

❶历史学家低估了土教堂在西班牙传教士社区中持续的生命力。❷在欧洲风格的传教士社区废墟中发现的独立式土教堂被某些**历史学家**解释成"叠加"的例子。❸基于这一理论,欧洲信仰想要凌驾于土著信仰就要用欧洲教堂建筑围绕着土教堂这种方式体现出来。❹但是,正如詹姆斯·艾维所指出的,这种叠加是不可能的,因为历史记录表明大多数西班牙传教士到达西南部的时候几乎没

---

[1]为了便于区分,本文将mission church译为"欧洲教堂",kiva是土著人的教堂,译为"土教堂"。

有得到军事支持，因此至少在刚开始殖民的时候，他们明智地对土教堂的使用采取了一种抚慰性的态度。❺这个事实以及精心地将土教堂独立放置于传教士社区的正中央，表明了一个意图，即强调土教堂的重要性，而非削弱它。

3s 版本

❶建筑形态学的定义。

❷土著文化影响了美国的欧洲教堂。

第一段 3s：土著文化影响了美国的欧洲教堂。

❶❷老观点认为是气候、材料和技术导致欧洲教堂在美洲发生了变化。

However ❸这种变化有更基本的原因。

❹是土著文化导致欧洲教堂变了。

小结：❶❷❸❹But封装，与第一段取同。

第二段 3s：土著文化导致欧洲教堂变了。

❶❷欧洲教堂和土教堂很像。

❸欧洲教堂比土教堂的天花板更高。

However ❹欧洲教堂和土教堂很像。

小结：❸❹But封装，与❶❷取同。

❺土著文化导致欧洲教堂变了。

第三段 3s：土著文化导致欧洲教堂变了。

❶❷❸某些历史学家认为土教堂存在于传教士社区中体现的是欧洲信仰对土著信仰的凌驾。

However ❹❺詹姆斯·艾维认为，土教堂被放置于传教士社区的中央恰好体现了欧洲人被土著文化影响。

第四段 3s：土教堂被放置于传教士社区的中央恰好体现了欧洲人被土著文化影响。

全文3s版本：土著文化导致欧洲教堂变了。

文章点拨

第一段：

两句话之间是递进关系，重点看第❷句。reveals 之后相当于观点内容，这是重点。内容的主干是土著文化改变传统欧洲教堂。之后文章四段之间没有出现取反标志，可以预判，后文都是对第一段主旨的展开。

第二段：

第❶句的 Many studies、most 可以看作是老观点的标志，在后文要被反驳。❶❷取同，第❸句出现 However，因此前两句是老观点，第❸句开始反驳并且提出新观点。前两句要能读出是气候、手工劳动、建材等客观因素导致欧洲教堂在美洲改变，而非是上一段提及的文化因素。这两句与上一段之间没有取反标志，但是含义上是取反的，因此应该期待和后面的转折做 But 封装。第❸句只是说"更基础的因素"，没有明确点出具体的因素。第❹句递进，给出具体的因素：土著文化。因此这一段整体和前一段取同，认为是土著文化导致欧洲教堂改变。

第三段：

根据开头的 for example 可知，整个段落都是前面观点的例子，阅读难度较低。第❶句的 share 和第❷句的 like 都表明欧洲教堂和土教堂很像，以此来表明是土著文化影响了欧洲教堂。第❸句的 higher than...kiva 表明欧洲教堂有和土教堂不像的地方，因此应该和后文的 however 做封装。第❹句的 suggest the kiva's... 也表明欧洲教堂和土教堂很像。第❺句让步部分承认前一段前两句所提及的气候等客观因素确实也会影响欧洲教堂，但是重点还是土著文化影响欧洲教堂。

第四段：

初看前两句话并不知道具体含义，读到第❸句才能理解清楚。第❶句的 continued viability of the kiva 指的是土教堂可以长期存在于欧洲教堂建筑群中间，这一现象被第❷句的 some historians（根据 some 可以预知这些历史学家的观点会被反驳）解读为是 superposition。考场上不必纠结 superposition 到底是什么含义，因为第❸句给出了解释：将土教堂放到欧洲教堂中间是为了体现出欧洲信仰对于美国土著信仰的凌驾。这里可以和第一段第❷句的 Spanish missionaries who hoped to convert Native Americans to Christianity 形成呼应。这些欧洲人来美国一开始的目的是取代土著信仰，结果欧洲人的教堂反而被土著给改变了，有一种"偷鸡不成反蚀把米"的讽刺之感。第❹句 however 反驳前面的观点，认为欧洲人来的时候没有带军队，这意味着欧洲人没有实力去取代土著人的信仰，于是只能采取抚慰型策略。第❺句给出了詹姆斯·艾维对于将土教堂放在欧洲建筑中间的解读：为了"膜拜"土教堂。因此这也能说明土著文化影响了欧洲教堂。

题目讲解

1. 本文的主要目的是

   A.（正确）纠正关于一种建筑形式发展的某些误解

   B.（错误）将两种不同文化的传统教堂建筑进行比较

   C.（错误）研究一种教堂建筑风格对于世俗建筑的影响

   D.（错误）解释两种不同建筑风格之间对比的本质

   E.（错误）追溯美国使用的一种建筑风格的欧洲根源

解析： 表面看起来本文的这四段之间是取同关系，会被误认为是总分结构，其实本文也是新老观点对比。第一段的功能是引出文章的主旨，第二段在提出"土著文化影响欧洲教堂"这一观点之前，先提出了"客观因素改变欧洲教堂"这一老观点并加以反驳。第三段只是支持第二段观点的例子。第四段内部也是通过批判 some historians 的观点来得到最后的新观点。所以本文每一次提出新观点，都是通过反驳老观点得到的，因此本文本质上是新老观点对比型文章，主旨题的正确选项应该同时涵盖新观点和批判。

A：misinterpretations 指代第二段的"客观因素"和第四段 some historians 的观点，an architectural form 指代美国的欧洲教堂，correct 意为"纠正"，既要有批判也要有新观点，在文中有对应，故选项 A 正确。

B：干扰项，将欧洲教堂和土教堂这两种教堂进行比较的其实只有第三段。该选项属于细节，排除。

C：文中未提及 secular buildings。

D：contrast 强调不同之处，本文强调的是共同之处。

E：European roots 不正确。

2. 本文中黑体部分的历史学家认为将土教堂放在欧洲建筑正中间的目的是
   A.（错误）体现出一种教堂建筑的排列形式，在西班牙人到达之前这种形式在土著的建筑中是很常见的
   B.（错误）极大地导致了一种很独特的西班牙教堂建筑风格
   C.（错误）表明西班牙传教士希望展现出接纳土教堂的态度
   D.（错误）体现出新墨西哥州的西班牙传教士之间对待土著居民方式的争议
   E.（正确）反映出西班牙传教士想要削弱土教堂的重要性的愿望

解析：E：本题考查的是第四段中 some historians 的观点，因此选择和"凌驾土著信仰"有关的选项即可，
   选项 E 正确。
   A：文中未提及。
   B：文中未提及。
   C：是詹姆斯·艾维的观点，与原文表述相反。
   D：文中未提及。

3. 下列哪一项，如果正确，最有可能加强有关西班牙传教士对土教堂的态度的论证？
   A.（错误）西班牙传教士在西南部最密集的定居发生在新墨西哥州的欧洲教堂被建造之前。
   B.（错误）有大量军事保护的西班牙传教士社区中没有土教堂的踪迹。
   C.（错误）17 世纪和 18 世纪西南部西班牙世俗殖民建筑中很少有欧洲风格的。
   D.（正确）一些 17、18 世纪的西班牙传教士社区有军事支持。
   E.（错误）新墨西哥州到目前为止拥有全美最密集的西班牙风格教堂建筑。

解析：D：本题属于加强题。根据第四段，西班牙传教士对土教堂的真正态度应该是接纳性态度，因此本题
   需要找加强"接纳性态度"的选项。很多考生看到选项 D 会觉得这是削弱，因为有军事支持就证明
   西班牙人想要铲除土教堂。但是要注意，在做逻辑题时，原文中的事实是不应该被改变的。根据第四
   段，有如下事实：一些西班牙传教士到达美洲的时候没有军队，以及土教堂独立地存在于欧洲建筑群
   正中间，因此选项 D 的正确理解方式是：就算有了军队，土教堂依然没有被铲除，这加强了西班牙
   人想要膜拜土教堂的可能性。
   A：无关选项。
   B：属于削弱，有军队的地方没有土教堂踪迹，反而说明欧洲人想要铲除土教堂。
   C：无关选项。
   E：无关选项。

4. 根据文章，在 17 世纪和 18 世纪的西南部所流行的建筑技术扮演了下列哪种角色？
   A.（正确）阻止西南部的传教士去复制传统的欧洲教堂。
   B.（错误）影响西南部的传教士在某些社区中融入独立的土教堂。
   C.（错误）导致西南部的传教士将教堂建筑局限在新墨西哥州。
   D.（错误）破坏西南部的西班牙传教士居住地的活力。
   E.（错误）鼓励很多西南部的传教士重新审视被高度仪式化的欧洲信仰传统的持续生命力。

解析：A：本题定位在第三段第❺句的让步部分，这些建筑技术依然导致欧洲教堂发生了变化，因此选项
   A 正确。
   B：freestanding 属于定位错误。

C：文中未提及。

D：文中未提及。

E：文中未提及。

Passage

历史事件的发生原因<u>可以/不可以</u>被排序

原文翻译

❶历史学家爱德华·霍列特·卡尔认为所有关于解释历史现象的辩论都围绕着"原因优先级问题"展开，历史学家对这一理论是如此的熟悉以至于该理论成为他们专业领域内的正统学说。❷正如卡尔所说，"真正的历史学家"会认为这是一种职业义务，将一个历史事件的多个原因进行排序，通过排序来确定这一事件的主要原因或者最终原因。❸马克思主义的历史解释模型（历史唯物主义）存在一种普遍的原因排序方法：经济因素永远是最重要的。❹最终，韦伯社会学派生出一个经典的、更被广泛接受的替代性方法，该方法认为原因排序应该具有历史独特性：在任何特定的历史情景中，解释优先级一定要通过对该情景的实证调查来确定，而不是通过应用一个普遍的历史解释模型来确定。

❶尽管对大多数历史学家来说，将历史原因按照重要性进行排序的需求似乎是显而易见的，但是这种排序会带来严重的哲学难题。❷如果任何历史事件都是大量原因的产物，那么每一个原因对事件的发生来说都是必不可少的。❸但是，一个原因怎么才能比另一个原因"更加必不可少"？❹如果不能的话，那么怎么对必不可少的原因进行排序呢？❺正是这个问题第一次使韦伯认为不可能用任何普遍的方法来说明原因的相对重要性；比如，我们不能得出这样的结论：在每一个资本主义社会中，在解释资本主义的崛起时，信仰改变都要比经济改革更加重要（反之亦然）。

❶朗西曼提供了不同的论证，但是得到了同样的结论。❷他指出，只有在相对初始的背景条件下，才有可能将特定原因确定为一个特定历史事件的主要原因。❸比如，如果我们认为英法百年战争中英国在1369年之后的失败是前提条件，那么我们会认为由这场军事失败所导致的高额税收就是1381年农民起义的"主要"原因。❹相反，如果我们把这一时期通过税收资助战争作为一个背景条件，那么我们就会认为英国的失败本身就是农民起义的主要原因。❺但是，无论是普通生活还是历史实践都不能提供可靠的标准，按照这些标准可以将原因从背景条件中区分出来，从而解决关于原因相对重要性的历史辩论。❻这一困难不仅使人们对马克思主义者确定普遍原因排序方式的努力产生怀疑，也使人们对确定客观原因排序方式的任何尝试产生怀疑，甚至是非马克思主义者青睐的具有历史独特性的排序方式。

3s 版本

❶❷卡尔认为应该给历史事件发生的原因进行排序。

❸马克思主义认为经济因素是一切历史事件的最主要原因（可以给出历史原因的普遍排序方法）。

❹韦伯学派认为要具体问题具体分析（依然可以排序，但是没有普遍的排序方法）。

第一段 3s：可以给历史事件的发生原因进行排序。

difficulties ❶原因的排序会带来哲学难题。

❷每个原因都是必不可少的。

But ❸怎么可能一个原因比另一个更加必不可少？

❹原因优先级无法排序。

小结：❷❸❹But封装，与❶取同。

❺这使得韦伯提出无法给出普遍的原因排序（反驳了马克思主义的观点）。

第二段 3s：无法给出普遍的原因排序（反驳马克思主义的观点）。

❶朗西曼也认为无法给原因进行排序。

❷只要前提条件确定了，是可以排序的。

❸英国失败→税收上升→农民起义。

❹税收上升→英国失败→农民起义。

小结：❸❹广义封装，与❷取同。

However ❺无法确定前提条件。

小结：❷❸❹❺But封装，与❶取同。

❻不仅无法给出普遍的原因排序，韦伯的具体问题具体分析也被反驳了。

第三段 3s：不仅无法给出普遍的原因排序，韦伯的具体问题具体分析也被反驳了。

全文3s版本：历史事件的发生原因不可以被排序。

📖 文章点拨

本文主要讨论历史事件的原因排序问题。任何一个历史事件的背后都有很多原因，那么哪个原因更重要，这是本文要讨论的内容。第一段提出应该给原因进行排序，二、三两段则从不同的角度反驳了这一观点。本文属于驳论文。

第一段：

前两句是卡尔的观点，认为应该给历史事件发生的原因进行排序。❸❹两句分别给了两种排序的方法：马克思主义认为任何历史事件的最主要原因都是一样的，即经济因素；韦伯社会学则认为不应该给任何历史事件都赋予同样的根本原因，尽管应该给历史事件原因进行排序，但应该具体问题具体分析。

本段对"原因排序"的同义改写有：priority of causes、place the multiple causes of a historical event in a hierarchy、hierarchy of causes、explanatory primacy。

第二段：

第❶句的 philosophical difficulties 可以视作负态度，同上一段取反，即"不能排序"。❷❸❹句则是对这一哲学难题的具体表述。如果 A→B→C→D，D 是历史事件，A、B、C 是 D 的原因，那么 A、B、C 这三个原因对于 D 的发生来说都是必不可少的，可是谁是"更加必不可少的"呢？这个问题是无法被回答的，因此原因就无法排序。基于这一点，至少马克思主义认为的任何历史事件的根本原因都是经济因素这一观点就站不住脚了，从而使得韦伯在第❺句提出了他"具体问题具体分析"的观点。对于"资本主义"这一历史事件来说，资本主义出现的原因是经济改革，有的则是信仰改变，因此不能说任何历史事件都是经济因素导致的，而要具体问题具体分析。（当然，这一段有歧义，根据前四句的哲学问题，其实任何历史事件的原因都无法被排序，因此无论是马克思还是韦伯都应该被反驳，但是这一段没有反驳韦伯，因此这一段我们就姑且认为只是反驳马克思理论。）

本段对"原因排序"的同义改写有：rank historical causes in some order of importance、hierarchy of indispensable causes、relative importance of causes。

第三段：

这一段和前一段取同，只是通过不同的角度来证明不能排序。

第 ❶ 句朗西曼依然认为不能排序，但是在第 ❷ 句中，朗西曼认为只要前提确定了，就能排序，因此可以预知要做 But 封装。❸❹ 句如果英国的失败是前提，那么失败导致税收上升，进而导致农民起义；但如果税收上升变成了前提，这会导致英国失败，然后导致农民起义。这两个例子都说明，只要前提确定，那么原因就能排序。第 ❺ 句的 ordinary life 指代"税收上升"，historical practice 指代"英国失败"。这句话表明，无法确定税收和英国失败到底谁才是前提。既然无法确定前提，那么原因排序也就不可能了。

第 ❻ 句给出结论：马克思和韦伯的观点都不对，因此历史事件原因就是不能被排序。

本段对"原因排序"的同义改写有：relative importance of causes、hierarchy of causes。

🔍 **题目讲解**

1. 本文的主要目的是
   A.（错误）比较历史解释的两个主要模型
   B.（错误）削弱非马克思主义者对历史原因的历史唯物主义解释模型的反对
   C.（错误）分析韦伯社会学解决历史原因问题的方法
   D.（正确）挑战关于历史解释的正统观点
   E.（错误）认为历史分析应该更多地依赖于实证主义的调查而非哲学反思

解析： D：本题属于主旨题。本文是驳论文，因此优先考虑以负态度词开头的选项，同时正确答案应符合文章 3s 版本：历史事件的发生原因不可以被排序，所以选项 D 正确。an orthodox position 对应"可以排序"。

2. 根据文章，大多数历史学家都认同的假设是
   A.（错误）当前的历史原因模型中最有用的是历史唯物主义模型
   B.（正确）解释历史事件需要按照重要性将这个事件的原因排序
   C.（错误）同样的原因排序存在于任何历史事件中
   D.（错误）哲学辩论限制了历史实践的应用
   E.（错误）相同历史事件的不同原因有时有着相同的重要性

解析： B：根据 most historians 可将本题定位到第二段第 ❶ 句 the need to rank historical causes in some order of importance may seem obvious to most historians，因此选择含有"可以排序"这个意思的选项，选项 B 正确。
   A："历史唯物主义"是马克思的观点，不是大多数历史学家的观点。
   C：这也是马克思的观点。
   D：文中未提及。
   E：文中未提及。

3. 在本文第二段中，作者使用了必不可少的原因这一概念的主要目的是质疑下列哪一项？

    A.（错误）关于资本主义社会起源的概括是站得住脚的。

    B.（错误）历史研究在很大程度上与哲学问题无关。

    C.（错误）普遍的历史原因模型是站不住脚的。

    D.（错误）历史事件是由很多因素导致的。

    E.（正确）历史事件的原因排序可以被确定。

解析： E：根据 indispensable cause 可知，其功能在于说明不能排序，但要注意本题问的是 indispensable cause
      用于"质疑"什么，所以答案要找"可以排序"，选项 E 正确。

      C：表述相反。

      D：这并不是被质疑的。

4. 下列哪一项最好地描述了文章结构？

    A.（正确）一个假设被确定并且被质疑。

    B.（错误）对立的观点被比较、对比并且被表明是可以相互融合的。

    C.（错误）一个观点被提出、被批判并且之后被改善。

    D.（错误）一个理论被表明优于其对手观点。

    E.（错误）类似的观点被表明导致不同的结论。

解析： A：本题考查结构性主旨题，选择符合驳论文特征的选项即可，选项 A 正确。an assumption 对应"可
      以排序"，后文全都是在反驳这一观点。

      B：opposing views 可以认为是马克思和韦伯的观点，但是看不出可以融合。

      C：revised 意味着有新观点，本文只是在批判老观点。

      D：不符，文章没提哪个观点优越于其他理论。

Unit 02

Easy 模式

题目原文下载1　　题目原文下载2

每一天都敢于面对新的挑战，超越过往的自己，这才是你青春本真的模样。

——杨海龙
中国人民大学
微臣教育线下 325 班学员
2019 年 5 月 GRE 考试 Verbal 169

Passage 031

_____的重要性被多学派研究

原文翻译

❶多个当代评论界学派正在研究文学性格——一个作家独特的态度、关注点以及艺术选择——与文学作品分析的相关性。❷解构主义学派（deconstructionists）认为文学性格就像作家的传记风格一样，是不重要的。❸他们认为，文学分析的恰当关注点应该是一部作品的互文性（intertextuality）（与其他文本之间的相互关系）、潜台词（subtexts）（没有明说的、被隐藏的或者被压制的言论）以及自我指代（metatexts）（自我指代的方面），而不是对作家的语言和审美"指纹"的关注。❹新历史主义者（new historicists）也瞧不起文学性格，因为他们在强调作品的历史背景时，认为作家只会拥有在他们在世时就已经广为流传的观点和思想。❺但是，对于那些对文学侦探作品感兴趣的读者——比如那些想要修复受损文本或者推断作品作者的古典（希腊和罗马）文学学者——文学性格有时能提供重要的线索。

3s 版本

❶文学性格的重要性被多学派研究。

❷❸解构主义学派不喜欢文学性格。

换对象+also ❹新历史主义学派也不喜欢文学性格。

However ❺对于那些想要修复古典文学作品的学者来说，文学性格有用。

小结：❷～❺广义封装，与❶取同。

全文3s版本：文学性格的重要性被多学派研究。

文章点拨

1. 本文第❹句和前两句发生了换对象，但是因为有 also 一词的存在，所以和前一句话不能构成取反。

2. 本文中的解题思路有大量的文学专业术语，但是并不影响对文章的理解，这也体现出用句间关系处理文章、理清文章结构脉络，而非纠结于文章的具体背景知识。

题目讲解

1. 本文的主旨是

    A.（正确）讨论对文学分析中一个特定关注点的态度

    B.（错误）描述文学分析中两个当代方法的局限性

    C.（错误）指出文学分析中看起来相互对立的方法之间的相似性

    D.（错误）支持文学分析中一种关注点的复兴

    E.（错误）定义文学评论中用到的一系列术语

解析： A：本文是典型的总分结构，主旨句是第❶句，因此只要选择主旨句的同义改写即可。attitudes 分别对应解构主义、新历史主义和修复古典作品的学者的观点，a particular focus for literary analysis 对应文学性格。

B：提到的两个方法属于细节，但是文章并没有提及方法的局限性。

C：seemingly contrasting approaches 对应解构主义和新历史主义的研究方法；similarities 对应瞧不起文学性格，属于细节。

D：resurgence 文中未提及。

E：a set of related terms 对应原文的 intertextuality、subtexts 和 metatexts，属于细节。

2. 从文章可以推断出来，关于如何分析文学作品，新历史主义最有可能在下列哪些方面同意解构主义？

A.（错误）作家的观点和思想应该从作家的历史背景去理解

B.（正确）作家的文学性格不重要

C.（错误）评论家应该主要关注互文性、潜台词和自我指代

解析：B：两个学派的共同点。

A：对应新历史主义学派。

C：对应解构主义学派。

Passage 032

文化人类学应该是_____的

原文翻译

❶很多文化人类学家开始拒绝在1970年代之前主导这一领域的实证主义科学框架，并且现在认为所有的科学知识都是基于社会建立的。❷他们认为在实证主义时代，有关文化的信息通常来自那些已经带有有意或无意的偏见的人类学家。❸根据1970年代之后的评论，文化人类学不可避免是主观的，人类学家应该明确地承认这一事实。❹人类学应该停止努力建立一个更好的关于文化行为的数据库，而应当转向去开发一种更加人性化的方式对文化进行解读。❺这一新的框架认为，研究早期文本的偏见可能比继续使用实证主义方法更加具有启发性。

3s 版本

❶文化人类学应该是主观的而非实证主义的。

❷❸❹❺解释为什么文化人类学应该是主观的。

全文3s版本：文化人类学应该是主观的。

文章点拨

第❶句提出文化人类学家的观点，认为文化人类学应该是主观的而非实证主义的（客观的）。之后的句子都和第❶句取同，因此可以预判，本文讲的都是文化人类学应该是主观的。本文句间关系极其简单，全是顺承，难点在于大量的同义替换。主观：socially constructed、post-1970s critique、biases、subjective、humanistic；客观：until the 1970s、empiricism、database。

📝 **题目讲解**

1. 关于 1970 年代之前的大多数文化人类学家，作者暗示了下列哪一项?
   A. （错误）他们认为科学知识是基于社会建立的。
   B. （错误）他们明确地承认了科学研究中固有的偏见。
   C. （正确）他们认为科学知识是由实际验证过的真相组成的。
   D. （错误）他们有着同样的有意或无意的偏见。
   E. （错误）他们承认了新的科学框架的必要性。

解析：C：本题考查的是 1970 年代之前的观点，因此选择和"客观"有关的选项。empirical truths 对应"客观"。
   A：socially constructed 对应"主观"。
   B：biases 对应"主观"。
   D：biases 对应"主观"。
   E：new scientific framework 对应"主观"。

2. 根据文章，如今"很多文化人类学家"会赞同人类学家应该
   A. （错误）建立一个更好的、更不主观的关于文化行为的数据库
   B. （错误）努力改善 1970 年代之前所用的实证主义方法
   C. （错误）拒绝认为科学知识是基于社会建立的这一观点
   D. （正确）转向研究更久远的、关于未被承认的偏见的人类学文本
   E. （错误）将人性化的解读同实证主义的方法相结合

解析：D：根据第 ❶ 句，many cultural anthropologists 的观点对应的是"主观"。unacknowledged biases 对应"主观"。
   A：database 对应"客观"。
   B：empirical 对应"客观"。
   C：reject...socially constructed 对应"客观"。
   E：empirical 对应"客观"。

Passage 033

_____的区分方式

📝 **原文翻译**

❶北极海冰有两种形式。❷季节性的冰在冬天形成，然后在夏天融化，而终年性的冰一年四季都存在。❸对未受过训练的人来说，所有的海冰看起来都是相似的，但是通过舔这些冰，人们可以估计出一块冰已经漂浮了多久。❹当冰开始在海水中形成时，它会把盐分排出去，因为盐分在晶体结构中没有位置。❺随着冰变得越来越厚，被排出去的盐分就汇集在微小的盐水囊中，这些盐水囊的浓度太高而无法冻结。❻刚形成了一年的冰尝起来有咸味。❼最终，如果这块冰留下来，这些盐水囊就会通过细脉状的管道被排出，冰就变得更淡了；多年的冰甚至可以被融化成饮用水。

🔽**3s 版本**

❶北极海冰有两种。

❷分别是季节性冰和终年冰。

❸通过冰的味道，可以区分冰的种类。

❹~❼解释为什么新冰很咸，而终年的冰味道很淡。

全文3s版本：两种北极海冰的区分方式。

🔽**题目讲解**

1. 文章提及下列哪一项是季节性冰的特点？
   A.（正确）这种冰在外表上类似于终年的冰。
   B.（错误）这种冰通常充满细脉状的管道。
   C.（正确）这种冰尝起来比终年的冰更咸。

解析： A：根据第 ❸ 句，既然未受过训练的人无法区分两种冰，那么季节性冰和终年冰在外观上是一样的，正确。

C：根据文章可知，终年冰的盐分都排出去了，因此季节性冰尝起来更咸，正确。

B：根据文章，我们只知道终年冰有这些管道用来排出盐分，季节性冰我们不清楚有没有这些管道，排除。

2. 根据文章上下文，"fine" 最接近的含义是
   A.（错误）可被接受的
   B.（错误）精美的
   C.（错误）精确的
   D.（错误）纯洁的
   E.（正确）小的

解析： E：根据文章第 ❼ 句，fine 与 veinlike 并列。veinlike 意为"像血管一样的"，即"细小的"，因此 fine 与之同义，选项 E 正确。

Passage 034

学者们开始研究女性游行的＿＿＿＿＿＿＿

🔽**原文翻译**

❶从1910年至1913年，美国女性参政者组织了一年一度的游行——这种活动传统上由男性组织并用于宣传在某些事业上的团结——这不仅仅是参政者团结的公开表现，同时也是对**社会秩序规则**的有意识的违背：女性出现在大街上挑战了传统的关于女性的观点以及对女性行为的约束。❷尽管学者们意识到了游行作为社会变革工具的舆论力量，但是他们最近开始研究游行作为一种反抗行为的缺

陷。❸拉姆斯登认为美国参政者的游行是一把"双刃剑"，他认为女性努力宣扬团结使得她们公开面对媒体和大众的怜悯以及反对女性参政者的有组织反抗。

3s 版本

❶女性参政者的游行可以挑战传统。

时间对比❷❸学者们开始研究游行的缺点。

全文3s版本：学者们开始研究女性游行的缺点。

题目讲解

1. 从文章可以推测出男性和女性的游行相似之处在于二者
   A.（错误）都作为社会变革的舆论工具
   B.（错误）都被认为是违背了同时代的公共行为标准
   C.（错误）都使得参与者容易遭受到有组织的反抗
   D.（错误）作为反抗的形式基本上是无效的
   E.（正确）被参与者用来宣扬团结

解析：E：本题考查男性游行和女性游行的共同点，定位到第❶句，可知两种游行都可以宣扬团结，因此选项E正确。

   A：针对的是女性游行。
   B：针对的是女性游行。
   C：针对的是女性游行。
   D：针对的是女性游行。

2. 关于"社会秩序"的支持者，文章表明了下列哪一种观点？
   A.（错误）他们不认可游行这种公共表达。
   B.（错误）他们有反对女性参与游行的难言之隐。
   C.（错误）他们构成了女性参政游行的有组织反抗的核心力量。
   D.（正确）他们认为女性游行是不符合女性身份的。
   E.（错误）他们支持女性的投票权，但是反对女性参政者获取这一权利的一些方法。

解析：D：女性游行违背了社会秩序，因此支持社会秩序的人不会支持女性游行，因此选项D正确。

Passage *035*

迪尔沃思的初级读物强调让孩子去理解_____，而以前的人不强调理解

原文翻译

❶1800年托马斯·迪尔沃思的《英语对话新指南》（*New Guide to the English Dialogue*）在美国被广泛应用于阅读教学。❷迪尔沃思的初级读物与之前的书不同，强调的是孩子理解他们所读内

容的重要性。❸尽管事实上孩子们不太可能认得迪尔沃思使用的所有单词，但是这至少是他的既定目标。❹迪尔沃思认识到初级读物应该使孩子们用他们已知的语言形式——讲话——去理解印在纸上的词语。❺相比之下，很多**之前的作者**认为，就像是拉丁文入门教材教孩子一种未知的语言一样，英语入门教材也应该把英语当成一种未知的语言进行教授——例如他们所选择的晦涩的词汇就真的使得英语难以被人理解了。

3s 版本

❶~❹迪尔沃思的初级读物强调让孩子去理解他们所读的内容。

换对象❺以前的作者认为要将英语当成一种未知的语言进行教授。

全文3s版本：迪尔沃思的初级读物强调让孩子去理解他们所读的内容，而以前的人不强调理解。

题目讲解

1. 根据文章，"之前的作者"采取的英语教学方式是

   A.（正确）模仿拉丁文教学中的方法

   B.（错误）迪尔沃思原创的

   C.（错误）比迪尔沃思所采用的方法更易懂

   D.（错误）强调熟悉英语拼写的特点

   E.（错误）强调流利、清晰讲话的重要性

解析： A：根据第 ❺ 句可知之前的作者教授英文的方式是模仿拉丁文的教学方式，因此选项 A 正确。

　　　　 B：迪尔沃思与之前的作者不同，因此不可能是迪尔沃思原创的。

　　　　 C：表述相反。

　　　　 D：文中未提及。

　　　　 E：文中未提及。

2. 文章作者有可能同意下列哪一项关于迪尔沃思之前的初级读物的评论？

   A.（错误）那些读物的拉丁文语法术语没能很好地描述英语结构。

   B.（正确）那些读物没有有效地利用孩子早就具有的语言知识。

   C.（错误）那些读物通常关注并非是读者发自内心感兴趣的主题。

   D.（错误）那些读物忽略了以一种足够系统化的方式去教授语言。

   E.（错误）那些读物要求一种当时很少美国教师具备的教学方法。

解析： B：本题考查的是之前的作者的教学方法，根据最后一句，他们会把英语当成未知的语言去进行教授，因此选项 B 正确。

Passage 036

Mahafale放牧者依赖仙人掌来度过旱季的行为影响了放牧者的_____

原文翻译

❶马达加斯加的Mahafale放牧者将梨果仙人掌融合进了他们的畜牧业经济中，这种经济依赖于帮助牲畜度过水草稀少的旱季。❷这些放牧者并没有依靠游牧的方式为牲畜寻找水源和草原，而是依靠仙人掌来维持牲畜的生存。❸这影响了放牧者的生存方式，尤其是在饮食和移动性方面。❹女人们收割仙人掌让家庭成员食用。❺男人们将仙人掌加工成牲畜可以食用的蔬菜作物。❻由于这些好处，放牧者们种植、修剪梨果仙人掌并在畜栏周围把它们做成篱笆。❼在这个过程中，这些放牧者成为仙人掌种植者，这减少了他们的移动性。

3s 版本

❶❷Mahafale放牧者依赖仙人掌来度过旱季。

❸这影响了放牧者的饮食和移动性。

❹❺人和牲畜都以仙人掌为食。

❻❼将仙人掌加工成篱笆使得放牧者的移动性减少。

全文3s版本：Mahafale放牧者依赖仙人掌来度过旱季的行为影响了放牧者的饮食和移动性。

题目讲解

1. 从文中选择一句话，这句话可以说明梨果仙人掌如何影响了 Mahafale 人的饮食。

答案： 第 ❹ 句。
解析： ❸❹❺ 都涉及仙人掌对饮食的影响，但是具体讲对人的饮食行为的影响的只有第 ❹ 句。

2. 下列哪一项被作为仙人掌种植对 Mahafale 放牧者生存方式的影响？
   A.（错误）Mahafale 人再也不需要帮助牲畜挺过旱季了。
   B.（错误）Mahafale 人已经放弃了放牧的生活方式。
   C.（正确）Mahafale 人的移动性被减少了。

解析： C：对应文章最后一句。
   A：太极端。
   B：太极端。

Passage 037

_____导致海牛减少

原文翻译

❶1768年之前白令海峡和铜岛上的斯特勒海牛的消失长期以来被归因于过度捕杀。❷但是从斯特勒第一次描述这个物种开始，海牛的消失只花了28年，这对于仅仅通过捕猎来大大减少岛上的海牛来说是一个极其短暂的时间，尤其是考虑到最初报道的大量的海牛数量。❸但是，1750年之前，猎人们也盯上了附近的海獭。❹海獭数量的减少会使得海獭所捕食的海胆种群数量上升，从而导致海藻所承受的来自海胆的捕食压力上升。❺海牛完全依赖海藻作为食物，在海獭捕猎开始的十年间，斯特勒注意到岛上的海牛出现了营养不良。

3s 版本

❶打猎导致海牛消失。

But ❷不是因为打猎。

However ❸猎人打猎海獭。

❹海獭减少导致海胆增多、海藻减少。

❺海藻减少导致海牛减少。

小结：❸❹❺封装，表明打猎间接地导致了海牛的减少，与❷取反。

全文3s版本：打猎导致海牛减少。

文章点拨

本文的难点有两个：一是❸❹❺广义封装后形成的食物链：①海藻→海牛，②海藻→海胆→海獭→人。作者的逻辑是：捕猎↑→海獭↓→海胆↑→海藻↓→海牛↓。二是本文内容的程度差异，第❶句认为是打猎导致海牛消失，第❷句认为打猎这一个因素无法在短时间内减少海牛的数量，❸❹❺封装后与第❷句取反，相当于又支持了打猎这个观点。但要注意，❸❹❺封装后的"打猎"和第❶句认为的"打猎"不是一回事。第❶句认为打猎是海牛消失的直接原因，但是文章最后想要证明的是打猎是间接原因，由于海獭的数量减少进而导致海牛减少。

题目讲解

1. 关于 1750 年到 1768 年之间的白令海峡和铜岛的海藻，下列哪一项可以从文章中推断出来？

A.（正确）它们显著减少了。

B.（错误）它们从这一区域彻底消失了。

C.（错误）它们是海獭的主要食物来源。

D.（错误）它们被人类大量收割。

E.（错误）它们增加了海胆的压力。

解析：A：根据原文，海藻数量在1750~1768 年之间因为海胆的数量上升而减少了，因此选项 A 正确。

B：表述太极端。

C：海獭的食物来源是海胆。

D：文中未提及。

E：文中未提及。

2.　根据文章，在 1700 年代中期，白令海峡和铜岛屿附近的海胆种群

A.（错误）因为海牛的捕食而减少

B.（正确）经历了明显的上升

C.（错误）迁徙到了有充足食物供给的水域

D.（错误）因为打猎的压力而减少

E.（错误）看起来营养不良

解析：B：根据文章，1700 年代中期海胆的数量因为海獭数量锐减而增多，选项 B 正确。

Passage

针对超新星暗淡这一现象的两种解释都对/不对

原文翻译

❶研究某种超新星（爆炸的恒星）的天文学家非常惊讶地发现这些超新星比预期的要黯淡许多。❷在解释这一现象的过程中，他们排除了宇宙尘埃可能挡住了一些光线的可能性，因为尘埃过滤掉的蓝光多于红光，这使得超新星比实际上看起来要更红一些。❸同时，除非在空间中分散得很均匀，否则这些尘埃会导致测量结果发生很大变化。❹另外一种可能性是引力透镜效应，光在绕过星系的途中发生弯折。❺这种透镜效应偶尔会导致明亮，但是大多数情况会导致遥远的超新星变暗。❻但是，计算表明，这一效应只对比研究中的超新星更远的来源有效。

3s 版本

❶超新星比预期要暗淡。

❷❸这不可能是由宇宙尘埃的遮挡导致。

❹❺有可能是引力透镜导致超新星看上去很暗淡。

however ❻引力透镜效应对更遥远的超新星是有效的。

全文3s版本：针对超新星暗淡这一现象的两种解释都不对。

题目讲解

1.　根据文章，天文学家们拒绝了引力透镜这一解释是因为

A.（错误）引力透镜会导致超新星比实际更明亮

B.（错误）他们的计算表明引力透镜对远处光线的影响可以忽略不计

C.（错误）从被研究的超新星中所射出来的光线不会绕过星系

D.（错误）引力透镜对于超新星外观的影响是难以预料的

E.（正确）被研究的超新星对于引力透镜来说太近了以至于不能观察到变暗的影响

解析： E：根据题干，本题答案应该定位到最后一句。根据最后一句，引力透镜只对更遥远的超新星有效，因此选项 E 正确。

2. 文章关于天文学家所做的测量做了下列何种暗示？

A.（错误）在测量中有轻微的计算错误。

B.（正确）在测量中没有巨大的变化。

C.（错误）他们的测量被分布不平均的宇宙尘埃所扭曲。

D.（错误）他们的测量是不完整的，因为宇宙尘埃过滤了一些光线。

E.（错误）相比蓝光，有可能测量了更多的红光。

解析： B：第❸句是虚拟语气，与现实相反。这句话的字面含义是"测量结果发生很大的变化"，因此现实中，这种测量结果的变化不大，所以选项 B 正确。

Passage 039

玛雅水控制系统对于缺水的地方来说＿＿＿＿＿＿＿＿，但是这不适用于＿＿＿＿＿＿＿＿＿的地方

📖 原文翻译

> ❶最近关于古代玛雅水管理系统的研究发现，一些城市的建筑被用来将雨水引流到相互连接的水库的重力供水系统中。❷在玛雅盆地的中部和南部，这种水的控制是必要的，因为这可以支持大量的人口度过地表水长期缺乏以及季节性降雨的年份。❸一些学者认为，这些地方城市核心区域的水资源集中为玛雅精英提供了一个集权的政治权力来源，这种权力很大程度上基于对水资源的控制。❹尽管这种观点是可信的；但是这对于理解玛雅其他水资源丰富的地区用水和控制水的社会政治含义就没那么有用了。

📖 3s 版本

❶玛雅有水管理系统。

❷这些系统很重要。

❸这种对于水的控制给精英统治提供了基础。

换对象❹这种观点不适用于其他不缺水的地方。

全文3s版本：玛雅水控制系统对于缺水的地方来说给精英统治提供了基础，但是这不适用于不缺水的地方。

文章点拨

本文需要注意一点：第 ❹ 句的 however 前面是分号，因此只是句内取反，而导致 ❸❹ 两句句间取反的是换对象，两句话是由不同的学者对不同区域所发表的观点。

题目讲解

1. 关于文中描述的城市水管理系统的政治意义，文章作者暗示了下列哪一项？
   A.（错误）因为这种系统很集中，所以它可以对广泛分布的人口进行政治控制。
   B.（错误）用于设计并维护这种系统的知识成为玛雅精英获取政治权力的前提。
   C.（错误）通过有选择性地限制水，玛雅精英使用这种系统去压制对他们权威的挑战。
   D.（正确）这种系统不足以解释玛雅区域所有地方的政治权力集权的来源。
   E.（错误）这种系统持续的维护要求政治当局对越来越多的政治资源施加控制。

解析：D：根据最后两句，这种水控制系统可以解释缺水地区的政治集权来源，但是解释不了不缺水地区的政治集权的来源，因此选项 D 正确。

2. 根据文章，关于玛雅盆地中部和南部的水控制系统，下列哪一项是正确的？
   A.（正确）这些系统被建造部分是因为盛行的降水模式。
   B.（正确）这些系统是盆地城市建筑的一部分。
   C.（正确）这些系统被需要是因为盆地缺少池塘、河流和湖泊。

解析：A：对应 the seasonal availability of rainfall。

B：对应 urban architecture of some cities was used to divert rainfall runoff into gravity-fed systems of interconnected reservoirs。

C：对应 scarcity of perennial surface water。

Passage

马尔文·格雷·约翰逊的绘画<u>写实/不写实</u>

原文翻译

❶非裔美国画家马尔文·格雷·约翰逊 (1896~1934)在包含纽约市在内的城市环境中长大，但是在1934年，他观光并且画了弗吉尼亚州布莱特伍德的小镇风光。❷一些评论家称赞这些布莱特伍德画作，因为约翰逊发现了一种"真实的"非裔美国人的南方乡村生活，这些画描绘了多彩的自然风景以及团结紧密的非裔美国人社会。❸这一观点反映出了一种普遍的趋势，即非裔美国艺术家的绘画被认为是对直接体验的未经改良的记录，但是，这一观点忽视了约翰逊的解读式思考。❹事实上，约翰逊对南方的概念化在他离开纽约之前就已经大致形成了，在那里他研究了法国表现主义画家保罗·塞尚。❺约翰逊的布莱特伍德绘画反映了塞尚的风格化影响以及想要呈现田园诗般的乡村生活从而取代现代工业社会的趋势。

3s 版本

❶出生于城市的马尔文·格雷·约翰逊创作了乡村风景画。

❷评论家认为这些绘画反映了真实的非裔美国乡村生活。

overlooks ❸这些解读忽略了马尔文·格雷·约翰逊的解读。

❹马尔文·格雷·约翰逊受到了表现主义的影响。

❺马尔文·格雷·约翰逊的乡村风景画想要表达用田园生活取代工业社会。

全文3s版本：马尔文·格雷·约翰逊的绘画不写实。

题目讲解

1. 文章的主要目的是
   A.（正确）反对对约翰逊的布莱特伍德画作进行特定解读
   B.（错误）将约翰逊的布莱特伍德画作和法国表现主义艺术进行比较
   C.（错误）使用有关约翰逊历史背景的信息去阐明他的布莱特伍德画作的社会含义
   D.（错误）解释为什么非裔美国画家的作品有时候会被误解
   E.（错误）强调了约翰逊的绘画技巧中被主要忽视的方面

   解析： A：本题属于主旨题。本文是驳论文，作者反对之前评论家给出的写实性解读，因此选项 A 正确。a particular interpretation 对应的是评论家的解读。

   B：文章确实提到约翰逊受到了表现主义艺术的影响，这可以看作是一种比较，但是作者做这个比较是为了反驳评论家，因此选项 B 属于论证过程中的细节。

   C：文中未提及 social significance。

   D：文章重点讨论约翰逊本人，而不是非裔美国人整体。

   E：约翰逊被评论家忽略的是其绘画中除写实之外所有表达的解读性含义，而非约翰逊的绘画技巧。

2. 文中标黑体句子的作用是?
   A.（正确）这句话是对前一句观点的展开。
   B.（错误）这句话帮助解释文章前面描述的一种普遍趋势。
   C.（错误）这句话指出约翰逊想要将他的作品同别人的作品进行区分的方法。

   解析： A：从句间关系来看，定位句与前一句取同。从内容来看，前一句讲了约翰逊受到表现主义的影响，而定位句具体描述了约翰逊受到影响之后其绘画所要表现的内容，因此选项 A 正确。

   B：a common tendency 对应的是评论家的观点，但是定位句作为例子反驳了评论家，因此选项 B 的表述相反。

   C：文中未提及。

Passage  041

很难验证关于_____的预测

原文翻译

❶雄狮子的鬃毛由不同长度和颜色的毛发组成，并且不同程度地覆盖在头部、脖子、肩部和胸部。❷沙勒认为，鬃毛通过减轻打击和撕咬来保护身体上"大多数社交直接针对"的地方。❸**深色的鬃毛比浅色的鬃毛更厚实**，因此深色鬃毛可以提供更好的保护。❹这些观点表明有着更长和颜色更深鬃毛的雄狮子受伤的概率更小，并且/或者被鬃毛覆盖的部位的受伤严重程度更低，但是很难直接验证这一预测。❺白天很难见到独处的雄狮，并且鬃毛本身会将很多伤痕掩盖在下面。❻除此之外，即使在被研究的最好的种群中，狮子之间的激烈打斗也很少被观察到。

3s 版本

❶雄狮子有不同的鬃毛。

❷沙勒认为鬃毛起到保护作用。

❸深色的鬃毛保护效果更好。

❹更长和颜色更深的鬃毛可以降低狮子的受伤机率。

but/difficult❹验证这一观点很困难。

❺研究样本少，鬃毛本身会把伤痕掩盖起来。

❻狮子之间的打斗现象很少被观察到。

全文3s版本：很难验证关于鬃毛可以保护雄狮子的预测。

题目讲解

1. 下列哪一项最好地描述了文章黑体部分的作用？

A.（错误）总结了一个实验的结果

B.（正确）提供关于一个特定预测的证据

C.（错误）提供一个反例来削弱一个被提出的解释

D.（错误）指出沙勒认为很难解释的一种现象

E.（错误）解释狮子鬃毛的个体间的差异

解析： B：根据❸❹可知，黑体部分描述的是一个事实，而这一事实可以帮助得到第❹句的预测：更长和颜色更深的鬃毛可以更好地保护狮子，所以选项B正确。

A：文中未提及。

C：文中未提及。

D：文中未提及。

E：文中未提及。

2.　文章提及下列哪一项是验证文中的"预测"所面临的一个障碍？

　　A.（正确）鬃毛覆盖部位的伤痕难以观察。

　　B.（错误）只有少数狮子群体被研究了。

　　C.（错误）狮子之间打斗的激烈程度难以确定。

　　D.（错误）个体狮子很少拥有明显的特征。

　　E.（错误）研究者直接观察狮子群体的机会相对较少。

解析：　A：本题定位到 ❺❻。the mane itself obscures many wounds beneath it from view，正确。

　　　　B：原文指出白天很难见到独处的雄狮，与观察整个狮子群的多少无关。

　　　　C：根据第 ❻ 句，只是狮子之间的打斗很少被观察到，但是不能说打斗的激烈程度难以确定。

　　　　D：原文只是说个体狮子在白天很少被见到。

　　　　E：研究者直接观察狮子打斗行为的机会很少，而非观察狮子群的机会少。

Passage 042

莱维特的技术是_____，但是内容是_____

原文翻译

❶与她的导师沃克·埃文斯拍摄的静态的、传统构图的人像不同，20世纪纽约摄影师海伦·莱维特的照片看起来是抓拍的、即兴的。❷尽管埃文斯的拍摄对象会直视照相机，因此摄影师和拍摄对象会合作创作一幅人像摄影，但是莱维特的拍摄对象看起来是被无意识抓拍的。❸作为一名"街头"摄影师，在这一术语被发明之前，莱维特就声称尝试去捕捉她所发现的生活。❹但是她的技术中有一个矛盾。❺她的即兴审美似乎确保了客观性，因为她记录了她所遇见的街景，但是她的照片也可以被说成是极其主观的，反映的是莱维特自己的独特观点和看问题的方式。❻不像埃文斯的照片，莱维特的作品仅仅是摄影师的作品，缺少拍摄对象有意识的参与。❼莱维特对拍摄对象的选择中存在很明显的重复，比如她的很多作品都是戴面具的小孩，这更多地揭露了莱维特自身而非那些拍摄对象。

3s 版本

❶❷埃文斯是摆拍，莱维特是抓拍。

❸莱维特是抓拍。

But ❹莱维特有矛盾的地方。

❺莱维特的技术是客观的，但是内容是主观的。

❻莱维特的拍摄手法是客观的。

❼莱维特作品中主题的重复体现出内容上的主观性。

小结：❻❼广义封装与❺取同。

全文3s版本：**莱维特的技术是客观的，但是内容是主观的。**

文章点拨

本文前两句将埃文斯和莱维特两个人的拍摄手法进行对比，埃文斯主要是摆拍，莱维特是抓拍。本文存在大量关于"摆拍"和"抓拍"的同义改写。摆拍：static、classically composed、look directly into the camera、conspire；抓拍/客观：candid、spontaneous、caught unawares、"street" photographer、capture life as she found it、off-the-cuff、recording street scenes she happened upon、without the conscious participation of their subjects。

从第❸句开始，文章只谈论莱维特。

第❹句 But 构成程度取反，没有否定莱维特的抓拍，而是说莱维特身上有矛盾。

第❺句进一步解释这种矛盾，莱维特是客观和主观的矛盾体。客观便是指莱维特的抓拍，而主观则是指莱维特可以通过自己作品的内容来表达她自己的想法。

本文关于主观的同义对应有：subjective、reflections of Levitt's own distinctive preoccupations、reveal more about Levitt herself。

❻❼两句广义封装，通过一对例子来说明莱维特的矛盾。

题目讲解

1. 根据文章，下列哪一项可能会确保莱维特照片的客观性？

　　A.（错误）她在公共场合而非工作室拍照。

　　B.（错误）她和她的拍摄对象本身并不熟。

　　C.（正确）她并没有刻意安排拍摄对象的姿势和背景。

　　D.（错误）她避免使用传统的构图原则。

　　E.（错误）她被她拍摄对象的而非她自己的观点所引导。

解析：C：根据文章，确保莱维特的客观性，只要做到抓拍即可，因此选项 C 正确。

　　A：在什么地方拍照和抓拍还是摆拍没有必然联系。

　　B：和拍摄对象熟不熟也无法决定客观性。

　　D：构图原则和抓拍、摆拍没关系。

　　E：文章未提及拍摄对象的观点。

2. 文章强调了下列哪一项关于埃文斯的人像照片？

　　A.（错误）埃文斯的照片体现了刻意拒绝一些和街头摄影有关的拍摄方法。

　　B.（正确）埃文斯的照片中的拍摄对象成了人像创作的合作者。

　　C.（错误）埃文斯的照片通常更多地揭露出埃文斯自身而非她的拍摄对象。

　　D.（错误）埃文斯的静止的、传统方式构图的人像照片揭示出埃文斯想要维持客观性表象的观点。

　　E.（错误）埃文斯的静止的、传统方式构图的人像照片很少揭示出她自己看问题的方式。

解析：B：本题考查埃文斯的人像内容，因此定位点是文章前两句。collaborators 对应第❷句的 conspire。

　　A：程度太强，根据原文，我们只能说埃文斯没有街头摄影的属性，但不能说她刻意地拒绝了街头摄影。

　　C、E：根据文章我们并不知道埃文斯的照片想要揭示什么。

　　D：客观性形容的是莱维特，与埃文斯无关。

3. 关于街头摄影，文章提到了下列哪一项？

A.（错误）街头摄影的特点是描述一群人而非个人主题。

B.（错误）街头摄影倾向于描述有限的和重复的主题。

C.（错误）街头摄影创造了即兴的印象，但是通常包含摄影师所构想出来的背景。

D.（错误）街头摄影的早期实践者并没有因为他们的审美成就而得到认可。

E.（正确）当莱维特开始实践这种摄影的时候，街头摄影还没有被命名。

解析：E：对应第 ❸ 句 before the term's invention, Levitt has claimed...。

A：文中未提及。

B：文中未提及。

C：街头摄影确实是即兴的，但是文章没提街头摄影是否有摄影师构想出来的背景。

D：文中未提及。

Passage 043

用_____来储存太阳能

原文翻译

❶在地球上的任何一个特定地点，可得到的太阳光照射量的持续变化使得能量存储成为地面太阳能系统的一个必要设计特征。❷对于将太阳能转化成热能的系统来说，热能会以潜热或显热的形式存储于物质中。❸只要物质发生相变，潜热就会被吸收或释放，比如当物质从液态转化为气态时，或者从气态转化成液态时。❹巨大的热能是和某些物质相关的，比如盐，但是在任何物质中，这种存储只会存在于独特而又固定的温度下，在这一温度下该物质会发生特定的相变。❺此外，在地面太阳能系统可以达到的温度下发生相变的材料在这些温度下通常具有破坏性的腐蚀性。❻另一方面，显热存储在温度方面就会很灵活，另外，水和大多数岩石等安全物质拥有大量的显热。

3s 版本

❶储存太阳能的必要性。

❷用潜热或显热来储存太阳能。

❸介绍潜热的原理。

❹❺潜热有缺陷。

换对象❻介绍显热。

小结：❸~❻广义封装，与❷取同。

全文3s版本：用潜热或显热来储存太阳能。

文章点拨

本文内容简单，采用总分结构。第❶句描述了储存太阳能的必要性，进而引出第❷句两种储存太阳能的方法：潜热和显热。第❸句介绍了潜热的发生原理，❹❺分别介绍了潜热的两个缺陷：温度条件苛刻以及介质腐蚀性强。第❻句换对象，介绍了显热的好处。

题目讲解

1. 本文主要讨论下列哪一项？

    A.（错误）开发太阳能系统的必要性的原因。

    B.（正确）将太阳能储存为热能的不同方法。

    C.（错误）收集太阳能的新款设备。

    D.（错误）热能在物质之间进行转化的流程。

    E.（错误）固体和液体储存显热能力的差异。

    解析：B：本题属于主旨题，而本文是总分结构，因此正确答案只要同义改写本文主旨句第❷句即可，故选项 B 正确。different ways 对应的是潜热和显热。

    　　　A：文中未提及。

    　　　C：文中未提及。

    　　　D：属于细节。

    　　　E：文中未提及。

2. 根据文章，地球上的太阳能系统必须储存热量的原因是什么？

    A.（正确）在地球上的任意特定地点，能得到的阳光照射量经常变化。

    B.（错误）这些系统的运行依赖于一些设备，这些设备的能量来源并非是太阳能。

    C.（错误）对于这些系统所产生的能量的需求以不可预料的方式发生变化。

    解析：A：根据题干，本题正确答案应该同义改写第❶句，故选项 A 正确。

    　　　B：文中未提及。

    　　　C：文中未提及。

3. 作者提到下列哪一项构成了使用潜热作为能量储存方式的可能的缺陷？

    A.（正确）相变发生的条件会限制潜热作为储存能量的方法的灵活性。

    B.（错误）拥有在潜热介质中所具有的性质的物质的供应量正在减少。

    C.（正确）在其他不良性质的物质中发现了潜热介质所需要的性质。

    解析：A：对应第❹句。

    　　　C：对应第❺句，other, undesirable properties 对应 destructively corrosive。

    　　　B：文中未提及。

Passage 044

《艰难时世》的_____使其不受欢迎

原文翻译

❶《艰难时世》（*Hard Times*），查尔斯·狄更斯最短的小说，在1854年创作并出版。❷尽管这部作品之前的两部《大卫·科波菲尔》（*David Copperfield*）和《荒凉山庄》（*Bleak House*）取得了轰动性成功，以及随后的作品《小杜丽》（*Little Dorritt*）和《双城记》（*A Tale of Two Cities*）也获得了成功，但是《艰难时世》似乎是狄更斯一生中以及之后最不受欢迎的小说。❸一个评论家认为是编辑为了连载而将小说进行了删减导致其不卖座。❹但是，正如简·雅各布斯指出的，《艰难时世》是在《家庭箴言》（*Household Words*）上进行的连载，这本期刊是狄更斯成立并且编辑的。❺这本书相对不受欢迎的一部分原因有可能是其传达的绝望信息，这本书描写了从婚姻和家庭到成功和社会，生活中几乎所有的东西都弥漫着空虚。❻雅各布斯也认为这本书的结构可能导致其不受欢迎：情节很慢并且内容很少，前三分之二部分的描写和对话非常多余。❼尽管这本书的风格在最后一部分突然改变，当讲故事大师狄更斯把他笔下的人物融入错综复杂的情节中，让他们慢慢融入生活时，但是读者首先必须忍受狄更斯设定背景和角色时的那种单调乏味的方式。

3s 版本

❶❷《艰难时世》不受欢迎。

❸因为连载而进行的删减导致《艰难时世》不受欢迎。

However ❹不可能是这个原因。

❺是这本书传达的绝望信息使其不受欢迎。

❻❼这本书的情节缓慢使其不受欢迎。

全文3s版本：《艰难时世》的内容和结构使其不受欢迎。

题目讲解

1. 关于《艰难时世》的最后一部分，文章表明下列哪一项？
   A.（错误）最后一部分在文学质量上不如这本书的第一部分。
   B.（错误）最后一部分背景的呈现方式相比文中提及的狄更斯其他作品更加冗长。
   C.（错误）最后一部分的角色比这本书第一部分的角色更加乐观。
   D.（错误）最后一部分对狄更斯的总体的讲故事风格来说很不典型。
   E.（正确）最后一部分比这本书第一部分更能吸引读者。

解析：E：根据最后一句可以推出本书的最后一部分是更加吸引读者的，选项E正确。

　　A：表述相反，最后一部分是这本书写得最好的部分。

　　B：表述相反，这本书的前半部分才冗长。

　　C：看不出角色是否乐观。

　　D：无法得知狄更斯总体的故事风格是怎样的。

2. 作者提到《大卫·科波菲尔》《荒凉山庄》《小杜丽》和《双城记》最主要的目的是

　　A.（错误）提供一个背景帮助解释大众和评论家对《艰难时世》的反应

　　B.（错误）提供了狄更斯其他的在商业上并不成功的作品的例子

　　C.（正确）表明《艰难时世》不受欢迎在狄更斯的职业生涯中是一个奇怪现象

　　D.（错误）暗示狄更斯的作品的品质随着时间的推移提升了

　　E.（错误）质疑了《艰难时世》之前和之后的作品是非常成功的这一观点

解析：C：本题属于功能题。这四本书是第 ❷ 句所列举的例子，因此其功能是服务于该句的观点，即《艰难时世》不受欢迎。这四本书的受欢迎也恰好可以突出《艰难时世》的不受欢迎是很特殊的一件事，因此选项 C 正确。

　　A：解释大众和评论的反应的是文章第 ❸ 句开始的内容。

　　B：表述相反，这四部作品都是成功的。

　　D：原文中提到前后作品的影响都比《艰难时世》的大，所以不能说作品质量随着时间的推移是越来越好。

　　E：文中并没有提出质疑。

3. 下列选项中哪一项不是文中提及的导致《艰难时世》不受欢迎的可能原因？

　　A.（错误）贯穿这本书大部分内容的重复的对话

　　B.（错误）小说中对于婚姻和家庭的描写

　　C.（错误）小说中令人绝望的信息

　　D.（正确）这本书最后一部分的复杂的情节

　　E.（错误）小说描写角色的方式

解析：D：小说的最后一部分是吸引人的，因此直接选择选项 D。

Passage

_____导致历史学家很少研究文学评论

原文翻译

❶近几十年，美国文学学者巧妙地揭露了19世纪早期作家们对日益商业化和资本化的环境的适应和抵制。❷但是，由于同时代学术研究的学科界限，这一时期的历史学家并没有充分利用文学评论。❸很少有历史学家接受过文学评论理论及其专业化语言的大量训练，而美国早期历史和文学著作的庞大数量，对任何一个想要精通其中一门学科的人来说都是一种挑战，更别说同时精通两门学科了。❹此外，历史学家研究整个国家的人，但是很多被称为"美国人"的文学学者实际上研究的是东北部各州的作品。❺历史学家通常对资本主义的运行进行详细研究，而文学评论则对文学商业化进行整体概括。

3s 版本

❶描述了文学学者对于文学评论的研究。

However/换对象❷❸学科界限使得历史学家很少研究文学评论。

❹历史学家和文学家研究的地域范围不同。

❺历史学家和文学家对资本主义社会的研究程度不同。

全文3s版本：文学和历史的学科差异导致历史学家很少研究文学评论。

题目讲解

1. 正如文中所讨论的，文学学者和历史学家之间的差异之处在于
   A.（错误）他们创造的研究的数量
   B.（正确）他们研究的地域范围的性质
   C.（错误）他们对早期资本主义批判的程度
   D.（错误）他们对跨学科研究的感兴趣程度
   E.（错误）他们将自己的研究局限于特定时间的程度

解析：B：对应第❹句。

　　　A：干扰选项，根据第❸句，我们能得到的结论是文学和历史研究的作品数量都很大。

　　　C：critical of sth. 表示"批判"，根据最后一句，我们只能说文学和历史对资本主义社会的研究范围不同，没提批判。

　　　D：文中未提及。

　　　E：文中未提及。

2. 文章引用了下列哪一项作为历史学家没能充分利用文学评论的理由?
   A.（错误）历史学家对文学的过分注重主题的研究方法
   B.（错误）历史学家对文学构成的保守观点
   C.（错误）历史学家对评论理论缺乏兴趣
   D.（正确）很多文学评论的独特性质
   E.（错误）很多文学评论的非历史特点

解析：D：第❷句 due to disciplinary boundary... 解释了为什么没能充分利用文学评论，所以在选项中找含有"学科差异"或"不同"含义的选项，选项 D 正确。

Passage 046

野猫不太可能_____

原文翻译

　　❶野猫不太可能被驯养。❷就像所有猫科动物一样，野猫是食肉动物，这意味着除了蛋白质之外，它们消化任何东西的新陈代谢能力都是有限的。❸野猫喜欢独居，并且会防卫自己的专属领地，

这使得它们更依恋某些特定地点而不是人。❹除此之外，猫无法完成指定的任务，并且它们的用途是广受争议的；即使是用来抓老鼠，也比不上梗类犬和雪貂。❺**因此，没有理由去相信早期的农业社会会寻找并且选择野猫作为宠物。**❻进一步讲，最好的结论是那些利用人类环境的野猫仅仅是被人类所容忍，随着时间的推移，野猫就与它们的"野生"亲戚不一样了。

3s 版本

❶野猫不太可能被驯养。

❷野猫只能消化蛋白质。

❸野猫不喜欢依恋人。

❹❺野猫用途受争议。

❻人类只是在容忍野猫。

全文3s版本：野猫不太可能被驯养。

题目讲解

1. 文章作者最可能同意在早期的农业社会，猫会

   A.（错误）比雪貂更能容忍和人类的接触

   B.（错误）不能像雪貂那样完成某些指定的任务

   C.（错误）相比雪貂更不可能独居

   D.（正确）在控制老鼠方面不如梗类犬

   E.（错误）比梗类犬更容易被驯养

解析：D：对应第 ❹ 句后半部分，这里的 rodents=老鼠。

   A：文中没做这样的比较。

   B：文中把猫和雪貂进行比较的只有抓老鼠这方面，没有提及完成指定任务。

   C：文中没做这样的比较。

   D：文中把猫和梗类犬进行比较的只有抓老鼠这方面，没有提及被驯养。

2. 下列哪一项最好地描述了标黑体句子在整篇文章中的作用？

   A.（错误）这句话挑战了文章所呈现的一个被广泛接受的理论。

   B.（错误）这句话解释了长期以来令研究者感到困惑的事实。

   C.（正确）这句话从文中所呈现的证据中得到了一个结论。

   D.（错误）这句话呈现了新的事实来支持一个假说。

   E.（错误）这句话从文中所呈现的证据中表述了一个新假说。

解析：C：根据文章可知，定位句是从前一句中得到的结论，所以选项 C 正确。

   A：通篇文章都是顺承关系，不存在反驳。

   B：a fact 在文中没有对应。

   D：这句话没有说明事实，而是基于事实得到的结论。

   E：文中未提及 a new hypothesis。

Passage **047**

玛莱妮解释为什么土著人＿＿＿＿＿＿＿

原文翻译

❶在与欧洲人接触前的2000年中，很多北美北部平原的土著人专门打猎大型猎物，主要以野牛为食。❷野牛通常在春天脂肪消耗殆尽，营养价值下降，但是这些土著居民并没有在他们的饮食中添加大量营养丰富、富含脂肪的鱼类。❸玛莱妮等人从适应了在平原长期食用瘦肉的三名边境居民在18世纪晚期和19世纪早期的描述中得到了一种可能的解释。❹他们每个人都有机会在长期依赖肉食之后吃鱼，但是在吃鱼之后，他们的身体变得虚弱以及生病。❺玛莱妮注意到，长期依赖瘦肉会导致身体不能消化脂类，这或许可以解释为什么当地猎人不吃鱼。

3s 版本

❶土著人吃野牛。

❷当野牛脂肪含量下降时，土著人并不会改吃脂肪含量高的鱼。

❸~❺玛莱妮给出了解释：土著人喜欢吃瘦肉，导致他们无法消化鱼的脂肪，所以不吃鱼。

全文3s版本：玛莱妮解释为什么土著人不吃高脂肪的鱼。

文章点拨

本文是典型的提出矛盾并解决矛盾的文章。❶❷描述矛盾：明明野牛脂肪含量下降，但是土著人依然不愿意吃高脂肪含量的鱼。这两句相当于逻辑类题目中解释题的题干。❸~❺便是这道解释题的答案：因为土著人消化不了鱼的脂肪。

题目讲解

1. 文章作者提及三名边境居民的描述的主要目的是
   A.（错误）表明边境居民的饮食选择如何被他们接触到的土著人影响
   B.（错误）表明这些边境居民没有很好地适应以瘦肉为主的饮食习惯
   C.（错误）表明北部平原的土著大型猎物猎手的饮食习惯是什么
   D.（正确）指出关于土著猎人不吃鱼这一现象的一种假说的证据
   E.（错误）质疑一个关于适应了吃瘦肉的人如果吃鱼所产生的影响的假设

解析： D：本题属于功能题。定位句是边境居民的"描述"，对应选项 D 的 evidence。他们的描述说明习惯吃瘦肉的人吃鱼就会生病，这一证据解释了为什么土著猎人不吃鱼，因为土著猎人消化不了，对应选项 D 的 a hypothesis。

2. 选择一句话，这句话描述了文章所关注的并且想要找到解释的现象。

答案： 第 ❷ 句。

解析： 参考【文章点拨】，本文所要解释的现象在第 ❷ 句。

Passage 048

气候变化使得_____对物种保护是必要的

原文翻译

❶普遍的气候变化挑战了传统观点：保护特定区域的土地足以保护濒危物种。❷尽管致力于保护特定的土地在很大程度上保护了动物，但是也只有在气候相对稳定的时候有效。❸当气候变化而非被破坏的栖息地威胁到了物种在一个特定地点的生存的时候，将该物种迁移到新的地方可能就成了保护它们的一种方法。❹有的生态学家认为这种辅助迁徙只是模仿自然迁徙过程的一种方式：支持者们愿意把物种从变得不适合生存的地方迁移到被人类搞得不可穿行的地方。❺尽管这种方法有风险，但是辅助迁徙可能是物种保护发展进程中必不可少的一步。

3s 版本

❶气候变化使得仅仅通过保护土地去保护濒危物种变得不那么有效。

❷保护土地的方法仅仅在气候稳定时是有效的。

❸气候变化时，要帮助物种迁移到新的地方。

❹❺这种辅助迁徙对物种保护是必要的。

全文3s版本：气候变化使得辅助迁徙对物种保护是必要的。

题目讲解

1. 文章作者暗示，一些濒危物种不可能在自然状态下迁徙到更适合它们生存的栖息地是因为

   A.（错误）气候变化使得这些栖息地消失了

   B.（正确）即使有也只是极少数可以到达这种栖息地的路线存在

   C.（错误）自然迁徙的速度通常比气候变化的速度要慢

   D.（错误）物种的数量已经低于通常自然迁移所需要的数量

   E.（错误）这些物种对当前栖息地的依赖程度太强了

解析：B：根据第❹句，濒危物种要在人类的帮助下被迁移到被人类搞得无法穿行的地带，因此自然状况下濒危物种到不了合适的栖息地的原因就是这些栖息地被人类阻碍了，所以选项 B 正确。

2. 文章表明，为了适应变化的条件，动物保护主义者应该

   A.（错误）重新制定他们关于物种保护的目标

   B.（错误）将注意力转移到扭转气候变化上

   C.（错误）停止将某些物种标记为濒危物种的做法

   D.（正确）重新考虑他们采取的保护濒危物种的方法

   E.（错误）依赖于迁移和变化的自然过程

解析：D：根据文章作者的观点，以前保护濒危物种的方法是保护某些地方，但是随着气候变化，还应该通过人为的方法帮助物种迁徙，因此选项 D 正确。

E：根据文章，自然的迁移过程被人类阻碍了，所以不能依赖于自然过程，而应该有人为干预。

Passage 049

用英语写作的古巴裔美国作家<u>应该/不应该</u>被忽视

原文翻译

❶卡洛琳娜·霍斯皮特注意到，主要用英语写作的古巴裔美国作家因为这个原因（用英语写作）在古巴流亡文学的选集和分析中被忽视了。❷她认为因为这些作家出生在古巴并且认为自己就是古巴作家，因此他们不应该被忽视，并坚持认为他们代表了古巴人的一个新阶段，这一阶段是用作家们觉得很舒服的语言——英语——进行表达。❸此外，另一位评论家也注意到，古巴裔美国作家的西班牙语和英语的写作传统有着不同但是同样有价值的功能。❹英语这一派想要在美国创造一种独特的古巴根源文化，而西班牙语这一派则希望保留独特的古巴文化，同时寻求加入拉丁美洲语言的经典作品。

3s 版本

❶用英语写作的古巴裔美国作家被忽视了。

❷卡洛琳娜·霍斯皮特认为他们不应该被忽视。

❸❹另一位评论家也认为他们不应该被忽视。

全文3s版本：用英语写作的古巴裔美国作家不应该被忽视。

文章点拨

本文第 ❶ 句是卡洛琳娜·霍斯皮特注意到的现象：用英语写作的古巴裔美国作家被忽视了。后面的三句话是两个人对这一现象的评价，都认为他们不应该被忽视。其中卡洛琳娜·霍斯皮特从英语语言本身说明，英语对这些作家来说很舒服，所以用英语写作无可厚非。后两句的评论家则从古巴文化的保留角度评价了作家们的这种行为。用英语和西班牙语都是在保护古巴文化，区别在于用英语写作有利于在美国保留古巴文化，而用西班牙语写作则有利于在拉丁美洲保留古巴文化。

题目讲解

1. 如文中所述，霍斯皮特可能会同意下列哪项关于古巴裔美国作家的陈述？
   A.（正确）对古巴裔美国作家来说，用英语写作并非不能和古巴身份相统一。
   B.（错误）所有的古巴裔美国作家普遍被公认为是古巴流亡文学的贡献者。
   C.（正确）古巴流亡文学选集包含西班牙语和英语写作的作品是合适的。

解析：本题考查的是霍斯皮特的观点，因此选择的方向就是古巴裔美国人用英语写作是可以的。

A：正确。描述用英语写作和古巴人身份可以统一，符合霍斯皮特的观点。

C：正确。根据文章可以推断出，古巴人的母语是西班牙语，因此古巴文集当然可以包含西班牙语作品，同时霍斯皮特的观点又是支持作家用英语写作，因此古巴文集既包含西班牙语也包含英语是合适的。

B：all 太极端。

2. 根据文章上下文，"comfortable"最接近的含义是

　　A.（错误）繁荣的

　　B.（错误）充分的

　　C.（正确）舒适的

　　D.（错误）宁静的

　　E.（错误）无痛的

解析： C：comfortable 本意就是"舒服的"，因此选项 C 正确。

　　　　E："无痛的"不等同于"舒服的"。

Passage 050

更多的研究开始关注候选人的＿＿＿＿＿＿＿，但是不应忽略＿＿＿＿＿＿＿

原文翻译

❶最近关于美国政治历史中性别差异的研究倾向于关注候选人的选择，而非登记或者投票人数。❷对政治参与中的性别不平等的关注点发生了转变可能是由于对美国投票行为的几项研究发现，即自 1980 年以来，在控制了政治参与的传统预测因素之后，男性和女性在登记和投票人数方面的差异在统计上并不明显。❸但是，富勒顿和斯特恩认为研究者忽略了美国南方在登记和投票方面存在的巨大性别差异。❹尽管在 1950 年代之前，政治参与的性别差异在南方以外的地方几乎消失，但是在整个 1950 年代和 1960 年代，南方仍然存在着巨大的性别差异，直到 1970 年代才开始减少。

3s 版本

❶开始研究候选人之间的性别差异。

❷研究发现注册和投票人数方面的性别差异并不明显。

However ❸富勒顿和斯特恩认为不应该忽略南方的注册和投票人数方面的性别差异。

❹南方的注册和投票人数方面的性别差异直到 1970 年代才开始减少。

全文 3s 版本：更多的研究开始关注候选人的性别差异，但是不应忽略南方的注册和投票性别差异。

题目讲解

1. 选择文中为一种趋势提供可能解释的一句话。

答案： 第 ❷ 句。

解析： a trend 指的是第 ❶ 句的研究趋势，第 ❷ 句的 due to 表明这句话是为上句话提供原因。

2. 根据文章，下列哪一项关于美国政治中性别差异的最近研究是正确的？

　　A.（错误）这些研究精确地描述了 1980 年之前南方投票者的喜好。

　　B.（错误）这些研究被投票者的喜好变化过度影响。

　　C.（错误）这些研究没能认识到影响投票者参与程度的重要因素。

D.（错误）这些研究没有足够关注区域差异对投票者喜好的影响。

E.（正确）这些研究更关注男性和女性投票者做的选择，而非关注他们投票的频率。

解析：E：the choices that male and female voters make 对应 candidate choice，the frequency with which they vote 对应 registration and turnout，因此选项 E 正确。

A：最近的研究没有关注南方。

B：文中未提及。

C：文中没提到影响投票者参与程度的因素。

D：文中的区域差异指的是南方和其他地方之间存在性别差异，但是没提这些地区差异对投票者喜好的影响。

Passage

_____发生率高，并且其携带者会得到好处

原文翻译

❶创始者突变是一类致病的基因突变，每一种都来自这一突变所起源的祖先"创始者"。❷尽管大多数致病突变在人类身上被发现的概率是几千分之一到几百万分之一，但是创始者突变发生的概率要高很多。❸这一明显的奇怪现象部分是由于大多数创始者突变是隐性的：只有一个人从双亲那里都获得了感染的基因才会致病。❹大多数只有一条遗传基因的人——"携带者"——可以生存下来并且将这条基因遗传给后代。❺此外，创始者突变的一条遗传基因往往会给携带者带来生存优势。❻比如，遗传性血色素沉着症突变会保护携带者不患缺铁性贫血，因为突变基因可以提高铁的吸收效率。

3s 版本

❶❷创始者突变发生概率高。

❸❹创始者突变是隐性的，因此携带人群多。

❺❻携带创始者突变基因会带来好处，因此也会导致携带人群更多。

全文3s版本：创始者突变发生率高，并且其携带者会得到好处。

题目讲解

1. 关于创始者突变，文章表明了下列哪一项?

A.（正确）创始者突变的携带者会从突变基因中获得一些优势。

B.（正确）从双亲遗传了创始者突变的人会因此患病。

C.（错误）创始者突变比其他突变更不可能遗传给后代。

解析：A：对应 ❺❻ 两句。

B：对应第 ❸ 句。

C：根据文章，因为创始者突变是隐性的，所以携带者更多，更有可能传给后代。

2. 文章作者提及"遗传性血色素沉着症突变"主要是为了阐明

    A.（错误）创始者突变没能导致疾病的条件

    B.（错误）预测创始者突变对携带者的影响是多么困难

    C.（错误）有害的创始者突变和有益的创始者突变之间的区别

    D.（正确）创始者突变的一条基因如何有利于携带者

    E.（错误）挑战一个关于创始者突变传播的特定理论

解析：D：本题属于功能题，定位句 3s 版本便是携带创始者突变基因会带来好处，因此选项 D 正确。

      A：创始者突变没能导致疾病的条件应该是只有一条基因被继承。

      B：文中没有提及困难。

      C：两种突变不符，都是一种创始者突变，有时候带来坏处，有时候带来好处。

      E：文中未提及。

Passage 052

乔治·米尔纳针对"认为卡霍基亚是_____而非_____"提出了一些问题

原文翻译

❶乔治·米尔纳对认为卡霍基亚（密西西比河沿岸的一处大型考古遗址）是一个国家而非一个酋邦这一观点提出了三个主要问题。❷首先，卡霍基亚的发现和密西西比河其他酋邦的发现在本质上是类似的，除了用来建造卡霍基亚土堤的泥土数量要比其他地方的更多。❸第二，生活在卡霍基亚的人口数量比通常估计的更少（米纳尔估计只有几千居民，更普遍的估计是1万~2万居民）；因此，并不需要大量的税收、贸易和进贡来支撑这些居民。❹最后，尽管有证据表明卡霍基亚存在大规模的泥土搬运、手工制造、贸易和精英，但这不能表明卡霍基亚是政治集权的、经济专门化的或者有侵略性扩张目的的。

3s 版本

❶乔治·米尔纳针对"认为卡霍基亚是国家而非酋邦"提出了一些问题。

❷原因一：卡霍基亚和其他酋邦的发现很相似。

❸原因二：乔治·米尔纳认为卡霍基亚的人口很少。

❹原因三：卡霍基亚不具备国家的特征。

全文3s版本：乔治·米尔纳针对"认为卡霍基亚是国家而非酋邦"提出了一些问题。

文章点拨

本文的理解重点在第❶句，这句话很容易就读成了乔治·米尔纳认为卡霍基亚是一个国家。但是，这句话说乔治·米尔纳认为把卡霍基亚当成国家会面临三个主要的问题。problems有负向含义，因此乔治·米尔纳真正的观点是卡霍基亚是酋邦而非国家。

题目讲解

1. 文章的主要目的是

   A.（错误）强调一种描述

   B.（正确）概述一种质疑

   C.（错误）指出一个模糊的地方

   D.（错误）讨论一个过分简化的处理

   E.（错误）定义一个种类

解析：B：本文为总分结构，主旨句是第❶句。因此，本文的主旨便是乔治·米尔纳通过提出问题来反驳"认为卡霍基亚是国家而非酋邦"这一观点，所以选项B正确。

A：本文的重点在于乔治·米尔纳对这个观点的质疑，而非乔治·米尔纳自己的观点。

C：文中未提及。

D：文中未提及。

E：文中未提及。

2. 文章暗示政治集权的特征是

   A.（错误）在历史上很少出现在少于2万居民的地方

   B.（错误）把密西西比河其他酋邦和卡霍基亚区分开来

   C.（正确）被认为是国家的特征而非酋邦的

   D.（错误）通常由入侵性的扩张和经济专业化造成

   E.（错误）在历史上对于进行大量贸易来说是必要的

解析：C：根据最后一句，之所以认为卡霍基亚不是国家，是因为卡霍基亚不具备政治集权的特征，由此可以推断出政治集权是国家该有的特征，所以选项C正确。

Passage

挶威_____的起源

原文翻译

> ❶与德国一样，但与欧洲其他国家不同的是，挪威在19世纪晚期才实现工业化。❷但是与德国相比，挪威的工业社会阶级的历史相对较短，而平等的阶层关系的历史则要长很多。❸挪威平等主义的起源早于工业主义以及劳工运动的兴起。❹工业时代之前的经济主要依赖于少数独立的农民，他们将农业和渔业结合（北方），或者将农业与林业结合（南方）。❺因为挪威在1905年之前被外国统治长达五个世纪，而且挪威的地形不适合大庄园的发展，因此挪威大部分地区并没有出现强大的贵族和地主阶级。❻这种模式也存在一些例外，尤其是在南方地区，确实存在地主阶级。❼挪威早期的社会和经济历史催生了平等主义，尽管正如一些观察者指出的那样，这是一种贫穷的平等。

3s 版本

❶挪威像德国一样工业化出现得很晚。

however ❷挪威比德国有更久的平等主义历史。

❸挪威平等主义的起源早于工业化。

❹❺挪威的经济和社会特征导致不会出现地主阶级。

did 强调句表让步❻南方确实有地主阶级。

❼挪威的社会和经济历史导致平等主义的出现。

全文 3s 版本：挪威平等主义的起源。

题目讲解

1. 文章主要讨论了

   A.（错误）工业时代之前的国家贫穷和平等之间的联系

   B.（错误）挪威和德国共有的工业社会特点

   C.（错误）工业化对挪威社会和经济关系的影响

   D.（正确）挪威社会平等的根源

   E.（错误）挪威和德国社会阶级的出现

解析：D：根据文章 3s 版本，选项 D 正确。文章前两句发生了取反，重点在第❷句。文章后面基本都是顺承，所以每句话都在对挪威的平等主义进行展开。❹❺两句分别说明挪威是独立的小农经济，并且支离破碎的地形导致无法形成大的庄园和地主阶层，因而社会是平等的。第❻句描述的是例外，因此不重要。第❼句是结论，挪威的平等主义来自经济和社会历史。

2. 根据文章，19 世纪的挪威北方和南方在下列哪个方面有所不同？

   A.（正确）地主阶级在南方比在北方更有可能被发现。

   B.（错误）挪威南方的农民主要以捕鱼为生，而北方的农民则以林业为生。

   C.（错误）农业在挪威南方是一个重要的活动，但是在北方不重要。

   D.（错误）挪威南方比北方更早实现工业化。

   E.（错误）外国统治对南方的影响比对北方的影响更深刻。

解析：A：对应第❻句，南方是个例外，确实有可能存在地主。

3. 关于挪威的平等主义，文章表明了下列哪一项？

   A.（错误）挪威的平等主义是社会稳定性的来源，帮助挪威挺过了五个世纪的外国统治。

   B.（错误）挪威的平等主义在工业化之后和之前的表现方式是一样的。

   C.（正确）挪威的平等主义不见得给大多数挪威人提供了高标准的生活。

   D.（错误）挪威的平等主义产生了一种挪威式的工业化，其在性质上和欧洲其他国家的工业化不同，因为挪威的劳工运动没有那么极端。

   E.（错误）挪威的平等主义在南方比在北方更加流行。

解析：C：对应第❼句的 it was an equality of poverty。

Unit 03

Medium 模式（上）

题目原文下载1　　题目原文下载2

最离奇的梦想所需要的素材无非就是一次次庸常而枯燥的努力。

——苏琪

University of North Carolina at Chapel Hill

微臣教育线下 325 班学员

2019 年 3 月 GRE 考试 Verbal 162

Passage *054*

麦迪斯认为睡眠起到保护作用的假说<u>对/不对</u>

原文翻译

❶睡眠功能理论中最杰出的是麦迪斯的不移动假说（immobilization hypothesis），该假说认为睡眠并非起到恢复作用，而是当动物不能有效地参与其他活动时起到保护作用。❷麦迪斯认为没有立刻被捕食者威胁到的动物，如果在睡眠中度过一段时间会更安全。❸**睡眠会阻止动物移动或者对无威胁的刺激产生反应，而这些反应也许会引起捕食者的注意。**

❶但是，这一假说不能轻易解释为什么人们在经历了一段时间的睡眠不足之后，经常会观察到睡眠时间或强度的反弹。❷这一假说也不能解释多种睡眠状态的存在，这些状态本身可能与不同的功能有关。

3s 版本

❶睡眠会起到保护作用。

❷进一步解释麦迪斯的观点。

❸睡眠会起到保护作用的原因。

3s 版本：**睡眠会起到保护作用。**

However ❶❷麦迪斯的假说不对。

3s 版本：**麦迪斯的假说不对。**

全文3s版本：**麦迪斯认为睡眠起到保护作用的假说不对。**

文章点拨

本文第一段的三句话都是取同关系，所以每句话都是在说第 ❶ 句麦迪斯的观点，认为睡眠会起到保护作用，第 ❷ 句则是将这一观点进行具体解读，所谓睡眠会起到保护作用，本质原理是"你不招惹别人，别人也不会招惹你"。第 ❸ 句则给出原因说明为什么"不作死就不会死"。

第二段开头的 However 说明这一段和上一段取反。第 ❶ 句认为动物长期缺觉之后会有"补觉"的行为，这一点和睡眠的保护作用无关。第 ❷ 句则说明睡眠本身有很多不同的状态，如果睡眠起到保护作用，那么则不必存在这么多不同的状态。本段没有给出新观点，只是批判。

题目讲解

1. 根据文章，不移动假说没能解释下列哪些事实？

   A.（正确）睡眠并不是稳定的和不变的。

   B.（正确）在某些条件下动物会需要比平常更多的睡眠。

   C.（错误）当捕食者在附近被发现时，动物很少睡觉。

解析： A：本题问的是"不移动假说没能解释什么"，因此定位到第二段。本题属于细节题，因此正确答案应该是定位部分的同义改写。not...uniform and unchanging state 改写第二段第 ❷ 句中的 various states of sleep。

B：certain conditions、more sleep than usual 分别改写第 ❶ 句中的 following a period of sleep deprivation、rebound in sleep time or intensity。

C：第二段中未提及。

2. 根据文章上下文，标黑体句子的作用主要是

A.（错误）提出导致科学家限定一个广泛持有观点的想法

B.（正确）描述提出一个假说的基础

C.（错误）阐明被应用于一种科学分支的推理方式

D.（错误）解释一个假说如何可以用实验的方式被证明

E.（错误）将改善了一个试探性解释的分析进行关联

解析： B：a hypothesis 对应麦迪斯的观点，符合定位句 3s 版本，正确。

A：本题属于功能题，正确答案应该是标黑体句子的 3s 版本，即"睡眠会起到保护作用的原因"。a widely accepted view 对应的是麦迪斯的观点，qualify 则表明该选项说的是第二段内容，定位错误。

C：a branch of science 在原文中没有对应。

D：文中未提及 empirically。

E：文中未提及 a tentative explanation 和 refine。

Passage 055

_____是_____的理想替代品

原文翻译

❶几个世纪以来，橡木一直是欧洲造船工人的首选木材。❷但是，到了18世纪末，随着英国橡木的供应日益匮乏，造船工人开始使用柚木，并且发现柚木是一种很理想的替代品。❸其他木头的膨胀和收缩速率与橡木不一样，因此用那些木头修补的橡木船容易裂开或者漏水。❹只有柚木能匹配橡木的膨胀系数并且保持防水。❺柚木在防腐蚀和防虫方面是无与伦比的，并且柚木的油脂可以保护钉子不受腐蚀。❻不仅如此，柚木也是两种重要的热带硬木之一（另一种是中美洲桃花心木），它们的干燥程度轻到足以顺流漂下——这是将木材从它们所生长的内陆丛林中大量地运出来的唯一方法。

3s 版本

❶造船用橡木。

However ❷造船工人们改用柚木。

换对象❸其他木头不好。

换对象❹❺❻柚木好。

全文3s版本：柚木是橡木的理想替代品。

⊙ **文章点拨**

本文两次用到了换对象取反。第❺句的 unmatched 会让人认为是和前一句取反，但是 unmatched 本身是褒义词，表示"无与伦比的"。

⊙ **题目讲解**

1. 从文章可以推断出，柚木相比桃花心木的优势在于柚木

    A.（正确）更符合现有船只的材料

    B.（正确）更不容易受到腐蚀和虫害

    C.（错误）可在内陆丛林中大量获得

解析： A：the materials in existing ships 指的是橡木，根据第❹句可知，只有柚木可以匹配橡木的膨胀系数，因此柚木当然比桃花心木更兼容于橡木。

    B：对应第❺句，柚木在防腐蚀和虫害方面是无与伦比的，因此柚木当然比桃花心木更防腐蚀和虫害。

    C：无法得知，因为原文只说了柚木和桃花心木都能从内陆大量运出来，但是看不出谁更能被大量获得。

2. 根据上下文，"turned to"的意思是

    A.（错误）旋转

    B.（正确）求助于

    C.（错误）远离

    D.（错误）恢复

    E.（错误）围绕……转

解析： B：词汇题所考查的单词含义不能违背其本意。turn to 本身就有"求助于"的含义，因此选择选项 B。

Passage 056

_____加剧鲍鱼减少

⊙ **原文翻译**

❶汉克利普角东部的水域曾经是利润丰厚的野生鲍鱼渔场中心，但是在1990年代中期，非法捕捞上升到如此高的水平以至于这个休闲渔场在2003年被关闭了。❷当鲍鱼的数量没能恢复时，商业捕捞也被禁止。❸尽管鲍鱼数量的持续下降被归因于偷猎，但是1990年代早期的岩龙虾入侵有可能加剧了这种趋势。❹岩龙虾捕食海胆，并且岩龙虾数量的增加与海胆数量的显著下降同时发生。❺在那一区域，海胆主要靠围捕漂浮的海藻为生，并以此为小鲍鱼提供保护屏障和营养。❻没有海胆的存在，小鲍鱼不太可能活到成年。

⊙ **3s 版本**

❶❷非法捕捞导致鲍鱼减少。

❸岩龙虾入侵加剧了鲍鱼的减少。

❹岩龙虾吃海胆。

❺海胆的捕食习惯可以保护鲍鱼。

❻海胆少了，鲍鱼也少了。

小结：❹❺❻封装，与❸取同。

全文3s版本：岩龙虾入侵加剧鲍鱼减少。

文章点拨

1. 注意本文并没有否认非法捕捞导致鲍鱼减少，龙虾的入侵只是加剧了这一趋势。

2. 这种生态环境类的文章经常会针对文中的"事件链"进行考查。本文的事件链为：龙虾增多→海胆减少→海胆无法保护小鲍鱼→鲍鱼减少。

题目讲解

1. 根据文章，自从 1990 年代早期，汉克利普角东部的水域中的海胆
   A.（错误）明显地改变了它们的觅食习惯
   B.（正确）遭受了来自某个物种的越来越多的捕食
   C.（错误）经历了越来越多的对海藻的竞争，海藻是它们的主要营养来源
   D.（错误）目睹了海藻数量因环境变化导致的急剧下降
   E.（错误）随着该区域的商业捕捞的减少，海胆的数量恢复了

解析： B：原文关于海胆有两个信息，一是被岩龙虾捕食了，二是其觅食行为可以保护小鲍鱼。a certain species 对应 rock lobster，根据文章第 ❹ 句，海胆遭受了来自岩龙虾越来越多的捕食。

  A：文中未提及。

  C：文中未提及。

  D：文中未提及。

  E：文中未提及。

2. 根据文章，下列哪一项关于海胆的觅食行为的说法是正确的？
   A.（错误）它们（海胆的觅食行为，下同）根据一个区域能得到的食物种类而发生改变。
   B.（错误）它们导致了某些区域的鲍鱼的减少。
   C.（正确）它们对另一个物种的幼崽有重要的影响。
   D.（错误）它们使得海胆越来越容易受到潜在捕食者的影响。
   E.（错误）它们导致了某些区域的海藻数量显著下降。

解析： C：根据原文第 ❺ 句，海藻的捕食行为可以给小鲍鱼提供保护，因此选项 C 正确。the young of another species 对应原文的 juvenile abalones，a significant impact 对应 provide juvenile abalone with both protective shelter and nourishment。

  A：文中未提及。

  B：是岩龙虾的入侵导致鲍鱼减少，而不是海胆的觅食行为，海胆是保护鲍鱼的。

  D：文中未提及。

  E：表述太极端，海胆确实吃海藻，但是不见得导致海藻数量"显著下降"。

Passage 057

火星表面有/没有水

原文翻译

❶长期以来，研究者们认为火星从来没有经历过长期的温暖和潮湿气候，原因之一是火星上很多没有被风携带的灰尘覆盖的表面似乎是由未被风化的物质组成的。❷研究者认为如果有水长期流过，水就应该改变并且侵蚀火山物质，产生黏土或者其他氧化水合状态（晶体结构中整合了水分子）的物质。

❶但是，其实科学家们没有足够近距离地观察。❷新型高分辨率地图数据和近距离的表面研究揭示，在很多区域存在黏土和其他的水合物。❸这些黏土沉积物散布在古老的火山表面和布满撞击坑的高原区域，其中一些显然是近期遭受侵蚀产生的。

3s 版本

❶❷火星没水。

第一段 3s 版本：火星没水。

, though,❶科学家们观察得不够仔细（火星有水）。

❷❸证明火星有水的证据。

第二段 3s 版本：火星有水。

全文3s版本：火星表面有水。

文章点拨

由第一段第❶句 long believed 可知，这句话的观点在后文可能被反驳。第❶句以表面物质未被风化为由来说明火星没有水。第❷句给出原理去解释为什么表面物质未被分化便可说明火星没有水。

第二段第❶句的 though 起到句间取反的作用。之后的内容则利用最新的发现，说明在火星上找到了水存在过的证据。

本文和"水"有关的同义对应如下：wet、water、weather（风化）、clays、hydrated、erosion。

题目讲解

1. 根据文章，科学家能够在火星表面发现被风化的物质是因为他们受益于下列哪一项？

   A.（错误）一个分析火星表面形成了火山坑的新方法。

   B.（正确）一种被提升过的用于探测火星表面水合物的能力。

   C.（错误）对火星表面风携带的尘土产生的影响的更精确的理解。

   D.（错误）决定在布满撞击坑的高原区域去找水。

   E.（错误）更好地理解侵蚀是如何影响黏土沉积物的。

解析：B：根据第二段，科学家之所以又开始认为火星有水，是受益于新的技术使他们找到了水存在的证据，即黏土和其他水合物，因此选项 B 正确。

    A：无关选项。

    C：无关选项。

    D：无关选项。

    E：无关选项。

2. 从文章可以推断出，作者会同意下列哪项关于标黑体句子所讨论的推理的陈述？

    A.（错误）标黑体句子为解释为什么直到目前为止火星上的水都很难被发现提供了基础。

    B.（正确）标黑体句子正确地指出水流经火星表面所产生的影响。

    C.（错误）标黑体句子依赖于一个关于水和火山物质在火星如何作用的错误假设。

解析：B：标黑体句子的作用就是提供原理去解释为什么火星表面物质会成为辨别火星是否有水的证据，因此选项 B 正确。a consequence 指的是水流经表面后产生黏土和水合物。在第二段，作者也利用了这个原理来说明火星其实是有水的，因此标黑体句子本身是准确的。

    A：文章没有解释为什么火星很难找到水。

    C：水和火星物质之间的作用就是水会侵蚀这些物质，这一假设是正确的。

Passage  058

地震之间是有/没有相互作用的

原文翻译

❶大多数地震学家认为在一场大地震以及其余震之后，断层（地球地壳的断裂处，这里的应力会引发地震）会保持平静，直到应力经过时间积累起来，这种平静通常持续成百上千年。❷但是，最近关于地震之间微妙的相互作用的证据可能会推翻这一假设。❸根据应力引发假说，当临近断层发生位移时，断层会对其获得的微小应力做出出乎意料的反应。❹在一场地震中，释放出的应力并非简单地释放掉了，而是会沿着断层发生移动，集中在附近的地点；即使是最小的附加应力都有可能在这个断层或邻近的断层引发地震。❺尽管科学家长期认为这种微妙的相互作用是不存在的，但是这一假说已经解释了美国加利福尼亚州、日本和土耳其发生几场破坏性地震之后的地震的位置和频率。

3s 版本

❶老观点：两场地震之间没有联系（地震之后断层会平静很久）。

however ❷地震之间有微妙的相互作用。

❸地震之后，应力会积蓄。

❹积蓄的应力会引发下一场地震。

小结：❸❹广义封装，与❷取同。

❺事实证明这一假说有可能是对的。

全文3s版本：地震之间是有相互作用的。

📝 文章点拨

第 ❶ 句根据 most 便可预知这是老观点，会在后文被反驳。

第 ❷ 句提出新观点，认为地震之间是有相互作用的。

第 ❸ 句顺承前一句，因此这句话的 the stress-triggering hypothesis 对应的是上一句提出的新观点。

❸❹ 描述了新观点的原理：一场地震之后释放的应力会在某个断层中积累起来，之后的微小震动都会引发下一场地震。

第 ❺ 句是理工科文章常见的用于验证某一观点的手法：当理论推测的场景和现实一致的时候，那么这个理论会被加强。根据新观点，一场地震之后，只要确定这场地震所在断层，那么这个断层附近也会发生因为应力积蓄而引发的地震，这与加利福尼亚州等地发生的地震频率和位置相一致，因此理论与现实一致，理论的正确性被增强。

📝 题目讲解

1. 根据文章，下列哪一项可能是被最近的地震学证据所推翻的假设？

　A. （错误）地震是由地壳内部断层所积累的应力引发的。

　B. （错误）大多数大地震可以以合理的精确性被预测。

　C. （错误）断层对临近断层中的微小应力也有很强的反应。

　D. （错误）大多数大地震之后会发生可以预料的余震。

　E. （正确）在一场大地震中所导致的断层会长期保持平静。

解析： E：根据题干可知，本题正确答案应定位在第 ❶ 句的老观点，因此选现 E 正确。

　A：在第 ❶ 句确实提到了选项 A，但是这是所有地震发生的本质原理，并非是最近的证据所要推翻的内容，最近的证据讨论的是地震之间是否有相互作用。

　B：文中未提及。

　C：是一个新观点。

　D：文中未提及。

2. 本文提到大多数地震学家认为下列关于断层应力的哪一项是对的？

　A. （正确）这些应力在导致地震时会被释放出来。

　B. （错误）这些应力在临近的断层之间发生转移。

　C. （正确）这些应力在几年之间不会在同一个断层引发大地震。

解析： A：本题考查的是老观点。选项 A 正确，根据第 ❹ 句 rather than simply dissipating 可推导出，老观点认为应力会被释放出来。

　C：正确，对应第 ❶ 句的 remain quiet until stresses have time to rebuild, typically over hundreds or thousands of years。

　B：对应的是新观点。

Passage  059

资源强化应对的是＿＿＿＿＿＿＿

原文翻译

❶多赛特（Dorset）的古阿拉斯加州原住民（Paleo-Eskimos）和纽芬兰岛（Newfoundland）的近代美国原住民（Recent Indians）进行的资源强化——为了增加食物产量而在生存活动中更多地投入劳动力和时间——是否是用于应对人口压力的？❷严格意义上不是。❸在纽芬兰岛，人口压力并不是来自当地人口的持续上升，而是来自新的和完全不同的人口的涌入和逗留。❹纽芬兰岛的狩猎采集人群——无论是当地的还是新来的——都会通过细微的差异来应对其他人口的存在。❺在强调海洋资源传统的基础上，多赛特的古阿拉斯加州原住民会加强对海豹的捕捞以应对近代美国原住民在公元前几个世纪的到来。❻更熟悉广阔的内海环境的近代美国原住民也会强化这种策略以应对多赛特的古阿拉斯加州原住民。

3s 版本

❶资源强化是否是应对人口压力的？

❷不完全是。

❸❹资源强化应对的是外来人口。

❺古阿拉斯加州原住民应对近代美国原住民的方法。

换对象❻美国原住民应对古阿拉斯加州原住民的方法。

小结：❺❻广义封装，与❸❹取同。

全文3s版本：资源强化应对的是外来人口。

文章点拨

重点关注本文的程度差异。第❶句是一般疑问句，重点关注之后给出的答案。第❷句读完后会让人觉得资源强化不是应对人口压力的，其实这句话是一个程度取反。根据后文可知，资源强化就是应对人口压力的，只不过应对的是外来人口而非本地人口的压力。

题目讲解

1. 根据文章，下列哪一项是由近代美国原住民的到来所导致的？

A.（错误）多赛特的古阿拉斯加州原住民被迫与近代美国原住民去竞争有限的海豹资源。

B.（正确）多赛特的古阿拉斯加州原住民比过去花费更多的时间捕杀海豹。

C.（错误）多赛特的古阿拉斯加州原住民增加了防卫土地所投入的劳动力和时间。

D.（错误）多赛特的古阿拉斯加州原住民开始采取新的从近代美国原住民那里学来的生存策略。

E.（错误）多赛特的古阿拉斯加州原住民人口之前的稳定增长开始停止。

解析：B：根据题干，本题答案定位到第 ❺ 句，即为了应对美国原住民的到来，古阿拉斯加州原住民会进行资源强化，因此选项 B 正确。

　　A：古阿拉斯加州原住民为了应对美国原住民会更多地捕杀海豹，但是未必会和美国原住民竞争。

　　C：文中未提及 defending their territory。

　　D：文中未提及 learned from the Recent Indians。

　　E：文中未提及 population came to a halt。

2. 下列哪一项最好地描述了标黑体句子的功能？

　　A.（错误）这句话指出了文章之前所讨论的一个理论的缺陷。

　　B.（错误）这句话证明了需要对文章之前提及的现象进行额外的研究。

　　C.（错误）这句话削弱了文章之前所提到的一个特点的重要性。

　　D.（正确）这句话支持了文章之前的观点。

　　E.（错误）这句话质疑了文章之前提到的支持某项传统的证据。

解析：D：本题属于功能题，正确答案是定位句 3s 版本。本文 ❺❻ 两句都是支持 ❸❹ 句观点的例子，因此 3s 版本服从 ❸❹ 句，即"资源强化应对的是外来人口"，因此选项 D 正确。an assertion made earlier in the passage 对应的便是 ❸❹ 句的观点。

　　A、C、E：既然定位句是例子，因此功能上只能用于支持观点，而非反驳观点。

　　B：文中未提及。

Passage 060

解释为什么＿＿＿＿＿＿＿＿＿＿＿＿＿＿＿＿＿＿＿＿

原文翻译

❶ 在更新世（Pleistocene epoch），很多被隔离在岛上的大象快速地变得矮小。❷ 这一现象不一定局限于更新世，在东南亚岛屿可能发生得更早，尽管证据尚不充分。❸ 关于体型变小有几种可能的解释。❹ 比如，岛屿通常并没有大型捕食者，或者岛屿太小了无法维持捕食者种群的生活。❺ 一旦摆脱了被捕食的压力，体型太大对于食草动物来说就没有什么好处了。❻ 除此以外，岛屿栖息地的食物资源非常有限，体型更小以及对资源的需求更少会很有优势。❼ 有意思的是，这种岛屿规则对啮齿类动物等小型哺乳动物是相反的，在岛屿环境下，大体型对这些动物来说是有利的。

3s 版本

❶❷ 一些东南亚岛屿上的大象会变小。

❸ 关于这一现象有好几种解释。

❹❺ 解释一：岛屿上没有大型捕食者，因此大象不需要长得很大。

❻解释二：岛屿资源有限，小体型更有优势。

换对象❼对岛屿上的小型动物来说，大体型有好处。

全文3s版本：**解释为什么岛屿上大象的体型会变小。**

📖 文章点拨

本文主旨句是第❸句，关于大象体型变小这一现象给出不同解释。比较难理解的是最后一句，为什么突然提及岛屿规则对小动物来说就是相反的？这句话的功能在于从另一个角度印证大象变小的原因。如果在岛屿环境下，大动物要变小，小动物要变大，这就正好能够说明岛屿条件对动物体型大小是有影响的（这一部分可以参考本书逻辑篇"加强题方法论"中对"直接加强因果关联"的讲解）。因此本文的主旨依然是解释为什么大象变小，而不是解释为什么小动物变大。

📖 题目讲解

1. 本文的主要目的是
   A.（错误）质疑关于某一物种在岛屿上会变小的一种解释的可信性
   B.（错误）认为岛屿上某物种变小发生在更新世之前
   C.（错误）引用证据表明体型变小对某些生活在岛屿上的物种来说有负面影响
   D.（正确）呈现关于某物种在岛屿上变小的解释
   E.（错误）将岛屿环境对大动物和小动物所产生的影响进行对比

解析：D：最后一句提到小动物会变大的目的是进一步论证岛屿对动物体型的影响，因此文章的主要目的就是在解释为什么大象会变小，所以选项 D 正确而选项 E 错误。

　　A：错在 question。

　　B：属于细节。

　　C：some species 既可能指代大动物，也可能指代小动物，无论怎样都不对。

2. 根据文章，下列哪一项关于哺乳动物体型的陈述是正确的？
   A.（错误）在大多数情况下，大体型对哺乳动物来说是不利的。
   B.（正确）大体型有利于生活在岛屿上的小型哺乳动物。
   C.（错误）对大多数食草动物来说，大体型在没有大型捕食者的情况下更容易生存下来。
   D.（错误）在大多数情况下，相比非食草哺乳动物，小体型对食草哺乳动物来说更为不利。
   E.（错误）在非食草哺乳动物中，相比生活在大陆上的动物，小体型对生活在岛屿上的动物来说更为有利。

解析：B：根据最后一句可知，选项 B 正确。

　　A：表述相反。

　　C：表述相反。

　　D：文章没有提及非食草哺乳动物。

　　E：文章没有提及非食草哺乳动物。

Passage 061

_____已经导致全球变暖了

原文翻译

❶科学家们一致认为人类在20世纪才开始对地球气候产生变暖的影响，那是在燃煤工厂、发电厂以及机动车辆开始向空气中大量排放二氧化碳和其他温室气体之后。❷但是，证据表明，人类的**农业活动可能更早地产生了这种影响**：二氧化碳的浓度在大约8000年前开始上升，尽管**自然趋势**表明浓度应该是下降的；甲烷的浓度在大约3000年后也发生了类似的上升。❸但是，如果没有这些上升，目前北美和欧洲北部的温度应该会低3到4摄氏度——这足以阻碍农业的发展——而冰河时代很可能几千年前就已经在加拿大东北部开始了。

3s 版本

❶老观点：人类活动在20世纪才开始导致全球变暖。

However ❷新观点：人类的农业活动在更早之前已经导致全球变暖了。

however ❸如果不是农业导致温室气体浓度上升，人类应该经历一场冰河期。

全文3s版本：人类的农业活动在更早之前已经导致全球变暖了。

文章点拨

本文前两句容易理解。老观点认为人类直到 20 世纪才开始通过工业化来影响全球变暖。新观点则认为人类的农业活动在更久之前已经导致全球变暖。第 ❸ 句的 however 并没有反驳新观点，这句话依然支持农业活动导致全球变暖这一观点。这句话取反的是态度。根据前两句，人类在很久之前就导致全球变暖了，后果应该很严重。但是第 ❸ 句推翻了这种担忧，认为农业时代开始全球变暖恰好阻止了一场可能发生的冰河时代。

这篇文章从题材上来讲是典型的给全球变暖"洗白"的文章，其主题就是认为全球变暖是好事。

题目讲解

1. 下列哪一项最好地描述了标黑体句子的功能?
   A.（错误）这句话削弱了一个假设：人类活动对地球气候产生了重要的影响。
   B.（错误）这句话支持了一个假设：地球温度在过去 100 年上升了。
   C.（错误）这句话质疑了一个假设：温室气体对全球气候有变暖的影响。
   D.（正确）这句话反驳了一个假设：人类活动在工业化出现之后才开始对地球气候产生影响。
   E.（错误）这句话支持了一个假设：温室气体是工业活动的直接副产物。

解析：D：本题属于功能题，正确答案是定位句 3s 版本，即人类的农业活动在更早之前已经导致全球变暖了，因此选项 D 正确。

A：新老观点都认为人类活动对全球气候产生了影响，只是区别在于何时产生了影响。

B：是"反驳"而非"支持"，因为标黑体句子与前一句取反。

C：新老观点都认为温室气体对全球气候有变暖的影响。

E：是"反驳"而非"支持"，因为标黑体句子与前一句取反。

2. 作者提到"自然趋势"最可能的目的是

A.（错误）提出一个可能的解释，解释为什么北美和欧洲目前的温度不像其他情况下那么低

B.（错误）解释为什么地球大气层中的甲烷浓度开始在大约 5000 年前上升

C.（错误）表明地球气候在没有人类农业活动出现的时候会更热

D.（错误）指出一些因素，这些因素会导致地球大气层中的温室气体在大约 8000 年前上升，并且在约 3000 年之后又一次上升

E.（正确）支持一个说法：人类活动导致了几千年前大气层中二氧化碳和甲烷浓度的上升

解析：E：本题属于功能题，正确答案是定位句 3s 版本，即人类的农业活动在更早之前已经导致全球变暖了，因此选项 E 正确。另外，作者既然提到了自然趋势，那么就是用来跟人类活动相对比的。自然趋势下二氧化碳浓度应该是下降的，但实际上二氧化碳浓度上升了，这种反差也是为了突出人类活动对气体浓度的影响。

A：无法解释为什么北美和欧洲温度高，因为自然趋势下温室气体浓度应该是下降的。

B：无法解释为什么甲烷浓度升高，因为自然趋势下温室气体浓度应该是下降的。

C：表述相反，在没有人类农业活动时，大气应该跟随自然趋势一起降温。

D：无法解释浓度上升，因为自然趋势下气体浓度应该是下降的。

Passage 062

_____导致人类赢不了蚊子

🔽 原文翻译

❶除特殊情况外，人类和蚊子之间的斗争不是一场消灭蚊子的简单战役就能获胜的。❷社会传统和习惯似乎在很大程度上确保了蚊子和人类之间持续的接触。❸比如，在乞力马扎罗山的山坡上，蚊子在一种被称为龙血树（dracaena）的叶腋（leaf axils）中繁殖。❹尽管龙血树不是供人类食用的植物，但是它被用作栅栏或界标则深深根植在我们的传统中。❺在这里（乞力马扎罗山的山坡上）和在世界其他地方一样，人类行为都确保了人和蚊子之间的接触和冲突。

❶我不是在倡导生存和任其生存的政策；我们早就知道和蚊子一起生活是非常令人不悦的。❷但是在我们能够理解我们的习惯是如何使我们的问题长期存在——甚至是创造了这些问题之前，解决我们和蚊子之间的斗争的努力都会失败。

🔽 3s 版本

❶人类赢不了蚊子。

❷社会传统和习惯导致人类赢不了蚊子。

❸❹举例说明社会传统导致人类赢不了蚊子。

❺社会传统和习惯导致人类赢不了蚊子。

第一段 3s：社会传统和习惯导致人类赢不了蚊子。

I am not advocating ❶我们想消灭蚊子。

But ❷赢不了。

小结：❶❷But封装，与上一段取同。

第二段 3s：人类赢不了蚊子。

全文3s版本：社会传统和习惯导致人类赢不了蚊子。

文章点拨

本文内容很简单。第一段前两句递进，第 ❷ 句比第 ❶ 句更深刻地指出是社会传统导致人类赢不了蚊子。值得注意的是，❸❹ 两句需要做广义封装，这样才组成一个完整的例子来证明上述观点。第 ❺ 句总结。

第二段的重点是 I am not advocating=this is not to deny that，让步语气，因此和后一句封装，第二段整体和第一段取同。

题目讲解

1. 本文主要关注于

   A.（错误）讨论消灭蚊子的目光短浅的解决办法

   B.（错误）概括一些人们缓解蚊子带来烦扰的方法

   C.（正确）认为社会传统会使人类和蚊子之间的问题长期存在

   D.（错误）讨论人类和蚊子产生接触的不同方法

   E.（错误）表明蚊子的繁殖习惯如何给人类带来困扰

解析：C：本题属于主旨题，选择和文章 3s 版本相对应的选项即可，因此选项 C 正确。

    A：文中未提及 shortsighted proposals。

    B：文中未提及 alleviate the problems。

    D："人类和蚊子产生接触的不同方法"并不是文章的重点。

    E：breeding habits 只是例子中的细节。

2. 下列哪一项最好地描述了文章的结构?

   A.（错误）提出一个假说，对其进行衡量并反驳，之后再肯定改良后的假说。

   B.（错误）提出一个观点，然后反驳这个假说并提出一个替代性的观点。

   C.（正确）提出一个主张，提供一个支持的例子，然后给出一个结论。

   D.（错误）对立的观点被提出，被评价之后被调和。

   E.（错误）确定问题，提出解决方法，并提出解决方法的潜在困难。

解析：C：本题属于结构性主旨题，正确选项中的虚词应该和文章内容对应，选项 C 正确。a claim 对应"传统导致人类赢不了蚊子"，a supporting example 指乞力马扎罗山的例子，a conclusion 对应第二段的结论"赢不了"。

Passage **063**

_____导致地球在太阳亮度不高的时候还是热的

原文翻译

❶46亿年前地球形成时，太阳亮度只有现在的70%。❷但是直到23亿年前，地质记录还没有证据表明存在大规模的冰川。❸萨根和马伦在1970年代提出温室气体氨气使早期地球的大气层变暖，但是随后的研究表明在无氧环境中，比如当时的地球，太阳的紫外光线可以快速地破坏氨气。❹现在很多科学家将早期地球的变暖现象归因于厌氧微生物——甲烷菌——它们产生温室气体甲烷。❺甲烷菌的假说可以解释第一次全球冰川时代：23亿年以前，地球大气层充满了由其他微生物——蓝藻——产生的氧气，这导致甲烷菌快速减少。

3s 版本

❶地球在46亿年前应该是冷的。

Yet ❷其实在23亿年前还是热的。

❸萨根和马伦认为是氨气导致地球变暖，但是这一观点不对。

❹是甲烷菌产生的甲烷导致地球变暖。

❺后来蓝藻产生的氧气使得甲烷菌减少，于是地球变冷了。

全文3s版本：甲烷菌产生的甲烷导致地球在太阳亮度不高的时候还是热的。

文章点拨

第❶句说太阳的亮度只有现在的70%，意在说明当年的地球应该冷，或者应该有冰川现象。第❷句取反，表明其实当时地球是热的，直到23亿年前才进入冰川时代。这两句相当于组成了一对矛盾，因此后文会对此进行解释。第❸句萨根和马伦的观点认为是氨气导致地球变暖，但是句内被反驳：当时的地球缺氧，而无氧环境下，氨气无法存在。当一个观点被提出并且被反驳时，便可以预知接下来会有新观点。第❹句给出新观点：厌氧菌（意味着可以在当时的无氧环境下生存）产生的温室气体甲烷导致地球变暖。第❺句又说23亿年前出现的氧气导致厌氧菌减少了，加之当时太阳没有现在亮，于是地球变冷了。因此全文的目的在于解释为什么23亿年前地球是热的，之后变冷了。

题目讲解

1. 下列哪一项最好地描述了标黑体句子的作用？

    A.（错误）这句话反驳了之前被认为有关联的两个事件之间存在关联的可能性。

    B.（正确）这句话描述了一个假说如何能够解释文章之前描述的现象的发生时间。

    C.（错误）这句话呈现了可以质疑文章第一句的观点的证据。

    D.（错误）这句话澄清了两个相关假说之间的区别。

    E.（错误）这句话介绍了可以挑战一个特定现象的主流解释的发现。

解析： B：本题属于功能题，根据句间关系可知这句话用于支持前一句，即甲烷菌假说可以解释地球的冰川现象发生时间，因此选项 B 正确。a hypothesis 对应 The methanogen hypothesis， a phenomenon 指第 ❷ 句的 widespread glaciation，timing 指的是 23 亿年之前。

    A：本文唯一可以用作反驳功能的，只有第 ❸ 句的 but 部分。

    C：第 ❶ 句呈现的是事实，而非观点，无法被质疑。

    D：这句话仅仅在解释甲烷菌假说本身，没有涉及之前萨根和马伦的假说。

    E：这句话用来支持而不是质疑甲烷菌假说，而且 a dominant explanation 在文中没有对应。

2. 下列哪一项关于甲烷菌的描述可以从文中推测出来?

    A.（错误）甲烷菌在地球上出现的时间一定晚于 23 亿年前。

    B.（错误）甲烷菌在某些地方比在其他地方更加流行。

    C.（错误）甲烷菌产生的温室气体比氨气更容易被太阳的紫外光线所破坏。

    D.（错误）甲烷菌在没有氨气存在的情况下无法存在于地球。

    E.（正确）如果甲烷菌是在蓝藻出现之后才形成的，那么甲烷菌对早期地球大气的影响就没那么明显了。

解析： E：根据最后一句，蓝藻的出现导致甲烷菌减少，因此如果甲烷菌出现在蓝藻之后，可能根本就没有甲烷菌存在了，也就无法给地球产生影响，所以选项 E 正确。

    A：甲烷菌应该出现在 23 亿年至 46 亿年前之间。

    B：文中未提及流行程度。

    C：文中未提及甲烷是否容易受到紫外光线影响。

    D：甲烷菌厌氧，但是氨气如果没有氧气就会被破坏，因此没有氨气的条件也意味着没有氧气，甲烷菌是可以生存的。

Passage  064

土壤依赖_____来提供营养

原文翻译

> ❶土壤环境依赖植物提供有机物质。❷植物通过分解落叶层，从根系中渗出营养物质，或者通过其他方法将有机化合物沉淀到土壤环境中。❸因为这些植物提供资源的方法多种多样，不同的植物种类以及不同组成的植物种群会形成独特的土壤环境。❹如果外来植物入侵了地上的动植物群落，就会改变当地的地上物种群落和地下土壤种群之间的联系。❺比如，入侵的外来植物可以改变落叶层的产量，从而改变对土壤的营养贡献。

3s 版本

❶土壤依赖植物来提供营养。

❷植物给土壤提供营养的方法。

❸植物会形成不同的土壤环境。

❹❺外来植物会改变土壤环境。

全文3s版本：土壤依赖植物来提供营养。

❓ **题目讲解**

1. 根据文章，植物通过下列哪些方式给土壤环境提供资源？
   A.（错误）一些植物通过提升地上动植物的多样性来给土壤环境提供资源。
   B.（正确）一些植物通过从根系中渗出营养物质来给土壤提供资源。
   C.（正确）一些植物通过分解落叶层来给土壤提供资源。

解析：B、C：植物给土壤提供资源的方式可以定位在第❷句，选项B、C均可在这句话中找到对应。
  A：文中未提及。

2. 下列哪一项关于地上植物和地下土壤环境之间的关系可以从文中推测出来？
   A.（错误）因为地上和地下环境之间的联系的本质，所以很多土壤环境缺乏营养。
   B.（错误）土壤环境依赖地上植物的程度在不同土壤环境间差异很大。
   C.（正确）因为不同的植物以不同的方式给土壤环境提供资源，所以在不同的植物群落中会形成不同的土壤环境。

解析：C：正确，对应文中第❸句。
  A：文中未提及土壤缺乏营养。
  B：文中只是表明土壤依赖植物，但是没有提及土壤依赖植物的不同程度。

Passage  065

_____导致欧洲人在资源上失败了

❓ **原文翻译**

> ❶北美的许多早期英国殖民地在新大陆的资源丰富度方面是失败的，其中一个原因是这些殖民者的思维模式使得他们不能像当地人一样生活。❷尽管殖民者从美洲原住民那里学会了建造梢枝堰来围捕鱼类，但是他们没有掌握成功的真正秘诀：移动性。❸欧洲文明的智慧基础是稳定的——这是一种和美洲原住民完全不同的世界观，这些美洲原住民通过移动的方式来应对变动的食物资源。❹殖民者被北美丰富资源的传说所吸引，但是没有意识到丰富的资源是季节性的。❺文化和生态方面的知识使得美洲原住民可以在一年中的不同时间去开发不同的食物资源。

❓ **3s 版本**

❶殖民者和美洲原住民思维模式的不同导致殖民者在资源丰富度方面失败了。

❷殖民者没有学会美洲原住民那样的移动性。

换对象❸欧洲人不移动。

❹欧洲人没有意识到北美的资源是有季节性的。

❺移动性可以很好地应对这种季节性。

全文3s版本：欧洲人没有美洲原住民的移动性导致欧洲人在资源上失败了。

📖 题目讲解

1. 作者表明下列哪一项是关于失败了的北美早期英国殖民者的?

    A.（错误）殖民者的世界观被美洲原住民及其行为深深影响。

    B.（正确）殖民者经历了严重的食物短缺，部分是因为他们的文化限制了他们开发季节性资源的能力。

    C.（错误）如果他们更多地采取了美洲原住民所使用的捕鱼技巧，殖民者的寿命会更长。

解析： B：综合全文可知，英国殖民者在资源方面失败的原因之一是没有像美洲原住民那样利用资源的季节性，因此选项 B 正确。

2. 作者提到"梢枝堰围捕"的主要目的是

    A.（错误）证明美洲原住民为殖民者提供了某些形式的帮助

    B.（错误）指出使得美洲原住民在殖民者失败的区域能够繁荣发展的一种技能

    C.（错误）将美洲原住民使用的技术和殖民者使用的技术进行区分

    D.（正确）承认殖民者采取了一些美洲原住民的方法，尽管他们在新大陆失败了

    E.（错误）将英国殖民者的假设和美洲原住民的假设进行对比

解析： D：brushwood weirs 写在第 ❷ 句 but 之前，因此属于让步的内容，优先考虑 acknowledge、concede 或 qualify 开头的选项，因此锁定选项 D。同时，根据第 ❷ 句可知，brushwood weirs 确实是欧洲人从美洲原住民那里学来的，只是欧洲人因为没有学到美洲原住民的移动性所以失败了，这与选项 D 对应。

    A：brushwood weirs 确实是欧洲人从美洲原住民那里学的，但不见得一定是美洲原住民给欧洲人提供了帮助。

    B：使得土著人得以繁荣的技能是"移动性"，而非 brushwood weirs。

    C：这个技能也是美洲原住民使用的，因此不是 contrast。

    E：assumptions 在文中没有对应。

Passage 066

大黄蜂工蜂的体型差异可能是出于_____的考虑

📖 原文翻译

❶是什么导致大黄蜂工蜂的体型存在差异? ❷在存储花粉的工蜂中，幼虫在单独的巢穴空间中发育，并且直接由成年工蜂喂养。❸因此成年工蜂有可能**决定**每个幼虫的大小。❹大黄蜂幼虫的巢穴空间不如蜜蜂的那般整齐，并且蜂巢边缘的幼虫比其他幼虫可能会得到更少的照顾。❺因此，一些研究者可能认为导致工蜂数量的十倍差距的是对某些幼虫的意外忽略。❻但是，考虑到幼虫是在一个由专

门的巢穴工蜂所控制的环境中抚养的，因此体型的差异似乎更有可能是一种适应性的功能，而且巢穴也会从抚养不同体型的工蜂中获益。

3s 版本

❶大黄蜂工蜂体型差异的原因是什么？

❷❸成年工蜂决定了幼虫的大小。

❹幼虫没有得到平等的照顾。

❺体型的差异来自对某些幼虫的意外忽略。

小结：❷~❺广义封装，得出一些研究者的结论。

However ❻幼虫的抚养由专门的工蜂负责，因此体型的差异可能是出于功能上的考虑。

全文3s版本：大黄蜂工蜂的体型差异可能是出于功能上的考虑。

题目讲解

1. 从文中可以推测出，文章作者认为大黄蜂工蜂体型的差异是

   A.（错误）意外收获

   B.（错误）不可预测的

   C.（错误）不重要的

   D.（正确）有好处的

   E.（错误）不幸的

解析：D：本题问的是作者观点，因此只能定位到第 ❻ 句，作者认为体型差异有可能是一种适应性的功能，而且巢穴会因此而获益，因此选项 D 正确。

A：认为体型差异是一种意外收获的是 some researchers 而非作者。

2. 根据上下文，"determine" 最接近的含义是

   A.（错误）命令

   B.（错误）发现

   C.（正确）控制

   D.（错误）解密

   E.（错误）终结

解析：C：这道词汇题比较简单，将选项中单词的含义分别代入原文，唯一合理的是选项 C。

Passage

食肉动物挑/不挑食

原文翻译

❶与食草动物和杂食动物不同，食肉动物传统上被认为不会去平衡营养摄入，因为人们以为作为食物来源的动物组织差异很小并且营养均衡。❷但是对无脊椎动物猎物的化学分析显示，物种之间的营养存在巨大的差异；即使在物种内部，营养成分都会有显著差别。❸格林斯通认为食肉动物会根据营养成分来挑选食物。❹延森等人（2011年）通过实验表明，即使是行动受限的坐等型无脊椎食肉动物也会努力应对营养缺乏的问题。❺比如，狼蛛已经被证明可以通过从猎物中提取更多的干物质来控制营养的摄入，如果这只猎物包含更高比例的营养，而这种营养在之前的猎物中是缺少的。

3s 版本

❶食肉动物不挑食。

But ❷猎物的营养成分差异大。

❸食肉动物挑食。

小结：❷❸封装，表明食肉动物挑食。

❹实验表明食肉动物挑食。

❺举例说明食肉动物挑食。

全文3s版本：**食肉动物挑食。**

文章点拨

本文是典型的"老观点—批判—新观点"的结构。读到第 ❶ 句的 traditionally 便可预知这句话的观点会被反驳。第 ❶ 句认为食肉动物不挑食的原因是猎物的营养差异小。第 ❷ 句跟前一句应该取反，因此预判是"食肉动物挑食"，但是这句话只是在说猎物的营养差异大，只是取反了第 ❶ 句的原因，而非结论，因此应该和第 ❸ 句封装，最终的结论是食肉动物挑食。最后的两句则佐证了这一观点。

题目讲解

1. 文章提供信息是为了回答下列哪个问题？

   A.（错误）行动充分的无脊椎食肉动物应对营养需求的方式和行动受限的坐等型食肉动物的一样吗？

   B.（错误）为什么特定物种的猎物的营养组成差异很大呢？

   C.（错误）无脊椎动物猎物的所有营养成分都在干物质里吗？

   D.（正确）如果狼蛛正在吃的一只苍蝇包含更高比例的营养，而这种营养在它最近捕食的猎物中更少，那么这只狼蛛会怎么做？

   E.（错误）一只狼蛛如何能够确定它正在吃的猎物中包含更高比例的营养，而这种营养在之前的猎物中是缺少的？

解析：这种问答类的题目需要注意选项是一般疑问句还是特殊疑问句。如果是一般疑问句，那么根据文章能用 yes 或 no 回答的，都可以选。但如果是特殊疑问句，一定要根据原文得到具体的回答才能选。

D：正确，根据文章第❺句话，狼蛛会从这只猎物中提取更多的干物质。

A：文章没提到 predators with full mobility。

B：文章没有回答 why 的问题。

C：根据文章我们只知道干物质中有营养，但不知道是不是所有营养都在干物质里。

E：文章看不出狼蛛判断营养含量的具体方式。

2. 下列哪一项最好地描述了本文的整体结构?

A.（错误）描述一种现象并给出一种解释。

B.（错误）提出一个主张并对佐证进行评价。

C.（正确）提出一个假说，但最近的发现又削弱了这个假说。

D.（错误）指出一种对比，而这种对比基于最近的发现被证明是可疑的。

E.（错误）提出一系列假设，这些假设被证明是基于合理的推理。

解析：对于这种结构性主题，基本的原则是正确选项的"虚词"要能在原文中都找到对应。同时，本文是"老观点—批判—新观点"的结构，因此从规律上讲，正确选项应该同时包含可以表达"老观点""新观点"和"批判"的关键词。

C：a hypothesis 对应第❶句的老观点，recent findings 对应格林斯通和延森等人的研究，undermine 对应第❷句对前一句的批判。

A：描述的是总分结构。

B：描述的是总分结构。

D：a contrast 在文中没有对应。

E：描述的是总分结构。

Passage  068

尝试将弗恩的两种特点进行_____

◆原文翻译

❶在1970年代女权主义文学评论出现之前，19世纪的美国作家范妮·弗恩被大多数**评论家**看作是催人泪下、多愁善感的典型——是传统美国文化的虔诚和无趣的标志。❷相比之下，女权主义者对弗恩的看法进行了修正，强调了她非多愁善感的品质，尤其是她对社会的尖锐而又幽默的批判。❸大多数女权主义学者发现，很难将弗恩的讽刺性社会批判同她对很多传统价值观的多愁善感的歌颂统一起来。❹当尝试去解决这一矛盾时，哈里斯得出结论认为弗恩战略性地采取了华丽的辞藻将她的颠覆性目的掩盖在明显的传统之下。❺但是，汤普金斯提出了多愁善感的另一种观点，认为多愁善感的写作可以服务于极端的而不仅仅是保守的目的，通过影响读者们的情感感化他们，让他们接受社会变化。

3s 版本

❶评论家认为弗恩是多愁善感的。

换对象/reclamations负态度❷女权主义者认为弗恩是批判社会的。

❸弗恩身上的矛盾难以统一。

❹哈里斯认为弗恩的多愁善感是用来掩盖其颠覆社会的目的的。

However ❺汤普金斯认为弗恩的多愁善感是用来促进其颠覆社会的目的的。

全文3s版本：尝试将弗恩的两种特点进行统一。

文章点拨

第❶句是大多数评论家的观点，第❷句是女权主义者的观点，因此和前一句构成换对象取反，同时这句话的 reclamation 表示"修正"，可以看作负态度词取反。通过这两句话观点的对比，可以看出弗恩身上是存在一对矛盾的。接着，第❸句提出了本文要讨论的主要问题：将弗恩的矛盾进行统一。❹❺两句分别给出了两个人的统一矛盾的方式。哈里斯认为弗恩的多愁善感可以用来掩盖其颠覆社会的目的，汤普金斯认为弗恩是"欲擒故纵"，通过多愁善感来感化读者，以此来鼓励读者们参与颠覆社会的真实目的中。

题目讲解

1. 关于标黑体句子中提及的矛盾，文章提到了下列哪一项？
    A.（正确）1970 年代之前，评论家们一般不会应对这种矛盾。
    B.（错误）这种矛盾只在弗恩少量的作品中是明显的。
    C.（正确）这种矛盾令很多研究弗恩的女权主义评论家感到困惑。

解析：A：正确，1970 年代之前的评论家只关注到了弗恩的多愁善感的方面，因而无法应对弗恩的矛盾。

C：正确，troubled 对应第 ❸ 句中的 difficult。

B：文中没提这种矛盾在多少作品里是明显的。

2. 从文章可以推断出，汤普金斯最有可能同意下列哪一项关于文中所提及的评论家的观点？
    A.（错误）他们精确地描述了弗恩想要达成的总体目标。
    B.（错误）他们不像某些女权主义评论家那样瞧不起弗恩。
    C.（错误）他们夸大了弗恩想要让自己的作品服务一个社会目的的程度。
    D.（错误）他们错误地认为多愁善感一定是一个贬义词。
    E.（正确）他们没能认识到多愁善感的辞藻对读者情感起到的作用。

解析：E：根据汤普金斯的观点，弗恩的多愁善感最终是服务于她颠覆社会的目的。但是评论家只关注到了多愁善感，没有关注颠覆社会，因此这些评论家没能认识到多愁善感的辞藻对读者情感起到的作用。

A：弗恩的目标是颠覆社会，但是评论家并没有认识到这一点。

B：从文中无法得知评论家和女权主义者是否瞧不起弗恩。

C：评论家根本没有关注到弗恩的社会目的。

D：文中评论家没有说多愁善感是褒义词还是贬义词。

Passage  069

彼得森的作品和福斯特的作品＿＿＿＿＿一样，但是＿＿＿＿＿不同

原文翻译

❶卡拉·L·彼得森的《听道行道》（*Doers of the Word*, 1997），研究了1830年至1880年间的非裔美国女性演说家和作家，这部作品是对19世纪非裔美国女性研究的重要补充。❷这部作品的研究范围和弗朗西斯·史密斯·福斯特1993年的研究相似，但是研究方法截然不同。❸对于福斯特来说，19世纪美国文坛上的非裔美国女性正在声张她们作为美国公民的权利，她们否认了在一个开明政体中任何可能剥夺她们完整公民权的事情。❹彼得森认为同样是这些女性，由于主流文化对非裔美国女性缺乏同情心，而且非裔美国知识分子中的男性对种族问题的看法几乎没有给非裔美国女性学术留下什么空间，她们从根本上被这个国家疏远了。

3s 版本

❶彼得森的作品很重要。

❷彼得森的作品和福斯特的作品研究对象一样，但是方法不同。

❸福斯特作品中的非裔美国女性主动声张自己的公民权。

换对象❹彼得森认为这些非裔美国女性被主流文化所疏远。

小结：❸❹封装，与❷取同。

全文3s版本：彼得森的作品和福斯特的作品研究对象一样，但是方法不同。

文章点拨

第❶句的功能在于引出彼得森的作品。第❷句顺承前一句，并且增加了新内容：福斯特的作品和彼得森的作品的研究对象一样（都是非裔美国女性），但是研究方法不同，于是可以预判，后文会将彼得森和福斯特的作品进行对比，会出现一套换对象。❸❹两句分别描述了彼得森和福斯特对于非裔美国女性研究的关注点，这两句封装和第❷句取同。

题目讲解

1. 本文提到彼得森认为下列哪一项是她的研究中的女性所面临的障碍？

   A.（正确）非裔美国男性学者对女性学术作品的态度。

   B.（正确）19 世纪美国的非裔美国女性总体上所面临的歧视性态度。

   C.（错误）非裔美国女性演说家和作家内部关于非裔美国学术界影响的不一致意见。

解析：A：本题问彼得森的观点，因此定位第❹句。根据第❹句，非裔美国男性学术给女性学术留下了很少空间，因此男性学术对女性学术的态度是非裔美国女性所面临的障碍。

   B：discriminatory attitudes 对应第❹句的 unsympathetic，as a whole 对应 fundamentally。

   C：文中没提非裔美国女性内部的意见不一致。

2. 从文章可以推断出彼得森和福斯特的研究在下列哪个方面是相似的？

    A.（正确）各自用来研究的作家。

    B.（错误）各自对其他学者的影响程度。

    C.（错误）各自给 19 世纪美国的非裔美国文学带来的不同看法。

    D.（错误）他们对 19 世纪非裔美国学术的分析。

    E.（错误）他们对 19 世纪美国主流文化的解读。

解析： A：根据第 ❹ 句的 Peterson sees these same women 可知，彼得森和福斯特的共同点在于都研究了非裔美国女性。

    B：文中未提及。

    C：文中未提及。

    D：文中未提及。

    E：文中未提及。

Passage 070

对费尔普斯早期作品的研究证明她合理化了＿＿＿＿＿＿这一职业

原文翻译

> ❶尽管伊丽莎白·斯图亚特·费尔普斯的小说《扎伊医生》（*Doctor Zay*, 1882)主导了评论界对她对女医生的兴趣的讨论，但是在这部作品之前，费尔普斯还有很多鲜为人知的作品。❷这些作品强调了早已成名的女医生的成就，面对恶性抵抗时对女性进行医疗教育和培训的必要性，以及在美国内战之后女医生作为拯救者的象征价值。❸对这种被极大忽视的早期作品的研究表明，费尔普斯在早期关键时期在将美国女医生合理化方面扮演了重要的角色，在这一时期，尽管美国女医生的数量显著上升，但是在国家的职业领域中女医生有可能仍是最具争议性的新的存在。

3s 版本

❶费尔普斯有一些不知名的作品。

❷介绍这些作品的内容。

❸这些早期作品证明费尔普斯合理化了有争议的美国女医生这一职业。

全文3s版本：对费尔普斯早期作品的研究证明她合理化了有争议的美国女医生这一职业。

文章点拨

本文的论证流程是：费尔普斯的早期作品不知名→介绍这些作品的内容→之后这些不知名作品被研究了，发现这些作品的意义是可以用来证明费尔普斯合理化了有争议的女性医师这一职业。

本文的难点是第 ❸ 句。注意一点：but 包含在 when 所引导的时间状语从句中。因此这句话的理解是：对于费尔普斯早期作品的研究证明了她合理化了关键时期的女医生，在这一时期，尽管女医生数量上升，但是女医生有争议。正是因为有争议，所以费尔普斯的作品才要去合理化（legitimizing）女医生这一职业。

🔽 **题目讲解**

1. 从文章可以推断出作者可能会同意下列哪一项关于费尔普斯的作品的陈述?

　 A.（错误）尽管费尔普斯的早期作品在将美国女医生合理化方面做出了重要贡献，但是她的小说《扎伊医生》并没有做到这一点。

　 B.（正确）评论家往往低估了费尔普斯的早期作品在关键时期将美国女医生合理化方面的重要性。

　 C.（错误）内战之后女医生的数量显著上升在将内战之后的美国女医生合理化方面比费尔普斯的作品是更重要的因素。

解析： B：作者之所以发现费尔普斯的早期作品在合理化女医生方面扮演了重要的角色，是因为对这些作品重新做了研究，但是这些作品在之前是不知名的，因此是评论界所忽视，对应原文中的 little-known、overlooked。

　　　 A：文章没有评价《扎伊医生》这部作品在合理化女医生方面的作用。

　　　 C：文章没说女医生数量的上升是否是导致女医生被合理化的一个因素。

2. 文章提供了关于下列哪个内容的信息?

　 A.（正确）公众对费尔普斯生活的年代出现的女医生的反应。

　 B.（正确）费尔普斯早期作品如何推动了美国女医生的事业。

　 C.（正确）《扎伊医生》相比于费尔普斯其他作品的相对重要性。

解析： A：正确，公众的反应是认为女医生 most controversial。

　　　 B：正确，费尔普斯的早期作品通过合理化女医生来推动女医生的事业，对应 play an important role legitimizing the American medical woman。

　　　 C：正确，《扎伊医生》比其他作品更加出名（第 ❶ 句的 dominate 和 little-known 形成对比）。

Passage **071**

难以定义＿＿＿＿＿＿＿＿＿＿

🔽 **原文翻译**

　　❶尝试识别出新几内亚的狩猎采集者面临一个众所周知的困难：如何定义狩猎采集者。❷根据一个**普遍的**定义，狩猎采集者是那些以捕猎野生动物和采集野生植物为生的人。❸但是，那些标准带来了大量的问题，包括什么是"野生的"这个问题。❹作为消费者的人类的出现会影响食物资源，模糊野生和家养之间的区别，因此也就模糊了狩猎和圈养的区别，并且也模糊了采集和耕种的区别。❺除此以外，一些集体也难以划分：他们在获取资源的策略上是狩猎采集者，但是在消费模式中会利用圈养和耕种——比如，他们的生存方式是用野生食物同邻居进行交易来换取家养农作物。

🔽 **3s 版本**

　　❶难以定义狩猎采集者。

　　❷给出定义。

Yet ❸难以定义狩猎采集者，因为无法定义"野生"。

小结：❷❸封装，与❶取同。

❹❺举例说明为什么"野生"难以定义。

全文3s版本：难以定义狩猎采集者。

文章点拨

1. 本文中的核心概念 hunter-gatherer 翻译成"狩猎采集者"，指的是人类步入到农业文明之前靠打猎野生动物和采集野果生存的人。本文中存在大量的同义替换，分别与"狩猎采集"和"农业文明"相对应。狩猎采集：hunter-gatherer、wild；农业：domesticated、pastoralism、cultivation、crops。

2. 对于第 ❹ 句的理解：这句话想要表明的是人类的出现会使得本来的原始状态不那么纯粹，因此也就模糊了野生食物和家养食物的区别。在受到人类影响前，野生动物就是野生动物，但是如果人类将这些野生动物圈养起来，就很难明确地说它们是野生动物还是圈养动物了。同理，树上的野果本身就是野生的，但是如果受到了人类的影响，比如把野果的种子种到了地里，那么长出来的果子也就很难说是野生的还是种植的了。

3. 第 ❺ 句想要说明的是有些人群既采取狩猎采集的生活方式，也采用农业文明的生存方式，那么这群人到底是不是狩猎采集者也就很难说了。

题目讲解

1. 本文的主旨是

A.（错误）表明了新几内亚并没有人们普遍认为的那么多的狩猎采集者

B.（正确）解释了为什么识别新几内亚的狩猎采集者并不是一个直接的过程

C.（错误）指出确定什么是野生植物和野生动物的困难

D.（错误）确立了新的、更有相关性的关于什么是狩猎采集者的标准

E.（错误）讨论了一个不恰当的、关于圈养的定义的含义

解析：B：本题属于主旨题，正确答案是文章的 3s 版本，也就是本文的主旨句（第❶句）的同义改写，本文主旨是识别出新几内亚的狩猎采集者很困难，因此选项 B 正确。

A：本文没有讨论狩猎采集者的数量。

C：对应第❸句，但是通过这句话我们只能看出"野生的"这个概念难以定义是用于论证本文主旨（狩猎采集难以定义）的一个例子，属于细节。

D：表述相反，本文的主旨是识别不出狩猎采集者。

E：本文没有针对圈养给出定义。

2. 将"common"一词替换成下列哪个单词，对文章的改变最小?

A.（错误）陈腐、老旧的

B.（错误）共同的、相互的

C.（错误）并非例外的

D.（错误）集体的、共同的

E.（正确）传统的

解析：E：common 的本意有两个：普通的、共同的。本文中采取的是"普通的"这一含义，与选项 E 对应。

注意，选项 C 的含义有"不冒尖"之意，意为"普通的、不突出的"，和本题所要求的含义不符。

Passage 072

_____关于小行星热量的解释是更可信的

原文翻译

❶在小行星上发现的长期存在、足以融化岩石的温度令人困惑：小行星的热源是未知的，而且与行星大小的天体不同，这种小型天体的散热速度非常快。❷鲁宾认为小行星的热量可能来自小行星之间的碰撞。❸怀疑者认为一次碰撞几乎不会让小行星的温度升高，并且小行星在两次撞击之间的冷却速度极快以至于无法积累太多热量。❹但是，这些反对的观点假设了小行星是高密度的固态天体。❺最近一项发现表明小行星是多孔的，这使得罗宾的假说更为可信。❻当固态天体发生撞击时，会喷射出很多碎片，导致能量散失。❼对多孔天体的撞击会产生更少的碎片，因此更多的能量可以被用于产生热量。❽当碎片落回到撞击坑中时，这些热量又会被保存下来，形成一个隔热层。

3s 版本

❶小行星的热量令人困惑。

❷鲁宾认为热量来自撞击。

Skeptics负态度❸认为不是撞击。

However ❹skeptics假设小行星是高密度天体。

❺小行星其实是多孔的，因此鲁宾的观点更可信。

小结：❹❺广义封装，与❸取反。

❻固态天体撞击产生碎片导致能量散失。

换对象❼多孔天体撞击损失的能量小。

❽碎片可以起到隔热作用。

小结：❻❼❽广义封装，与❺取同。

全文3s版本：鲁宾关于小行星热量的解释是更可信的。

题目讲解

1. 文章表明，导致很难解释小行星曾达到的温度的原因是

   A.（错误）对小行星撞击频率的错误计算

   B.（正确）小行星密度的错误概念

   C.（错误）小行星热源的错误假设

   D.（错误）低估了小天体损失热量的速率

   E.（错误）关于小行星如何形成的错误观点

解析：B：根据第 ❶ 句可知，关于小行星温度的解释的困难主要在于热源和散热。根据怀疑者的观点可推导出，正是因为他们错误地假设了小行星是高密度的，才导致人们无法理解小行星的热源以及散热速度。之后人们发现小行星是多孔结构的，这时有关小行星热量的困惑就得到了解释，因此答案是选项 B。

2. 从文章可以推测出鲁宾不同意文中提到的怀疑者的下列哪个观点？
   A.（错误）在撞击时多孔天体是否比固体天体产生更少的碎片。
   B.（错误）小行星的温度必须达到岩石融化所需的温度。
   C.（正确）撞击对小行星温度产生的可能影响。

解析：C：本题的核心在于找到鲁宾和怀疑者的观点之间的差异。鲁宾认为小行星靠撞击就可以产生高温，但是怀疑者不这么认为，因此选项 C 正确。

A：如果选择选项 A，就意味着怀疑者也讨论了多孔天体的碎片。但是根据文章可知，怀疑者根本没有想过小行星是多孔的，因此排除。

B：鲁宾和怀疑者都在讨论小行星是如何达到这么高的温度的，因此温度不可能是两个人观点的差异之处。

Passage 073

华莱士·萨宾在解决_____方面处于领先地位

原文翻译

❶1895年，物理学家华莱士·萨宾被要求去修缮一所大学的报告厅，在这座报告厅里演讲者的声音因为回声而让人听不懂，于是他开创了建筑声学的科学研究。❷他发现回声的衰减时间取决于周围物质对声音原始能量的吸收情况。❸通过在墙上安装吸收声音的毛毡面板，萨宾减少了回声，这样报告厅就可以被使用了。❹并且，他编辑的数据创造了一个数学公式，用来计算房间的回声持续时间、吸收声音的材料用量和质量以及空间体积之间的关系。

3s 版本

❶华莱士·萨宾开创了建筑声学的科学研究。
❷回声衰减的时间由物质对声音的吸收程度来决定。
❸通过在墙上安装吸收声音的材料，报告厅的回声现象减少了。
❹华莱士·萨宾还创造出了关于回声的数学公式。

全文3s版本：华莱士·萨宾在解决建筑物回声的问题方面处于领先地位。

题目讲解

1. 下列哪一项关于"大学报告厅"的内容可以从文中推断出来？
   A.（错误）这座报告厅一开始不是被设计用于做讲座的。
   B.（错误）这座报告厅更适合听音乐而非听演讲。

C.（正确）这座报告厅的墙面材料的吸收声音的能力很弱。

D.（错误）这座报告厅的声学效果很差，因为它是为容纳大量观众而设计的。

E.（错误）这座报告厅是在当时还没有现成的吸音建筑材料的时候建造的。

解析：C：根据文章，既然华莱士·萨宾通过使用吸收声音的材料使得报告厅的回声现象减少，因此可以得知报告厅一开始不具备很好的吸收声音的材料，因此选项 C 正确。

2. 文章表明萨宾的研究使得下列哪一项第一次成为可能?

A.（错误）使一间屋子隔音。

B.（错误）用吸收声音的材料建造一间礼堂。

C.（错误）建造一个无法发出回声的封闭空间。

D.（正确）设计一座能够满足特定的回声时间长度要求的建筑。

E.（错误）使得任何大的空间可以被用于作报告和表演。

解析：D：根据第 ❶ 句的 pioneered 可知，在这个大学报告厅项目中，萨宾所做出的所有成果都可以被认为是史无前例的。根据文章，萨宾的研究结果之一便是确定了回声持续时间和吸收声音的材料以及空间之间的关系，而知道了这一点便可以建一间房子，可以满足特定的、人们想要的回声持续时间，所以选项 D 正确。

A：文中未提及。

B：从文中无法得知使用吸收声音的材料建造礼堂是不是有史以来第一次。

C：文中未提及。

E：太极端，而且文章未提及如何让房间适合 performances。

Passage 074

蓝色离散星是＿＿＿＿＿＿＿＿＿＿而成的

原文翻译

❶被称之为"蓝色离散星"（stragglers）的恒星比太阳更热、更大，这让天文学家深感困惑，因为这些快速燃烧的恒星不被认为可以长期存在于古老的星团中。❷一些研究者认为，典型的蓝色离散星是由两颗古老的、较小的恒星碰撞并相互融合形成的更大、更热的恒星。❸彼得·伦纳德提出的另一个理论认为，在低密度星团中，单颗恒星之间的融合过于低频以至于不能解释所观察到的蓝色离散星的数量，这些离散星是通过一群恒星形成的。❹他认为一对恒星早已围绕彼此旋转，这给第三颗恒星或者另一对恒星提供了一个更大的目标。❺一旦这种新的组团方式形成，恒星之间近距离的碰撞可能会使任何两颗恒星融合形成一颗蓝色离散星。❻伦纳德的模型预测到每颗蓝色离散星都有一个遥远的伴星——就像银河系中M67星云中的很多蓝色离散星一样。

3s 版本

❶ 蓝色离散星令人困惑。

❷ 老观点认为蓝色离散星是由两颗单独的恒星撞击形成的。

观点持有者换对象**❸** 彼得·伦纳德批判了老观点，并提出自己的观点：蓝色离散星是一群恒星作用而成的。

❹❺ 伦纳德观点中蓝色离散星的具体形成过程。

❻ 一个事实支持了伦纳德的观点。

全文3s版本：蓝色离散星是一群恒星作用而成的。

文章点拨

第**❶**句：正常情况下，能够长期存在于古老星团的恒星应该是燃烧缓慢的，但是蓝色离散星可以长期存在，同时又燃烧迅速，这一点很奇怪，因此引起天文学家的困惑。于是后文都是在解释这一奇怪的现象。

第**❷**句：根据 Some 可知这是老观点，预判这句话在后面会被反驳。

第**❸**句：观点持有者换对象。这句话前半句在反驳前一句，后半句是彼得·伦纳德的观点。因为蓝色离散星诞生于低密度星团，因此根据老观点的理论推断，蓝色离散星应该数量稀少，但是观察到的事实则说明蓝色离散星数量很多，因此理论和现实相矛盾，老观点被反驳。彼得·伦纳德的观点在这句话里不具体，需要借助**❹❺**两句来理解。

根据**❹❺**两句，早已有两个恒星围绕彼此旋转，这样便给"第三者"呈现了更大的目标，增加了被撞击的可能性。注意第**❺**句的 any two，尽管一群恒星参与了蓝色离散星的形成，但是形成一个蓝色离散星最终消耗的还只是两颗恒星。也就是说，本来围绕彼此转的两颗恒星中的一个"跟人跑了"，剩下另外一个围绕着新形成的蓝色离散星转，变成了伴星。

根据最后一句的事实，确实发现蓝色离散星周围有伴星存在，于是彼得·伦纳德的理论被加强。

题目讲解

1. 文章指出"更大的目标"主要用于表明为什么

　 A.（错误）蓝色离散星比一颗较小的恒星更有可能与另一颗恒星发生碰撞和融合

　 B.（错误）成对的恒星比典型的蓝色离散星更有可能撞击另外的恒星

　 C.（正确）成对的恒星比单颗的恒星更有可能撞击其他恒星

　 D.（错误）与第三颗恒星相比，蓝色离散星更有可能撞击成对的恒星

　 E.（错误）第三颗恒星更有可能撞击成对的恒星而不是蓝色离散星

解析： C："更大的目标"就是为了说明成对的恒星比单颗恒星更有可能发生撞击，因此选项 C 正确。

　　A、B、D、E：根据原文，蓝色离散星是撞击之后的结果，选项 A、B、D、E 全都在说蓝色离散星会和其他恒星发生碰撞，因此错误。

2. 文中的信息表明了下列哪一个关于蓝色离散星的选项？

　 A.（错误）它们来自比太阳更热、更大的恒星。

　 B.（正确）它们比在古老星团中观察到的其他种类的恒星燃烧更快。

　 C.（错误）它们比相同星团中的其他种类恒星更老。

　 D.（错误）它们在低密度星团中比在成对恒星中更少。

　 E.（错误）它们普遍来自古老星团中所发现的最老的恒星。

解析：B：由第❶句可知，正是因为蓝色游离星比其他古老星团的恒星燃烧更快，这才引起了天文学家的困惑，因此选项 B 正确。

　　A：文中未提及。

　　C：文中未提及。

　　D：文中未提及。

　　E：文中未提及。

3. 文章引用下列哪一项作为证据去削弱第二句提出的理论?

　　A.（错误）某些低密度星团中单颗恒星融合的数量和其他低密度星团中单颗恒星融合的数量之间的差异。

　　B.（错误）一种形成过程所导致的蓝色离散星的热量和质量以及另一种过程所形成的蓝色离散星的热量和质量的差异。

　　C.（错误）低密度星团中星星融合的频率和高密度星团中星星融合的频率的差异。

　　D.（错误）古代单一恒星的热量和质量以及蓝色离散星热量和质量之间的差异。

　　E.（正确）在某些星团中的单颗恒星的融合数量以及那些星团中蓝色离散星数量之间的差异。

解析：E：本题考查对老观点的批判原理。根据【文章点拨】，老观点被反驳的原因就是理论推断出的蓝色离散星的数量和实际观察到的蓝色离散星数量不符，因此选项 E 正确。

Passage

_____对麦考密克"党派周期模式"的反驳

ⓥ 原文翻译

　　❶最近，一些历史学家对麦考密克等人提出的"党派周期模式"观点提出了质疑，这一观点认为1835年至1900年间的美国政党——尤其是两大主要政党——**激起了投票者的极大忠诚并且主导了政治生活**。❷沃斯·哈伯德引用了在此期间第三党派的爆发频率作为民众反感两党制的证据。❸他正确地将19世纪历史上的高投票出席率归功于第三党派，因为第三党派迫使主要政党加强支持者们的忠诚，以免小党派抢走他们的选票，并且推动了主要政党忽视的政治需求。❹福尔米萨诺强调了当地无党派以及反党派执政的大量记录，以及女性在取得选举权之前经常以无党派或者反党派的方式参与19世纪的公共生活，这些都证明了党派周期模式具有局限性。❺但是，麦考密克会否认在这一时期存在的反党情绪可以削弱这一模式的观点，因为他一直都承认19世纪这种情绪的残存力量。❻无论如何，这一模式的优势在于它的比较优势：它将所要讨论的时期同之前和之后的政治时代进行对比。

ⓥ 3s 版本

　　❶麦考密克认为两大政党主导了政治生活，这一观点被反驳。

　　❷❸沃斯·哈伯德认为第三党派对当时的政治也起到了正向作用。

　　❹福尔米萨诺关注到了当时的无党派以及反党派的作用。

　　Yet ❺麦考密克可能做出的反驳。

　　❻作者讨论麦考密克观点的一些优势。

　　全文3s版本：讨论了对麦考密克"党派周期模式"的反驳。

🔍 **文章点拨**

　　麦考密克认为是美国的两大政党主导了政治生活，并将之称为 party period paradigm，但是在第 ❶ 句中，这一观点被反驳。❷❸❹ 句则分别列举了沃斯·哈伯德和福尔米萨诺两个研究者给出的反驳的理由。其中，沃斯·哈伯德认为第三党派对政治生活起到了重要作用，福尔米萨诺则发现女性以无党派或者反党派的方式参与政治生活。综合两人的观点，麦考密克认为的两大政党主导政治生活的观点就被反驳了。第 ❺ 句通过 Yet 与前面取反，但要注意，这并不是麦考密克自身的观点，而是作者假设麦考密克可能会有的应对策略。注意这句话的 would。第 ❻ 句也是作者的观点，通过说明麦考密克的观点有比较优势来给出正评价。因此本文是作者站在客观的立场描述了对麦考密克观点的反驳，作者本身没有讨论这种反驳是对是错。

🔍 **题目讲解**

1.　本文的主要目的是

　　A.（错误）纠正关于一个历史时期的普遍误解

　　B.（错误）指出经常被忽略的一个历史时期的特征

　　C.（错误）质疑被用于支持一个说法的证据的有效性

　　D.（正确）讨论对于一个特定观点的反驳

　　E.（错误）解释历史时期的特定特征

解析： D：根据【文章点拨】，选项 D 正确。

　　　A：文中未提及 common。

　　　B：overlooked 在本文中无法得知。

　　　C：本文没有质疑任何的证据，只是质疑了麦考密克的观点。

　　　E：本文重点不在于描述一个时期。

2.　从文中选择一句描述历史学家会如何回应对他的理论质疑的话。

答案： 第 ❺ 句。

解析： 文中麦考密克可能给出回应的句子只有第 ❺ 句。

3.　根据上下文，"evoked" 最接近的含义是

　　A.（正确）引起

　　B.（错误）回想起

　　C.（错误）引用

　　D.（错误）表明

　　E.（错误）详细说明

解析： A：evoke 有两个含义：引起（某种反应、感情）；唤起（记忆）。只有选项 A 符合 evoke 的含义。

Passage 076

1960年代之前对女性作家的研究是＿＿＿＿＿＿的

原文翻译

❶从1960年代后期开始，文学学者们才开始尝试为女性小说家建立一种精确且系统化的文学历史。❷很多之前的历史都受到了"伟大传统主义"的影响，这种方法通过将自己（的研究对象）限制在一群所谓"伟大"的女作家中，从而忽略了女性小说家的多样性。❸这些历史排除了那些二流的小说家，她们是将一代代文学链接在一起的链条中的一环，她们令我们看到女性作家作品的连续性（传承）。❹(由于)这种只关注"伟大"作家所带来的扭曲，也由于很多文学学者（在评价女性作品时）明显错误地倾向运用女性的刻板印象，所以毫不令人惊讶的是，**一些1960年代早期的文学学者**完全逃避了女性性别认知这一重要问题，反而关注女性作品的形式和风格。❺这种方法，尽管很有见地和价值，但是并没有考虑到女性作品和她们的法律及经济地位的变化之间的关键联系。

3s 版本

❶1960年代之后的文学学者开始为女性小说家建立一种精确的和系统化的文学历史。

时间对比❷1960年代之前的研究只关注伟大的女作家，忽略了女作家的多样性。

❸1960年代之前的研究忽略了二流的作家。

❹1960年代之前的研究忽略了女性性别认知。

❺1960年代之前的研究是不充分的。

全文3s版本：1960年代之前对女性作家的研究是不全面的。

题目讲解

1. 根据文章，一些 1960 年代早期的文学学者在她们对女性小说家作品的研究中做出了下列哪些事情？

    A.（错误）攻击了"伟大的"女性小说家和被认为更加不重要的女性小说家之间的传统区别。

    B.（错误）当评价"伟大的"女性小说家的作品时考虑到了性别身份，但是在研究二流女性小说家作品时没有考虑到这一点。

    C.（正确）忽略了所有女性小说家的性别认同问题。

    D.（错误）当讨论"伟大的"女性小说家时比讨论二流女性小说家时更高频地应对了形式和风格问题。

    E.（错误）当评价二流女性小说家时比评价传统上被认为"伟大的"女性作家集体时使用了更加严格的标准。

解析：C：同义改写 evaded the important issue of women's sexual identity entirely，ignore=evaded，entirely=altogether，因此选项 C 正确。

A：文中未提及。

B、D、E：1960年代早期的学者忽略了二流作家，但是这三个选项都能看出这些学者研究了二流作家。

2. 文章的信息表明支持"伟大传统主义"的文学历史学家拥有下列哪些缺陷?

A.（错误）他们过分强调了女性作品中的性别认同问题。

B.（错误）他们过分强调了一代代文学之间连贯性的程度。

C.（正确）他们没有帮助去解释不同年代女性小说家之间的联系。

D.（错误）他们贬低了"伟大的"女性小说家相比于男性小说家的成就。

E.（错误）他们没有融合 1960 年代后期产生的文学历史的观点。

解析： C：对应第 ❸ 句 "These histories excluded the minor novelists, who are the links in the chain that binds literary generations together, and who allow us to see the continuities in women's writing." 既然这些二流作家是连接不同年代文学作品的链条以及可以让我们看到作品之间的连贯性，那么那些关注 Great Traditionalism 的学者肯定没有研究不同年代作品之间的关联，因此选项 C 正确。

A：这些学者没有研究性别认同，更别说"过分强调"了。

B：这些学者没有研究连贯性，更别说"过分强调"了。

D：文中未提及男性。

E：这些学者是 1960 年代早期的，不可能融合 1960 年代后期的历史，因此这也说不上是缺陷。

3. 文章作者对"一些 1960 年代早期的文学学者"研究女性作家的方法的态度可以被描述成是

A.（错误）漠不关心和冷漠的

B.（错误）居高临下和不屑一顾的

C.（正确）有敬意但具有批判性

D.（错误）喜欢但是很简短、生硬

E.（错误）感兴趣但是有疑惑

解析： C：作者对这些作家的态度整体上肯定是批判性的，但是根据第 ❺ 句让步部分 while insightful and very valuable，作者对这些学者又持有一定的正评价，因此选项 C 合适。

Passage 077

作家应该用_____风格，可是实际上用的还是_____风格

📖 原文翻译

❶在20世纪早期的英国流行这样一种说法，即只有全新的写作风格才能描述一个正在经历前所未有的转变的世界——正如一位文学评论家最近认为的，只有新的"探索超越的审美"才可以描述一个世界，而这个世界正在经历的事情，是你我都懂得的事情。❷但是在20世纪早期的英国，托马斯·斯特尔那斯·艾略特，一个着迷于将过去搬到"现在"的人，写出了他那个时代最有创造性的诗歌。❸当今文学界的教训很明显：对传统的重新定位会让作家和读者都受益。❹但是，如果我们的作家和评论家真的尊重小说丰富的传统（就像他们所声称的那样），那么为什么他们会鄙视讲精彩的故事的欲望呢？

3s 版本

❶评论家认为只有新的写作风格才能追赶时代潮流。

Yet ❷艾略特的作品用的是旧风格，依然可以追赶时代潮流。

❸作者观点：应该用旧风格。

But ❹这些作家应该用旧风格，可是实际上用的还是新风格。

全文3s版本：作家应该用旧风格，可是实际上用的还是新风格。

文章点拨

第❶句：因为世界在变，因此一些评论家认为写作风格也应该跟着变，所以要用新的写作风格。

第❷句：这句话是作者先摆出的例子，艾略特用的是旧的风格，但是依然创新，也就意味着能够跟上时代的变化。

第❸句：基于前一句艾略特的成功案例，作者提出观点：要用旧的风格。

第❹句：这句话是作者的抱怨，既然大家都声称会用旧的风格，那么他们为什么实际上用的还是新的？因此可知，disdain the urge to tell an exciting story 等于"新"，所以 story 等于"旧"。

因此从全文来看，作者认为应该用旧的风格，但是实际上大家用的还是新的。

题目讲解

1. 作者表明今天的读者会尤其获益于当代作家和评论家所做出的下列哪一项改变？

   A.（正确）越来越多地关注让读者参与一个故事的重要性。

   B.（错误）对读者早就熟悉的传统小说元素的现代化。

   C.（错误）采取读者兴趣之外的小说的方面。

   D.（错误）更多地意识到小说的传统如何随时间发生变化。

   E.（错误）更好地理解像艾略特这样的某些诗人如何影响了今天的小说。

解析： A：本题考查的是作者的观点。根据文章，作者认为作家和评论家应该用旧的风格，而根据最后一句可知 story 等于"旧"，而选项 A 中的 narrative 等于"story"，所以选项 A 正确。

   B：原文用的是 reorientation toward tradition，对传统的重新定位，即"复古"，但是选项 B 讲的是"现代化"。

   C：文中未提及。

   D：文中未提及。

   E：文中未提及。

2. 根据文章上下文，"address"最接近的含义是

   A.（错误）揭露

   B.（错误）掩饰

   C.（正确）对……说话

   D.（错误）转移注意力

   E.（错误）尝试修复

解析： C：本题选择 address 的本意。在文中，address 是动词词性。作为动词，address 通常表明"演讲"或"应对"，因此选项 C 最接近。

Passage *078*

埃德里安娜·肯尼迪背离了非裔美国人戏剧_____主义的传统

原文翻译

❶直到最近，非裔美国人戏剧都根植于现代美国自然主义的模仿传统。❷这一传统最独特的特征就是人性的机械化、物质化的概念。❸自然主义认为每个人都脱离不了环境的限制，并且认为每个人都是被冷冰冰的现实所控制的人，而非控制现实的人。❹只要非裔美国人戏剧将自然主义作为其主流模式，它就只能传达"非裔美国人的悲惨遭遇"。❺尽管非裔美国人戏剧的主人公有可能会宣扬现实是疯狂的，但是现实无可避免地战胜了他们。

❶埃德里安娜·肯尼迪的超现实主义剧本标志着非裔美国人戏剧作家第一次背离了自然主义。❷她的作品的总体目标是刻画灵魂和精神世界，而非反映具体的现实。❸在这一框架之中，肯尼迪就能够描绘非裔美国人的心灵和灵魂，使他们从与外部环境的联系中解放出来。

3s 版本

❶❷❸❹❺非裔美国人戏剧是自然主义的。

第一段 3s：非裔美国人戏剧是自然主义的。

换对象❶❷❸埃德里安娜·肯尼迪是非现实的。

第二段：埃德里安娜·肯尼迪是非现实的。

全文3s版本：埃德里安娜·肯尼迪背离了非裔美国人戏剧现实主义的传统。

文章点拨

根据第一段第 ❶ 句 until recently，这是老观点，认为非裔美国人戏剧是自然主义的（自然主义等于现实主义）。整个第一段内部没有出现取反，是总分结构，因此整段都在说非裔美国人戏剧是现实主义的。

第二段根据 surrealistic 和 Adrienne Kennedy 可知，这一段同上一段之间是换对象取反，内部三句话都是取同的，段落的结构是总分结构，因此这一段讲的是"非现实"。

本文是典型的文科文章，句间关系简单，但是同义替换很多。表示"现实主义"的表达：naturalism、mechanistic、materialistic、bound to the environment、concrete reality；表示"非现实"的表达：surrealistic、departures from naturalism、soul and the spirit、liberated from...the external environment。

题目讲解

1. 下列哪一项最好地描述了文章的核心思想？

   A.（错误）非裔美国人戏剧主要受到强调物质的自然主义的影响。

   B.（错误）非裔美国人戏剧传统上承认了个人和环境之间的关系。

   C.（错误）非裔美国人戏剧，传统上是自然主义的，很少被戏剧作家肯尼迪的精神和心理方法所影响。

D.（正确）肯尼迪的作品表明了对非裔美国人戏剧中的严格的自然主义的违背。

E.（错误）肯尼迪的作品最好地体现了当下非裔美国人艺术家对精神和心理世界的兴趣。

解析：D：本题属于主旨题，选择符合本文 3s 版本的选项即可，选项 D 正确。

A：只提及自然主义，没有提及第二段的非现实，不完整。

B：人和环境之间的关系指的还是现实主义，不完整。

C：文中看不出来非裔美国人戏剧被肯尼迪影响的程度。

E：文中未提及 current interest。

2. 根据文章，肯尼迪关注于刻画

A.（正确）她角色内部的而非外部的特征

B.（错误）现实的疯狂而非现实的影响

C.（错误）物质主义对美国黑人心灵和灵魂的影响

D.（错误）自然主义和人类精神的关系

E.（错误）她的角色对环境的影响

解析：A：本题考查肯尼迪的关注点，因此选择和"非现实"有关的选项，选项 A 正确。根据原文可知，internal 对应的就是非现实。

B：文中未提及。

C：文中未提及。

D：文中未提及。

E：文中未提及。

3. 下列哪项陈述，如果正确，最能加强作者的观点，即肯尼迪的作品标志着对第一段中所描述的传统的严重背离？

A.（错误）肯尼迪将行为放置在一个现实生活的背景之中，尽管这种背景对于普通评论家和读者来说是不熟悉的。

B.（错误）肯尼迪非常动情地描述了非裔美国人的生活和悲惨遭遇。

C.（正确）肯尼迪使用只会在古代非洲传说和神话中才能找到的角色。

D.（错误）肯尼迪提供了美国模仿传统和戏剧传统的见解。

E.（错误）肯尼迪用一种让人回想起电视纪录片的风格刻画了事件。

解析：C：本题属于加强题，选择和"非现实"有关的选项。legends and mythology 对应的便是非现实，因此该项属于列举证据加强。

A："现实生活"对应的是"现实"，属于削弱。

B："非裔美国人的生活和悲惨遭遇"根据第一段可知表示"现实主义"，属于削弱。

D："美国模仿传统和戏剧传统"对应的也是"现实主义"，属于削弱。

E："电视纪录片的风格"对应"现实主义"，属于削弱。

Passage 079

岛屿的_____可以使得人类不需要刻意适应岛屿的低生物多样性

原文翻译

❶麦克阿瑟和威尔逊认为岛屿的生物多样性和岛屿的大小成正相关（比如，更大的岛屿拥有更多数量的物种），并且与岛屿和大陆的距离成负相关（比如，很多遥远的岛屿容纳的物种更少）。❷生物多样性水平低的岛屿环境有可能会要求生活在那里的人口有强大的适应能力。❸埃文斯认为这种局限性使得岛屿成为人类对自然环境适应能力的理想实验室，同时，伦弗鲁和瓦格斯塔夫在介绍对米洛斯岛的研究时，把生物多样性的限制作为"岛屿生态系统的重要特征"。❹但是，对于人类来说，这种限制有可能会被其他因素所补偿。❺岛屿低水平的生物多样性只适用于陆地资源：海洋资源同其他任何沿海地区一样丰富，而且对人类社会同样重要。❻像马耳他或者米洛斯这种小岛使得所有社群都能直接利用大海，提供了一个很重要的营养"安全网"，同时还提供了一些多样的饮食，这实际上可能使岛屿社群比内陆社群更有优势。❼岛屿还有可能拥有特定的非生物资源（比如米洛斯岛的黑曜石），可以和其他岛屿或内陆社区进行交换。

3s 版本

❶麦克阿瑟和威尔逊认为岛屿物种多样性与岛屿大小和与内陆的距离相关。

❷岛屿的低生物多样性使得人类需要拥有强大的适应能力。

❸埃文斯和瓦格斯塔夫认为岛屿可以用来观察人类的适应性。

however ❹岛屿的其他方面可以弥补其低生物多样性。

❺❻岛屿有丰富的海洋资源。

❼岛屿有非生物资源。

全文3s版本：岛屿的非陆地资源可以使得人类不需要刻意适应岛屿的低生物多样性。

题目讲解

1. 文章的主旨是

   A.（错误）评价两个关于岛屿生物多样性的对立方法

   B.（错误）讨论关于岛屿生物多样性的某些数据的重要性

   C.（正确）质疑关于岛屿生物多样性的一种理解

   D.（错误）考虑岛屿低生物多样性的不同原因

   E.（错误）从总体生物多样性的角度将大小岛屿进行对比

解析：C：本题属于主旨题，本文是驳论文，全篇文章是作者在反驳❷❸两句的观点，选项C正确。

   A：文中未提及 two contrasting approaches。

   B：文中未提及 certain data。

   D：本文只在第❶句讨论了岛屿生物多样性的影响因素，属于细节。

   E：文中没做这种对比。

2. 根据文章，影响人类在岛屿生活的因素包括
   A. （正确）获得海洋资源
   B. （正确）比内陆更有优势的饮食
   C. （正确）可以被开发的非生物因素

解析： A：对应 the resources of the sea will be as rich as...human communities。

B：对应 an element of dietary diversity, which may actually give island communities an advantage over their landlocked counterparts。

C：对应第 ❼ 句的 nonbiological resources。

3. 作者认为在考虑岛屿生物多样性时，埃文斯
   A. （正确）过于关注陆地资源
   B. （错误）误解了岛屿大小和陆地资源之间的关系
   C. （错误）错误解读了麦克阿瑟和威尔逊的作品
   D. （错误）错误假设了更远的岛屿会拥有更少的物种
   E. （错误）低估了人类对岛屿生物多样性的适应

解析： A：本题考查的是作者对埃文斯的评价，因此应该关注文中作者和埃文斯之间的交锋。埃文斯认为岛屿生物多样性低，因此人类需要对其进行适应，但是作者认为岛屿的资源丰富，包括海洋生物资源和非生物资源，因此人类不需要刻意适应。因此，埃文斯之所以得出岛屿生物多样性低这一结论的原因在于他只关注到了岛屿的陆地资源，选项 A 正确。

E：埃文斯只是认为岛屿适合观察自然状态下人类的适应能力，但是本身没有评论人类的适应能力是强还是弱，因而也就无从谈起人类的适应性是否被低估了。

Passage 080

卡洛威认为英国封锁土地是为了＿＿＿＿＿＿＿＿＿＿，但是贝林认为这么做是为了＿＿＿＿＿＿＿＿＿＿

📖 **原文翻译**

❶历史学家科林·卡洛威认为在美国独立战争（American Revolution, 1775-1783）之前的殖民地时代晚期，英国政府试图封锁阿巴拉契亚山脉以西的土地，以防被贪婪的白人殖民者侵占，与美国土著谈判将其保留为独立的外国领土，并确保传统美国土著狩猎区的完整性。❷相比之下，独立战争爆发后，从英国所谓的仁慈政策的压迫中解放出来的美国白人则被卡洛威描述成是残暴无情的土地掠夺者，他们的新政府支持了他们的巧取豪夺。❸但是伯纳德·贝林认为，在独立战争期间夺取土著人土地的"美国人"在仅仅几年之前还都是英国人。❹在独立战争期间和之后，当美国白人通过各种手段夺取土著人的领土时，他们延续了一种可以追溯到**英国最早在北美的殖民地**的传统。❺贝林认为，英国政府在战争之前想要保存土著人在阿巴拉契亚山脉以西的土地并不是出于人道主义或者民族包容，而是因为英国商人想要维持和美国土著之间有利可图的贸易，以及因为政府希望控制移民，避免白人和土著人之间关于土地的高成本冲突。

3s 版本

❶科林·卡洛威认为英国人封锁阿巴拉契亚山脉是为了保留土著人的土地，防止被美国白人侵占。

❷科林·卡洛威认为美国白人是土地侵占者。

however ❸伯纳德·贝林认为英国人也是土地侵占者。

❹美国白人夺取土地是从英国人那里学来的。

❺英国人想要保留土著人的土地不是出于人道主义，而是为了自身的商业利益。

全文3s版本：卡洛威认为英国封锁土地是为了保留土著人的土地，但是贝林认为这么做是为了英国人自己的商业利益。

文章点拨

本文以美国独立战争为时间分界点，呈现了两个事实：独立战争之前，英国殖民者想要封锁阿巴拉契亚山脉以西，防止美国白人的殖民（尽管英国人和美国白人都是白人，但是在这篇文章里，他们是两群不同的人）；独立战争期间，美国白人开始对土著人的土地巧取豪夺。

关于以上两个事实的发生原因，文章呈现了两个不同的观点：卡洛威认为英国人之所以封锁土地是为了保护土著人的土地，而贝林则认为英国人之所以这么做只是为了一己私利。

题目讲解

1. 文章的主旨是

A.（错误）表明关于一个特定历史时间的两个不同观点都值得怀疑

B.（错误）呈现历史证据去削弱一个广泛持有的观点

C.（错误）反驳传统批判来支持修正主义历史学家的理论

D.（正确）概括关于一个特定历史现象的对立解读

E.（错误）解决历史学家之间关于有争议的历史事件的争议

解析： D：本题属于主旨题。本文没有作者的观点，只是引用了两个相互对立的观点，因此选项 D 正确。

A：本文没有作者的观点，故不可能对两个对立观点给出正或负的评价。

B：文中未提及 a widely accepted viewpoint。

C：文中未提及 a revisionist historian。

E：本文是呈现争议，而非解决争议。

2. 作者提到"可以追溯到英国最早在北美的殖民地的传统"的主要目的在于强调一个观点：

A.（错误）卡洛威夸张了在独立战争之前白人殖民者在与美国土著人关系中的残忍和掠夺

B.（错误）白人殖民者对土地的掠夺在英国殖民期间显著上升

C.（错误）曾经白人殖民者和土著人谈判使其成为独立的外国领地

D.（错误）白人殖民者没有正当理由要求对他们在阿巴拉契亚山脉以西的土地拥有所有权

E.（正确）在独立战争期间和之后的白人针对美国土著的侵略并不是一种新的现象

解析： E：本题属于功能题，定位句服务于贝林的观点，因此要表明的是英国人也不是出于人道主义。而定位句本身想要通过说明美国人掠夺土地是从英国人那里学来的来支持贝林的观点，因此选项E最合适。not a new phenomenon 说明英国人在美国白人之前就已经在掠夺土地了。

A：定位句和强调残忍无关。

B：支持了卡洛威的观点，与定位句意图相反。

C：支持了卡洛威的观点，与定位句意图相反。

D：与卡洛威的观点方向一致。另外，文章也没有提及白人领土的合法性。

3. 从文章可以推测出，贝林和卡洛威都会同意下列哪一项关于美国白人和土著人之间关系的观点？

A.（错误）独立战争引发了白人殖民者对土著人土地的前所未有的掠夺。

B.（错误）英国政府战前对土著人的政策很大程度上是由那些与土著人进行贸易的英国商人决定。

C.（错误）英国政府尝试让白人殖民者待在阿巴拉契亚山脉以西，主要目的是阻止他们和土著人之间的土地争端。

D.（错误）美国独立战争建立的新政府没有像英国殖民政府一样积极地去和土著人谈判关于独立国家的问题。

E.（正确）美国独立战争前，英国政府的土地政策的目标是阻止白人殖民者搬到阿巴拉契亚山脉以西。

解析： E：根据文章，贝林和卡洛威的共同点一共有两个：a. 两个人都提及了美国白人掠夺土著人的土地（卡洛威：the encroachment of land-hungry White settlers；贝林：White Americans seized Native American land by any available means）。b. 英国人不想让美国人进入阿巴拉契亚山脉以西（卡洛威：the British government sought to seal off territory west of the Appalachian Mountain from the encroachment of land-hungry White settlers；贝林：according to Bailyn, the British government's prewar efforts to preserve the trans-Appalachian west for Native Americans），因此选项 E 正确。

A：卡洛威认为独立战争引发了白人的巧取豪夺，但是贝林则认为白人只是延续了英国人的传统。

B：只是贝林的观点。

C：只是贝林的观点。

D：文中未提及积极性问题。

Passage 081

历史上对邓巴的评价的_____

🔽 **原文翻译**

❶诗人保罗·劳伦斯·邓巴（1872-1906）是第一位使用美国南部非裔美国人乡村方言的非裔美国诗人。❷尽管邓巴的作品在他一生中都受到读者和文学评论家的好评，但是在第一次世界大战之后，至少在对他的诗歌的评论中发生了一个根本性的转变，20世纪的评论家对他的作品的评价总体上都很负面。❸一些评论家从社会的角度抨击他的作品，认为他没能挑战非裔美国人对种植园的成见。❹其他评论家，比如詹姆斯·韦尔登·约翰逊之后的评论家，从审美角度认为方言诗歌作为一种艺术媒介总体上过于局限，并且只能产生两种效果：伤感和幽默。❺这种负面的评价趋势直到1970年代才开始发生改变，这时学者们开始强调邓巴作品里神秘的、心理的和历史的维度的重要性，关注美国内战之后非裔美国人生活的内在和外在现实。

3s 版本

❶邓巴是第一位非裔美国人方言诗人。

shift/negative ❷~❹句一战之后的评论家批判了邓巴的作品。

reverse/时间对比❺1970年代之后的评论家给邓巴正评价。

全文3s版本：历史上对邓巴的评价的演变过程。

文章点拨

文章第 ❶ 句 premier 是正评价。第 ❷ 句让步部分 popular 和 acclaimed 是正评价，主句部分的 shift 和 negative 构成与前一句的句间取反，因此第 ❷ 句 3s 版本是负评价。另外，第 ❷ 句句内存在时间对比，给邓巴正评价的是邓巴活着的时候，而负评价发生于一战之后。❸❹ 两句相当于两个负评价的例子，分别从社会角度和审美角度来批判邓巴。第 ❺ 句 1970 年代形成时间对比；另外，reverse 也构成此句和前一句的句间取反，开始给邓巴正评价。因此全文描写了对邓巴的评价的历史演变。

题目讲解

1. 下列哪一项对方言诗歌的批判是文中所提及的?
   A.（错误）方言诗歌太频繁地只使用生活在美国南方乡村地区的非裔美国人的方言。
   B.（正确）方言诗歌所能产生的艺术效果是十分有限的。
   C.（错误）方言诗歌没能体现经验的神秘的、心理的和历史的维度。
   D.（错误）诗歌中使用方言会使得非裔美国人对种植园的成见长期存在。
   E.（错误）诗歌中使用方言对吸引大众来说效果有限。

解析：B：本题考查的是对方言诗歌的批判，因此定位到 ❷~❹ 句。选项 B 对应第 ❹ 句，正确。

   A：文章并没有针对方言诗歌描述的地域范围进行批判。

   C：在第 ❺ 句对方言诗歌给出正评价的时候，认为方言诗歌表达了神秘等维度。

   D：文中未提及。

   E：文中未提及。

2. 下列哪一项关于学者们在评价邓巴的作品时使用的神秘的、心理的和历史的维度的考虑是可以从文中推测出来的?
   A.（错误）对这些维度的使用反驳了认为邓巴的作品没有挑战非裔美国人对种植园成见的观点。
   B.（错误）对这些维度的使用挑战了认为方言诗歌适合产生伤感和幽默的观点。
   C.（错误）对这些维度的使用支持了认为在用方言写作时邓巴的诗歌在审美上更受限制的观点。
   D.（错误）对这些维度的使用表明一开始对邓巴诗歌的认可过于正面。
   E.（正确）对这些维度的使用表明 20 世纪早期对邓巴诗歌的评价过于负面。

解析：E：评论家使用神秘等维度给出的是对邓巴诗歌的正评价，而这一点导致 20 世纪早期对邓巴诗歌的负评价发生了转变，因此选项 E 正确。

   A：认为邓巴的诗歌没有挑战非裔美国人对种植园的成见是第 ❸ 句的评论家的观点，但是对这些维度的使用本身没有直接针对第 ❸ 句的观点。

   B：方言诗歌只能传达伤感和幽默，这一点也没有被批判。

C：认为方言诗歌在审美上有局限性，这是负评价，但是对这些维度的使用是正评价。

D：文章没提及一开始的正评价是不是"过于正面"。

3. 下列哪一项关于文学评论家对邓巴诗歌的评价可以从文章中推断出来？

A.（错误）在邓巴的一生中，评论家普遍没有按照审美标准评价他的作品。

B.（错误）从社会角度对邓巴诗歌的消极评论导致他的作品在一战之后在读者中的受欢迎程度下降。

C.（正确）在第一次世界大战和1970年代之间，评论家普遍没有从心理和历史维度去评价邓巴的作品。

D.（错误）负面评价趋势的逆转使得1970年代邓巴的作品在读者中受到了更广泛的欢迎。

E.（错误）在1970年代，学者们开始借助詹姆斯·韦尔登·约翰逊对方言诗歌的局限性的批判来对邓巴的作品进行重新评价。

解析： C：根据第❺句，在1970年代之后，学者们才开始强调心理和历史的维度，这意味着之前的评论家普遍没有按照这些维度去评价邓巴的作品，因此选项C正确。

A：尽管第❹句，一战之后的评论家从审美角度批判了邓巴的作品，但是我们无法知道邓巴在世的时候有没有评论家按照审美标准去评价其作品。

B、D：文章只是客观地记录了不同时期对邓巴的正评价和负评价，但是没说邓巴得到这些评价后其作品变得是否更受欢迎。

E：文中未提及。

Passage ⓪82

分析＿＿＿＿＿＿＿＿＿＿＿＿＿＿＿＿＿＿＿＿＿＿＿＿＿＿是很重要的

📖原文翻译

❶分析美国原住民在州政府和当地政府工作中比例代表制的水平是很重要的，原因有如下几点。❷首先，代议制政府理论背后的基本思想是政府的人口组成要能反映出普遍大众中的人口组成。❸这是因为除了其符号性价值以外，越来越多地进入管理岗位会导致政策制定者更倾向如美国原住民这样的在传统上处于劣势地位的集体。❹第二，重视政府中的高级岗位（而不是非管理岗位）是尤其重要的，因为管理岗位是传统上处于劣势地位的集体成员的主要经济进步来源，因为这些工作会给他们带来好的收入、回报、地位、保障和流动性。❺最后，知道过去二十年里美国原住民在公共部门岗位所占的比例是否上升也是重要的。❻例如，彼得森和邓肯认为美国原住民的人口和权利在某些州是一直增长的。❼**彼得森和邓肯还认为这种增长可能反映出一种可能性，即美国原住民在非传统政治领域、融入主流文化以及更多地在非部落政府中担任领导职能方面越来越积极了。**

📖3s版本

❶分析美国原住民在州政府和当地政府工作中比例代表制的水平是很重要的。

❷❸原因一：这是代议制政府的理论要求。

❹原因二：可以知道美国原住民的经济地位是否有上升。

❺❻❼原因三：可以知道美国原住民在政府部门岗位中所占比例及其意义。

全文3s版本：分析美国原住民在州政府和当地政府工作中比例代表制的水平是很重要的。

📝 文章点拨

本文的内容和结构清晰，就是用三个原因去论证第一句：分析美国原住民在州政府和当地政府工作中比例代表制的水平是很重要的。需要注意的是，本文讨论的是"分析"的重要性，而非"比例代表制"的重要性。

📝 题目讲解

1. 文章的主要目的是
   A.（错误）总结一段时间的人口趋势
   B.（错误）呈现关于一个人群的发现
   C.（错误）分析一种工作的人口组成
   D.（正确）解释特定社会研究的必要性
   E.（错误）支持一项社会政策的实施

解析：D：本文采用总分结构，因此主旨题的正确答案就是同义改写主旨句，即第❶句。选项 D 中的 explain 对应 reasons，particular social research 对应 analyzing levels。

A：a demographic trend over time 对应第❻句的 that the populations...have been growing in certain states，属于细节。

B：文中未提及。

C：本文讨论的是做这种分析的重要性，而非讨论这个分析本身。

E：a social policy 指的是比例代表制，但是本文重点是对这一政策做分析的重要性，而非这一政策的重要性。

2. 下列哪一项最好地描述了黑体句子的功能？
   A.（错误）这句话假设了一种现象，这一现象可以解释前一句的观点。
   B.（错误）这句话提供了证据去削弱第一句的观点。
   C.（正确）这句话提供了一个关于文章之前所提及的一个趋势的发展的预测。
   D.（错误）这句话呈现了文章之前所提到的一个差异的解读。
   E.（错误）这句话提出了前一句提及的一项政策的实施。

解析：C：本题属于句子功能题，正确答案应该是定位句 3s 版本。本题定位句的 3s 版本是知道美国原住民在政府工作中的比例上升后的意义，因此选项 C 正确。a projection 对应 reflect the possibility，a trend 对应 the populations and power of American Indians have been growing in certain states。

A：重点关注 explain 一词，explain 表示因果关系，A explain B 等于"A 导致 B"。如果选择选项 A，就意味着定位句可以导致前一句的观点，但是根据原文，应该是前一句反映了定位句，即前一句→定位句，因果倒置。

B：定位句与前一句为顺承关系，不存在削弱。

D：a discrepancy 在文中没有对应。

E：a policy mentioned in the preceding sentence 在文中没有对应。

3. 关于劣势集体"进入管理岗位"，这篇文章表明了下列哪一项?

A.（错误）只有当管理岗位中的劣势集体成员的百分比能够反映出这些集体在普通大众中的百分比的时候，这种进入才是重要的。

B.（错误）这种进入是应对那些集体利益的政策决定的结果。

C.（正确）这种进入具有赋予那些集体政策利益之外的意义。

D.（错误）这种进入通常使越来越多的人进入非管理岗位。

E.（错误）这种进入的程度在不同的劣势集体之间是类似的。

解析：C：本题定位第❸句。根据第❸句，除了政策上的利益之外，进入到管理岗位的另一个好处是 symbolic value，对应选项 C 的 meaning apart from any policy benefits，因此选项 C 正确。

A：表明的因果关系是：反映百分比→进入管理岗位，但是根据❷❸两句，应该是：进入管理岗位→反映百分比。

B：表明的因果关系是：政策利益→进入管理岗位，但是根据第❸句，应该是：进入管理岗位→政策利益。

D：nonmanagerial positions 与这种进入无关。

E：文中未提及 different disadvantaged groups。

Passage 083

解释为什么_____

原文翻译

❶Pueblo Bonito由超过600间房间和4至5层楼组成，是新墨西哥州的史前查科峡谷遗址中最令人印象深刻的"大房子"。❷传统的解读认为这所大房子几乎全都是居民楼，一些考古学家估计Pueblo Bonito的居民大约有1200人。❸但是最近温德斯对这一观点提出了质疑，他指出在Pueblo Bonito的发掘记录中的灶台数量很少，高层只有3个灶台，相比之下，底层发现了59个灶台：居民房间要求有灶台用来做饭或取暖。❹但是，也有可能是因为上层建筑的坍塌干扰了上层灶台的证据，以至于早期的挖掘工作没有发现这些证据，比如1890年代佩珀团队和1920年代贾德团队所进行的挖掘。❺除此以外，依靠房屋特征来估计早期人口数量被查科人后来的改建所复杂化，尤其是因为贾德不愿意破坏后来的结构和特征来暴露出早期的建筑结构和特征。❻早期的发掘工作没有能够剥离完整的楼层，这有可能隐藏了上层房间中有灶台的证据。

3s 版本

❶Pueblo Bonito是一所"大房子"。

❷传统认为这所房子是居民楼。

But ❸温德斯发现上层的灶台很少，下层的很多，这说明大多数的居民房是在下层。

however ❹是因为上层建筑的坍塌导致上层灶台的证据被破坏。

❺❻房屋之后的装修以及发掘的不完整可能掩盖了高层灶台的证据。

全文3s版本：**解释为什么Pueblo Bonito找到的灶台证据很少。**

🔍 **题目讲解**

1. 文章作者最有可能同意下列哪一项关于温德斯观点的陈述?
   A.（错误）它依赖于和 Pueblo Bonito 这么大的建筑的研究不相关的证据。
   B.（错误）它没能承认 Pueblo Bonito 之外的大房子的关键证据。
   C.（错误）它没能体现 1920 年代之前的挖掘的关键证据。
   D.（错误）它基于错误的关于灶台重要性的观点。
   E.（正确）它所依据的证据可能是不完整的。

解析： E：本题考查的是作者观点，定位到 ❹❺❻ 三句话，概括起来都是在说是因为证据被破坏或者证据被隐藏才导致温德斯找不到灶台，因此选项 E 正确。

2. 从文章可以推测出，温德斯最有可能同意下列哪一项关于 Pueblo Bonito 的房间使用的陈述?
   A.（错误）上层房间很少被用于储存。
   B.（错误）那些被重新装修过的屋子最有可能是居民房间。
   C.（正确）大多数用于居住的屋子在底层。
   D.（错误）早期对 Pueblo Bonito 的挖掘扰乱了关于房间使用的很多证据。
   E.（错误）上层有灶台的屋子有可能和底层有灶台的屋子的用途不同。

解析： C：本题考查温德斯的观点，定位到第 ❸ 句。根据温德斯的观点可知，有灶台的地方才有可能是居住用的屋子，同时上层只有 3 个灶台而下层有 59 个，因此可以得到结论：下层有更多的居住用的屋子，选项 C 正确。

   A：文中未提及储存。

   B：温德斯的观点里没有提及重新装修。

   D：是作者的观点，不是温德斯的。

   E：根据温德斯的观点，只要有灶台就可以是居住用房，因此上下层既然都发现了灶台，那么都有可能是用于居住的。

3. 下列哪一项可以推测出关于贾德团队的发掘工作?
   A.（正确）它没能发掘出查科人重新改建之前的许多房屋特征。
   B.（错误）它没能发掘出任何关于上层灶台的证据。
   C.（错误）它仅仅揭露出了用于居住的屋子。
   D.（错误）它导致了很多房间特征和上层建筑的倒塌。
   E.（错误）它证实了对 Pueblo Bonito 的传统的人口估计。

解析： A：根据第 ❺ 句，贾德拒绝发掘被改建后的房子，因此她的研究很可能没有揭露出装修之前的特征，选项 A 正确。

   B：太极端。

   C：文中未提及贾德发掘出了什么样的房子。

   D：作者确实提到房屋的倒塌，但是不一定是贾德导致的。

   E：本文只是说了贾德的研究情况，但是没说贾德的研究结论，因此我们无法得知贾德的研究有没有证实什么观点。

Passage  *084*

_____应该放到一起研究

原文翻译

❶从1880年代到1930年代，日本纺织工业雇佣了超过一半的工人，这些人中的大多数在缫丝、棉纺和编织这三大部门工作。❷因为这三大部门在规模、技能需求以及技术上存在很大的差异，历史学家传统上会分别对它们进行研究。❸但是，这三个部门的劳动力主要来自同样的人群：10至25岁的年轻女性，大多数为农村女性。❹注意到这个共性，亨特认为把这三个生产部门放到一起研究是姗姗来迟的：她认为，研究纺织工业中不同部门之间相同的元素会使得人们找到基于性别的因素，这些因素可以影响日本女性劳动力市场作为一个整体的运行。

3s 版本

❶日本纺织业大多数工人存在于三个不同的部门中。

❷传统上，历史学家分别研究这三个部门。

However ❸这三个部门的劳动力组成是一样的。

❹亨特认为应该把这三个部门放到一块研究。

全文3s版本：日本纺织工业的三个部门应该放到一起研究。

文章点拨

本文是典型的新老观点对比。第❶句是原因，引出了第❷句的老观点：三个纺织部门应该分别研究。第❸句 However 取反，用于批判前面的老观点。第❹句亨特提出新观点：三个部门应该放到一起研究。

题目讲解

1. 下列哪一项是文章引用用于解释历史学家对日本纺织工业的传统分析的？

   A.（错误）纺织业里所有部门之间的一种统一的劳动力。

   B.（错误）缫丝、棉纺和编织所需要的技能的相似性。

   C.（错误）纺织业对于日本总体经济的重要性。

   D.（错误）纺织业中雇佣的大量女性劳动力。

   E.（正确）纺织生产中三个主要部门所用技术的差异。

   解析：E：根据题干，解释老观点被提出的原因，定位到第❷句的原因部分。根据第❷句，选项E正确，对应 highly diverse—in...technology。

   A、B、D：这三个选项解释的是为什么三个部门要放到一起研究。

   C：文中未提及。

2. 从文章可以推测出，亨特认为下列哪一项是文中所讨论的历史学家的传统分析的缺陷？

   A.（正确）他们没能研究日本纺织业三个不同部门中共有的因素。

B.（错误）他们基于规模、技能要求以及技术将日本纺织工业分成三个主要部门。

C.（错误）他们没能承认农村女性对纺织行业中不同部门的贡献。

解析： A：根据本文，老观点只关注到了三个部门中的不同之处，而亨特关注的是相同之处，因此亨特批判老观点的理由就是三个部门的共同因素。

    B：这确实是老观点的内容，因为根据第❹句，亨特确实承认三个部门有不同之处，这一点是正确的，不应该是老观点的缺陷。

    C：文中未提及。

Passage

以＿＿＿＿＿＿＿＿＿为背景分析奥斯汀的小说

📖 原文翻译

❶与大多数1980年之前对简・奥斯汀的研究不同，最近的很多学术研究以奥斯汀所处的动荡年代为背景——在这些动荡年代中发生了法国和美国的革命以及拿破仑战争——分析了生活在1775年至1817年的奥斯汀的小说。❷但是弗朗茨指出了在对奥斯汀学术研究中很少被提及的另一场革命：改变了男性着装以及行为的"去大男子主义化运动"（the Great Masculine Renunciation）。❸在十八世纪后期，富有的绅士们把流行已久的天鹅绒和缎子换成了阴沉的羊毛套装。❹弗朗茨认为这种变化反映了更深层的文化变化。❺在麦肯齐的小说《性情中人》（*The Man of Feeling*, 1771）中所反映出来的曾经施加在男性身上的张扬让位给了情感的克制。❻在奥斯汀的小说里，女主人公通常要努力地去发现隐藏在男主人公克制的外表下的真正本质。

📖 3s 版本

❶最近的很多研究以战争革命为背景研究奥斯汀的小说。

Yet ❷弗朗茨以男性革命为背景去研究。

❸这场男性革命的具体内容：男性的着装风格变得阴沉。

❹这场革命反映了文化变化。

❺❻奥斯汀的小说反映了在这场革命中，男性变得在情感上更加克制。

全文3s版本：以男性革命为背景分析奥斯汀的小说。

📖 文章点拨

本文前两句将对奥斯汀小说的两种研究方法进行了对比。弗朗茨和其他近期的研究者都以"革命"为背景研究奥斯汀的小说，但是其他人研究的是战争革命，而弗朗茨关注的则是一场关于男性的革命。后文便是对这场男性革命的展开。

第❺句内部其实暗含了一个时间对比：麦肯齐1771年出版的小说在奥斯汀之前（因为奥斯汀出生于1775年），这本小说关注的还是男性革命发生之前，男性身上有张扬的特质，但是在奥斯汀的小说里，这种张扬便让位于情感克制。这种克制在第❸句中的 somber woolen suits 得到暗示。第❻句则是用具体的例子来说明这种情感的克制。

题目讲解

1. 文章作者提到《性情中人》(1771) 的目的是

   A.（错误）将麦肯齐写小说的理由同奥斯汀的理由相对比

   B.（错误）给出特定作家对奥斯汀产生了影响的证据

   C.（正确）支持了一个观点，男性行为的传统在奥斯汀生活的年代发生了变化

   D.（错误）表明奥斯汀的小说比麦肯齐的小说更能反映出历史背景

   E.（错误）质疑一个特定的误解，关于 18 世纪后期绅士之间共有的行为模式

   解析：C：本题属于功能题，正确答案是定位句 3s 版本。本题定位点是例子，其观点为：奥斯汀的小说反映了在这场革命中，男性变得在情感上更加克制，因此选项 C 正确。另外，从文章内容来讲，作者提及 1771 年这本书的目的就是为了衬托出之后在奥斯汀的年代，男性发生了变化。

   A：提到《性情中人》的目的与 reason 无关。

   B：文中看不出麦肯齐对奥斯汀产生了什么影响。

   D：这两部作品都能反映出历史背景，只是反映的背景不同罢了。

   E：定位句是例子，无法起到质疑的功能。

2. 这篇文章表明下列哪一项是关于简·奥斯汀的学术研究的?

   A.（错误）最近的很多研究开始更多地强调在奥斯汀时代控制男性行为的性别传统。

   B.（错误）很多学术研究在辩论奥斯汀的小说是否认为情感克制是一种好的品质。

   C.（错误）某些学者认为奥斯汀的小说没有精确地反映出在奥斯汀时代改变了绅士着装和行为方式的文化变化。

   D.（正确）在 1980 年之后，奥斯汀的学术研究转而更多地强调她写作的历史背景。

   E.（错误）很少有例外的是，最近的学术研究认为奥斯汀是一位对她的时代的动乱事件不感兴趣的作家。

   解析：D：对应文章第 ❶ 句，正确。

   A：最近的很多研究关注的是动乱的年代，和性别无关。

   B：最近的很多研究关注的是动乱的年代，和情感克制无关。

   C：文中未提及。

   E：文中看不出奥斯汀对动乱时代是否感兴趣，但能看出学者们是感兴趣的。

Passage 086

保险公司利用＿＿＿＿＿＿获得可靠信息

原文翻译

❶美国早期的人寿保险公司发现自己面临着如何获得可靠信息的问题，因为他们需要依靠申请人自己对一系列标准问题提供可信的、完整的回答。❷当尝试使保险公司与个体申请人之间的关系个

性化时，这些公司会选择很受尊敬的当地居民去充当中间人的角色。❸这些中间人可以去评价候选人的外表，发掘不健康的家庭历史或不良嗜好的证据，并且评价代表候选人撰写推荐信的人的受尊敬程度。❹简而言之，中间人系统最初的目的并不是主动寻求客户，而是重现小镇或者城市邻里之间那种玻璃碗心态。

3s 版本

❶保险公司面临如何得到可靠信息的问题。

❷中间人可以解决这一问题。

❸❹中间人的作用。

全文3s版本：保险公司利用中间人获得可靠信息。

文章点拨

本文的内容是典型的提出问题并解决问题。

第❶句的功能是提出问题：保险公司难以获得可靠的关于申请人的信息。之后的内容都是在解决这一问题。❷❸详细介绍了中间人这一解决方法。第❹句容易理解错误。这句话还是为了说明中间人的功能：得到可靠信息，而非主动寻求客户。small towns or city neighborhoods 并不是说中间人这种解决方法只会发生在小镇和邻里之间，而是中间人重现了那些只会在小镇存在的"玻璃碗心态"，即人与人之间都是透明的、熟知的。

题目讲解

1. 本文的主要目的是

   A.（正确）解释人寿保险中间人的最初作用

   B.（错误）评价人寿保险中间人的有效性

   C.（错误）描述人寿保险是如何被引入的

   D.（错误）阐明人寿保险中间人系统如何随时间发生改变

   E.（错误）将城市和小镇的人寿保险策略进行比较

解析： A：符合本文的 3s 版本。

　　B：本文只是客观地介绍了中间人系统，没有评价其有效性。

　　C：文中未提及。

　　D：文中未提及。

　　E：文中未提及。

2. 关于"城市邻里"，文章作者表明了下列哪一项？

   A.（错误）他们是家庭历史很难得到明确的地方。

   B.（错误）他们是不健康的行为被成功解决的地方。

   C.（错误）他们是适合招募保险中间人的地方。

   D.（正确）他们提供了关于居民的个人历史和性格的高度透明。

   E.（错误）他们给人寿保险行业提供了有潜力的丰富市场。

解析： D：根据第❹句，中间人系统重现了城市邻里之间的玻璃碗心态。这种"玻璃碗心态"指的是人与人之间的透明度，可以让中间人了解到候选人的家庭历史，因此选项 D 正确。

A：文中未提及。

B：文中未提及。

C：根据【文章点拨】，城市邻里只是一个比方，不是中间人系统被招募的地方。

E：文中未提及。

Passage **087**

杜波依斯认为社会学应该关注＿＿＿＿＿＿而非＿＿＿＿＿＿

原文翻译

❶威廉·爱得华·伯格哈特·杜波依斯在1900年巴黎国际展览会上展示的黑人历史和文化吸引了社会学研究的关注，而社会学研究正是杜波依斯的研究所反对的。❷杜波依斯认为斯宾塞社会学思想的社会学家没能够更好地理解人类的行为，因为他们的作品研究的不是行为而是理论，他们收集的数据无法影响社会进步，而是仅仅做了理论化的处理。❸在他的展示中，杜波依斯试图呈现文化艺术产品，这些产品会把社会学的关注点从构建普遍的概括转移到去观察特定的、社会上鲜活的个体元素以及个人对一个巨大的功能社会结构所做的贡献。

3s 版本

❶杜波依斯展示的作品用于反对其他社会学。

❷其他社会学家关注的是理论，而非行为。

换对象❸杜波依斯认为社会学应该关注个体。

全文3s版本：杜波依斯认为社会学应该关注个体行为而非单纯的理论。

文章点拨

本文将杜波依斯和斯宾塞社会思想的社会学家对社会学的看法进行了对比。杜波依斯认为社会学应该研究很实在的人类的行为，而斯宾塞社会学家则研究理论化的东西。本文属于文科类型，因此同义替换会比较多，但是句间关系很简单。杜波依斯的观点的同义替换：human deeds、affect social progress、cultural artifacts、observation、particular、living individual elements of society、the working contributions of individual people；斯宾塞社会学家的观点的同义替换：theories、theorize、vast generalizations。

题目讲解

1. 文章暗示杜波依斯将下列哪一种观点归属给了斯宾塞社会学家？

A.（正确）理论化比理解人类行为更加重要。

B.（错误）普遍的概括具有有限的价值。

C.（错误）收集数据在社会学研究中相对不那么重要。

D.（错误）社会学应该关注社会中的鲜活个体而非文化艺术品。

E.（错误）个体比普遍整体更重要。

解析： A：本题考查的是斯宾塞社会学家的理论，因此选项 A 正确，对应第 ❷ 句。

B、C、E：这三项均是杜波依斯的观点，而非斯宾塞社会学家的观点。

D：既不是杜波依斯的观点也不是斯宾塞社会学家的观点。

2. 文章暗示杜波依斯认为下列哪一项关于社会学的陈述？

A.（正确）社会学应该为改善社会做贡献。

B.（正确）社会学应该研究人们经常做的事情。

C.（错误）社会学应该关注现存的社会结构如何决定个体行为。

解析： A：本题考查的是杜波依斯对社会学的看法，而非斯宾塞社会学家的看法。选项 A 对应第 ❷ 句的 they gathered data not to affect social progress，因此杜波依斯认为社会学应该要影响社会进步。

B：对应第 ❷ 句的 Spencerian sociologists failed in their attempts to gain greater understanding of human deeds，因此杜波依斯认为社会学应该要研究人类的行为。

C：杜波依斯确实分别提到社会结构和个体行为，但是没有提及二者的相互影响。

Passage 088

当把简·亚当斯放到历史背景中去研究时，她的思想是_____

原文翻译

❶学者们认为美国社会改革家简·亚当斯的思想是独特的，而没有将其和其他社会活动家以及大众学者的思想进行充分的比较。❷但是，最近的研究将简·亚当斯更彻底地放置于她那个时代的思想和事件中。❸比如，劳动历史学家研究了亚当斯在 1890 年代对工会的研究的历史背景。❹当人们把亚当斯对工人改革议程的兴趣与**芝加哥工联主义历史**及其令人印象深刻的政治活动的记录联系起来时，她的贡献就显得更具合作性，而非原创性。❺工人们以之前不被认可的方式影响了她。❻这种放到历史背景中的研究方法使得我们可以看到亚当斯从其他改革家那里学到了什么以及她本身贡献了什么。

3s 版本

❶学者们没有将简·亚当斯放到历史背景中进行研究，认为简·亚当斯的思想是独特的。

however ❷最近的研究将简·亚当斯放到了历史背景中。

❸~❻简·亚当斯的思想受到了其他人的影响。

全文 3s 版本：当把简·亚当斯放到历史背景中去研究时，她的思想是受到其他人影响的。

📖 题目讲解

1.　文章的主要目的是

　　A.（错误）批判亚当斯，因为她没有意识到其他社会活动家和大众学者对她的帮助

　　B.（错误）描述学者们如何误解了亚当斯关于社会改革的思想

　　C.（错误）概括历史界对亚当斯研究社会改革方法的辩论

　　D.（正确）强调将亚当斯放到更大的改革和活动框架中的重要性

　　E.（错误）讨论亚当斯与工会的密切合作对 1890 年代工作条件的影响

解析：　D：根据文章的 3s 版本可知选项 D 正确。

　　　　A：本文没有批判亚当斯的思想。

　　　　B：文中看不出学者们对亚当斯的思想有什么误解，只提到了有的学者没有将亚当斯放到历史背景中
　　　　去研究。

　　　　C：关于"亚当斯的研究方法"文中并没有产生辩论。

　　　　E：文中未提及。

2.　作者将"芝加哥工联主义历史"当作

　　A.（错误）被历史学家忽略的问题

　　B.（错误）引起历史学家的争议的问题

　　C.（错误）贸易联盟者如何参与政治活动的典范

　　D.（错误）亚当斯的贡献被低估的领域

　　E.（正确）用于理解亚当斯的贡献本质的有价值的背景

解析：　E：前一句讲劳动历史学家将亚当斯放到历史背景中研究，"芝加哥工联主义历史"作为例子，指的
　　　　就是一种历史背景，因此选项 E 正确。

Unit 04

Medium 模式（下）

题目原文下载1　　题目原文下载2

　　GRE 考试可能是你人生中最后一次有努力就有回报的机会了。找到对的方法，一分耕耘，一分收获，330+ 并不遥远。

——梁诗瑶

The University of North Carolina at Chapel Hill

微臣教育线下 325 班学员

2019 年 3 月 GRE 考试 Verbal 162

Passage 089

火灾之后的森林有_____能力

原文翻译

❶火灾后在森林中种植外来物种会阻碍当地植物的再生，并在易受火灾影响的土壤中传播入侵物种。❷此外，当地种子资源对当地物种的自然再生来说几乎总是充足的，因此人工种植植物应该只有当自然再生不可能的时候才能被考虑。❸人工种植速生松树林——一种常见的火灾后管理行为——会阻断生态演替中物种丰富的早期阶段，并且会增加未来火灾的严重程度。❹应该仔细审查其他处理方法，因为它们有可能导致有害植物的蔓延。❺比如，2002年科罗拉多海曼大火后，大规模用于减少火灾导致的土地流失的稻草被黑雀麦污染，这种入侵的草一旦生根就很难被控制或消除。

3s 版本

❶火灾之后外来物种的种子会阻碍当地物种再生。

❷当地物种的种子对再生来说是足够的。

❸人工种植的速生林会产生不良后果。

❹❺其他方法有可能导致有害植物的扩散。

全文3s版本：火灾之后的森林有自我再生能力。

题目讲解

1. 根据文章，下列哪一项是在火灾之后重新种植高密度的松树林所带来的后果？
   A.（正确）生态发展的正常过程会被影响。
   B.（错误）这些速生林比种植密度不高时长得更慢。
   C.（正确）相比于没有这些人工种植的情况，之后的火灾可能会更加严重。

解析：A、C：根据 conifers，这道题定位到第 ❸ 句，可知选项 A、C 正确。

2. 关于火灾之后森林里当地植物的再生，文章暗示了下列哪一项？
   A.（错误）当地植物再生被受到火灾影响而性质发生变化的土壤所阻碍。
   B.（正确）当地植物再生总体上在不受人工重新播种或种植的干扰时都能发生。
   C.（错误）当森林管理者有大量当地物种种子资源时，当地植物再生的成功可能性会增加。
   D.（错误）当地植物无可避免地要和非当地植物竞争。
   E.（错误）自然再生发生得越早，当地植物的再生就会越彻底。

解析：B：根据第 ❷ 句，当地种子的资源几乎总是足够的，因此不受到人类的影响也可以发生自然再生，选项 B 正确。

A：文章第 ❶ 句确实提到土壤性质发生了变化，但是没说自然再生的进程会受到土壤性质的变化的阻碍。

C：文中未提及。

D：文中未提及。

E：文中未提及。

Passage *090*

红松鼠无法弥补灰松鼠的_____带来的损失

❶北美红松鼠的活动范围已经扩大到了印第安纳州，这一点和农业导致的森林碎片化以及对森林碎片化很敏感的灰松鼠数量减少有关。❷红松鼠倾向于把食物储存在一个中心区域，而灰松鼠的储存位置很分散。❸分散式储存埋下坚果对生产坚果的树木的再生是有利的。❹红松鼠需要收集1000个核桃才能和灰松鼠收集150个坚果所达到的树木繁殖效果一样。❺如果红松鼠为了应对灰松鼠的减少而成功地在印第安纳州的碎片化森林中定居下来，它们可能不会完全弥补灰松鼠作为种子散布者的减少带来的损失。

3s 版本

❶红松鼠扩大活动范围与森林碎片化和灰松鼠减少有关。

❷红松鼠储存食物很集中，灰松鼠很分散。

❸分散储存坚果对森林再生是有利的。

❹红松鼠要收集更多的坚果才能帮助森林再生。

❺红松鼠无法弥补灰松鼠的减少带来的损失。

全文3s版本：红松鼠无法弥补灰松鼠的减少带来的损失。

题目讲解

1. 文章暗示相比灰松鼠，红松鼠

　　A.（正确）对种子的传播来说是更加低效率的

　　B.（错误）是更加不成功的外来者

　　C.（错误）在分散储存方面更加高效

　　D.（错误）不会埋藏那么多的坚果

　　E.（错误）不会收集那么多的坚果

解析： A：根据❹❺两句，红松鼠在种子传播效率上比不上灰松鼠，因此选项A正确。

2. 在文中选择一句话，这句话会详细阐明文章其他地方陈述的一个观点。

答案： 第❹句。

解析： 本题的关键是illustration（详细阐明）。所谓"详细阐明"，指的就是把之前的事情说得更清楚，因此文中唯一符合条件的就是第❹句。因为第❹句的前一句只是说灰松鼠对森林再生更有利，没有解释灰松鼠对森林再生更有利的原因。第❹句对此进行详细阐明，通过1000、150这样的数据来说明红松鼠传播种子的效率不高。

Passage  091

笔饰可以用来确定手稿的_____

原文翻译

❶中世纪手稿中被称为笔饰的镶边装饰在1400年代的荷兰北部达到了极高的艺术高度。❷不同地区的笔饰的区别使得这种装饰成为一个给手稿确定创作地点和时间的有用工具。❸当第一批印刷书籍出现在那一地区的时候，很多副本仍然按照传统方法进行了手工装饰。❹因为书籍出版时间的确定通常比手稿更加精准，因此研究早期印刷书籍中的这些装饰可以更加精确地去推断手稿中笔饰的时间。❺研究这些装饰对于找出笔饰被完成的地点来说却帮助不大。❻在副本完成之后，没被装饰的时候就被出售，然后由购买者委托在其他地方完成装饰。

3s 版本

❶手稿的笔饰很流行。

❷笔饰可以用来确定手稿的完成时间和地点。

❸❹用笔饰来确定时间的方法。

❺❻用笔饰确定完成地点可能没那么准确。

全文3s版本：笔饰可以用来确定手稿的完成时间和地点。

题目讲解

1. 下列哪一项最好地描述了标黑体句子的功能？

A.（正确）这句话指出了在研究笔饰的时候所面临的困难。

B.（错误）这句话重申了关于第一批印刷书籍的一个观点。

C.（错误）这句话纠正了关于手稿装饰的一个误解。

D.（错误）这句话支持了关于印刷书籍的时间推断的观点。

E.（错误）这句话总结了如何解读某种笔饰的观点。

解析： A：这句话是对前一句的具体展开，详细说明了为什么笔饰在用于确定完成地点方面没有那么精确，因此选项 A 正确，a difficulty 指的是确定地点没那么精确。

2. 根据文章，手稿中的笔饰可以给历史学家提供关于下列哪一项的有价值信息？

A.（错误）谁委托了这部手稿

B.（错误）手稿被复制的源头

C.（错误）手稿内容的价值

D.（正确）手稿在哪里被完成的

E.（错误）用于创造手稿的合作过程

解析：D：根据第❷句，笔饰可用于确定手稿的完成时间和地点。注意，第❺句只表明了笔饰在用于确定地点方面是 less useful，相比于确定时间来说没有那么精确，但是并没有否认其在确定地点方面的功能，因此选项 D 正确。

Passage 092

北极植物在第三纪的_____是未知的

原文翻译

❶在第三纪（Tertiary period，过去的6500万年）的大部分时间里，北极拥有连绵不断的森林。❷直到第三纪末期，化石证据才表明某些今天存在于北极的植物出现了并且**蔓延到**整个北极。❸很多北极植物被认为起源于中亚和北美的高山地区，随着第三纪晚期全球温度下降向北传播到了北极，并且在第三纪结束时（约200万年前）形成了环绕北极的分布。❹但是，支持这些推断的化石证据要么缺乏，要么呈碎片化。❺因此，这些植物在占领北极期间用于扩大其分布范围的路径依然是未知的。

3s 版本

❶在第三纪，北极拥有连绵不断的森林。

时间对比❷第三纪末期，现存的植物开始蔓延到北极。

❸这些植物的蔓延路径。

However ❹缺少证据支持这种蔓延路径。

❺植物蔓延路径依然未知。

全文3s版本：北极植物在第三纪的蔓延路径是未知的。

题目讲解

1. 文章支持下列哪一项关于北极植物的陈述？
   A.（错误）第三纪晚期的全球温度下降阻止了很多高山植物在北极定居。
   B.（正确）没有足够证据确凿地证明今天的北极植物在历史上的迁移路径。
   C.（错误）今天的北极植物比北极之外的植物更不可能留下化石遗迹。

解析：B：对应最后两句，not enough 对应 lacking、fragmentary 和 remain unknown。

　　A：根据第❸句，温度下降使得植物向北极迁移并形成分布，和选项 A 中的"阻止"相反。

　　C：没有对比北极和北极之外的化石遗迹。

2. 根据上下文，"distributed"最接近的含义是
   A.（错误）发展
   B.（错误）隔离
   C.（正确）分散、传播

D.（错误）划分

E.（错误）断开

解析： C：distribute 的本意以及在文中的含义都是"分散"。

A：代入原文看似可以，但是"发展"和"分散"无关。

Passage 093

以前的人们喜欢/不喜欢说教文学，直到20世纪，说教变得受/不受欢迎了

原文翻译

❶尽管19世纪美国女性小说在当时很受欢迎，但是在20世纪受过教育的精英阶层中，很多人都没有读过这些小说，这些精英被教育去忽略女性小说，因为它们太说教。❷但是，美国文学的说教传统可以追溯到第一批到达美洲大陆的欧洲人，随着时间的推移从布道和诗歌文本转变成小说，而小说被证明是**传达社会价值观的完美途径**。❸在19世纪，评论家们批判爱伦·坡没有用简短的道德标签去总结自己的故事，而朗费罗因为其说教式的诗句而被奉为经典。❹尽管随着19世纪美国将自己转变成一个世俗的社会使得修辞更加倾向于反说教，但是在20世纪的评论界，审美被放置于所有东西之上，以至于说教主义没有了自己的位置。

3s 版本

❶说教的女性小说在20世纪精英中不受欢迎。

However ❷传统上，小说是传达说教的最佳媒介。

❸过去，美国人喜欢说教文学。

时间对比❹在20世纪，说教没了地位。

全文3s版本：以前的人们喜欢说教文学，直到20世纪，说教变得不受欢迎了。

题目讲解

1. 下列哪一项最好地描述了标黑体句子的作用？

A.（错误）这句话解释了为什么第一句提及的小说在 20 世纪不受欢迎了。

B.（正确）这句话帮助将 19 世纪和 20 世纪的评论家进行了对比。

C.（错误）这句话提供了 20 世纪读者如何被教育去忽略某些文学作品的例子。

D.（错误）这句话质疑了评论家做出的爱伦·坡和朗费罗之间的区别的有用性。

E.（错误）这句话解释了为什么在 19 世纪爱伦·坡的故事比朗费罗的更受欢迎。

解析： B：标黑体句子是用来说明说教主义在 19 世纪的受欢迎程度的，但是没有合适的选项。相对来说，选项 B 最合适。尽管标黑体句子只提到 19 世纪，没提 20 世纪，但是只提对比双方中的一方便是在 assist 两者的对比。

2. 根据上下文，"conveying"最接近的含义是

    A.（错误）搬运

    B.（错误）转移

    C.（错误）给予；批准

    D.（正确）告知

    E.（错误）预测；投射

解析：D：convey 的含义是"传达"，特指通过中间人传递信息，选项中有相关含义的只有选项 D。

    A：强调搬运物体。

    B：强调位置的变化。

    C：无关选项。

    E：无关选项。

Passage 094

所有全球变暖都是/<u>不是</u>人为的

原文翻译

❶1964年，气象学家观察到1910年代和1920年代北大西洋表面的缓慢变暖很可能是由墨西哥湾上游暖流的突然增多导致的。❷这次大西洋的变暖伴随着一场全球变暖，这场变暖在1940年代之前导致了有记录以来的最严重的一次全球温度升高。❸这次全球温度变得如此之高以至于1990年代用于发现气候记录中温室气体导致全球变暖的"指纹"的数据技术也发现1940年代出现过全球变暖。❹但是，没有人相信有足够多的温室气体在当时进入了大气层，从而导致人为引起的全球变暖。❺这种不一致使得温室现象的**反对者们**认为，最近的任何全球变暖都可能是自然现象，而非人为因素造成的。

3s 版本

❶1910年代和1920年代大西洋海水变暖。

❷这次变暖在1940年代引发了有史以来最严重的全球变暖。

❸这次变暖严重到1990年代还能发现其痕迹。

However ❹这次变暖并没有严重到让人们认为这是人为的。

❺所有全球变暖都不是人为的。

全文3s版本：所有全球变暖都不是人为的。

题目讲解

1. 从文章可以推测出文中提及的"反对者"有可能同意下列哪一项？

    A.（错误）1940 年代和 1990 年代发生的全球变暖的程度被一些气象学家夸大。

B.（错误）1990 年代的全球温度变化是一种趋势，这种趋势与 1910 年代和 1920 年代存在的任何趋势都不一样。

C.（正确）最近全球温度的变化可能不是人类活动直接导致的。

解析：C：对应第 ❺ 句。

A：这些反对者的观点应该是 1940 年代和 1990 年代的全球变暖的程度还没有强到会由人类引发，并没有提到是否被气象学家夸大。

B：从文章中看不出两种趋势之间是不是一样的。

2. 关于 1940 年代观察到的全球变暖，文章暗示了下列哪一项？

A.（正确）这次全球变暖可以追溯到 1910 年代和 1920 年代的气候变化的一部分。

B.（错误）气象学家直到 1990 年代才发现了这次全球变暖的原因。

C.（正确）这次全球变暖主要是人类导致的温室气体引发的，这一点值得怀疑。

解析：A：根据 ❶❷ 可知，1910 年代和 1920 年代的北大西洋水温上升伴随有一场发生于 1940 年代的全球变暖，因此选项 A 正确。

C：对应第 ❹ 句，正确。

B：文章中没提气象学家直到 1990 年代才发现了这次全球变暖的原因。

Passage *095*

海洋生态系统很难既_____又_____

📝 原文翻译

❶我们陆地上的食物供给来自经过改造的生态系统，通过消除竞争者、捕食者和害虫去生产少数几种可食用的物种，但是海捕渔业依赖于自然生态系统总体的生产力。❷但是，人们越来越关心捕鱼以及其他人类活动对海洋生态系统的影响，而海洋目前已经不再纯洁了。❸既能达到生物多样性又能完成陆地食物供给目标的一个方法是用更少的土地去生产更多的食物，因此就能出于保护目的腾出土地。❹相比之下，维持或者恢复海洋生态系统的生物多样性的目标可能和维持或增加海洋食物供给的目标相冲突，因为实现后者所需的捕鱼量有可能会危及前者。

📝 3s 版本

❶陆地食物来自被改造的生态系统，但是海洋食物依赖于自然系统。

however ❷海洋生态系统已经受到了影响。

❸可以通过增加单位产量来保证陆地生物多样性和食物产量。

By contrast换对象❹海洋生态系统很难既做到生物多样性又做到提供足够的食物。

全文3s版本：海洋生态系统很难既做到生物多样性又做到提供足够的食物。

📝**题目讲解**

1. 文章的主要目的是
   A.（错误）研究关于生态系统生物多样性变化的某些发现的影响
   B.（正确）讨论陆地和海洋食物资源之间的区别的可能含义
   C.（错误）描述陆地和海洋生态系统之间某种相互作用的影响
   D.（错误）指出有重大不确定性的一个生态系统研究领域
   E.（错误）呈现证据削弱关于生物多样性的辩论的一方，并支持另一方

解析： B：本题属于主旨题。本文的主旨便是通过将陆地生态系统和海洋生态系统进行对比，进而得到结论：海洋食物资源和生物多样性很难统一，因此选项 B 正确。

   A：文中未提及 changes to ecosystem biodiversity。

   C：本文将海洋和陆地分别讨论，没有讨论两者之间的相互作用。

   D：从文中看不出 significant uncertainties。

   E：文中没有辩论关于生物多样性。

2. 根据文章，单位土地增加的食物产量有下列哪些效果？
   A.（错误）使得更多的土地可以用于开发。
   B.（错误）破坏土地保护的目标的进程。
   C.（错误）帮助保护可食用物种使其免受竞争和捕食。
   D.（错误）帮助减少对海洋生态系统的压力。
   E.（正确）帮助恢复陆地生态系统的生物多样性。

解析： E：根据题干，本题可以定位到第 ❸ 句。增加单位土地的产量可以让更多的土地用于保护，因此选项 E 正确。

Passage 096

理解数字和识别手指这两项功能是_____的

📝**原文翻译**

❶在1920年代，古茨曼描述了在大脑左顶叶受损的人身上发现的一系列问题，包括无法理解算术和难以识别手指。❷关于古茨曼所描述的症状到底是不是一种综合征，目前依然没有共识，**但是大脑中用于储存数字和表示手指的信息的部位是离得很近的。**❸因此，数字和手指的大脑表现在功能上是相关的。❹2005年的一项实验让人们完成一些任务，有的任务要求双手灵活，有的任务要求将数字进行配对，同时受试者大脑的左顶叶区域——左侧角回——受到磁场的刺激。❺两项任务都被阻碍了。

3s 版本

❶大脑左顶叶受伤的人不能理解数字和识别手指。

❷大脑储存数字和手指信息的位置靠得很近。

❸因此理解数字和识别手指这两项功能是相关的。

❹❺实验证明两种能力是相关的。

全文3s版本：理解数字和识别手指这两项功能是相关的。

题目讲解

1. 文章作者最有可能同意标黑体部分表明了

   A.（错误）2005 年一项实验的缺陷

   B.（错误）手指灵活是弥补数字能力缺陷的一种方法

   C.（正确）古茨曼的一些观察的解释

   D.（错误）古茨曼的一些结果中的奇怪现象

   E.（错误）质疑左顶叶受损是某些症状的原因的理由

解析：C：古茨曼的观察是左顶叶受损使两种能力受到破坏，而正是因为两个部分靠得很近，所以左顶叶这一个部位受损，两种能力都受影响，因此选项 C 正确。

2. 文章作者描述了"2005 年实验"和其结果的主要目的是

   A.（错误）明确大脑中用来储存数字信息和代表手指信息的部位之间靠得很近

   B.（错误）阐明古茨曼的研究为实验研究带来的意义

   C.（错误）质疑左顶叶损伤会导致古茨曼所描述的问题

   D.（正确）支持一个假说，即与手指和数字有关的大脑部位之间存在重要关联

   E.（错误）表明古茨曼指出的与数字和手指有关的问题与和左顶叶损伤有关的其他问题的原因是不同的

解析：D：本题容易混淆选项 A 和选项 D。两个部位靠得很近在这篇文章里其实是不需要被支持的，因为根据第 ❷ 句，前半句说这些症状是否是综合征"还没达成共识"，因此后半句两个部位靠得近应该是达成了共识的。既然作者认为达成了共识，便不需要支持。需要支持的是后一句作者的结论：两个功能是相关的，因此选项 D 正确。

Passage 097

导致鸟类减少

原文翻译

❶生活在欧亚大陆温带丛林中的候鸟依赖于昆虫，尤其是毛毛虫在夏天的涌现来喂养自己和它们的后代。❷在一些地方，这些毛毛虫因为全球温度上升而出现得更早。❸在理论上，这些鸟儿可以提前出发离开冬季栖息地来捕捉提前涌现的昆虫。❹但是，如果鸟儿依赖于固定的线索，比如增加的日

照时间来开始向北迁徙，那么它们可能不会调整它们的迁徙时间。❺正是这种相对于鸟类迁徙时间而发生的昆虫涌现时间的错乱被认为是荷兰斑姬鹟种群数量严重下降的原因。

3s 版本

❶鸟类依赖于昆虫的涌现。

❷某些地方的毛毛虫出现得更早。

❸理论上鸟类可以通过更早的迁徙来赶上这些毛毛虫。

however ❹鸟类的迁徙时间不能变。

❺昆虫出现时间的变化导致鸟类减少。

全文3s版本：昆虫出现时间的变化导致鸟类减少。

题目讲解

1. 标黑体句子的主要作用是
   A.（错误）反驳之前观点的合理性
   B.（正确）针对一个特定情况的应对给出假设
   C.（错误）指出两个理论之间的区别
   D.（错误）呈现关于环境变化的一种解释
   E.（错误）通过提供一个例子来阐明一个问题

解析：B：a particular situation 指的是"昆虫提前出现"，a response 指的是"鸟类可以提前迁徙"，hypothesize 对应第 ❸ 句给出的理论推测，因此选项 B 正确。

2. 根据文章，斑姬鹟捕食的昆虫种群
   A.（错误）随着它们居住的欧亚大陆温度上升，它们找到的食物越来越少
   B.（错误）因为全球变暖而濒危
   C.（正确）最近经历了相对于日历的生命周期时间的变化
   D.（错误）最近开始居住在斑姬鹟不经常光顾的寒冷气候
   E.（错误）因为缺少捕食而数量显著增加

解析：C：文章第 ❺ 句对应 this disruption in the emergence of insects relative to the timing of songbird migration。根据第 ❹ 句可知，the timing of songbird migration 是相对于日照时间的，而日照时间与 the calendar 保持一致，因此选项 C 正确。

E：根据第 ❺ 句我们只能知道鸟类减少了，但是不能说虫子一定增多了。这道题的题干是 According to the passage，所以文章没提及的不能选。

Passage

_____对黄石国家公园的生态起到重要作用

原文翻译

❶1995年，在消失了近70年之后，狼被再一次引入黄石国家公园。❷在没有狼的时期，麋鹿大量蚕食白杨树，不仅仅给树木本身带来了厄运，也给依赖于白杨树的许多其他生物带来了厄运，比如海狸，它们在黄石公园的数量在狼消失之后经历了明显的下降。❸没有海狸建造池塘，湿地生态系统——水生植物、两栖动物、鸟类——遭到了破坏。❹当狼回归之后，食草动物和食嫩叶的动物恢复正常的生存模式，它们更喜欢更安全和开阔的地带，而不是食肉动物可能潜伏的浓密灌木丛和河边。❺狼的存在使得麋鹿变得警觉并且一直在移动，这给白杨树和其他幼树生长和重新繁荣的机会。

3s 版本

❶狼再次被引入黄石国家公园。

时间对比❷没有狼的时候，麋鹿导致白杨树和海狸减少。

❸海狸的减少导致湿地系统被破坏。

时间对比❹狼回归后，食草动物回归正常的生活模式。

❺白杨树重新茂盛。

全文3s版本：狼对黄石国家公园的生态起到重要作用。

题目讲解

1. 关于黄石的海狸种群，文章强调了下列哪一项？

   A.（错误）在狼回归之后它们的数量恢复了。

   B.（正确）它们遭受了来自麋鹿的觅食行为的负面影响。

   C.（错误）在狼消失的那段时间里它们的数量上升了。

   D.（错误）它们在历史上曾经对公园里的湿地生态系统产生了负面影响。

   E.（错误）它们对公园中的白杨树的健康很关键。

   解析：B：对应文章第❷句。

   A：在❹❺两句中作者提及狼回归后对生态系统的影响，但是并没有强调海狸的数量变化。

   C：狼消失的那段时间里，海狸的数量应该是下降的，选项 C 的表述相反。

   D：是麋鹿产生了负面影响，不是海狸。

   E：文章只提到了海狸依赖于白杨树，所以白杨树对海狸很重要，但没有提到海狸对白杨树的作用。

2. 作者最可能同意下列哪一项关于黄石公园重新引入狼的说法？

   A.（错误）重新引入狼间接地伤害了公园里的两栖动物。

   B.（正确）重新引入狼导致沿着河边觅食的麋鹿数量减少。

   C.（错误）重新引入狼导致公园中的食草动物和食嫩叶动物的物种多样性上升。

D.（错误）重新引入狼增加了公园里食肉动物之间对食物的竞争。

E.（错误）重新引入狼促使曾经在公园开阔地带很繁荣的树木物种的重新繁荣。

解析： B：根据第 ❷ 句可知，麋鹿是食嫩叶的动物的一种。根据第 ❹ 句的 resume（resume 表明做某件事情中断后再继续做）可知，狼消失之前，食嫩叶的动物喜欢在安全的地方觅食，而狼消失之后，它们在河边觅食，狼回来以后，食嫩叶的动物又会离开河边，因此麋鹿在河边觅食的数量会减少，因此选项 B 正确。

A：文中未提及。

C：文章只讨论这些食草动物的觅食行为受到了怎样的影响，没有提及物种多样性。

D：文中未提及。

E：从文中看不出重新繁荣的白杨树是否生活在开阔的地方。

Passage 099

解释为什么＿＿＿＿＿＿＿＿＿＿＿＿＿＿＿

原文翻译

❶天文学家一直很难解释在太阳系之外发现的某些行星。❷它们被称为热木星，因为它们每一个的质量都和太阳系中最大的行星木星类似，但是它们围绕母星运行的距离只是**地球**（更不用说木星）绕太阳运行距离的几分之一。❸在一个标准的、以太阳为基础的行星形成理论中，这种巨大的行星不可能在离恒星如此近的地方形成。❹因此，大多数解释热木星存在的**尝试**都设想它在更遥远的地方形成，然后往里迁移。❺根据一个假说，行星的引力场会牵拉它所起源的由尘埃和气体组成的星盘。❻星盘自身也会施加自己的引力牵拉，这种引力之间的相互作用减少了行星在轨道上的动量，迫使它向恒星螺旋旋转。❼根据另一种假设，行星的引力场太强大了以至于在星盘中形成了一个凹槽，将星盘分成了内部和外部区域；行星和这些区域之间产生的相互作用导致行星损失了轨道动量并且向内旋转。❽依然有一个悬而未决的问题：是什么使行星在撞击恒星之前持续地旋转呢？

3s 版本

❶❷很难解释热木星与恒星之间的距离为什么这么小。

❸标准理论不认为这种巨大行星可以形成与恒星这么近的轨道。

❹热木星形成于远处，之后向内迁移。

❺❻假说一：热木星和星盘之间的引力互动导致热木星被拉到了现在的位置。

换对象❼假说二：行星的引力场对星盘进行了分区，使之向内移动。

question负态度❽行星为什么能持续旋转这一点依然悬而未决。

全文3s版本：**解释为什么热木星离恒星这么近。**

📖 **题目讲解**

1.　作者提到"地球"主要的目的是

　　A.（错误）强调热木星巨大的体积

　　B.（正确）强调热木星和母星之间的近距离

　　C.（错误）暗示热木星不可能有地球外的生命

　　D.（错误）指出地球和木星之间关于与太阳的轨道距离之间的差异

　　E.（错误）阐明热木星如何可以适用于标准的行星形成理论

解析： B："地球"所在句子的 3s 版本是为了提出一个问题：为什么热木星距离恒星那么近，因此选项 B 正确。

　　　　D：要注意"木星"和"热木星"是不一样的概念。

2.　下列哪一项是文中讨论的其中一个而非两个假说的内容？

　　A.（错误）引力之间的相互作用

　　B.（错误）轨道动量的损失

　　C.（错误）由尘埃和气体组成的星盘

　　D.（正确）分成两个区域的星盘

　　E.（错误）热木星的运动方向

解析： 这道题目相当于问两个假说之间的区别。

　　　　D：是假说二特有的。

　　　　A、B、C、E：这四项都是共同点。

3.　从文章可以推断出这些"尝试"均有下列哪一个目标？

　　A.（错误）解释木星大小的行星如何能够在靠近母星的地方形成

　　B.（错误）解释什么使得热木星不会撞击母星

　　C.（错误）确定热木星是否形成于一个由尘埃和气体组成的星盘

　　D.（错误）确定热木星的引力场是否足够强大可以在行星盘上产生凹槽

　　E.（正确）以不与标准行星形成理论相矛盾的方式解释热木星

解析： E：定位到第 ❹ 句，这些尝试给出的解释是热木星形成于远处，之后迁移到近的地方。而之前的标准理论认为热木星这种质量的星体不会在那么靠近恒星的地方形成，因此这些"尝试"是按照符合标准理论说法的方式去解释热木星的，故选项 E 正确。

　　　　A：容易错选，注意第 ❹ 句的 forming farther away, then migrating inward，因此这些"尝试"认为是热木星形成于远的地方。

　　　　B：根据文章最后一句，这依然是个悬而未决的问题。

　　　　C：之后的两个假说都说热木星形成于这种星盘。

　　　　D：是假说二的内容，而且文章本身没有确定引力场是否足够强大。

Passage  100

外来害虫对丛林生态系统产生_____的影响

原文翻译

❶外来害虫会对丛林生态系统产生短期和长期的影响。❷短期影响包括和害虫行为直接相关的干扰，这些影响会导致树木落叶、失去活力或者死亡。❸长期影响包括树木物种组成的变化以及由此引起的丛林结构、生产力和营养吸收的改变。❹外来害虫比大多数非生物因素干扰（比如火或者风）可以更高效地产生物种组成的长期变化。❺害虫通常会以特定的树木物种为目标，一旦害虫定居下来，它们会成为这个生态系统的永久性的组成部分。❻丛林物种组成的变化会以很多种方式蔓延于生态系统中，因为树木物种具有不同的、通常也是独特的性质。

3s 版本

❶外来害虫对丛林生态系统产生短期和长期的影响。

❷短期影响。

❸❹❺❻长期影响。

小结：❷~❻封装，和❶取同。

全文3s版本：外来害虫对丛林生态系统产生短期和长期的影响。

文章点拨

本文为典型的总分结构，根据第 ❶ 句便可预知全文肯定会分别讨论短期影响和长期影响。根据第 ❷ 句可知，短期影响只会影响到单一的树木。根据 ❷~❻ 句，长期影响则涉及整个丛林生态系统。

题目讲解

1. 文章提及下列哪些选项作为外来害虫对丛林生态系统的影响?
   A.（正确）树木活力下降。
   B.（正确）树木落叶。
   C.（正确）丛林结构的改变。

解析： A：对应短期影响。
   B：对应短期影响。
   C：对应长期影响。

2. 文章作者提及树木物种的"独特性质"的主要目的是帮助解释
   A.（错误）为什么害虫会以特定的树木物种为目标
   B.（错误）为什么害虫会对整个生态系统产生长期影响
   C.（正确）害虫如何导致丛林物种组成的变化
   D.（错误）害虫如何能够在生态系统定居
   E.（错误）某些树木物种如何能够抵抗害虫的影响

解析： 根据题干中的 unique properties 初步定位到第 ❻ 句。本题问 unique properties 用来解释什么，当 A 可以解释 B 的时候，意味着 A 可以导致 B，所以这道题相当于问 unique properties 是谁的原因，所以本题的选择方向就是第 ❻ 句 because 之前部分的同义改写，即解释 in many ways。因为每个树木物种都有独特的性质，因此丛林生态系统的改变才会以不同的方式蔓延于生态系统中。

C：how 对应 in many ways。

A：文章没提害虫为什么以特定树木物种为目标。

B：独特性质解释的应该是为什么会以不同方式蔓延于生态系统，而非解释为什么产生长期影响。

D：文章没提害虫如何定居。

E：文中未提及 withstand。

Passage 101

三个原因解释为什么北极温度＿＿＿＿＿＿＿＿更快

⬇ 原文翻译

❶尽管一些怀疑论者指出北极地区，比如格陵兰岛的高纬度地区，那里的温度似乎有所下降，但是最近一项科学研究表明近几十年来，北极的平均气温增速超过了其他地区。❷长期以来，科学家们认为有几个因素导致了地球极地地区的温度波动比其他地方更剧烈。❸第一，北极地区大多数地方覆盖有高反射率的冰雪，如果冰雪融化，就会暴露出泥土，泥土会吸收热量，加速北极地区变暖。❹第二，极地地区的大气稀薄，因此并不需要太多的热量就能加热极地地区。❺第三，相比于热带，在冰天雪地的两极地区因为蒸发而损失的太阳能更少。

⬇ 3s 版本

❶北极地区温度上升更快。

❷有几个因素可以解释为什么北极温度上升更快。

❸原因一：泥土吸热。

❹原因二：大气稀薄易吸热。

❺原因三：太阳能损失少。

小结：❸❹❺广义封装与❷取同。

全文3s版本：三个原因解释为什么北极温度上升更快。

⬇ 文章点拨

第 ❶ 句的功能在于营造矛盾，这种矛盾是怀疑论者和最近的科学研究之间的矛盾。怀疑论者认为北极温度下降，但是最近的科学研究反而表明温度上升，因此构成矛盾。根据逻辑题方法论中"解释题"一章可知，但凡是矛盾，就会被解释。因此可以预判后文要解释为什么北极地区温度会上升。第 ❷ 句的 several factors 预示着文章会被写成总分结构，于是接下来就是"第一、第二、第三"这三个原因去解释温度上升这一现象。

题目讲解

1. 本文提到下列哪些因素导致了地球极地地区温度更巨大的波动？

A.（正确）两极地区因为蒸发而导致的能量损失。

B.（正确）因为冰雪融化导致的泥土暴露。

C.（正确）两极地区相对稀薄的大气。

解析： 本题问两极地区温度波动的原因，因此定位到❸❹❺句。

A：对应原因三。

B：对应原因一。

C：对应原因二。

2. 在指出格陵兰岛高纬度地区的明显的温度变化时，文中提到的怀疑论者的目的是质问是否

A.（错误）相比于两极的其他地方，格陵兰岛更不可能经历极端的温度变化

B.（正确）那些更加局部的温度下降可能表明一种重要的趋势，而这一趋势没有被两极平均温度的向上趋势捕捉到

C.（错误）格陵兰岛高纬度地区的温度趋势可能有逆转

D.（错误）导致格陵兰岛高纬度地区温度变化的因素和北极地区其他地方的影响因素不一样

E.（错误）格陵兰岛比北极其他地方在地面上有更多的冰雪

解析： B：本题相当于问"skeptics"的观点被提出的目的，定位到第❶句的让步部分。由第❶句可知，skeptics之所以提出格陵兰岛温度下降，是为了和后面的科学报告形成冲突。选项B的those more localized temperature drops对应skeptics观点中格陵兰岛的温度下降；upward trend of average arctic temperatures对应科学报告中的北极地区平均温度上升。将选项B和题干连起来翻译"在指出格陵兰岛高纬度地区的明显的温度变化时，文中提到的怀疑论者的目的是质问那些更局部的温度下降趋势是否并没有被两极平均温度的向上趋势捕捉到"。 skeptics肯定不同意科学报告的观点，选项B正好可以表达出这种含义，因此选项B正确。

A：文中没有讨论格陵兰岛是否会经历更极端的温度变化。

C：skeptics和科学报告确实一个说温度下降一个说温度上升，但这只是两个不同观点的冲突，并不能说格陵兰岛的温度趋势有没有逆转。

D、E：根据skeptics的观点，格陵兰岛只是北极地区的例子，而这两个选项都认为格陵兰岛与北极其他地方不同。

Passage 102

其实不存在＿＿＿＿＿＿＿＿＿的区别

原文翻译

❶早期的博物学家认为有两种海狸生活在北美：筑堤海狸（dam beaver）和岸边海狸（bank beaver）。❷岸边海狸被认为在行为上很像麝鼠（muskrat），生活在洞中或者临时住所里，而不能

建造水坝。❸事实上，水坝主要是应对每年水位波动的一种策略。❹如果夏季水位下降，就像北美大多数地区一样，那么海狸的临时住所的入口就会暴露出来。❺如果水位稳定，那么它们的住所就会更安全。❻在岸边海狸出没的深河边上，这一问题很少出现。❼但是这些海狸确实知道如何建造水坝，如果有必要，它们会这么做。如果它们在水位下降以及附近的树都被消耗完后被迫重新定居时，就可能发生这种情况。

3s 版本

❶老观点认为海狸分成两种：筑堤海狸和岸边海狸。

❷岸边海狸不能建造水坝。

❸❹❺水坝是当水位不稳时用来保护海狸的住所的。

❻岸边海狸生活在深河边，住所不会暴露，因此不需要建造水坝。

But ❼当需要的时候，岸边海狸也会建造水坝。

全文3s版本：其实不存在筑堤海狸和岸边海狸的区别。

文章点拨

根据第❶句early一词可知这是老观点，预知在后文被反驳。老观点讲海狸分成两类，岸边类和筑堤类。❷~❻都是理由，用来解释为什么这么分类。第❷句说岸边类 unable to build dams，因此可知这两类根据能否建造水坝而严格区分。❸❹❺描述了水坝的作用：当水位不稳的时候，防止住所暴露出来，水坝可以保护房子。第❻句表明，因为岸边类生活在水深的地方，没有住所被暴露出来的风险，因此就不需要建造水坝。综上，海狸存在岸边和筑堤两类。第❼句 But 取反，当迫不得已的时候，岸边类也要建造水坝。因此第❶句说岸边类 unable 建造水坝就站不住脚了，进而岸边海狸和筑堤海狸这种区分也就不成立了。

题目讲解

1. 文章支持了下列哪一项关于海狸水坝的陈述？

   A.（正确）这些水坝的一个重要功能是保护海狸的家。

   B.（错误）大多数水坝建于洞穴被建造之前。

   C.（错误）这些水坝发现于深河岸边。

   D.（错误）这些水坝通常会在森林被耗尽之后被遗弃。

   E.（错误）这些水坝主要保护海狸免受上升的水位的影响。

解析： A：根据❸❹❺可知，水坝的作用是保护海狸的家，选项 A 正确。

   B：文中看不出水坝和洞穴的时间顺序。

   C：根据第❻句，如果沿着深河，那么就不需要水坝。

   D：根据第❼句，森林耗尽之后反而需要水坝。

   E：根据第❼句，水位下降的时候才需要水坝。

2. 关于海狸，文章暗示了下列哪一项？

   A.（错误）当资源稀有的时候，岸边海狸不能成功地和筑堤海狸进行竞争。

   B.（正确）海狸中建造水坝的行为的区别不见得表明多种海狸物种。

   C.（错误）建造水坝最终导致附近资源的耗竭。

D.（错误）当条件允许的时候，海狸更有可能建造水坝而非洞穴和临时住所。

E.（错误）在海狸中，建造水坝是一种习得的技能而非天生的。

解析： B：本文的最终目的在于反驳第 **❶** 句的早期观点。结合文中的论证可知，其实不存在岸边海狸和筑堤海狸的区别。

　　A：文中没提竞争。

　　C：文中也没提资源耗竭和建造水坝之间的区别。

　　D：根据最后一句，当需求存在的时候，海狸会建造水坝，但是看不出来"更有可能"建造水坝。

　　E：文中看不出建造水坝是后天习得还是天生的。

Passage

_____并非是谷物种植的决定因素，因此中国南方的谷物种植比北方晚

原文翻译

❶适宜的环境不一定导致植物种植的发生。❷中国南方比北方和长江盆地更加温暖和湿润，拥有野生水稻和丰富的自然资源。❸但是考古数据表明，直到约7000至6500年前，这个地区才开始种植谷物。❹这种耕种行为有可能是和长江盆地的文化交流以及长江盆地的扩张的结果。❺很清楚的一点是，环境因素对中国耕种的发生起着重要的作用，但并非是决定性的因素。❻尽管早期的耕种可能发生在资源相对丰富的地区，但是可能不会发生在资源非常丰富的地方，比如中国南方，在那里直接觅食是一种更高效的生活方式。

3s 版本

❶适宜的环境和植物种植无关。

❷中国南方环境比北方和长江盆地更好。

Yet ❸南方的谷物种植发生得很晚。

小结：❷❸封装，与❶取同。

❹南方的谷物耕种受长江盆地的影响。

❺环境并非谷物种植的决定因素。

❻资源丰富的南方反而不需要耕种。

全文3s版本：环境并非是谷物种植的决定因素，因此中国南方的谷物种植比北方晚。

题目讲解

1. 文章作者关于 6500 年之前的中国南方的自然资源做了下列哪一项暗示？

　　A.（正确）这些自然资源可能实际上阻碍了植物耕种的发展。

　　B.（错误）这些自然资源不如考古学家所认为的那么丰富。

　　C.（错误）这些自然资源间接导致了与长江盆地人群的文化沟通。

D.（错误）这些自然资源的重要性被研究中国南方植物耕种的起始阶段的学者低估了。

E.（错误）这些自然资源对最终在中国南方耕种的植物种类产生了很小的影响。

解析： A：对应最后一句，耕种会发生在资源丰富的地方，但是不会发生在非常丰富的地方，因此耕种没有起源于中国南方的原因可能是资源太丰富了。

B：文中未提及。

C：文中未提及。

D：文中未提及。

E：这些自然资源导致谷物种植没有起源于南方，这说明资源的丰富度还是影响了南方的种植种类。

2. 关于长江盆地的植物耕种，下列哪一项可以从文中推断出？

A.（错误）尽管气候不好，长江盆地的植物耕种还是发生了。

B.（正确）长江盆地的植物耕种发生在 6500 年之前。

C.（错误）长江盆地的植物耕种比中国北方发生得晚。

D.（错误）长江盆地的植物耕种极大程度上是因为这一地区的野生水稻丰富。

E.（错误）因为和中国南方的文化交流，长江盆地的植物耕种发生了。

解析： B：根据第 ❸ 句"南方的耕种直到 6500 年前才出现"以及中国南方和长江盆地之间的对比，可知长江盆地的种植起源于 6500 年以前。

A：干扰选项，尽管第 ❶ 句说"适宜的环境不见得导致植物种植"，但是这也不意味着不好的环境可以导致种植，选项 A 太极端。

C：本文中北方和长江是放到一起说的，没有比较这两者谁先谁后。

D：文中未提及。

E：南方的种植是因为和长江的交流，而非长江的种植源于和南方的交流。

Passage 104

海洋生态系统变化_____

📖 原文翻译

　　❶海洋生态系统的持久性肯定不如陆地生态系统。❷在陆地上，生态学家并不会面临快速变化的生态间断，也不会面临个别生态系统特征条件的变化，因为除非有人为干扰，否则山上的树线或者牧场和热带草原之间的过渡在人的一生中几乎一直是静止的。❸这些界限发生巨大的迁徙或者区域性的生态系统消失要花费上千年。❹城市扩张、森林砍伐、过度放牧以及大规模农业化在几十年内就完成了，而大自然完成这些事情可能要花几个世纪，但是这一悲惨的事实也不能改变我的观点。❺尽管人口爆炸产生的压力会快速改变生态界限并且改变陆地生态系统，但矛盾的是，要直接改变稍纵即逝和快速变化的**海洋生态界限**的位置却非常难。❻我们只能通过对大气的改造来间接完成这件事情，从而导致全球气候以及海洋循环发生变化。

❶事实上，如果我们同意海洋生态系统的区域特征是物理环境的结果，那么我们必须假定生态条件同物理条件本身一样是不永久的。❷并且现在被充分理解的是，这些条件正处于持续变化之中。

3s 版本

❶海洋生态系统不如陆地生态系统持久。

换对象❷~❹陆地生态系统很持久。

换对象❺❻海洋生态系统变化快。

第一段 3s：海洋生态系统变化快。

❶❷海洋生态系统持续变化快。

第二段 3s：海洋生态系统变化快。

全文3s版本：海洋生态系统变化快。

题目讲解

1. 文章的主要目的是
   A.（错误）研究海洋生态系统和陆地生态系统面临的威胁的差异
   B.（错误）解释人类干预如何影响了海洋和陆地生态系统
   C.（正确）讨论海洋生态系统的独特特征
   D.（错误）呈现关于海洋生态系统不持久性的原因的辩论
   E.（错误）讨论海洋生态系统不持久性的某些影响

解析：C：本文的主旨就是讨论海洋生态系统的不持久性，所以选项 C 正确。
   A：本文确实可以看作将两种生态系统做对比，但是对比的是持久性而非 threats。
   B：文章通过将人类如何影响了陆地和海洋生态系统来说明海洋生态系统不持久，因此选项 B 只是文章得出最终结论的过程，属于细节。
   D：文中未提及 a debate，文中只有作者的观点，不存在辩论。
   E：文章没提海洋生态系统不持久所带来的结果是什么。

2. 关于"海洋生态界限"，文章表明了下列哪一项？
   A.（错误）这些界限正变得越来越容易受到全球气候变化的影响。
   B.（错误）这些界限不会被地球大气变化严重影响。
   C.（错误）这些界限的稳定性对海洋生态系统的健康是关键的。
   D.（错误）这些生态系统比陆地系统更受制于周围的物理条件。
   E.（正确）这些界限比陆地界限更加不敏感与人类的直接影响。

解析：E：根据❺❻两句，人类可以直接改变陆地生态界限，但是要想改变海洋生态界限，只能通过改变大气来间接产生影响。
   A：海洋生态界限确实受到大气影响，但是看不出 increasingly。
   B：表述相反。
   C：文中未提及。
   D：文中未提及。

Passage **105**

赫斯顿的自传应该描写＿＿＿＿＿＿＿＿＿＿

原文翻译

❶佐拉·尼尔·赫斯顿1942年的自传《道路上的尘迹》（*Dust Tracks on a Road*）受到了她所有作品中最负面的批判。❷在批判者的批评中——有一些来自赫斯顿最热情的崇拜者——最常见的是关于这部作品过于碎片化的本质，这种本质尽管在赫斯顿的其他作品中也存在，包括广受好评的小说《他们眼望上苍》（*Their Eyes Were Watching God*），但是在《道路上的尘迹》中尤其明显。❸如果人们坚持自传的基本传统：传统的自传体结构和正式的组织方式，以及对传记人物的集中映射，那么对《道路上的尘迹》的批评是合理的。❹但是，《道路上的尘迹》描绘了一个拒绝被简化为连贯的、统一体的人物形象——这是一个情绪多变、与所处的世界关系紧张的人。❺为了能更好地契合这一人物形象，《道路上的尘迹》专注于赫斯顿想象中的碎片化的生活：她家庭的心理动态、社区故事以及朋友们的性格。

3s 版本

❶赫斯顿的自传受到了批判。

❷这种批判是关于自传对赫斯顿的碎片化描写。

❸按照自传传统来看，这些批判有效。

But ❹赫斯顿本身拥有多种情感并与世界关系紧张。

❺因此传记要展示赫斯顿碎片化的生活。

全文3s版本：赫斯顿的自传应该描写她的碎片化的生活。

题目讲解

1. 文章的主要目的是

   A.（错误）解释为什么《道路上的尘迹》不如赫斯顿写的其他结构类似的作品受欢迎

   B.（正确）认为《道路上的尘迹》的缺陷实际上有助于作品主题的呈现

   C.（错误）将批评家对《道路上的尘迹》的反应和批评家对《他们眼望上苍》的反应进行比较

   D.（错误）指出《道路上的尘迹》和赫斯顿其他作品在结构上的相似处

   E.（错误）表明一些批评家对《道路上的尘迹》的评价受到他们对某些自传传统的排斥的影响

解析：B：本题属于主旨题，本文 3s 版本是"赫斯顿的自传应该描写她的碎片化的生活"。一开始批评家认为碎片化不好，但实际上只有碎片化才能体现赫斯顿的真正生活，因此选项 B 正确。a supposed deficiency 指的是"碎片化"，contributes 指的是可以体现赫斯顿的真实生活。

   A：文中确实提及有和《道路上的尘迹》结构类似的作品，但是这是细节。

   C：《他们眼望上苍》在文中也是细节。

   D：《道路上的尘迹》和赫斯顿其他作品在结构上确有相似之处，但这也是细节。

   E：这些批评家就是按照传统标准去评价的《道路上的尘迹》。

2. 文章作者表明批评家对《道路上的尘迹》的结构的批评是

    A.（正确）无效的，因为《道路上的尘迹》不应该按照传统标准去评价

    B.（错误）不合理的，因为他们没有针对其他结构类似的赫斯顿的作品

    C.（错误）合理的，考虑到《道路上的尘迹》的自传程度

    D.（错误）令人费解的，考虑到批评家对《他们眼望上苍》的反应

    E.（错误）令人信服的，因为赫斯顿最热情的崇拜者抱怨得最激烈

解析： A：传统标准认为碎片化是不好的，但是作者认为恰恰是碎片化才能体现赫斯顿的真实生活，因此这些批评家不应该按照传统标准去评价《道路上的尘迹》。

          C、E：作者对批评家的态度是负评价，故排除。

3. 下列哪一项最好地描述了文章的组织结构？

    A.（错误）提出一种情况，然后解释这种情况是如何发生的。

    B.（错误）对比两个对立观点，并对其优缺点进行了评价。

    C.（错误）讨论一个正统观点，分析了对这一观点的反驳，然后证实原有观点。

    D.（正确）描述一个观点，并对该观点提出反驳。

    E.（错误）分析一个争议，并确定双方的几点共识。

解析： D：本题属于结构性主旨题，关键在于选项中的虚词全都能在原文找到对应。本文为驳论文，作者反驳之前的批评家，因此选项 D 最符合驳论文的结构特征。A point of view 对应批评家的观点，an analysis challenging that point of view 指的是作者的态度。

Passage **106**

解释为什么更多耐寒动物从＿＿＿＿＿＿地方迁徙到＿＿＿＿＿＿地方

↘原文翻译

  ❶在历史上，更多起源于欧亚大陆的、适应寒冷气候的羚羊迁徙到更加温暖的非洲，而适应温暖环境的非洲物种则迁徙到欧亚大陆。❷对此的一种可能解释包含一个事实：跨越大陆的迁徙既需要连接两片大陆的大陆桥，也需要在大陆桥上以及两端存在适合生存的栖息地。❸在气候变冷的时期，比如各种冰河时代，大陆桥会开放很久（因为海平面很低），适应寒冷环境的物种可以利用大陆桥，因为寒冷的栖息地在那时会延伸至整片大陆桥。❹因此，在变冷的时期，大多数迁徙者会往靠近赤道的非洲方向迁徙，因为这个方向是由正在变冷的地球上栖息地的变化所决定的。❺相比之下，当地球很温暖的时候，大陆桥会减少或者消失，因为那时海平面相对较高。❻只有在全球温度变化开始和海平面发生反应之间的短暂延迟期间，适应温暖环境的物种会从赤道向更高纬度迁徙。

↘3s 版本

  ❶更多耐寒动物从冷的地方迁徙到温暖的地方。

  ❷因为跨越大陆的迁徙需要大陆桥和适宜的栖息地。

❸寒冷时期存在大陆桥和适合于耐寒物种的栖息地。

❹因此寒冷时期耐寒物种会往温暖的地方迁徙。

换对象In contrast ❺温暖的时候没有大陆桥。

❻温暖时期大陆桥存在适宜的生存环境的机会很少。

全文3s版本：解释为什么更多耐寒动物从冷的地方迁徙到温暖的地方。

题目讲解

1. 根据文章，关于冰河时代欧亚大陆和非洲之间的大陆桥，下列哪一项是正确的?
   A.（正确）大陆桥为耐寒的羚羊物种提供了适宜的栖息地。
   B.（错误）大陆桥鼓励耐寒的羚羊物种从非洲迁徙到欧亚大陆。
   C.（错误）大陆桥使得在其他地方会灭绝的适应温暖环境的羚羊物种能够活下来。
   D.（错误）相比于冰河时代晚期，大陆桥更可能在冰河时代早期存在。
   E.（错误）大陆桥所提供的栖息地比其他时期的大陆桥提供的栖息地会变化得更快。

解析： A：根据文章，羚羊迁徙需要大陆桥以及大陆桥上有适宜的栖息地。

　　　 B：表述相反，应该是从欧亚大陆迁徙到非洲。

　　　 C：文章只提及寒冷时期耐寒的物种会往温暖的地方迁徙，没提及是否让适应温暖环境的物种生存。

　　　 D：根据 short lag 的部分可知，当冰河时代快结束的时候，在海平面上升之前，大陆桥依然会存在，因此看不出冰河时代开始和结束的时候什么阶段的大陆桥多。

　　　 E：文中没提栖息地的变化。

2. 文章作者暗示在"短暂的延迟"期间，非洲和欧亚大陆之间的大陆桥
   A.（错误）主要被起源于欧亚大陆的羚羊物种所居住
   B.（错误）特点是有不同的海拔高度
   C.（错误）有多种羚羊物种居住
   D.（正确）包含适应于温暖环境的羚羊物种的栖息地
   E.（错误）包含类似于欧亚大陆高纬度地区的栖息地

解析： D：根据文章，在 short lag 期间，适应于温暖气候的羚羊可以迁徙到欧亚大陆，这意味着这个时期的大陆桥包含有适合这种物种的栖息地。

　　　 A：应该是被起源于非洲的物种居住。

　　　 B：文中未提及。

　　　 C：文中未提及。

　　　 E：文中未提及。

3. 根据文章，下列哪一项最好地解释了羚羊迁徙方向的明显偏好?
   A.（错误）适应于温暖环境的羚羊物种很少能够忍受寒冷的栖息地，而耐寒的羚羊物种通常可以忍耐温暖的环境。
   B.（错误）在全球变暖期间，当大陆桥存在的时候会缺少适合于适应温暖环境的物种生存的栖息地。
   C.（错误）在大多数气候条件下，非洲比欧亚大陆提供了更多的羚羊栖息地。
   D.（错误）更多的羚羊物种起源于欧亚大陆而非非洲。

E.（正确）大陆桥会更可能存在于当气候变化适合迁徙到温暖环境中时，而非气候变化适合往寒冷环境迁徙时。

解析： E："气候变化适合迁徙到温暖环境中时"指的就是全球变暖的时候，根据文章，这个时候大陆桥更可能存在。但是气候变暖时，大陆桥只会存在很短的一段时间，所以选项 E 正确。

A：文章本身没讨论羚羊对于温度的适应性问题，而且决定羚羊往哪个方向迁徙的因素是大陆桥和大陆桥上的栖息地，而非动物的忍耐性。

B：当全球变暖时，在 short lag 期间，大陆桥上依然有合适的栖息地。

C：从文中看不出来。

D：从文中看不出来。

Passage

_____不同的影响因素

📖 原文翻译

❶长期以来，生物学家一直在辩论鸟类产蛋的生物学成本是否很高。有的人认为产蛋是非常耗能或者营养需求很高。❷但是，拉克认为巢穴的大小——每一次繁殖周期中一只鸟所产蛋的数量——远远低于产蛋的潜在极限。❸他认为巢穴大小的发展和父母能够成功喂养的雏鸟的数量有关。❹随后，大多数研究集中在雏鸟喂养期间的限制，尤其是在晚成型鸟类（父母在巢穴中喂养幼雏的鸟类）中。❺拉克之后发现，在早熟型鸟类（幼雏自己觅食的鸟类）中，巢穴大小可能由不同的因素来解释——比如，产蛋的雌鸟能够获得的食物。

📖 3s 版本

❶有的人认为产蛋的数量由能量和营养决定。

however ❷拉克认为产蛋并不是由能量和营养决定的。

❸拉克认为巢穴大小决定于父母的养育能力。

❹在altricial中，巢穴大小取决于养育雏鸟的能力。

时间对比❺在precocial中，巢穴大小取决于产蛋的雌鸟的营养水平。

全文3s版本：巢穴大小不同的影响因素。

📖 文章点拨

第❶句的老观点，通俗来讲就是"能生多少生多少"。第❷句 however 取反，拉克发现实际鸟类产蛋的数量远远低于极限水平，也就是说这些鸟类没有尽全力产蛋，因此就不能说"能生多少生多少"。那么生多少是由什么决定的呢？第❸句给出拉克的观点：能"养活"多少生多少。第❹句以晚成型鸟类（altricial species）为例，这种鸟确实是能"养活"多少生多少。至于这句话的 most studies 是否包括拉克就不得而知了，但是这些研究肯定和第❸句的观点是一致的。第❺句以早熟型鸟类（precocial species）为例，发现还得是能生多少就生多少。因此这个例子相当于拉克所发现的自己观点的例外。

💬 **题目讲解**

1. 本文表明认为产蛋消耗很大的生物学家会同意巢穴大小取决于

   A.（正确）产蛋所需要的营养和能量

   B.（错误）父母能成功养育的雏鸟的数量

   C.（错误）在雏鸟养育过程中的繁殖限制

   D.（错误）新孵化出来的雏鸟可以得到的食物

   E.（错误）晚成型和早熟型鸟类之间的区别

解析： A：根据题干可知本题定位到第 ❶ 句。因为这些生物学家认为产蛋消耗很大，因此巢穴大小取决于产蛋的能量和营养，选项 A 正确。

2. 文章表明拉克会同意下列哪些关于影响鸟类巢穴大小的因素的说法？

   A.（正确）在晚成型鸟类中，巢穴大小主要取决于蛋被产下来之后的因素。

   B.（错误）在早熟型鸟类中，巢穴大小主要取决于蛋被产下来之后的因素。

   C.（正确）在很多鸟类中，巢穴大小总体上都会低于产蛋的潜在极限水平。

解析： A：很多考生看到选项 A 时会纠结第 ❹ 句究竟是不是拉克说的。实际上，选项 A 用第 ❸ 句就能判断对错。第 ❸ 句中，拉克认为"能养活多少就生多少"，而根据晚成型鸟类的定义，幼雏需要父母"养活"，因此晚成型鸟类的巢穴大小当然取决于产蛋之后的因素，即"养活能力"，因此选项 A 正确。

　　C：同义改写第 ❷ 句。

　　B：根据第 ❺ 句，早熟型鸟类取决于生蛋过程中雌鸟的营养，选项 B 错误。

Passage 108

科顿·马瑟的关于马萨诸塞湾殖民者的传记是＿＿＿＿＿＿的

📖 **原文翻译**

❶很多历史学家坚持认为科顿·马瑟关于《马萨诸塞湾殖民地》（*Massachusetts Bay Colony*, 1702年出版）的一些殖民者的传记是一种圣徒传记，给其主题赋予了神圣的虔诚，而牺牲了历史精确性。❷但是，现代研究既获益于马瑟提供的广博信息——例如，他对殖民地医学的讨论——同时还获益于他对约翰·温斯罗普总督等重要人物的批判性观察。❸马瑟在对温斯罗普努力要阻止偷窃木头等一些事件的细节化描述中，展示出了他的黑色幽默，但那些指责马瑟的主题是极其虔诚的人却忽视了这一点。❹这一指责也掩盖了马瑟对殖民者的物质繁荣而非仅仅是精神繁荣的关注。❺除此以外，这种贬低的观点也低估了传记作为编年史的价值：马瑟汇总了各种已出版或未出版的文件作为原始资料，他对关键事件的选择也表明了他对殖民地发展本质的明显敏感性。

📖 **3s 版本**

❶很多历史学家认为马瑟的传记作品是神圣的而非真实的。

Yet ❷现代研究认为马瑟的传记作品是真实的。

❸❹❺认为马瑟的传记作品是神圣的就意味着忽略了其真实性。

全文3s版本：科顿·马瑟的关于马萨诸塞湾殖民者的传记是真实的。

文章点拨

第❶句是历史学家的观点，他们只看到了马瑟传记作品的神圣性，并认为这种神圣性牺牲了传记的真实性。第❷句"Yet"与前一句取反，同时换了表达观点的人，现代研究则重点关注了马瑟的传记作品中真实的特征。❸❹❺相当于作者在评价历史学家的观点，认为如果只关注传记的神圣性，就会掩盖传记的真实。本文存在大量神圣和真实的同义改写。神圣：hagiography、saintly piety、pious、spiritual；真实：historical accuracy、breadth of information、critical observations、detailed descriptions、material、chronicles、amassed all sorts of published and unpublished documents、sensitivity to the nature。

题目讲解

1. 本文的主要目的是

   A.（错误）反驳历史研究者普遍持有的一个理论

   B.（错误）强调一种不同寻常的记录一个历史时代的方法

   C.（错误）总结一个特定历史人物的研究

   D.（正确）反驳一个关于某个传记作家的作品的观点

   E.（错误）指出有争议的历史报告之间的微妙差异

   解析：D：a biographer 对应 Mather，a particular view 对应历史学家的观点，认为传记是神圣的。本文重点是❸❹❺三句中作者对于历史学家观点的反驳。

   A：第❶句的观点只是 many 历史学家所持有的，而非 universally accepted（universal=all>most≥many）。

   B：an unusual approach 在文中没有对应。

   C：a specific historical figure 指 John Winthrop，是文中的细节。

   E：subtle differences 在文中没有对应。

2. 文章作者暗示关于马瑟的作品的历史精确性的论证会被下列哪一项所支持？

   A.（错误）一些幸存的文件证明了马瑟对他的主题的细节化的描写。

   B.（错误）马瑟本身就和他所写的人很熟。

   C.（错误）马瑟对他进行了大量研究的人物的生活和时代的直率的描写。

   D.（错误）马瑟能够在虔诚的背景下细节化描述重要的历史事件。

   E.（正确）马瑟获取信息的原始资料的数量和本质。

   解析：E：对应第❺句，quantity 对应 amassed all sorts of published and unpublished documents，nature 对应 sensitivity to the nature of the colony's development。

   A：文中用来说明马瑟作品的历史精确性的是他的研究过程以及研究资料，他的精确性本身没有被一些幸存的文件证明。可以说是马瑟利用一些文件的信息去支持他的细节化描写，但是不能说一些文件证明了他的精确性，所以选项 A 不对。

3. 文章的信息最好地支持了下列哪一项关于马瑟对《马萨诸塞湾殖民地》中的殖民者的传记的陈述？

A.（错误）马瑟和其他人写的编年史被之后的历史学家所审查，因此背离了这些传记作为那一时代的完整和精确的描述的价值。

B.（错误）马瑟对温斯罗普总督的描述包含了温斯罗普的所有缺点，比如在不恰当时间表现得很轻浮。

C.（错误）马瑟对马萨诸塞湾殖民者的描述主要基于亲身经历。

D.（错误）很多历史学家认为马瑟的传记是很不好的历史信息的来源，因为传记在本质上是一个不靠谱的历史写作文体。

E.（正确）马瑟的作品反映出了对早期马萨诸塞湾殖民者所达到的经济成功程度的兴趣。

解析：E：对应第 ❹ 句，interest in 对应 concern with，economic success 对应 material, not just spiritual, prosperity。

A：文章看不出如下因果关系：因为马瑟的传记被审查，所以就不真实了。

B：文中未提及。

C：根据原文，马瑟的研究是基于一些原始资料，并非第一手的亲身体验。

D：文章没有评价传记作为一种文体本身是否靠谱。

Passage 109

伊丽莎白·巴尔内斯因为凯瑟琳·斯丁普森的方法太＿＿＿＿＿＿而批判之

原文翻译

❶凯瑟琳·斯丁普森倡导基于情感标准对文学价值进行重新评价——基于文学作品给读者带来的感受——而非基于传统上用于定义经典（普遍被认为"伟大的"大量作品）的审美标准。❷斯廷森倡导对文学作品，比如路易莎·梅·奥尔科特的《小妇人》（*Little Women*），采用另一种标准，因为她认为这些作品被无同情心的学者不公正地忽视了。❸斯丁普森认为，以传统标准衡量，一部超越经典的作品有可能具有文学价值，也有可能不具有文学价值；进一步讲，作品的价值在于它的"激发爱的能力"。

❶伊丽莎白·巴尔内斯批判了斯丁普森的方法是主观的，因此缺乏批判性。❷"尽管斯丁普森从未真正定义过什么叫作'爱'，但是她暗示一部有爱的作品可以让读者非常投入，以至于作品的世界观和读者的世界观无法分割。"（斯丁普森承认《小妇人》中反映的价值观有可能在潜意识中影响了她对超越经典的创作。）❸对于巴尔内斯来说，斯丁普森的方法中所暗含的将道德和审美进行融合（在这种方法中，"好"可以指某些符合道德并且/或者质量超越平均水平的作品）证明了善和爱等概念中固有的模糊性。

3s 版本

❶凯瑟琳·斯丁普森认为应该用情感标准去评价文学作品。

❷凯瑟琳·斯丁普森倡导这种评价方法的原因。

❸重申应该用情感标准去评价文学作品。

第一段 3s：凯瑟琳·斯丁普森认为应该用情感标准去评价文学作品。

criticize/换对象❶伊丽莎白·巴尔内斯因为凯瑟琳·斯丁普森的方法太主观而批判之。

❷举例证明凯瑟琳·斯丁普森的方法是多么主观。

❸凯瑟琳·斯丁普森的定义太模糊。

第二段 3s：伊丽莎白·巴尔内斯因为凯瑟琳·斯丁普森的方法太主观而批判之。

全文3s版本：伊丽莎白·巴尔内斯因为凯瑟琳·斯丁普森的方法太主观而批判之。

文章点拨

本文看似内容抽象晦涩，但是结构非常清晰。第一段第❶句是凯瑟琳·斯丁普森的观点，认为应该用情感标准去评价文学作品。第一段内部三句话之间都是取同的，因此可以预判第一段整体上都是在说情感标准。第二段第❶句criticize负态度取反，伊丽莎白·巴尔内斯认为凯瑟琳·斯丁普森的评价方式不对，这一段内部三句话也是取同的，因此全文预判就是第二段批判第一段，认为凯瑟琳·斯丁普森的评价方法是不正确的。

本文前两句介绍了凯瑟琳·斯丁普森的观点以及其原因。第❸句中的may or may not体现出凯瑟琳·斯丁普森的评价标准和传统标准并非完全互斥，两者存在交集，为下一段说凯瑟琳·斯丁普森的定义模糊埋下了伏笔。

第二段第❶句开门见山，伊丽莎白·巴尔内斯批判凯瑟琳·斯丁普森。之后的两句都是对这句话的展开。

第❷句的 its worldview becomes inseparable from the reader's own 便是为了表明符合凯瑟琳·斯丁普森定义的作品在内容上是主观的。比如，"一千个读者，就有一千个哈姆雷特"，通过这句话我们就可以说《哈姆雷特》是主观的，因为这个时候作品想要表达的内容并不取决于作品本身，而是取决于读者们的理解，读者觉得这部作品表达什么就是在表达什么。本句话括号部分也表明，凯瑟琳·斯丁普森自己都承认自己对于这一评价标准的提出是受到了其他作品的影响，而非站在一个客观的角度。

第❸句的 ethics 对应凯瑟琳·斯丁普森的评价方法，即情感标准，aesthetics 对应传统的基于美学的评价标准。这句话说凯瑟琳·斯丁普森的定义中将情感和美学融合在一起以至于只有审美或者只有情感或者审美情感两者兼得的作品都会符合凯瑟琳·斯丁普森给出的评价标准，于是所谓好作品便没有了标准，因此凯瑟琳·斯丁普森的定义模糊、主观。

题目讲解

1. 根据文章，斯丁普森倡导了超越经典的创作，因为她

A.（错误）发现很多包含在经典中的作品是没有启发性的

B.（错误）拒绝了很多经典作品中反映出来的道德标准

C.（错误）没能够说服其他学者让她最喜欢的一些作品被加入经典中

D.（正确）认为一些作品的价值被一些评论家忽视，这些评论家只关注传统审美标准

E.（错误）坚持文学评价的传统标准

解析：D：本题考查的是凯瑟琳·斯丁普森提出自己评价标准的原因，对应第一段第❷句。选项D同义改写第❷句，critics who are concerned only with traditional aesthetic standards 对应 unsympathetic scholars。

A：与本题无关。

B：与本题无关。

C：与本题无关。

E：与本题无关。

2. 文章作者提到路易莎·梅·奥尔科特的《小妇人》的主要目的是提供一个作品的例子，这部作品

A.（错误）作者认为不恰当地从经典中被排除了

B.（错误）文章作者和斯丁普森都认为在情感上是令人满意的

C.（正确）斯丁普森认为没有被学者充分地欣赏

D.（错误）迎合了巴尔内斯的道德和审美标准

E.（错误）呈现了关于爱的模糊的观点

解析：C：对应第一段第 ❷ 句。

A：文章没有作者观点。

B：文章没有作者观点。

D：文章没有提及巴尔内斯的标准。

E：呈现了关于爱的模糊观点的是斯丁普森的定义，而非这部作品。

3. 从文章可以推测出巴尔内斯最有可能同意下列哪一项关于斯丁普森的评价文学作品的方法的描述？

A.（错误）斯丁普森的评价文学作品的方法要求使用比传统方法更严谨的标准。

B.（错误）斯丁普森的评价文学作品的方法的运用会导致大多数包含在经典中的作品从超越经典中被排除出去。

C.（错误）斯丁普森的评价文学作品的方法认可了过分庞大和多样化的作品。

D.（正确）斯丁普森的评价文学作品的方法包含了一个没有被严格定义的标准的使用。

E.（错误）斯丁普森的评价文学作品的方法导致了比传统审美标准更加客观的评价。

解析：D：本题考查的是巴尔内斯对斯丁普森的标准的态度，应该选择和模糊、主观有关的选项，故选项 D 正确。

A：在巴尔内斯眼中，斯丁普森的方法是不严谨的，选项 A 的表述相反。

B：根据第一段第 ❸ 句，超越经典和经典之间确实有交集，但是"从超越经典中被排除出去"的经典作品是否是大多数的，这一点文章看不出来。

C：尽管斯丁普森的方法很主观，但是看不出这一方法"滥情"，给太多的作品赋予认可。

E：斯丁普森的方法主观，而非客观。

Passage 110

一颗脉冲星没有_____，另一颗有

原文翻译

❶最近宣布发现了第一颗围绕脉冲星（超新星爆炸后释放出来的超高密度的有脉冲现象的残骸）运行的行星，结果证明是基于错误的数据。❷如果这一发现被证实，那么理论学家将很难解释这种行

星的存在。❸超新星一定会摧毁之前存在的任何行星。❹这颗脉冲星相对较年轻，几乎没有时间让一颗新的行星合并，并且它旋转得很慢，这意味着它在超新星爆发后还没有和附近的任何恒星发生过相互作用。

❶但是关于另一颗脉冲星有行星的新的证据更可信。❷这是一颗快速前进的"毫秒脉冲星"，它被认为是一个更老的天体，从附近的星体中吸取了气态物质导致它的转速上升。❸从理论上讲，它周围残留的未被吸收的气体会凝结形成行星。❹或者，脉冲星的辐射有可能蒸发了一个伴星，这为行星的形成提供了新的物质。

3s 版本

❶最近发现的一颗脉冲星周围不应该有行星。

❷因为脉冲星周围的行星很难被解释。

❸超新星爆发会摧毁行星。

❹这个脉冲星太年轻并且转速慢使之没条件形成行星。

第一段 3s：最近发现的一颗脉冲星周围不应该有行星。

But ❶新证据表明另一颗脉冲星有行星。

❷这颗脉冲星旋转速度很快。

❸❹脉冲星形成行星的方式。

第二段 3s：另一颗脉冲星可以有行星。

全文3s版本：一颗脉冲星没有行星，另一颗有。

题目讲解

1. 文章的主要目的是

A.（错误）提供一个基于错误数据的最近发现的危险的例子

B.（错误）阐明很难解释一项最近的发现

C.（正确）评价关于一个还未被证实是否存在的天体的最近发现的可信性

D.（错误）认为某一假说没能解释一个看起来自相矛盾的现象

E.（错误）证明找出一个现象的真相是多么困难

解析：C：a class of objects 指的是围绕脉冲星的行星。文章第一段否认了这种行星的存在，第二段又肯定了行星的存在，既有加强又有削弱，对应 assess，因此选项 C 正确。

　　A：文中没提 dangers。

　　B：a recent discovery 只对应第一段，没提第二段。

　　D：本文两段其实分别描述了两个现象，一个是没有行星，一个是有行星。

　　E：difficult 与本文无关。

2. 下列哪一项最好地描述了文章的结构？

A.（正确）提出两组关于类似现象的研究成果，并讨论了各自的理论意义。

B.（错误）提出并否决一种现象的理论解释，并提供一个更有吸引力的替代观点。

C.（错误）对一组观察数据的两个独立和相反的解读进行比较，并且其中一种解释优于另一种解释。

D.（错误）介绍一个粗心的研究实例，并且同一个关于同样物质更严谨的分析相对比。

E.（错误）概述一种无法被解释的现象的状态，并推荐进一步调查的方法。

解析： A： similar phenomenon 指的是脉冲星周围的行星；Two sets of research findings 指的是本文两段对两颗不同脉冲星的研究；theoretical implication of each 对应两段对各自发现所给出的理论意义：第一个发现从理论上说是不存在的，第二个发现从理论上说是可信的，选项 A 正确。

B： 本文两段呈现了两种关于脉冲星行星的理论解释，但是并没有哪种解释是被否决的。

C： a set of observational data 不对，本文两段呈现了两个观察。

D： the same material 会让人以为两段描述的是同一颗脉冲星，其实是两颗不同的脉冲星。

E： 文中未提及 an approach to further investigation。

3. 下列哪一项可以从第一段所讨论的脉冲星推测出来？
A.（错误）理论学家一开始质疑了它的存在。
B.（错误）如果它的存在被证实了，那么天文学家就会将注意力转移到第二段讨论的脉冲星。
C.（错误）如果产生了这一脉冲星的超新星爆发更加强大，那么引发的辐射就会促使行星的形成。
D.（正确）如果在超新星爆发后它和附近的恒星发生相互作用，那么它的旋转速度就会比现在快。
E.（错误）天文学家对它的兴趣最终导致了一个新的关于行星形成的理论。

解析： D： 根据第一段第 ❹ 句的 it rotates relatively slowly, implying that it has not interacted with any nearby star since the supernova 可以推测出，如果脉冲星和周围恒星发生相互作用，就会转得更快。

A： 脉冲星的存在是客观事实，没人质疑这一点，人们质疑的是脉冲星附近的行星。

B： 文中未提及。

C： 根据第二段，脉冲星的辐射会促使行星的形成，而非超新星的辐射。

E： 行星形成的理论和天文学家的兴趣无关。

Passage

除了气候，＿＿＿＿＿＿＿因素也会影响山体滑坡，我们需要应对这一问题

原文翻译

❶越来越多的证据表明，由于气候变化，世界许多地区的山体滑坡频率和强度正在发生改变。❷这一点都不令人惊讶，因为降水是导致山体滑坡的两个外部引发因素之一——另一个是地震活动。❸过去的证据清楚地表明山地滑坡活跃周期之后伴随着低活跃周期，而这些周期在多个时间尺度上和气候波动有关。

❶目前山体滑坡活动的改变可能是人为因素单独起作用或者和气候协同作用，从而进一步改变了山体滑坡的过程以及生态系统应对的方式。❷在这些因素中，森林砍伐和土地利用的改变有可能影响了山体滑坡的频率和强度，因为它们对能够影响山体稳定性的植被因素产生了直接影响。❸山体生态系统抵抗这些变化——即山体在转变为具有不同结构和功能的状态之前能够吸收多少干扰——的程度和条件是未知的。❹应对这一问题对长期保护山体来说至关重要。

3s 版本

❶气候影响山体滑坡的频率和强度。

❷气候中的降水因素影响山体滑坡。

❸过去的证据表明了这种相关性。

第一段 3s：气候影响山体滑坡的频率和强度。

时间对比❶❷当下的山体滑坡还会被人为因素影响。

❸山体对人为因素的耐受能力是未知的。

❹解决这一问题很关键。

第二段 3s：人为因素也会影响山体滑坡，我们需要应对这一问题。

全文3s版本：除了气候，人为因素也会影响山体滑坡，我们需要应对这一问题。

题目讲解

1. 文章作者引用"过去的证据"的目的是
   A.（正确）支持一个部分的解释
   B.（错误）承认一个可能的反驳
   C.（错误）忽视一个明显的反例
   D.（错误）强调一个科学共识
   E.（错误）解释一个历史怪象

解析：A：本题属于功能题，定位句 3s 版本是气候影响山体滑坡。同时根据文章可知，气候并非是影响山体滑坡的唯一因素，还有地震和人为因素，因此只是一个 partial explanation，因此选项 A 正确。

2. 文章提出下列哪一个观点?
   A.（错误）人为因素导致降水量上升，从而增加了山体滑坡的频率和强度。
   B.（错误）人为因素比周期性气候波动更能导致山体滑坡更剧烈的变化。
   C.（正确）山体滑坡的减少在历史上伴随着气候变化。
   D.（错误）山坡稳定性受地震活动的影响大于人为因素的影响。
   E.（错误）土地利用模式的变化普遍和气候变化有关。

解析：C：对应第一段最后一句，其中 historically 对应原文中的 Evidence from the past。

3. 关于人为因素在山体滑坡中所扮演的角色，文章作者表明了下列哪一项?
   A.（正确）人为因素会加强或改变气候变化对山体滑坡的影响。
   B.（错误）人为因素有可能比气候变化更能影响山体滑坡。
   C.（正确）直到最近，人为因素都没有对山体滑坡产生很重要的影响。

解析：A：根据第二段第❶句，人为因素会单独或和气候一起对山体滑坡起作用。注意整篇文章都没有说人为因素一定会协助气候因素，其实也有可能削弱气候因素，因此选项 A 的 intensify or alter 用得很严谨。

C：这个选项需要注意文章的时间对比。第一段讲的是过去的证据表明过去的山体滑坡由气候和地震导致，第二段开头"目前山体滑坡活动的改变可能是人为的因素"，因此人为因素是近期才开始起作用的，所以选项 C 正确。

B：从文中我们只能看出来人为因素会影响山体滑坡，但是没有提及和气候因素相比谁更重要。

Passage  112

列举了不同的对＿＿＿＿＿＿的观点

原文翻译

❶在关于夏洛蒂·勃朗特的第一部也是最知名的传记《夏洛蒂·勃朗特的生平》（*The Life of Charlotte Bronte*, 1857）中，伊丽莎白·盖斯凯尔提出了长期流行的对勃朗特的浪漫主义观点，认为她和当时英国社会的其他地方格格不入，当时工业化正在造成动荡，但是她就像那些紫色的石楠花一样自然地出现在英国乡村。❷盖斯凯尔还认为勃朗特行事非常得体，不会产生"不淑女"的感情或者危险的想法；这一点与马修·阿诺德在勃朗特小说深处所精确洞察到的颠覆性思想非常不同，尽管这种洞察很模糊。❸虽然最终修正了盖斯凯尔的很多错误和遗漏，但是威妮弗蕾德·格里的《夏洛特·勃朗特：天才的进化》（*Charlotte Bronte: The Evolution of Genius*, 1967）都没能抛弃盖斯凯尔的观点。❹尽管女权主义者对勃朗特的生活给予了新的解读，但主要是朱丽叶·巴克考虑到了影响当时生活的更大的社会背景——一个正在发生改变的英国，旧有的阶级和性别分化正在面临压力。

3s 版本

❶盖斯凯尔认为勃朗特是乡村的，与工业化背景格格不入。

❷阿诺德则认为勃朗特有颠覆性的想法。

❸格里修正了盖斯凯尔的观点，但是也没有彻底放弃盖斯凯尔的观点。

❹巴克认为当时的社会背景影响了勃朗特。

全文3s版本：列举了不同的对勃朗特的观点。

文章点拨

本文的难点在于发现这篇文章其实并没有作者的观点，也没有支持任何人的观点，只是很客观地引述了盖斯凯尔、阿诺德、格里和巴克对勃朗特的生活的评价。

盖斯凯尔认为勃朗特只是乡村生活的产物，没有受到英国工业化的影响。而阿诺德则洞察到了勃朗特小说中隐含的颠覆性思想，也就是说，勃朗特没有盖斯凯尔说得那么置身世外。从第 ❸ 句可以看出格里其实是不认可盖斯凯尔的观点的，巴克则认为外部环境的变化影响了勃朗特的生活。

从上面可以看出，对勃朗特生活的研究随着时间发生变化。从最早的认为勃朗特是置身世外的浪漫主义者，到最后发现勃朗特受制于外部环境的变化。

题目讲解

1. 文章的主要目的是

   A.（错误）考虑夏洛特·勃朗特生活的几项研究之间的相似之处

   B.（错误）支持夏洛特·勃朗特生活的一个特定观点

   C.（正确）讨论夏洛特·勃朗特生活的观点的转变

   D.（错误）描述夏洛特·勃朗特生活的社会环境

   E.（错误）认为夏洛特·勃朗特是一个早期女权主义作家

解析：C：本文列举的是对夏洛特·勃朗特生活的不同观点，另外从第 ❶ 句的 1857 到第 ❸ 句的 1967 可以看出这些观点之间存在时间顺序。

A：只能说格里和盖斯凯尔之间存在一定的相似度，但是没涉及其他观点。

B：本文只是作者在客观描述多人的观点，本身没有支持任何人。

D：社会环境的变化只是文中一些人提出自己观点的基础，但不是本文主要讨论的内容，排除选项 D。

E：文中未提及。

2. 文章表明马修·阿诺德不认可夏洛特·勃朗特的小说，因为他认为夏洛特·勃朗特的小说

A.（错误）过分浪漫化了英国的乡村

B.（正确）包含了危险的想法

C.（错误）延续了过时的社会特点

D.（错误）没能以现实主义的手段体现工业社会

E.（错误）反映出对私有财产的过分关注

解析：B：阿诺德的观点，只能定位到第 ❷ 句，故选项 B 正确。

3. 文章表明盖斯凯尔对夏洛特·勃朗特的传记提出了一个思想，认为勃朗特

A.（错误）是浪漫主义小说家中最出名的一个

B.（错误）是社会变革的直言不讳的倡导者

C.（错误）反对英国的工业化

D.（错误）深受当时的社会动荡影响

E.（正确）主要是乡村环境的产物

解析：E：对应第 ❶ 句的 sprung naturally...out of the English countryside，因此选项 E 说夏洛特·勃朗特是乡村环境的产物是正确的。

A：文中没提夏洛特·勃朗特是不是小说家中最出名的。

B：这是阿诺德的观点。

C：盖斯凯尔只是说夏洛特·勃朗特与工业化环境不同，但是不意味着夏洛特·勃朗特反对工业化。

D：这是巴克的观点。

Passage 113

女性乡村小说描述了＿＿＿＿＿＿＿＿

📖 原文翻译

　　❶布伊尔对乡村小说（1830年代和1840年代美国的一种流行小说种类）的研究提供了一个有价值的总结，将社区描述成统一的和一成不变的小说，但是这项研究忽略了女性作家的作品，这些作品通常会描述当时越来越能体现真实乡村社会的多样性。❷这些女性的地域流动受到了限制（尽管当时的女性作家并非全都以这种方式被限制），她们的题材反映了这一事实。❸但是，她们的文本被从另

一个背景进行写作的吉利根所称之为的关注别人声音的能力所充实。❹在不同程度上，女性乡村小说描写了社区成员之间的不同：所有作品都强调了男性之间的和女性之间的不同（尤其是后者）以及性别之间的不同，并且有些作品还描述了文化的多样性。❺这些作家认为社区是动态的，认为社区必须进行磋商、反复进行协商，因为社区成员有着不同的过去、立场、期待和信仰。

3s 版本

❶女性乡村小说描述乡村的多样性。

❷这些女性的活动范围有限。

Yet ❸她们的作品被吉利根所充实。

❹❺女性乡村小说描述了乡村的多样性。

小结：❷❸❹❺封装，与❶取同。

全文3s版本：女性乡村小说描述了乡村的多样性。

文章点拨

第❶句重点在 but 之后，因此本句重点是女性乡村小说关注的是乡村社区的多样性。

第❷句同前一句没有取反标志，但是讲这些女性"大门不出二门不迈"，地理位置受限，应该没见过什么世面，因此这句话实际内容和前一句相反。这句话相当于让步，要做"But"封装。

第❸句中一个叫吉利根的人呼吁这些女性要关注自己之外的声音，这一建议使得女性乡村小说的内容得以充实，因此得出后两句的结论：女性乡村小说描述了乡村的多样性。❷❸❹❺封装，与❶取同。

题目讲解

1. 根据这篇文章，1830 年代和 1840 年代美国女性乡村小说通常反映的是

    A.（错误）描述村子之间贸易关系的谈判

    B.（正确）这些女性通常不会过于远离她们自己的村子这一事实

    C.（正确）村子居民里存在的经验和思想的多元性

解析：B：对应第❷句，这些女性的地域流动性受限。

　　　　C：对应第❺句的 members' divergent histories, positions, expectations, and beliefs。

　　　　A：文中没提到贸易。

2. 从文中选择一个句子，这个句子将男性和女性如何描述乡村社区的方法进行了对比。

答案：第❶句。

解析：根据第❶句 but 之后"这项研究忽略了女性作家的作品"，由此可知前半句描述的是男性的乡村小说。

3. 本文提到当吉利根谈及"关注别人的声音的能力"时，她

    A.（错误）没有认为那种能力是一种理想的心理特征

    B.（错误）没有认为个人在那种能力上有很大差异

    C.（错误）暗示那种能力会加强对社区的归属感

    D.（错误）认为好的作家能够描述不同的角色

    E.（正确）没有讨论那些描写了乡村小说的女性

解析： E：根据吉利根，本题只能定位到第❸句。根据该句 writing in a different context，吉利根写的东西和写乡村小说的女性是不一样的，因此当吉利根谈论这种能力的时候，其实根本没有谈论那些乡村小说女作家，因此选项 E 正确。

A：文中未提及。

B：文中未提及。

C：文中未提及。

D：文中未提及。

Passage 114

云无法被用于判断＿＿＿＿＿＿＿＿＿

原文翻译

❶在1980年代后期，理论学家或者大型计算机气候模型都不能精确地预测云层系统会促进还是削弱全球变暖。❷一些研究表明，海洋上方层积云上升4%，足以弥补二氧化碳浓度的加倍上升，阻止潜在的灾害性的全球温度上升。❸另一方面，卷云的上升可能会加剧全球变暖。

❶一项针对十四个模型的研究表明，云层是气候模型中最微弱的元素。❷研究者们通过比较一个世界的气象预测，这个世界的二氧化碳浓度是现在的两倍，发现如果模型中不包括云，这些模型会非常吻合。❸但是，当云被包括进去后，（这些模型）产生了各种各样的气候预测。❹由于这些差异困扰着这些模型，科学家们无法轻易地预测世界气候变化的速度，也无法判断哪些地区会面临更严重的干旱或者致命的季风。

3s 版本

❶云无法被用于判断全球变暖。

❷层积云上升会降温。

换对象❸卷云上升会增温。

小结：❷❸广义封装，与❶取同。

第一段 3s：云无法被用于判断全球变暖。

❶十四个模型证明了云是不靠谱的。

❷没有云的时候，模型结果很吻合。

But ❸加入云之后，模型结果差异很大。

小结：❷❸广义封装，与❶取同。

❹云无法被用于判断全球气候变化。

第二段 3s：云无法被用于判断全球气候变化。

全文3s版本：云无法被用于判断全球气候变化。

文章点拨

本文是总分结构，主旨句是第一段第 ❶ 句。❷❸ 通过一对相反的例子来说明云无法被用于预测全球气候，因为有的云可以降温，有的云可以增温。

第二段通过描述十四个模型的实验来进一步加强云无法用于预测全球气候变暖这一观点。当模型里没有云的时候，模型的结果很统一，但是一旦有了云，这些模型的预测结果会发生紊乱，这说明云会破坏全球气候的预测。

题目讲解

1. 本文主要关注于

   A.（错误）证实一个理论

   B.（正确）支持一个陈述

   C.（错误）呈现新的信息

   D.（错误）预测未来的发现

   E.（错误）比较一些观点

解析： B：a statement 对应第一段第 ❶ 句，全文通过例子和实验来支持这一观点。

   A：错在 confirming，confirm 表示"证实"，是 100% 的确定，但是本文只是通过例子和实验来"加强"第一段第 ❶ 句的观点，并没有"证实"。

   C：文中未提及。

   D：文中未提及。

   E：文章只有一个观点，即第一段第 ❶ 句，而不是一些观点。

2. 从文章可以推测出，十四个模型没能吻合的原因之一是

   A.（错误）它们没能融合最新的关于云层对气候产生的影响的信息

   B.（错误）它们基于关于除云之外的对气候产生影响的因素的错误信息

   C.（正确）它们基于关于云层对气候产生的总体影响的不同假设

   D.（错误）它们的发明者对于模型应该提供的预测种类持有不同意见

   E.（错误）它们的发明者对于除了云之外的因素都应该包括进模型中持有不同意见

解析： C：根据第一段 ❷❸ 两句提供的信息，当我们能确定云的种类的时候，云对地球气候的影响是可以确定的，因此十四个模型的结论不统一的原因是不同模型关于云所能产生的影响的假设是不同的。有的模型认为云可以降温，有的模型认为云可以增温，大家的观点都不统一，因此模型的结果也是不统一的，故选项 C 正确。

3. 文章的信息表明科学家必须要回答下列哪个问题才能预测云对全球气候变暖产生的影响？

   A.（正确）地球上方将会形成什么种类的云？

   B.（错误）云是如何在海洋上方形成的？

   C.（错误）被预测的全球范围的温度上升的原因是什么？

   D.（错误）目前云中有多少比例的卷云？

   E.（错误）陆地上方的大气中有多少比例的云？

解析： A：根据第一段 ❷❸ 两句提供的信息，当我们能确定云的种类的时候，云对地球气候的影响是可以
确定的，因此只要知道将来会有什么种类的云，便可以预测全球温度变化。

B：与本题无关。

C：与本题无关。

D：干扰选项，当我们知道有多少比例卷云的时候确实可以知道全球温度变化，但是问题问的是如何
预测全球温度变化，因此应该知道将来的卷云的比例，而非现在的。

E：仅仅知道有多少比例的云是不够的，还需要知道这些云里面有多少比例的某种类型的云。

Passage

赫斯顿还写了另一个版本的《骡子与人》可以表明_____

原文翻译

❶佐拉·尼尔·赫斯顿的里程碑式民间故事集《骡子与人》（*Mules and Men*）于1935年出
版，它可能并不是作者一开始所想象的那本书。❷在这部人类学研究中，赫斯顿详细地描述了讲故事
的人，甚至经常让自己置身于讲故事的背景中。❸然而，很明显的是，赫斯顿还准备了另一个版本，
这部手稿在1929年之后就被人遗忘了，最近才被发现并且被出版了。❹这个版本和《骡子与人》的
区别在于它只是记录了一些故事，没有描述性或解读性的信息。

❶尽管我们不能明确地知道为什么赫斯顿的原稿在她有生之年没有出版，但是这有可能是因为出
版商想要的不仅仅是对故事的转述。❷当代小说家和评论家约翰·埃德迦·韦特曼认为非裔美国文学
是一段试图逃离条条框框的写作的历史，换句话说，非裔美国文学是非裔美国作家努力**呈现**非裔美国
人的故事，而不需要使用一种调整过的语言去给其他种族的美国读者解释故事。❸从这点来看，赫斯
顿还是领先时代的。

3s 版本

❶已出版的《骡子与人》并不是赫斯顿一开始想象的那样。

❷已出版的版本描述得很详细。

however ❸赫斯顿还准备了另一个版本。

第一段 3s：赫斯顿还准备了另一个版本的《骡子与人》。

❶未出版的版本不仅仅在转述故事。

❷韦特曼认为非裔美国文学不需要为了给其他种族的美国人解释故事而改善里面的语言。

❸未出版的版本的风格表明赫斯顿领先时代。

第二段 3s：解释为什么赫斯顿还写了另一个版本。

全文3s版本：赫斯顿还写了另一个版本的《骡子与人》可以表明赫斯顿领先时代。

文章点拨

本文结构很简单，但是在读的时候容易把已出版和未出版的版本混淆，搞不清楚哪个版本的写作风格分别是什么。

已出版版本：是为了迎合其他种族的美国读者的，所以第一段第 ❷ 句说 inserting herself into the storytelling scene，这与第二段第 ❷ 句的 have a mediating voice to explain the stories to a non-Black audience 和第二段第 ❶ 句的 more than a transcription of tales 相对应。正是为了给其他种族的美国读者解释清楚，赫斯顿才需要让自己仿佛进入了一个讲故事场景里。

未出版版本：不需要迎合其他种族的美国读者，因此不需要调整语言。对应的是 transcription of tales 和第一段第 ❹ 句的 it simply records stories, with no descriptive or interpretive information。

既然赫斯顿还偷偷地写了一个不迎合其他种族的美国的版本，这说明她是领先时代的。

题目讲解

1. 选择一句话，可以表明一个可能原因来解释为什么赫斯顿写了 1935 年出版的《骡子与人》的版本。

答案： 第二段第 ❶ 句。

解析： 注意，本题问的是为什么出版 1935 年的版本，不是未出版的版本，所以唯一给出原因的句子就是第二段第 ❶ 句。

2. 文章表明赫斯顿有可能做了下列哪件事情用来准备她一开始的版本？
   A.（错误）为了减少被误解的可能，写第一稿之前她和她的出版商讨论了她的呈现形式。
   B.（错误）为了能够呈现更多的民间故事素材，她将故事的呈现缩减至最小。
   C.（错误）为了能在它出版的时候最大化潜在读者，她将这一版本搁置了好几十年。
   D.（错误）为了删除出版商觉得不满的元素，她不情愿地改变了这一版本。
   E.（正确）为了能够根据它们自己的主张呈现这些故事，她选择不包含编辑的评论。

解析： E：本题问的是一开始的版本，即那个未被出版的版本，选项 E 正确。根据原文可知，这个未被出版的版本其特点就是只呈现故事，而没有任何的解读。

A：没提和出版商讨论。

B：文中没提故事的数量。

C：这一版本是用来专门针对非裔美国人的，没有顾及其他种族的美国人读者，因此它出版的时候无法最大化潜在读者。

D：这一版本只有故事，出版的版本增加了解释，因此未出版的版本反而是增加了元素才能满足那些出版商。

3. 将 "present" 一词替换成下列哪一项可以给文章带来含义上的最小改变？
   A.（错误）上交
   B.（错误）捐赠
   C.（正确）呈现
   D.（错误）提出
   E.（错误）提交

解析：C：根据本题的定位点 to present the stories of Black people without having to have a mediating voice to explain the stories to a non-Black audience 可知，present 本意是"呈现"，根据上下文理解，指的是客观地呈现这些故事，而没有作者的主观解释，因此选项 C 最合适。

Passage **116**

鲶鱼喜欢朝向东南方向筑巢，但是这么做的原因是_____

原文翻译

❶在选择巢穴位置的时候，雌性河鲶鱼（一种小鱼）似乎对巢穴大小和朝向都很敏感。❷鲶鱼喜欢在大石头下方以及朝向东南的巢穴产卵。❸朝向东南的巢穴的一窝卵更多，这一事实无法完全用巢穴石头的大小差异来解释。❹除此之外，在最近的一项研究中，巢穴上游和巢穴入口处的**水流速度**在东南方向和其他方向上都是一样的。❺因此，朝向东南的入口本身似乎是雌性更喜欢的巢穴特征，而并非是受选择的位置的巢穴入口处水流速度的影响。❻但是，这种偏好的原因尚不清楚。

3s 版本

❶鲶鱼对巢穴的大小和朝向很敏感。

❷鲶鱼喜欢大石头下方以及朝向东南的巢穴。

❸排除石头大小对巢穴的影响。

❹排除水流速度对巢穴的影响。

❺选择东南方向可能本身就是鲶鱼的喜好。

however ❻影响这种喜好的原因是未知的。

全文3s版本：鲶鱼喜欢朝向东南方向筑巢，但是这么做的原因是未知的。

文章点拨

第❶句关注 appear 一词，表明这句话说的不一定对。第❷句是对第❶句的展开。

第❸句则说只要是朝向东南的巢穴里面的卵总是更多，和大小没关系，因此排除了大小对鲶鱼选择巢穴的影响。

第❹句通过说明巢穴上游和入口处的水流速度在各方向一样，来说明水流速度并不是鲶鱼选择巢穴的因素。

通过上面的"排除他因"，作者最终在第❺句得到结论，鲶鱼就是喜欢选择朝向东南的巢穴。第❻句的 however 没有反驳前一句的观点，只是说明目前不清楚鲶鱼为什么就是喜欢东南方向。

题目讲解

1. 文章主要关注于

   A.（错误）确定水流速度影响雌性鲶鱼对巢穴喜好的不同方式

   B.（正确）明确巢穴朝向是雌性鲶鱼下卵的决定性因素

C.（错误）质疑巢穴大小作为雌性鲶鱼下卵的影响因素的重要性

D.（错误）将巢穴面向东南和面向其他方向的雌性鲶鱼的特点进行比较

E.（错误）研究雌性鲶鱼如何确定巢穴大小相比于巢穴朝向的相对重要性

解析： B：本文最终的论证重点便是巢穴的朝向问题，因此选项 B 正确。

A：第 ❹ 句排除了水流速度这一因素。

C：排除大小因素只是文章的细节。

D：属于细节。

E：文中没提鲶鱼是如何确定大小和朝向谁更重要的。

2. 作者讨论"水流速度"的目的是

A.（错误）确定削弱了巢穴石头大小的重要性的因素

B.（错误）表明那些不朝向东南的巢穴的一个可能优势

C.（正确）排除关于雌性鲶鱼巢穴朝向倾向性的一种可能性解释

D.（错误）表明为什么雌性鲶鱼对于巢穴的大小和朝向都很敏感

E.（错误）表明为什么很多雌性鲶鱼喜欢朝向东南的巢穴的原因

解析： C：本题属于功能题，定位句 3s 版本便是排除掉水流速度对巢穴朝向的影响，因此选项 C 正确。

A：削弱石头大小这一因素的句子是第 ❸ 句，定位错误。

B：文中未提及。

D：文中未提及。

E：本句话只能排除水流速度这一因素，但是还解释不了喜欢东南朝向的原因。

Passage

克莱兹默与其他音乐风格还是有/没有区别的

🔽 **原文翻译**

❶尽管克莱兹默——一种来自东欧的传统犹太民乐——从多种多样的音乐传统发展而来，但是罗马（吉卜赛）、希腊和罗马尼亚的音乐元素最终占据了主导地位，以至于**一些学者**拒绝承认克莱兹默是一种独立的音乐流派。❷但是，如果仔细听，就能学会将克莱兹默对声音的表现和其他相关的表演风格区分开来。❸说意第绪语言的犹太人通常会使用几种独特的描述性语言去识别用犹太人的方法处理过的音乐中的声音。❹krekht（意第绪语言中的"呻吟"）指的是一种让人联想到哭泣的哭号声，tshok指的是一种像笑声一样的由乐器发出的声音，kneytsh是一种像抽泣一样的声音。❺这些元素和其他在克莱兹默中很典型的元素在犹太人对音乐的其他表现形式中都能找到，包括唱诗班音乐。

🔽 **3s 版本**

❶克莱兹默融合了不同的音乐传统使之不被认为是独立乐派。

however ❷克莱兹默与其他音乐风格还是有区别的。

❸❹克莱兹默对声音的处理很有特点。

❺克莱兹默包含的是犹太人音乐中特有的元素。

全文3s版本：克莱兹默与其他音乐风格还是有区别的。

题目讲解

1. 下列哪一项可以推测出关于罗马、希腊和罗马尼亚音乐？
   A.（错误）它们之间经常难以区分。
   B.（正确）它们对克莱兹默音乐产生了重要的影响。
   C.（错误）它们不被某些学者认为是一种独立的音乐流派。
   D.（错误）它们含有和 tshok 类似的元素。
   E.（错误）它们被说意第绪语的犹太音乐家忽略。

解析：B：对应第❶句。克莱兹默音乐是通过融合这些音乐发展而来的，因此是重要的影响。

2. 从文章可以推测出作者最可能同意黑体部分的"某些学者"关于
   A.（错误）除了罗马、希腊和罗马尼亚之外的任何传统是否贡献于克莱兹默的发展
   B.（错误）克莱兹默和罗马、希腊和罗马尼亚传统之间的相似程度是否足以将克莱兹默排斥在外，使之成为一种独立的音乐流派
   C.（正确）如 krekhts 一样的音乐技法是否在整个犹太音乐的表现中被发现

解析：C：注意，该选项只是把 krekhts 作为一个例子，文中提及的 krekht、tshok、kneytsh 等均包含在内。根据第❺句，这些元素在所有犹太人的音乐形式中都能发现。同时根据第❶句，这些学者认为克莱兹默包含不同的元素，只是罗马等元素占了主导地位。因此作者和这些学者之间的共同点就是这些元素贯穿于所有犹太音乐中，选项 C 正确。

A：看不出作者对于罗马等元素是否对克莱兹默产生影响。

B：学者认为克莱兹默不是独立流派，而作者认为克莱兹默依然独特，这是不同点。

Passage 118

即使黑猩猩经历青春期生长_____，但是这种_____和人类的不同

原文翻译

❶大多数哺乳动物在它们生长率下降时会达到性成熟，然而人类在青春期时会经历一次生长加速。❷猿类是否经历青春期生长加速依然是不确定的。❸在1950年代，詹姆斯·加文收集的圈养黑猩猩的数据就缺少猿类青春期生长加速的证据。❹但是，在最近对加文的数据的重新分析中，动物学家伊丽莎白·沃茨发现随着黑猩猩达到性成熟，它们四肢的生长会加速。❺但是，大多数生物学家对这是否是一个类似人类的青春期生长加速持怀疑态度。❻尽管人类的青春期生长加速在身体上是可见的，并几乎影响到全身，但是黑猩猩的生长速度只有通过复杂的数学分析才能被发现。❼除此之外，根据科学家霍莉·史密斯的研究，黑猩猩的生长速度在骨骼发育到86%时开始加速，但是人类的青春期在骨骼发育到77%时才开始。

3s 版本

❶大多数哺乳动物不经历青春期生长加速，人类经历青春期生长加速。

换对象❷猿类是否经历青春期生长加速是不确定的。

❸詹姆斯·加文：不加速。

however ❹伊丽莎白·沃茨：四肢会加速。

小结：❸❹广义封装，与❷取同。

however/skeptical ❺这种生长加速和人类的不同。

❻人类的青春期生长加速很明显，黑猩猩的不明显。

❼黑猩猩的青春期生长空间小于人类。

小结：❻❼广义封装，与❺取同。

全文3s版本：即使黑猩猩经历青春期生长加速，但是这种加速和人类的不同。

文章点拨

本文主题在于讨论猿类是否经历青春期生长加速。前两句奠定了文章的主题，后面的内容进行展开。❸❹两句通过对比，进一步证实了黑猩猩的生长加速是不确定的。从第❺句开始，即使承认黑猩猩的生长加速，人们也不相信这种加速和人类的生长加速是可比的。❻❼两句举例子说明黑猩猩的生长加速和人类的不同。

题目讲解

1. 下列哪一项最好地描述了文章的主要思想？

A.（错误）长期以来，研究者们对 1950 年代的数据是否表明黑猩猩和其他猿类会经历青春期生长加速持有不同意见。

B.（错误）收集到的关于圈养的黑猩猩的研究数据对野外黑猩猩来说是没有决定意义。

C.（错误）此后的研究证实了猿类不会经历青春期生长加速的观点。

D.（正确）尽管猿类经历青春期生长加速这一观点得到了一些支持，但是大多数生物学家仍然不相信。

E.（错误）尽管研究者一致认为黑猩猩不会经历青春期生长加速，但是他们对这一点是否适用于其他种类的猿类持有不同意见。

解析：D：根据第❹句，伊丽莎白·沃茨对黑猩猩的生长加速持支持态度，之后的内容则对关于黑猩猩的生长是否可以类比人类进行了质疑。

A：本文的内容不仅仅局限于 1950 年代的数据，考查细节。

B：文章没有将圈养的和野外的黑猩猩进行对比。

C：文章主旨在于对黑猩猩的青春期生长加速持怀疑态度，不可能被证实。

E：本文没有把不同的猿类进行区分，排除选项 E。

2. 下列哪一项是本文提到的大多数生物学家对黑猩猩经历人类一样的青春期生长加速持怀疑态度的原因之一？

A.（错误）黑猩猩在完全性成熟之前不会经历明显的生长加速。

B.（正确）黑猩猩在性成熟时经历的生长加速比人类的要慢。

C.（错误）黑猩猩的生长速度曾一度被认为类似人类的青春期生长加速，但由于其增长太过于断断续续以至于不能被认为是显著的。

D.（错误）不是所有的黑猩猩都会经历可计算的生长加速。

E.（错误）沃茨分析数据的方法被认为是非正统的。

解析：B：根据题干，大多数生物学家对黑猩猩的发育持质疑态度，定位到❺❻❼，因此选项 B 正确。

A：意味着黑猩猩完全性成熟时也是生长加速最明显的，但是根据文章的信息，黑猩猩在性成熟时的生长速度反而不明显。

C：文中没提黑猩猩的生长是否是断断续续的。

D：根据第❻句，通过复杂的数学计算是可以得到黑猩猩的生长加速的。

E：文中未提及。

3. 关于人类身上发生的青春期生长加速，文章提到了下列哪一项?

A.（错误）人类身上发生的青春期生长加速被发现于四肢之外的身体部位。

B.（错误）人类身上发生的青春期生长加速在骨骼长到 77% 的时候完成。

C.（正确）不借助复杂的数学分析便可以探测到人类身上发生的青春期生长加速。

D.（错误）生长率在青春期开始的时候比其他时候更快。

E.（错误）大致的生长速度因使用的测量手段不同而不同。

解析：C：根据第❻句，黑猩猩的生长需要借助复杂的数学分析来发现，因此人类的生长加速不需要借助数学工具也能被发现。

A：根据第❻句人类的生长加速影响全身，也包含了四肢。

B：根据第❼句，人类生长加速在 77% 的时候才开始。

D：文章没有把青春期的开始同其他阶段进行比较。

E：文章没有提到人类生长速度的测量手段。

Passage 119

所有权的法律概念可以用于确定作品的＿＿＿＿和＿＿＿＿

原文翻译

❶文学权利领域令学者感到困惑，这些学者的研究关注集体创作的作品，尤其是早期美洲原住民作家的作品。❷关于著作权和文学继承者的确定出现了问题。❸比如，对继承者的识别就利用了基于欧洲的书面声明私有权假设。❹第一个写下口头故事的人在法律上被承认为该版本故事的所有者，就像是第一个针对实验性治疗过程申请专利的药剂师成为由此而来的化学公式的所有者。❺这种关于私人而非集体所有权的例子起源于19世纪独立自主的、创造性的作者型叙述声音的概念，超越了那些来自口头传统的人。❻因此，致力于寻找文学继承者以便使他们享有版权法的利益的学者在这么做的过程中必须接受所有权的法律概念，这一概念已被用于将知识从集体所有的文化中挪出来。

3s 版本

❶❷著作权和文学继承者令人困惑。

❸著作权由私人所有。

❹作品归属于第一个写下故事的人。

❺这一概念起源于19世纪。

❻文学继承者确定需要利用作品所有权的法律概念。

全文3s版本：所有权的法律概念可以用于确定作品的著作权和继承者。

题目讲解

1. 化学专利的例子被用于阐明

   A.（正确）一种法律机制，通过这个机制，集体知识可以被转化成私有财产

   B.（错误）超越了 19 世纪科学领域的技术发展

   C.（错误）创造临时知识产权形式的政府行为

   D.（错误）只存在于书面而非口头形式的表现形式

   E.（错误）药物创新被嘉奖的方式

解析：A：根据第 ❹ 句，化学专利是一个例子，用来帮助理解为什么第一个写下故事的人会成为这个故事的拥有者。根据 legally 一词可知这是一种法律行为，因此选项 A 正确。

2. 文章作者关注于哪两者之间的对比?

   A.（错误）作为保护著作权的专利和版权两种方式

   B.（错误）作为艺术表现的口头和书面两种方式

   C.（错误）作为创造性思考者的文学作品的文学继承者和作者

   D.（正确）文化产品的个体和集体所有权

   E.（错误）当代和 19 世纪对著作权的看法

解析：D：本文讨论的核心问题（❶❷ 两句）便是集体作品中的私人所有权问题，因此选项 D 正确。

3. 根据文章，文学继承者的概念基于一个假设，这个假设可以追溯到

   A.（错误）对合作目的的困惑

   B.（错误）来自不同文化的人之间的误解

   C.（正确）19 世纪将作家视作创作个体的观点

   D.（错误）将知识传递给后代的口头传统

   E.（错误）第一个将口头故事写下来的学者

解析：C：本题问"追溯"，可以定位到第 ❺ 句 This instance...derived from the nineteenth-century notion of the autonomous, creative, authorial voice，对应选项 C。

Passage  120

_____环境会影响社会学习的能力

📖 原文翻译

❶尽管社会学习（通过观察其他人表现出的一些行为来习得这种行为）在鱼类中有大量记录，但是很少有研究在这些种群的发展背景下研究社会学习。❷查普曼、沃德和克劳斯没有研究特定技能的发展，而是研究了种群密度在实验室养殖的孔雀鱼日后捕食成功过程中的作用。❸当孔雀鱼与少量的同种个体（同一物种成员）一起饲养时，通过跟随受过训练的成年孔雀鱼，它们比在大种群中长大的孔雀鱼可以更快地发现食物。❹这种反直觉的发现可以用这样一个事实来解释：在高密度环境中长大的孔雀鱼不太可能和其他鱼结成群游泳，因此更不可能从社会学习中获益。❺实际上，在高密度环境中长大的鱼会认为同种群成员是竞争对手，而非适应性活动信息的潜在来源。❻这一发现表明至少对孔雀鱼来说，早期的社会环境可能会影响它们的社会学习能力，即使对在社会中习得的行为本身没有影响。

📖 3s 版本

❶很少研究社会学习的发展过程。

❷查普曼、沃德和克劳斯研究的是种群密度对孔雀鱼社会学习的影响。

❸种群密度越低，社会学习越明显。

❹❺因为密度越高，社会学习越难以发生。

❻早期社会环境会影响社会学习的能力。

全文3s版本：早期社会环境会影响社会学习的能力。

📖 题目讲解

1. 文章的主要目的是

   A.（错误）指出一项科学发现的一个缺陷

   B.（错误）描述一个特定的科学研究

   C.（正确）呈现对于一个发现的解读

   D.（错误）指出两项科学发现之间的区别

   E.（错误）将一个特定现象被观察到的两个条件进行对比

解析： C：本题属于主旨题，正确答案是文章 3s 版本，选项 C 正确。a finding 指的是查普曼、沃德和克劳斯的发现，an interpretation 对应 ❹❺ 两句给出的解读。

   A：文中未提及 a flaw。

   B：本文不仅仅描述了查普曼、沃德和克劳斯的研究发现，更重要的在于对其进行解读。

   D：文章只有一项科学发现。

   E：属于细节，不是文章主旨。。

2. 关于鱼类的研究，从文中可以推断出

   A.（错误）关于鱼类重要技能的习得的研究最近才开始记录同类对学习过程的影响

   B.（错误）对孔雀鱼的社会学习的研究表明孔雀鱼在学习特定技能的方法上和大多数其他鱼是不同的

   C.（错误）对鱼类社会学习的研究普遍关注于捕食之外的技能习得

   D.（正确）研究已经确定社会学习发生在某些鱼类物种中，没有研究社会学习发生的发展背景

   E.（错误）调查社会学习的研究更多的是研究鱼类而非其他水生动物

解析： D：同义改写第 ❶ 句。

    A：文中看不出是最近才开始研究同类的影响。

    B：文中没提大多数其他鱼。

    C：根据文章只能知道，大多数关于社会学习的研究没有以发展为背景进行研究。

    E：文中没提其他水生动物。

3. 下列哪一项可以推测出关于查普曼、沃德和克劳斯的研究？

   A.（错误）这项研究一开始被设计用于调查社会学习之外的东西。

   B.（正确）这项研究要求研究者观察在生命的多个时间点的个体孔雀鱼。

   C.（错误）这项研究得出一种可能，种群密度对孔雀鱼的社会学习有很少的影响。

   D.（错误）这项研究要求在严格模拟孔雀鱼野外状况的条件下进行观察。

   E.（错误）这项研究表明孔雀鱼在相对大量的同类中被饲养长大，获得了适应生活的信息。

解析： B：根据第二句 "...Chapman, Ward, and Krause investigated the role of group density during development in later foraging success in laboratory-housed guppies." 中的 later 一词可以推得，这项研究需要研究孔雀鱼生命中的多个时间点。

    A：该实验就是研究社会学习的，该选项与原文含义相反，不选。

    C：种群密度会影响孔雀鱼的社会学习，该选项与原文含义相反，不选。

    D：从文中无法得到信息表明这项研究需要模拟野外状况，不选。

    E：由原文可知，孔雀鱼在大种群中反而会减少社会学习，该选项与原文含义相反，不选。

Unit 05

Hard 模式

题目原文下载1　题目原文下载2

心有所向，人就会变得无比坚韧。每每想起"杀 G"的日子，总能让我热血沸腾。

——肖宇彤

中国农业大学

微臣教育线下 325 班学员

2018 年 11 月 GRE 考试 Verbal 163

录取学校：PhD, Stony Brook University, New York

Passage **121**

新仙女木期的发生并非由于_____

原文翻译

❶几年来，主流理论认为导致新仙女木期（Younger Dryas，一场约12900年前的全球变暖趋势的显著逆转）的原因是冰川湖泊阿加西湖的水的释放。❷该理论认为这些融化的水涌入了北大西洋，降低了地表水的盐度和密度，足以防止它们下沉。❸洋流被改变了，以至于海洋中北向的热传播减弱，北大西洋区域重新降回到接近冰川的状态。❹然而，有证据表明新仙女木期在淡水涌入北大西洋之前就开始了。❺除此以外，包括北大西洋热传导系统关闭在内的温度变化都太不明显，以至于不能导致新仙女木期。

3s 版本

❶冰湖水的释放导致新仙女木期。

❷冰湖水释放至北大西洋→北大西洋表层水密度下降。

❸向北传播的热量减少→北大西洋温度下降。

小结：❷❸封装：冰湖水释放至北大西洋→北大西洋表层水密度下降→向北传播的热量减少→北大西洋温度下降，与❶取同。

However ❹❺新仙女木期的发生并非由于冰湖水的释放。

全文3s版本：新仙女木期的发生并非由于冰湖水的释放。

文章点拨

由第 ❶ 句的 for years 和 leading theory 可知这句话是老观点。❷❸ 广义封装，得到冰湖水释放导致新仙女木期的发生过程。第 ❹ 句通过 However 与前面的老观点进行取反。这句话认为新仙女木期的发生先于冰湖水的释放，因此不可能是冰湖水释放导致了新仙女木期。第 ❺ 句用另一个证据反驳老观点：冰湖水释放导致的温度变化太小，解释不了新仙女木期这么明显的温度变化。

本文最终没有给出新的观点来解释新仙女木期为什么发生，因此本文为驳论文。

题目讲解

1. 文章作者暗示了下列哪一项关于冰湖阿加西湖的水的释放？

   A.（错误）水的释放这一观点被更近期的发现所质疑。

   B.（错误）水的释放有可能比科学家普遍认为的发生得要早。

   C.（错误）水的释放不足以导致任何的北大西洋温度变化。

   D.（正确）水的释放时间有可能不能引发新仙女木期的开始。

   E.（错误）水的释放有可能和当时正在发生的全球变暖无关。

解析：D：本题问作者观点，因此定位点是第 ❹ 句及之后。选项 D 对应第 ❹ 句，新仙女木期的发生早于淡水的涌入，因此水的释放时间有可能不能引发新仙女木期的开始。

A：水的释放是事实，并没有被质疑，被质疑的是水的释放同新仙女木期之间的关系。

B：老观点认为水的释放可以导致新仙女木期，而新仙女木期的时间是确定的，在12900年前，因此科学家普遍认为水的释放时间是在新仙女木期之前，而作者认为新仙女木期的开始早于水的释放，因此作者认为水的释放时间在新仙女木期之后，所以水的释放时间应该晚于科学家普遍认为的。

C：太极端。

E：文章看不出来水的释放和全球变暖的关系。

2. 本文的主旨是

A.（正确）呈现削弱一种解释的证据

B.（错误）解释一种气象学现象的本质

C.（错误）质疑一个特定事件的发生时间

D.（错误）为一个现象讨论一个新的解释

E.（错误）提出对一个受欢迎的理论的修正

解析： 本文为驳论文，因此主旨应该是"反驳了……"，答案可以锁定在选项 A 和选项 C。

A：an explanation 对应老观点对新仙女木期发生原因的解释，evidence 对应 however 后两句，起到反驳作用，因此选项 A 正确。

B：a climatological phenomenon 可以认为对应新仙女木期，但是本文没有讨论新仙女木期的本质是什么。

C：a particular event 指的是新仙女木期，其发生时间是客观事实，在文中没被反驳，因此选项 C 不正确。

D：本文是驳论文，只有批判，没有新观点，所以选项 D 错在 new。

E：revisions 意为"修正"，不仅仅有批判，还要提出新观点，但是本文没有新观点。

Passage 122

灵长类动物中雄性对婴儿的照顾并不罕见，且雄性照顾与_____的关系并不明确

⊙ 原文翻译

❶灵长类动物研究者的普遍模型忽略了雄性和婴儿之间的相互作用，但有一个主要的例外，那就是对一夫一妻制灵长类动物中雄性对婴儿照顾的研究。❷自从动物学家兼插图画家乔治·爱德华兹决定在伦敦一个花园里观察宠物狨猴的行为之后，在过去200年里人们都认为在新世界猴子的某些物种中，雄性直接照顾婴儿所做的贡献等于甚至超过了雌性所做的贡献。❸狨猴和绢毛猴中的母亲通常一年生两次双胞胎，为了给正在承受繁殖负担的母猴献殷勤，除了母猴子喂奶之外，雄性总是背着婴儿。❹克莱曼认为一夫一妻制以及对父亲血缘的自信对于这种照顾的进化来说至关重要，与此同时，西蒙斯和其他人认为灵长类动物的一夫一妻制一定相当罕见。

❶但是，最近的发现使得人们有必要逆转这一局面。❷首先，灵长类的一夫一妻制其实比人们之前认为的要更加频繁（专性或兼性一夫一妻制在17%~20%的现有灵长类中有记录）。其次，根据赫尔迪，雄性的照顾实际上也比之前认为得更加普遍并且不见得局限于一夫一妻制的物种中。❸尽管之

前人们认为一夫一妻制以及雄性对父亲血缘的自信导致雄性照顾的出现，但是**现在人们需要考虑另一种可能性**，那就是雄性照顾婴儿的卓越能力是否以某种方式提前让这类成员适应了一种亲密的长期的雌雄之间的关系，而这种方式在某些生态条件下会导致一夫一妻制！❹两种情况都有可能。❺关键在于，基于现有的知识，没有理由去认为雄性的照顾是一种局限性的或特殊的现象。❻总之，尽管几乎所有灵长类中的母亲都会比雄性投入更多的时间和/或精力来照顾婴儿，但雄性在婴儿的生存过程中发挥的作用却比人们普遍认为的更多样和更关键。

📝 3s 版本

❶一夫一妻制灵长类动物中的雄性会照顾婴儿。

❷人们普遍认为雄性猴子对婴儿的照顾超过了雌性。

❸雄性照顾婴儿的方法。

❹克莱曼认为一夫一妻制和父亲血缘自信导致雄性照顾婴儿，西蒙斯认为一夫一妻制很罕见。

小结：一夫一妻制罕见+一夫一妻制导致雄性照顾→雄性照顾很罕见。

第一段 3s：雄性照顾很罕见。

however/reverse ❶上述观点被推翻。

❷一夫一妻制很普遍，雄性照顾婴儿不只发生在一夫一妻制中（雄性照顾和一夫一妻制没有必然关系。）。

❸有可能是雄性的照顾导致了一夫一妻制。

❹雄性照顾导致一夫一妻制和一夫一妻制导致雄性照顾，两种都有可能。

❺雄性的照顾并不罕见。

注：既然一夫一妻制很普遍，而雄性照顾又是跟一夫一妻制有关的（不论谁导致谁），那么我们都能得到结论，雄性照顾很普遍。

❻雄性的照顾发挥了重要作用。

第二段 3s：雄性的照顾并不罕见，且雄性照顾与一夫一妻制的关系并不明确。

全文3s版本：灵长类动物中雄性对婴儿的照顾并不罕见，且雄性照顾与一夫一妻制的关系并不明确。

📝 文章点拨

第二段第 ❸ 句解析：

Whereas previously, it was assumed that monogamy and male certainty of paternity facilitated the evolution of male care, [1]it now seems appropriate to consider the alternative possibility, [2]{whether the extraordinary capacity [5][of male primates] [6][to look out for the fates] [7][of infants] did not in some way [4]pre-adapt members [of this order] for the sort of close, long-term relationships [between males and females] [3](that, under some ecological circumstances, leads to monogamy)!}

这句话从 it now seems 开始就不好理解了，但是可以利用句内关系来推测这一部分的含义。whereas 句内取反，whereas 引导的从句部分在说 monogamy 导致 male care，因此后半句会跟这个部分取反。再加上句子最后讲到 ...leads to monogamy，由此可推断后半句想要说 male care 导致 monogamy。male primates to look out for the fates of infants 对应 male care; the sort of close, long-term relationships between males and females 则和 monogamy 有关。alternative possibility 的内容可以简单理解为：male care 是否有可能让灵长类提前适应了在某些情况下导致 monogamy 的雌雄关系。

句子要点分析：

1. it 作形式主语，真正的主语是 to consider the alternative possibility。

2. whether 直到句子结束充当 possibility 的同位语从句。这个部分的主干是：whether the capacity did not pre-adapt members for the relationships. 其中 whether...did not=whether...did...or not，所以这句话主干又可以看作：whether the capacity pre-adapt members for the relationships or not。

3. 这个 that 引导的定语从句修饰的是 way。

4. pre-adapt A for B：使 A 提前适应 B。

5、6、7 均为后置定语导致 capacity 与 did not 主谓分离。

题目讲解

1. 文章作者提及赫尔迪的主要目的是

   A.（错误）呈现一个不靠谱的假设的例子

   B.（错误）通过引用一个有代表性的观点来阐明一个共识

   C.（正确）提供证据质疑一个观点

   D.（错误）强调一个普遍观点所得到的推论

   E.（错误）提供数据帮助解决一个辩论

解析： C：赫尔迪属于第二段第 ❷ 句的一部分，而这句话又是服务于第二段第 ❶ 句的。第二段第 ❶ 句的作用是反驳上一段的观点，因此赫尔迪的作用就是帮助反驳上一段，所以选项 C 正确。

2. 根据文章，雄性照顾和一夫一妻制之间的进化关系是

   A.（错误）无法被反驳的

   B.（错误）不可变的

   C.（错误）不常见的

   D.（错误）没有实体的

   E.（正确）不确定的

解析： E：根据第二段第 ❹ 句，既有可能是一夫一妻制导致雄性照顾，也有可能是反过来，因此二者之间的关系是不确定的，选项 E 正确。

3. 文章作者表明"人们应该考虑另一种可能性"，因为之前的观点

   A.（错误）导致一种矛盾

   B.（错误）依赖于有问题的数据

   C.（正确）相比于某些事实来说并不确切

   D.（错误）合并了两种不同的现象

   E.（错误）忽略了相关现象之间的因果关系

解析： C：alternative possibility 对应第二段开头的 reverse this picture，因此我们可以知道，作者提出 alternative possibility 的原因是第二段第 ❶ 句提及的 Recent findings，即第 ❷ 句的两个内容：一夫一妻制很普遍、雄性照顾婴儿不只发生在一夫一妻制中。这两个发现都和第一段的观点相悖，因此答案是选项 C。

　　A：文中未提及。

　　B：第一段完全都是人们的假设，看不出其基于的数据是什么。

　　D：文中未提及。

　　E：第一段和第二段都在讨论 male care 和 monogamy 之间的因果关系。

4. 下列哪一项，如果正确的话，最能削弱"另一种可能性"？

A.（错误）展现出雄性照顾的灵长类物种的数量大于实行一夫一妻制的灵长类物种数量。

B.（错误）灵长类动物中的雄性照顾婴儿的现象比灵长类的一夫一妻制可以在更早的进化记录中被观察到。

C.（错误）灵长类之间的一夫一妻关系可以在不同环境中的物种中被找到。

D.（正确）实行一夫一妻制的大多数灵长类物种不会展现任何的雄性照顾的证据。

E.（错误）雄性对婴儿的照顾可以在一些缺少雄性父亲血缘自信的灵长类物种中被观察到。

解析：D：另一种可能指的是 male care→monogamy。选项 D 表明，有 monogamy 的物种中没有 male care，属于削弱因果关系，正确。

Passage 123

总结了大众和评论家对_____的评价

🔖 原文翻译

❶迄今为止最受欢迎的美国文学作品是1820年至1870年间女性创作的、为了女性而创作的和关于女性的一系列现在被忽视的小说。❷尼娜·贝姆将这一文学流派命名为"女性小说"，这些小说的受欢迎程度为女性在写作专业领域中赢得了一席之地。❸这些小说记录了女性的经历，她们被困难困扰，却发现自己拥有足够的智慧、意志、谋略和勇气去克服困难。❹根据贝姆的说法，这一流派始于凯瑟琳·塞奇威克的《新英格兰故事》（New-England Tale, 1822），在苏珊·沃纳的《广阔的世界》（Wide, Wide World, 1850)空前的销量中向世人展现出自己是美国大众最喜欢的读物，并且直到1870年之后都是主流的小说类型。❺不同于大众，评论家对这些小说的接受程度是褒贬共存的。❻在19世纪中期的美国，那些认为小说是使人堕落的并且是腐化心灵的事物的反对派并没有消亡，并且这种反对意见在所有攻击者中占了很大一部分。❼很多女性小说的说教语气并没有安抚这些反对派；相反，很多反对这些小说的牧师认为女性正试图取代牧师的职能，因此女性小说受到了更加猛烈的攻击。❽同样，一些男性作家，对大量女性作家的出现心怀不满，表达了对这一流派的鄙视。

❶另一方面，这些女性有一个强大的盟友——出版商，他们不仅印刷了这些作品，而且还广泛且热情地宣传。❷极少数的评论家对这些作品给予关注并且表达敬意，也很少有评论家会把不同作家的作品区分开来并且指出每部作品的优缺点。❸这些（对女性小说）持有赞成票的同时代评论家对每一位作家在描写美国社会生活方面所做的贡献，尤其是行为和性格上的地域差异，都特别警觉。❹但是，总体而言，即使这些持赞成票的评论家也对这些小说所讲的故事以及这些小说的重要性没什么兴趣。

❶贝姆承认这些小说在以不同的方式讲一个大家都很熟悉的故事。他正确地指出这些小说明显缺乏艺术创新，这在一定程度上导致了这些作家从传统上被大学文学课程研究的经典美国作家排除出去。❷但是，贝姆指出，与纳撒尼尔·霍桑等同时代的男性作家不同，这些女性并不认为自己是"艺术家"，而认为自己是职业作家，以满足读者为责任去工作和维生。❸这份责任既包括娱乐也包括教

育，正如贝姆所说的，它们在书籍中并不互相冲突，娱乐也不是裹在说教药片之上的一层糖衣。❹进一步说，教育本身就是一种娱乐：对那些对故事产生共鸣的读者来说，主人公战胜困难的经历是非常令人愉快的。

3s 版本

❶女性小说在1820年至1870年间大受欢迎。

❷尼娜·贝姆认为这些女性小说很重要。

❸介绍女性小说的内容。

❹女性小说受欢迎的过程。

换对象❺评论家对女性小说褒贬不一。

❻有的评论家认为女性小说腐化心灵。

❼牧师因为女性小说的说教语气而进行批判。

❽男作家也对女性小说不满。

第一段 3s：大众喜欢女性小说，评论家批判女性小说。

On the other hand ❶出版商支持女性小说。

❷有一些评论家尊重且关注女性小说。

❸持有赞成态度的评论家关注女性小说对社会的描写。

however ❹总体而言，这些评论家对女性小说不感兴趣。

第二段 3s：尽管女性小说得到一些支持，但是总体而言在评论家中并不受欢迎。

❶尼娜·贝姆承认女性小说缺乏艺术上的创新。

however ❷女性作家不认为自己是艺术家，她们认为写作是一种责任。

❸这份责任包括娱乐和说教。

❹女性小说将娱乐和说教合二为一。

第三段 3s：女性小说将娱乐和说教合二为一。

全文3s版本：总结了大众和评论家对1820年至1870年的女性小说的评价。

文章点拨

第一段：

前四句顺承，均在说女性小说受欢迎。第 ❺ 句的 as opposed to popular 表明，接下来要说的评论家的观点和前四句大众观点不同，这里换对象取反。而 mixed 表明后文可能是一分为二，既有正评价也有负评价。❻❼❽ 则分别阐述了认为女性小说腐化心灵的观点、牧师认为女性小说过分说教（牧师的职责大部分也是在说教，所以牧师觉得女性小说抢了他们的活）而批判之、男性对女性作家的不满。

第二段：

第 ❶ 句的 on the other hand 换对象取反，讲出版商是支持女性小说的。❷❸ 两句描写了还有少量支持女性小说的评论家对女性小说的关注点。第 ❹ 句 however 句间取反，取反了之前给出的正评价，认为整体而言评论界对女性小说的兴趣有限。

第三段：

第 ❶ 句 acknowledges 是尼娜·贝姆对自己的观点做出的让步。尼娜·贝姆在第一段给女性小说以正评价，这一段让步，说明有负评价。这个负评价便是指女性小说缺乏艺术创新。第 ❷ 句 however 取反，说明女性小说家本来就没想创新，她们想做的是完成一种责任。第❸句递进，具体说明这种责任是娱乐和教化，但是两者既不相互冲突，也不相互利用（糖衣指的是用娱乐的表面来隐藏说教的实质）。第❹句 Rather 再递进一次，告诉读者娱乐和教化的关系究竟怎样：两者其实是合二为一的。

📝 题目讲解

1. 文章主要关注于

   A.（错误）总结两位有影响力的作家的主要贡献

   B.（正确）描述并且评价一类文学作品

   C.（错误）总结文学史中一段时期的主要事件

   D.（错误）对比相同时期的两类文学作品

   E.（错误）支持将几种被忽视的文学作品安排到大学课程中

   解析： B：本文主旨是介绍了大众以及评论家对女性小说的评价，因此选项 B 正确。a group of literary works 指的是文中讨论的女性小说。

       A：two influential writers 属于细节。

       C：文章在评论一类小说，而非总结事件，而且 major events 在文中没有对应。

       D：文中只重点介绍了一类文学作品——女性小说。

       E：文中未提及。

2. 文章作者将苏珊·沃纳的《广阔的世界》引用为一个什么样的女性小说的例子？

   A.（错误）比其他同类作品有更先进的艺术元素

   B.（错误）吸引了过量的评论家的关注

   C.（错误）被很多牧师发现过分的说教

   D.（正确）一种文学流派的受欢迎程度的重要指标

   E.（错误）标志着一种流派的读者数量的缓慢减少

   解析： D：本题定位在第一段第❹句，这句话描写了女性小说受欢迎的过程，因此苏珊·沃纳的作品也是一个例子，用于说明女性小说多么受欢迎，因此选项 D 正确。

       A：根据第三段，女性小说没有艺术创新。

       B：从文中看不出来。

       C：看不出苏珊·沃纳的作品是不是被牧师认为说教的作品。

       E：苏珊·沃纳的小说说明女性小说受欢迎，这意味着读者数量没有下滑。

3. 关于第一段提及的牧师，文章作者暗示了下列哪一项？

   A.（错误）他们也反对了女性小说领域之外的小说。

   B.（错误）他们反对新闻报道和创造性写作。

   C.（错误）他们的影响力在 19 世纪中期达到顶峰。

   D.（错误）他们不能获得其他评论家对他们观点的支持。

   E.（正确）他们对小说的攻击并没有延伸到男性小说。

   解析： E：这些牧师批判的是女性小说，这意味着其批判并没有延伸到男性小说。

       A：根据文章只能看出他们反对的是女性小说。

       B：文中未提及。

C：文中未提及。

D：文中未提及。

4. 关于 19 世纪大多数女性小说的评论家，下列哪一项从文中可以推测出来？

A.（错误）他们认为牧师对女性小说的观点是自私自利的。

B.（正确）他们并没有将不同作家进行很好的区分。

C.（错误）他们对情节而非社会意义赋予了更高的价值。

D.（错误）他们同意将作家视作大众娱乐的提供者而非艺术家的观点。

E.（错误）他们像出版商一样瞧得起女性小说。

解析：B：由第二段第 ❷ 句 Some few reviewers...distinguishing between the works of the different authors... 可知，将不同作家作区分的只是少部分，因此大多数评论家没有区分这些作家。

　　　A：评论家没有评论牧师。

　　　C：文中没提评论家关注的是情节还是社会意义。

　　　D：女性作家自己认为自己不是艺术家，这不是评论家的观点。

　　　E：他们瞧不起女性作家。

Passage 124

休斯采取＿＿＿＿＿＿＿流派，并将这种布鲁斯成功地写成了＿＿＿＿＿

📖 原文翻译

❶ "布鲁斯是用来唱的，" 民间音乐学家保罗·奥利弗写道，"它并不是一种可以在被写下来后能够突出的民乐形式。" ❷ 一个想要写布鲁斯的诗人可以尝试通过诗歌化这种艺术形式来避免这个问题——但是文学化的布鲁斯读起来更像是糟糕的诗歌而非精雕细刻的民乐。❸ 对奥利弗来说，布鲁斯音乐的真正灵魂必然排除了自我意识的模仿。❹ 但是，兰斯顿·休斯，第一个应对布鲁斯诗歌困难的作家，实际上成功地创作了一些诗歌，这些诗歌捕捉到了布鲁斯真正的品质，并且他还在保持诗歌的有效性的同时演奏了布鲁斯。❺ 在创作布鲁斯诗歌的过程中，休斯解决了两个问题：一，如何能将布鲁斯歌词写得可以跃然纸上；二，如何以诗歌化方法充分探索布鲁斯而又不会损失其真实性。

❶ 布鲁斯有很多种类，但是对休斯来说，真正重要的区别是"民乐布鲁斯"和"经典布鲁斯"这两种流派之间的区别。❷ 民乐布鲁斯和经典布鲁斯之间的区别在于：表演者（当地的音乐家vs巡回演出的专业人士）、赞助者（当地社区vs普通观众）、创作方式（即兴vs非即兴）以及传播方式（口头vs书面）。❸ 评论家们普遍认为休斯采取经典布鲁斯作为其主要的布鲁斯诗歌模式，并且当他尽量不去模仿民乐布鲁斯的时候他创作了最好的布鲁斯诗歌。❹ 以这种观点来看，休斯对民乐布鲁斯的模仿太自以为是、太想要浪漫化非裔美国人经历、太想要重现那些古怪的幽默以及天真的简化以至于无法成功。

❶ 但是一个更加现实主义的观点认为，通过像一位民乐艺术家应该做的那样去传达他的观点——通过积累他所有的布鲁斯作品中的细节而非用怪异和天真去填充他的每一首诗歌——休斯对这一流派做出了最重要的贡献。❷ 事实上，他的布鲁斯诗歌在风格上更接近于他所模仿的民乐布鲁斯，而非文雅的经典布鲁斯。❸ 阿诺德·拉姆佩萨德观察到1927年休斯的诗集中，几乎所有的诗歌都刻意地属

于普通民乐的"口语化范畴"。❹这一点当然适用于《年轻姑娘布鲁斯》，在这部作品中休斯避免了传统的"诗歌"语言和画面，而这些语言和画面是那些关于死亡和爱情的主题在他一开始的诗歌中所激发的。❺如果想要知道休斯的布鲁斯诗歌是什么样的，前提是他真的采用了经典布鲁斯，那么你只要去看《金棕色布鲁斯》就行了，这部歌词是休斯为了作曲家 W·C·汉迪所做的。❻这部作品的画面、暗喻以及措辞都刻意地远离了通常的"口语化范畴"。

3s 版本

❶~❸保罗·奥利弗认为布鲁斯不能写，只能唱。

However ❹❺兰斯顿·休斯成功地用诗歌化的方法写了布鲁斯。

第一段 3s：兰斯顿·休斯写了布鲁斯。

❶民乐布鲁斯和经典布鲁斯两种流派之间有区别。

❷民乐布鲁斯和经典布鲁斯存在四个方面的区别。

❸❹普遍的观点认为兰斯顿·休斯采取的是经典布鲁斯。

第二段 3s：兰斯顿·休斯采取的是经典布鲁斯。

But ❶~❸现实主义观点认为兰斯顿·休斯采取的是民乐布鲁斯。

❹《年轻姑娘布鲁斯》是兰斯顿·休斯创作的民乐布鲁斯的例子。

换对象❺❻《金棕色布鲁斯》是经典布鲁斯的例子。

第三段 3s：更现实的观点是兰斯顿·休斯采取了民乐布鲁斯。

全文3s版本：休斯采取民乐布鲁斯流派，并将这种布鲁斯成功地写成了诗歌。

文章点拨

本文属于典型的文科文章，句间关系很简单，没有出现封装，但是有的地方的内容很抽象、很专业。但越是那些抽象的内容，越可以利用句间关系进行推测。

第一段：

本段大结构是对比，后两句与前三句取反，重点在后两句。

前三句顺承关系，都是保罗·奥利弗的观点，认为布鲁斯只能唱，不能写。其中第❷句重点关注 but 之后的内容，因为这是主句。而这一部分也很好理解，抓住 bad poetry 便可确定其态度为布鲁斯不能被书写。第❸句乍看起来不好懂，但是如果利用其取同关系，便能很容易知道这句话要表明的还是布鲁斯只能唱不能写。elude 本意是"逃脱"，eludes the self-conscious imitator 便表示"不能模仿"，意即"不能写"。

❹❺的 However 与前三句取反，因此预判"可以写"。这两句的实际句意说的也是如此。

第二段：

本段属递进结构，前两句将经典布鲁斯和民乐布鲁斯进行对比，递进到❸❹得出结论，兰斯顿·休斯采取的是经典布鲁斯。

民乐布鲁斯和经典布鲁斯的区别如下表：

	民乐	经典
表演者	当地的音乐家	巡回演出的专业人士
赞助者	当地社区	普通观众
创作方式	即兴	非即兴
传播方式	口头	书面

第 ❸ 句是一个利用句内关系理解抽象内容的例子。"and"前后取同，前半句讲兰斯顿·休斯采取的是经典布鲁斯，后半句的也是同样的意思。

第 ❹ 句要能看出是一个 too...too...too...to do 的结构，三个 too 所修饰的内容不需要理解，这句话读起来的感觉就是"模仿民乐布鲁斯不能成功"，这还是在讲兰斯顿·休斯采取的是经典布鲁斯。

第三段：

开头的 But 预示着这一段和上一段段间取反，预判兰斯顿·休斯采取的是民乐布鲁斯。前三句确实讲的是兰斯顿·休斯采取了民乐布鲁斯。这三句比较好理解。

第 ❸ 句的 range of utterance，utterance 一词表示"口语"，对应上一段中民乐布鲁斯的口头传播方式。所以文章的 range of utterance 均指代民乐布鲁斯。

第 ❺❻ 句换对象取反，又开始说兰斯顿·休斯的经典布鲁斯的例子。

这一段重点讲，现实主义观点认为兰斯顿·休斯采取的还是民乐布鲁斯，虽然兰斯顿·休斯也有经典布鲁斯的作品，但是重点还是在民乐。

全文来看，一、二两段之间递进，由第一段的兰斯顿·休斯写了布鲁斯讨论到兰斯顿·休斯采取的是经典布鲁斯。第三段整体反驳第二段的结论，因此文章最后倾向于认为兰斯顿·休斯采取的是民乐布鲁斯。

题目讲解

1. 文章的主旨是

   A.（错误）描述民乐布鲁斯和经典布鲁斯对布鲁斯诗歌的影响

   B.（错误）分析非裔美国人文化对布鲁斯诗歌的影响

   C.（错误）证明休斯的布鲁斯诗歌所采取的语言是口语化的

   D.（错误）通过反驳休斯的布鲁斯诗歌是非原创的这一观点来支持休斯的布鲁斯诗歌

   E.（正确）反驳关于休斯的布鲁斯诗歌风格的一个被人接受的观点

   解析：E：根据【文章点拨】，本文的重点在最后一段。因此正确选项优先考虑强调休斯的布鲁斯是民乐布鲁斯，选项 E 正确。an accepted view 指的是第二段的 commonplace，认为休斯的布鲁斯是经典的，而第三段反驳了这个观点。

   A：范围太大，本文只讨论休斯的诗歌采取的是什么流派，没有达到两种流派对于布鲁斯的影响。

   B：文中没提 African American culture。

   C：口头化只是细节。

   D：文中没讨论休斯的诗歌是不是原创的。

2. 文章作者使用黑体部分的引用的目的是

   A.（错误）表明布鲁斯诗歌应该如何被表演

   B.（正确）强调布鲁斯诗歌作家所面临的困难

   C.（错误）支持认为布鲁斯诗歌是一种注定失败的流派的观点

   D.（错误）阐明布鲁斯诗歌不能克服的困难

   E.（错误）表明书面形式的布鲁斯比歌唱形式的更不真实

   解析：B：本题属于功能题，定位句 3s 版本"布鲁斯只能唱，不能写"。该题的几个选项差异较小，需要仔细区分。difficulties 指的是"布鲁斯只能唱，不能写"，正确。

   A："诗歌"已经是书面化的了，本身无法被"表演"，因此选项 A 的内容本身就是自相矛盾的。

C：不符，原因有三个：a. doomed to fail 太极端，从文章中看不出来。b. 文章从来没说布鲁斯诗歌是一个 genre。c. 根据第一段前两句的内容，第 ❷ 句是用来支持第 ❶ 句的，而非反过来。黑体部分只能用来说明布鲁斯不能写，但是不能用来"支持"布鲁斯诗歌会失败这一观点。

D：保罗·奥利弗说出这句话只是说明写下布鲁斯会面临困难，但是他本身没表明这些困难不能被克服。

E：文中没有比较真实性。

3. 从文章可以推测出，相比于《金棕色布鲁斯》的语言，《年轻姑娘布鲁斯》的语言是

   A.（正确）更口语化的

   B.（错误）更有旋律的

   C.（错误）有更多的暗喻

   D.（错误）有更多传统的意向

   E.（错误）对经典布鲁斯歌词来说更加典型

解析： A：根据第三段，《年轻姑娘布鲁斯》是民乐布鲁斯，因此比《金棕色布鲁斯》这种经典布鲁斯在表达方式上更加口语化，所以选项 A 正确。

4. 根据文章，休斯的布鲁斯诗歌和经典布鲁斯之间的相似之处是什么？

   A.（错误）两种都是即兴的。

   B.（正确）两种都被写下来了。

   C.（错误）两种都针对相同的听众。

   D.（错误）两种都没有口语化语言。

   E.（错误）两种都没有专业化表演。

解析： B：根据第二段，经典布鲁斯的传播方式是书面的，而休斯的布鲁斯诗歌也是被写下来的，所以选项 B 正确。

Passage

简·奥斯汀是_____主义的

▽ **原文翻译**

❶简·奥斯汀和浪漫主义之间的关系长期以来都是个棘手的问题。❷尽管她生存的时期（1775~1817）正好处于浪漫主义时期，但是传统上人们对她的研究与男性诗人不同，后者的作品在 20 世纪的大部分时间里定义了英国的浪漫主义。❸在过去，她的小说被认为是与浪漫主义时期的精神背道而驰的奥古斯都模式。❹尽管**历史主义者和女权主义评论家**的出现，质疑了很多之前对奥斯汀的描述，认为她背离了当时的主要社会、政治和审美潮流，她依然与同时代的男性不同。❺比如，杰罗姆·麦肯认为奥斯汀并不支持浪漫主义思想。❻安妮·梅勒认为奥斯汀和其他"当时领先的女性学者和作家""并没有"参与浪漫主义的"时代精神"，但是实际上支持了另一种被梅勒称之为是"**女性浪漫主义**"的思想。

❶诚然，在整个浪漫主义时期的一些评论家认为奥斯汀和不止一位男性浪漫主义诗人很像。❷《华兹华斯的圈子》（ *Wordsworth Circle*, 1976年秋季)的一期特刊专门探索奥斯汀和同时代的男性作家之间的联系。❸克利福德·西斯金在他对浪漫主义的历史主义研究中认为奥斯汀确实参与了同样的重大创新，即在自我发展中进行物质化，正如华兹华斯的诗歌和当时其他重要作品所描述的那样。❹最近，有三本书（由克拉·图伊特、威廉·高普林和威廉·德雷谢维奇所作）以不同的方式将奥斯汀视作浪漫主义作家，这三本书共同标志着将浪漫主义时期的大多数小说家与大多数诗人相区分的趋势的转变。

❶现在的研究想要为一个目标做出贡献，即把处于浪漫主义运动中的奥斯汀和经典紧密联系起来。❷通过指出奥斯汀和约翰·济慈之间的共同点，这一目标被达成了，尽管通常奥斯汀和约翰·济慈不会被认为有什么关系。❸大多数将奥斯汀和浪漫主义诗人进行比较的研究关注的是华兹华斯和拜伦，我们知道奥斯汀读过他们的作品。❹尽管奥斯汀不太可能读过济慈的诗歌，因为他的诗歌在奥斯汀生命的最后几年才开始出版，并且没有证据表明济慈了解奥斯汀的小说，但是人们发现这些作家的作品之间有大量重要的相似性，这提供了进一步的证据将奥斯汀和浪漫主义运动——尤其是她所有的小说出版时所处于的第二代浪漫主义——联系起来。

3s 版本

❶以前的研究认为简·奥斯汀和浪漫主义之间的关系令人困惑。

❷简·奥斯汀处于浪漫主义年代，但是作品并不属于浪漫主义。

❸~❻列举各种观点认为简·奥斯汀的作品并非属于浪漫主义。

第一段 3s：简·奥斯汀处于浪漫主义年代，但是作品并不属于浪漫主义，这很令人困惑。

To be sure ❶有的评论家认为简·奥斯汀是浪漫主义的。

❷~❹列举各种观点认为简·奥斯汀是浪漫主义的。

第二段 3s：有的评论家认为简·奥斯汀是浪漫主义的。

时间对比present ❶现在的研究将简·奥斯汀和浪漫主义联系了起来。

❷~❹简·奥斯汀的作品和浪漫主义作品有许多相似性。

第三段 3s：现在的研究将简·奥斯汀和浪漫主义联系了起来。

全文3s版本：简·奥斯汀是浪漫主义的。

文章点拨

一、本文可以先从段间关系入手。

第一段第 ❶ 句表明本段主旨：以前的研究认为简·奥斯汀和浪漫主义的关系是令人困惑的。段落内部没有取反标志，因此第 ❶ 句就是主旨句。

第二段第 ❶ 句的 To be sure 是让步语气，这一段整体和上一段让步取反，承认对有的评论家来说，简·奥斯汀和浪漫主义的关系并不困惑，而是很确定的，简·奥斯汀属于浪漫主义。

但是这里注意，前两段依然是第一段更重要，因为第二段是针对第一段做的让步，让步部分没那么重要。

第三段第 ❶ 句 present 和前两段整体时间对比。前两段重点在说"困惑"，第三段重点在说新观点，因而是"不困惑"。读完第三段后，作者明确得到结论，简·奥斯汀的作品和浪漫主义作品有很多相似之处。

因此本文的结构是一、二两段封装，重点在第一段，之后第三段和前两段时间对比取反，重点在第三段。全文 3s 版本等于第三段的 3s 版本。

二、下面我们来讨论每一段内部的内容。

第一段：

第 ❶ 句：vexed 表示"令人困惑的"，因此这句话的功能在于针对简·奥斯汀和浪漫主义之间的关系提出问题，我们对后文可以产生两种预判：a. 进一步详述这种困惑。b. 解决这种困惑，同时 has long been 表明"困惑"是发生于过去。

第 ❷ 句：这句话进一步解释了为什么困惑。the period 指的是浪漫主义，那些 male poets 也对应浪漫主义。因此，简·奥斯汀的生活年代正好处于浪漫主义，结果针对她的研究则区别于浪漫主义，这的确令人困惑。squarely 意为"正好"，用这个词加剧了这种矛盾。此句的 traditionally 也和上一句一样说明困惑是发生在过去。

第 ❸ 句：at odds with the Romantic 依然说简·奥斯汀和浪漫主义无关。In the past 依然表明这是老观点。

第 ❹ 句：Even 引导句内让步，部分支持简·奥斯汀是浪漫主义的，但是主句表明简·奥斯汀依然不是浪漫主义的。currents of her time、her male contemporaries 均对应浪漫主义。

第 ❺❻ 句：分别描述了杰罗姆·麦肯和安妮·梅勒的观点，认为简·奥斯汀不是浪漫主义的。

全段是总分结构，主旨句是第 ❶ 句。

第二段：

第 ❶ 句：To be sure 和上一段构成让步，有的评论家认为简·奥斯汀是浪漫主义的。

第 ❷ 句：connections between Austen and her male contemporaries 表明简·奥斯汀是浪漫主义的。

第 ❸ 句：Austen does participate in the same major innovation 表明简·奥斯汀是浪漫主义的。

第 ❹ 句：a shift in the tendency to segregate the major novelist of the age from the major poets（把浪漫主义小说同诗歌区分开来的趋势的转变）= 浪漫主义小说和诗歌不能区分，这些诗歌对应浪漫主义，所以这些小说（即简·奥斯汀的小说）是浪漫主义的。

这段也是总分结构，主旨句是第 ❶ 句。

第三段：

第 ❶ 句：前两段都是发生在过去的观点，这一段 present 时间取反，因此全文重点在第三段。firmly integrating Austen within the Romantic 表明简·奥斯汀是浪漫主义的。

第 ❷ 句：从这句可以推测出约翰·济慈是浪漫主义的诗人。既然简·奥斯汀和约翰·济慈有共同点，那么简·奥斯汀是浪漫主义的。

第 ❸❹ 句：link Austen with the Romantic movement 表明简·奥斯汀是浪漫主义的。

第三段也是总分，主旨句是第 ❶ 句。

> **题目讲解**

1. 文章的主要目的是

   A.（错误）对正在进行的一场评论界的辩论的两个对立观点进行调和

   B.（错误）反驳关于一个作家的作品的最近解读

   C.（正确）为研究一个作家的作品的新方法提供了支持

   D.（错误）阐明特定时期女作家所经历的矛盾

   E.（错误）解释一个作家背离了一个时期的主要学术潮流

解析： C：根据【文章点拨】，本文的重点是第三段的新观点，因此选项 C 正确。

　　A：本文没有调和两个对立观点。

　　B：文章支持了新的解读，没有反驳。

　　D：women writers 范围太大。

　　E：major intellectual currents of a period 对应浪漫主义，但是文章最终的结论是简·奥斯汀是浪漫主
　　　义的，因此 detachment 表述相反。

2. 文章作者认为简·奥斯汀与浪漫主义的关系是"令人困惑的"，主要是因为

　　A.（错误）她的小说并不像她的同时代作家那样迎合奥古斯都模式

　　B.（错误）她的观点看来与那些定义了英国浪漫主义的男性作家的观点相矛盾

　　C.（正确）她的小说在浪漫主义时期被完成，但是人们不认为她是一个浪漫主义的作家

　　D.（错误）她的小说批判了浪漫主义，反而采取了另一种被称之为"女性浪漫主义"的思想

　　E.（错误）她因为小说而得到认可，但是浪漫主义时期的诗歌更为知名

解析： C：根据第一段第 ❷ 句，简·奥斯汀与浪漫主义的关系令人困惑的原因便是她处于浪漫主义时期，
　　　但是研究者不认为她是浪漫主义的，因此选项 C 正确。

　　A：表述相反，简·奥斯汀在过去被认为是奥古斯都模式的。

　　B：文章没有讨论简·奥斯汀的 views，和男性作家不同的是简·奥斯汀的作品，而非观点。

　　D：偷换概念，简·奥斯汀不属于浪漫主义，不等于"批判"浪漫主义。

　　E：文中未提及。

3. 根据文章，相比于"历史主义者和女权主义评论家"（黑体部分），更之前的对于简·奥斯汀的批评家

　　A.（正确）更可能将她视作是独立于她的时代的主要学术潮流

　　B.（错误）更可能将她视作背离了奥古斯都思想模式

　　C.（错误）更可能找到她的小说和浪漫主义诗歌之间的联系

　　D.（错误）更不可能忽略浪漫主义思想对她作品的影响

　　E.（错误）更不可能注意到简·奥斯汀和她同时代女性之间的相似之处

解析： A：对应第 ❹ 句 Even with the advent of historicist and feminist criticism, which challenged many previous
　　characterizations of Austen as detached from the major social...。题干中的 earlier critics 指的是定位句的
　　previous characterizations。历史主义者批判了之前的研究者认为简·奥斯汀背离主流的观点，因此之
　　前的研究者更会认为简·奥斯汀背离主流，所以选项 A 正确。

　　B：表述相反，奥古斯都模式对应非浪漫，而 earlier critics 也认为简·奥斯汀非浪漫。

　　C：文中未提及。

　　D：文中未提及。

　　E：文中未提及。

4. 文章作者最可能同意下列哪一项关于"女性浪漫主义"（黑体部分）的概念的阐述？

　　A.（错误）它通过说明简·奥斯汀采取了相对较少的浪漫主义思想元素，产生了简·奥斯汀与浪漫主
　　义之间令人困惑的关系。

　　B.（正确）它通过让她独立于对这个时期非常重要的男性作家，使得简·奥斯汀与浪漫主义之间产生
　　令人困惑的关系。

C.（错误）它通过强调她和其他当时领先的女性学者之间的相似之处，改善了简·奥斯汀与浪漫主义之间令人困惑的关系。

D.（错误）它通过使用她所采取的另一种浪漫主义思想，改善了简·奥斯汀与浪漫主义之间令人困惑的关系。

E.（错误）它通过证明她和浪漫主义思想很像，解决了简·奥斯汀与浪漫主义之间令人困惑的关系。

解析： B：令人困惑的关系的产生原因是第一段第 ❷ 句，feminine Romanticism 只是用于进一步强化这种令人困惑的关系的例子，因此选项 B 正确，选项 A 不对。

C、D、E：feminine Romanticism 对应第一段第 ❻ 句，因此其功能是支持简·奥斯汀和浪漫主义之间令人困惑的关系，所以排除选项 C、D、E。

Passage 126

森林既会影响_____，也会影响_____

📝 原文翻译

本文由1993年出版的材料改编而成

❶最近认识到了森林砍伐率的上升和全球温度上升之间的联系，使人们的注意力转移到了森林在生态系统中发挥的作用。❷森林砍伐威胁到了森林的继续存在，而森林的减少会导致立刻的、不可逆转的气候不稳定，因为森林的破坏导致吸热气体比如二氧化碳在大气中的浓度的上升，因此加速全球变暖。

❶目前，全球大气中二氧化碳的积累主要来自两个众所周知的源头：化石燃料的燃烧和森林砍伐。❷森林砍伐导致大气中二氧化碳的含量更高，因为储存在植物和树木中的碳在树木腐烂或燃烧时被释放出来。❸第三个来源是，森林及土壤中，尤其是中高纬度地区的有机物质由于温度上升而加速腐烂，现在已被认为具有潜在的重要意义。❹越来越多的证据表明这一来源的碳开始对全球产生影响。❺因此，大气中二氧化碳的三种来源中有两种直接与森林的生存和健康有关。

❶但是，当我们讨论森林重要性的时候，重点都放在了生物多样性，或者说是单位面积内的物种数量上，尤其是在生物多样性很高的热带。❷但是我们应该强调，森林在每一个纬度上都有类似的作用。❸森林在陆地上任何一个区域都包含有最多种类的动植物，从生命形式和生命的结构复杂性和多样性来看，可能被认为是最高度发达的陆地群落。❹但是，森林不仅仅是简单的物种集合。❺不幸的是，关于生物资源的讨论一直集中在生物多样性上，而不是集中在陆地本身维持生命的实际能力上。❻为了使动植物的整个生命过程繁荣兴旺，土壤必须包含合适数量和比例的基本营养物质，并且大气层必须要由正确比例的正确分子组成。❼如果土壤变得贫瘠或者大气变得不适合生存，那么不仅仅生物多样性或物种数量会受到损失，土地也会变得贫瘠，再也不能维持任何生命了。

❶森林砍伐几乎不停歇地加速营养流失到水中的过程。❷正如之前所解释的，森林砍伐也涉及二氧化碳释放进大气层中。❸因此，森林发挥了清晰且关键的作用，通过增加营养的保持去帮助保护土地维持生命的能力，以及在通过存储碳的方式帮助稳定大气方面也扮演了重要的角色。

3s 版本

❶森林砍伐和全球变暖有关。

❷森林砍伐加速全球变暖的原理。

第一段 3s：森林砍伐和全球变暖有关。

❶二氧化碳上升的两个来源：化石燃料的燃烧和森林砍伐。

❷森林砍伐增加二氧化碳的原理。

❸❹来源三：丛林有机物质的腐烂。

❺森林是二氧化碳的主要来源。

第二段 3s：森林砍伐和森林有机物质的腐烂都会产生二氧化碳。

however ❶对森林的讨论反而将重点转移到了生物多样性上，以至于人们会强调热带森林。

But ❷❸森林的生物多样性在不同纬度没有差异。

however ❹对森林的分析不应该只关注生物多样性。

❺❻❼应该关注土地维持生命的能力。

第三段 3s：对森林的关注应该集中在土地维持生命的能力上。

❶森林砍伐加速土壤营养流失。

❷森林砍伐也会释放二氧化碳。

❸森林既会影响土地维持生命的能力，也会影响二氧化碳。

第四段 3s：森林既会影响土地维持生命的能力，也会影响二氧化碳。

全文3s版本：森林既会影响土地维持生命的能力，也会影响二氧化碳。

文章点拨

第一段：森林砍伐增加大气二氧化碳。

第二段：递进，除了森林砍伐增加二氧化碳，森林影响二氧化碳还有另一种方式：有机物质腐烂。

第三段再次递进，引出土壤的重要性：

第❶句说对森林的讨论导致强调的重点都放在了生物多样性上。尽管通读全文我们无法知道作者为什么会认为重点都放到了生物多样性上，但是从态度上我们能够预判，后文作者会告诉我们应该把重点放在什么上。

❷❸的 But 反驳了第❶句提到的细节：热带森林的生物多样性高。这两句认为各个纬度上森林生物多样性都高。

第❹句将前三句的生物多样性都取反，认为不应该只关注生物多样性。这句话才是作者的观点。

❺❻❼顺承❹，告诉我们应该关注土地维持生命的能力。

第四段：再递进，在上一段"土壤很重要"的基础上加上"森林对于土壤很重要"这一新内容。再加上之前说的森林对大气也很重要，于是最终的结论是森林对大气和土壤都很重要。

全文四段之间均为递进关系，主旨句是全文最后一句。

题目讲解

1. 文章主要关注于讨论

A.（正确）森林对土地及大气保护的重要性

B.（错误）热带森林相对于更高纬度的森林所扮演的角色对比

C.（错误）热带森林砍伐的过程

D.（错误）森林确保生物多样性保持的必要性

E.（错误）最近全球气候变化对森林产生的消极影响

解析： A：参考【文章点拨】，可知选项 A 正确。

2. 根据文章，对森林生物多样性的强调产生了下列哪种影响？

A.（正确）将注意力从土地维持生命的能力的重要性上转移开。

B.（错误）使得人们意识到土地群落复杂性的原因。

C.（错误）使得人们理解全球变暖加速的原因。

D.（错误）导致生物资源这一概念的描述。

E.（错误）将注意力从森林在阻止大气中二氧化碳积累方面的作用转移开。

解析： A：根据第三段，强调生物多样性使得人们不能关注土地维持生命的重要性，所以选项 A 正确。

3. 文章表明对森林生物多样性的强调会带来下列哪一个不幸的结果？

A.（错误）这种强调加强了一种观点认为森林对每种气候都产生类似的影响。

B.（错误）这种强调加强了一种观点认为森林砍伐一直在加速腐烂。

C.（错误）这种强调加强了人们抵制除了热带森林之外的任何森林的保护。

D.（错误）这种强调导致了土地变得贫瘠的速度上升。

E.（正确）这种强调导致了对某些森林重要性的低估。

解析： E：看到题干的 unfortunate 会很自然地定位到第三段第 ❺ 句，于是就找不到答案了。其实第三段的 ❶~❺ 都能传达作者对关注多样性的负面态度，这五句话都是本题的定位范围。根据前三句可知，关注生物多样性会导致人们过分关注热带森林，但是森林在每个纬度上的生物多样性是类似的，所以关注多样性会导致对非热带森林的低估，选项 E 正确，some forests 指的便是非热带的森林。

4. 文章第三段的主要目的是

A.（错误）解释陆地如何维持生命

B.（错误）解释当土壤变得贫瘠时所发生的事情

C.（正确）解释为什么对森林的讨论中的某种展开是令人遗憾的

D.（错误）表明森林不仅仅是简单的物种集合

E.（错误）认为有很少量的物种的森林比有很多物种的森林对生命的维持更加重要

解析： C：a certain development 指的是强调多样性。第三段的主旨便是不应只强调多样性，而应关注土壤维持生命的能力，因此作者会认为强调多样性是 regrettable。

A：第三段只是讨论关注陆地维持生命的重要性，而没有解释陆地如何维持生命。

B：属于细节。

D："森林不仅仅是简单的物种集合"是用于引出下文土壤重要性的过渡内容。

E：文中没有对比物种多和少。

Passage **127**

_____可以解释月球及其他行星的奇怪特征

原文翻译

❶巨大的抛射物撞击更大的天体会产生多种撞击坑，包括多环盆地——在行星和卫星上观测到的**最大的地质特征**。❷在这种撞击中，撞击者被完全破坏了，并且其物质被融合进更大的天体之中。❸从另一方面来讲，体积相当的天体之间的撞击会产生截然不同的结果：其中一个或者两个天体可能被完全破碎，这些碎片形成新天体，被撞碎的天体物质在新天体中重新分配。❹地球和一个火星大小的撞击者之间的大冲撞可能导致了月球的产生。

❶地球-月球系统一直以来都很令人困惑。❷地球是唯一一个拥有大型卫星的内部行星，这个卫星的轨道既不在地球赤道面上也不在其他行星的轨道面上。❸月球的平均密度低于地球的平均密度，但是和地球地幔的平均密度大致相同。❹长期以来，这种密度的相似度会让人产生一种推测：月球是从一个快速旋转的地球上甩出来的，但是这一观点因为两个观察而站不住脚。❺为了能让月球甩出来，地球的旋转速度必须旋转得如此之快以至于一天的长度要小于三小时。❻关于为什么地球可以从那种速度降低到现在的自转速度，科学家无法给出可信的解释。❼除此以外，尽管月亮的成分和地球的地幔很像，但并不是严格匹配。❽大冲撞理论会排除快速旋转的地球的推测，并且可以解释月亮的独特成分。❾在大冲撞模型中，月球的大部分来自撞击者的成分和地球地幔的成分的结合。❿地球的大部分成分可能是以熔化态或蒸发态而存在的。⓫这些蒸汽在地球轨道上难以凝结，并且这些蒸汽随后会在太空真空环境中流失，这会导致所观察到的月球岩石中缺少某些易挥发的**成分和元素**。

❶一些其他行星的不同寻常的特点也可以通过这种撞击来解释。❷水星比其他岩石行星的密度更高。❸一场大冲撞可能移走了水星岩石地幔的一部分，留下了一个金属地核，其密度和初始的岩石金属比例不同。❹对金星的一次巨大的侧击有可能导致金星旋转速度离奇的慢，并且导致金星逆向的自转。❺尽管这些推测是吸引人的，但是，因为没有哪个早期的行星能够免受大冲撞，这些推断可以被任意草率地用来解释不同寻常的行星特征；但是，我们现在应该开始去研究大冲撞在行星历史上的真正作用了。

3s 版本

❶❷小天体撞击大天体，小天体的物质会融合进大天体。

on the other hand换对象❸体积相当的天体撞击则会形成新天体。

❹这一点可以解释月球的形成。

第一段 3s：月球形成于两个体积相当的天体的撞击。

❶地球-月球系统令人困惑。

❷❸两个例子说明月球令人困惑。

❹认为月球是从地球甩出来的可以解释上述困惑。

but ❹两个原因反驳这种猜想。

❺❻原因一：地球很难达到足以甩出月球的自转速度。

❼原因二：月球的成分和地球地幔的成分不是完全一样的。

❽大冲撞理论可以解释月球的形成。

小结：❶~❽封装，与第一段取同。

❽~⓫在撞击过程中，易挥发成分从月球消失了，因此可以解释为什么月球成分和地球地幔成分并非完全一致。

第二段 3s：大冲撞理论可以解释月球的形成。

换对象+also ❶大冲撞还能用于解释其他行星的奇怪特征。

❷水星密度高。

❸大冲撞解释为什么水星密度高。

换对象❹大冲撞解释为什么金星旋转速度慢以及逆向自转。

小结：❷~❹广义封装，与❶取同。

❺大冲撞可以粗略地解释所有的奇怪现象，但是真正作用还需要研究。

第三段 3s：大冲撞可以解释月球及其他行星的奇怪特征。

全文3s版本：大冲撞可以解释月球及其他行星的奇怪特征。

📖 文章点拨

第一段的主要目的是引出本文主要讨论的理论：大冲撞导致月球形成。

第二段第 ❶ 句引出问题：月球很令人困惑。❷❸ 两句分别从月球的轨道面和密度的角度来证明月亮很令人困惑。既然是困惑，后文往往会给出解释。根据第一段，我们料想这种解释应该是大冲撞，结果第❹ 句却解释为月球是被地球甩出去的，这与大冲撞没关系，因此应该和后文进行封装。第 ❹ 句通过 but 句内取反反驳了"甩出去"这一观点。❺❻❼ 则是具体的反驳理由。当一个观点被提出、被反驳，那么之后就应该提出新观点了，这个新观点出现在第 ❽ 句，也正是第一段提出的大冲撞。因此本段应该全都封装起来和上一段取同。第 ❽ 句前半句说大冲撞可以排除地球自转速度的推测，这是因为既然月球是撞出来的，因此也就不需要地球那么快的自转速度把它甩出来了。后半句说大冲撞可以解释为什么月球的成分和地球的有轻微不同。这是后面三句要解释的。

❾~⓫描述月球形成的流程，因此要广义封装起来。在撞击过程中，地球的一些成分变成了蒸汽，因而无法凝结到月球中。所以上一段提及的月球和地球成分存在轻微差异，指的就是这些变成了蒸汽的成分。这些成分地球有，但是月球没有。

第三段的 ❶~❹ 则针对前文发生了递进，大冲撞理论不仅仅可以解释月球这种奇怪的现象，推而广之还能解释其他行星，并举了水星和金星作为例子。第❺句则意在评价大冲撞，认为大冲撞理论是一个"万金油"理论，可以粗略地解释所有关于行星的奇怪特征，但是尚还需要研究其在行星形成过程中所发挥的真正作用，也就是说其实大冲撞也未必是那个最精确的理论。

📖 题目讲解

1. 根据文章，关于标黑体句子中的撞击，下列哪一项是正确的？

   A.（错误）这些撞击比大冲撞发生的频率更低。

   B.（错误）这些撞击发生于体积相当的天体之间。

C.（错误）这些撞击主要发生于行星大小的天体之间。

D.（正确）这些撞击导致了撞击者的完全毁灭。

E.（错误）这些撞击导致物质重新分散在新形成的天体之间。

解析： D：同义改写第一段第 ❷ 句的 the impactor is completely destroyed。

A：从文中看不出来。

B：从文中看不出来。

C、E：均对应的是大冲撞，而非标黑体句子所描述的撞击。

2. 文章作者认为下列哪一项是关于大冲撞模型的？

A.（错误）这个模型关于太阳系内部的某些奇怪现象是具有结论性的，但是让很多其他的奇怪现象无法被解释。

B.（错误）这个模型比更早的模型更有可能解释多环盆地的形成。

C.（错误）这个模型在解释由不同平均密度的撞击者所导致的现象时是尤其有用的。

D.（错误）这个模型已经被验证到一种程度，那就是这个模型很快就能被认为是决定性的。

E.（正确）这个模型是如此吸引人以至于被不加区分地用来解释不同寻常的行星特征。

解析： E：同义改写第三段第 ❺ 句。

3. 关于黑体字中的"成分和元素"，这篇文章表明下列哪一项是正确的?

A.（错误）它们通过在大冲撞期间所发生的反应而形成。

B.（错误）它们由撞击了地球的撞击者所提供。

C.（错误）它们曾经出现在月球上，但是之后蒸发了。

D.（错误）它们很少在太阳系行星大小的天体上被发现。

E.（正确）它们存在于地球，但是不存在于月球。

解析： E：根据【文章点拨】可知，这些成分和元素就是月球和地球之间不同的那部分成分，而且根据黑体字所在句子的 the observed absence in lunar rocks 可知，这些成分月球没有，那么就是地球有，因此选项 E 正确。

A、B：根据第二段第 ❾ 句，这些成分本就属于地球，而大冲撞发生在地球形成之后，因此不可能是大冲撞所导致的反应形成的，也不可能是撞击者带来的。

C：月球形成之前，这些成分就在撞击后蒸发掉了。

D：文中未提及。

4. 在第二段中，作者主要关注于

A.（正确）支持关于地球－月球系统形成的一个特定理论

B.（错误）总结关于地球－月球系统形成的传统理论

C.（错误）预测并应对了对于地球－月球系统形成的一个理论的批判

D.（错误）解释了为什么地球－月球系统被认为很困惑

E.（错误）质疑了一个关于地球－月球系统形成的理论背后的假设

解析： A：本题属于主旨题，正确答案就是第二段 3s 版本，因此选项 A 正确。a particular theory 指大冲撞理论。

B：从第二段中看不出"传统"。

C：第二段中没有"预测"。

D：解释为什么困惑的内容仅限于第二段❷❸句。

E：第二段推翻的仅限"甩出去"这一理论，但是这一理论背后的假设则未提及。

Passage 128

虽然爵士音乐人早就开始迁往洛杉矶，但是＿＿＿＿＿＿＿＿＿是向南迁移的决定事件

原文翻译

❶在20世纪早期，旧金山是非裔美国爵士音乐家在美国西海岸的主要活动场所。❷音乐活动集中在一个名为巴巴里海岸的地区，这里有大量的夜店为当地的音乐家提供了大量的工作机会，吸引了来自全国各地的音乐家和其他艺人，其中很多是非裔美国人。❸1921年，作为禁酒令时期的行为之一，政府关闭了巴巴里海岸。❹这次关闭是决定性的事件，它使洛杉矶成为西海岸爵士乐活动的主要中心。❺一旦巴巴里海岸被关闭了，爵士音乐家在旧金山找工作就越来越难了，因此很多人南下到了洛杉矶。

❶但是即使是在关闭之前，爵士乐活动的中心早就开始向南迁移了。❷凭借最大的也是发展速度最快的西部非裔美国人城市社区，以及其飞速发展的电影行业和新兴的唱片业，洛杉矶早就从全国，尤其是从新奥尔良吸引爵士音乐家，那里的爵士音乐家在1917年斯特利维尔地区被关闭的时候经历了巨大的冲击。

3s 版本

❶20世纪早期，旧金山是爵士乐的活动中心。

❷爵士音乐人的主要活动在巴巴里海岸。

时间对比❸1921年，禁酒令关闭了巴巴里海岸。

❹巴巴里海岸被关闭是洛杉矶成为爵士乐中心的决定事件。

❺巴巴里海岸被关闭后，很多人南下到了洛杉矶。

第一段 3s 版本：1921 年禁酒令时期，很多旧金山的爵士音乐家南下到了洛杉矶。

Yet ❶在巴巴里海岸被关闭之前，爵士乐中心就已经开始南下了。

❷洛杉矶早就开始从全国吸引爵士音乐人。

第二段 3s 版本：洛杉矶早就开始从全国吸引爵士音乐人。

全文3s版本：虽然爵士音乐人早就开始迁往洛杉矶，但是旧金山的巴巴里海岸的关闭是向南迁移的决定事件。

题目讲解

1. 文章的主要目的是

   A.（错误）指出旧金山和新奥尔良的政府行为对爵士乐产生的类似影响

   B.（错误）为旧金山作为爵士乐中心的衰落提供替代性的解释

   C.（错误）支持加州城市在爵士乐发展中的重要性

   D.（错误）呈现并反驳爵士乐活动人口迁移的理由

   E.（正确）概括一些导致爵士乐活动地理位置发生变化的因素

   解析：E：文章的主要目的就是给出各种原因解释为什么洛杉矶成为爵士乐中心：巴巴里海岸的关闭、新奥尔良斯特利维尔地区的关闭、电影业和唱片业的兴起等。

   A：新奥尔良属于细节。

   B：文中没有替代性解释，只有一个解释，那就是巴巴里海岸被关闭。

   C：没有把范围扩大为加州城市。

   D：文章没有反驳。

2. 文章引用了下列哪一项作为一个因素去解释旧金山成为 20 世纪西海岸爵士乐的主要中心?

   A.（正确）旧金山夜店区给音乐人提供的工作机会的数量。

   B.（错误）政府努力在旧金山实施禁酒令。

   C.（错误）旧金山区域为不同种类的爵士乐提供多个场地。

   D.（错误）相比于洛杉矶，对来自其他地方的音乐人来说旧金山更容易到达。

   E.（错误）旧金山在当时比洛杉矶有更多非裔美国人。

   解析：A：本题问的是为什么旧金山是爵士乐中心，因此答案定位在前两句。根据第 ❷ 句可知，选项 A 正确。

3. 从文章可以推断出，对于非裔美国人音乐家，下列哪一项成为 1921 年之后洛杉矶相比于旧金山的优势?

   A.（错误）去洛杉矶比去旧金山容易。

   B.（正确）禁酒令对洛杉矶的工作机会产生了更少的影响。

   C.（错误）洛杉矶的夜店比旧金山的夜店为爵士音乐家提供了更好的酬劳。

   D.（错误）洛杉矶的电影行业成为爵士音乐家就业的重要来源。

   E.（错误）洛杉矶的非裔美国人社区开始快速扩张。

   解析：B：此题的陷阱在于，问的是洛杉矶仅仅在 1921 年之后相比于旧金山的优势。根据第二段第 ❶ 句的 before that closing 可知，第二段讲的是洛杉矶在 1921 年之前的优势。1921 年之后的优势在第一段的第 ❺ 句。当巴巴里海岸被关闭后，非裔美国人找工作更难了，因此南下到洛杉矶，所以禁酒令对在洛杉矶找工作产生的影响更小，选项 B 正确。

Passage 129

纽霍尔的《这是美国的土地》满足了第_____标准，不满足第_____和第_____标准

原文翻译

❶评价南希·纽霍尔收集并编排的摄影作品集《这是美国的土地》（*This is the American Earth*）的一种方法是使用纽霍尔自己评价摄影艺术的标准。❷这部摄影作品是否达到了其他媒介所不可能达到的结果？❸通过将小东西和大背景进行对比——比如将一个岩石池的照片放到螺旋状银河系旁边——纽霍尔充分利用了照相机控制物体大小的能力，因此也就反驳了观众对物体大小的传统概念的质疑。❹但是，类似的结果用绘画这种媒介也可以达成。

❶纽霍尔的第二和第三标准：这部作品是否有其创作者的印记？在观众看了这么多作品之后，这部作品是否还能激发起他们的兴趣？❷实际上，纽霍尔的作品拥有她的无法被认错的印记，那就是将照片并列摆放并且旁边伴有有韵律的散文，但是观众必须要去确定纽霍尔的作品是否能像过去对这位观众所做的一样，在随后的观赏中激发起新的体验。

3s 版本

❶用纽霍尔自己的标准来评价《这是美国的土地》。

❷标准一：是否达到了其他媒介不可能达到的效果。

❸作品颠覆了观众们对大小的传统概念。

However ❹这一点绘画也能做到。

第一段 3s 版本：要用纽霍尔自己的标准去评价《这是美国的土地》，但是不满足第一个标准。

❶第二和第三标准的内容。

❷满足第二标准，不满足第三标准。

第二段 3s 版本：满足第二标准，不满足第三标准。

全文3s版本：纽霍尔的《这是美国的土地》满足了第二标准，不满足第一和第三标准。

题目讲解

1. 根据文章，下列哪一项是《这是美国的土地》满足纽霍尔评价摄影作品的标准方式？

A.（错误）这部作品利用了照相机独特的能力。

B.（错误）这部作品给观众留下了强烈的视觉印象。

C.（正确）这部作品包含一些元素使得人们能识别出这是特定某人的作品。

D.（错误）这部作品持续地激发起观众的情感反应。

E.（错误）这部作品成功地毁灭了人类对大小的概念的过分强调。

解析：本题乍看之下每个选项都对，但是这道题问的是这部作品怎么满足了纽霍尔的标准，因此如果这个选项只是文中提及，但是和纽霍尔的标准无关，照样不选。

C：对应的是标准二：这部作品是否有其创作者的印记。根据第二段第 ❷ 句 Newhall's work bears her unmistakable imprint 可知，作品满足了纽霍尔的标准二，所以选项 C 正确。

A、B、D、E：均和标准无关。

2. 根据文章，纽霍尔在评判摄影作品时所用到的标准是这部作品在哪方面达到的程度？

   A.（错误）这部作品给观众提供了一种体验使得他们会进行后续的观赏

   B.（错误）这部作品挑战了观众，使其质疑自己的预想

   C.（错误）为不同观众在不同环境中激发了类似的体验

   D.（错误）达成了之前摄影作品没有达成的成就

   E.（正确）产生了只有摄影这一媒介才能取得的结果

解析：E：这道题只是在问纽霍尔评价作品用到的标准是什么，而没有问其作品达到了哪个标准，因此选项 E 正确，对应标准一。

A：标准三指的是观众在看过一部作品后，在看其他作品时依然能激发起兴趣，但是选项 A 说的是一部作品会使得观众继续观看其他作品，有偏差，不选。

B：《这是美国的土地》确实挑战了观众们对大小的传统观念，但是这不是三个标准中的一个。

C：文中未提及。

D：标准一说的是达成其他媒介所没达成的成就，而非其他摄影作品。

3. 关于纽霍尔的第三个标准，文章作者表明了下列哪一项？

   A.（正确）第三个标准的满足可能依赖于个人的反应。

   B.（错误）第三个标准不能让个体基于他或她的体验被使用。

   C.（错误）第三个标准比纽霍尔的其他标准更容易使用。

   D.（错误）第三个标准在评价摄影艺术的时候是最重要的标准。

   E.（错误）相比于其他被评价的摄影艺术，第三个标准的使用对摄影集来说是更困难的。

解析：A：根据最后一句，第三个标准是在观众看了那么多作品之后，是否对其他作品依然有兴趣，另外这一点必须要由观众自己来决定自己是否还感兴趣，因此标准三依赖的是观众的个人反应，所以选项 A 正确。

Passage 130

作者认为盖茨利用"声音"来评价《紫色》的做法是不合适的，应该关注《紫色》的_____

▼ **原文翻译**

❶尽管艾丽斯·沃克的《紫色》（The Color of Purple）首次亮相时便赢得了几项最知名的文学奖项，但是该作品内容上令人费解的一些方面引起了评论界的不安。❷正如一位评论家所指出的，在这样一部"明显的现实主义小说"中，很多评论家发现了对现实主义小说形式的违背，他们以不同的

方式指出，在这本书的后半部分，叙事主人公西莉和她的朋友们被迫推向了一个大团圆结局，节奏太快以至于没有可信度；他们还指出，妮蒂写给她姐姐西莉的信乱入到故事的主要情节当中，这没有任何动机和可信性；并且他们还指出，西莉写给上帝的信这一情节是尤其不现实的，因为这一情节摒弃了传统上赋予书信体小说（即由书信组成的小说）的独特逼真的细节：用诡计将信寄出、藏起来，尤其是还要将信收回来。

❶事实上，违背现实主义传统是如此的公然以至于这种违背会令人质疑《紫色》究竟是否想要成为一部现实主义小说，尤其是有一些迹象表明，这部小说中至少被评论家认为令人费解的某些方面与19世纪欧洲白人现实主义之外的写作模式产生了关联。❷比如，小亨利·路易斯·盖茨最近发现，给上帝写信这种情节符合一种起源于奴隶故事的非裔美国人传统。在这种传统中，写作的行为与一位强大的神有关，这位神通过经文"说话"，并且将文字视作是施与恩惠的方式。❸对盖茨来说，对寻找一种声音的关注，这种声音是他所认为的非裔美国文学的决定性特征，将西莉的信和佐拉·尼尔·赫斯顿1937年的小说《他们眼望上苍》（*Their Eyes Were Watching God*）产生了关联，而这部小说被公认为是《紫色》的前辈。

❶盖茨的方法表明，认为主流的现实主义标准适用于评价《紫色》是多么具有误导性。❷但是当他将声音当作是把说话主题和文本统一在一起的最重要元素时，盖茨并没有阐明沃克的小说中更加传统的结构特征。❸比如，尽管妮蒂写的信很明显地表明她想要得到自己的声音，但是盖茨对"声音"的关注并不能帮助我们理解这些信件在小说中所出现的地方，或者也不能帮助我们理解为什么这一情节突然跳转到脱离了地理和文化的背景之中。❹我们真正需要的是一个评价方法，这种方法并不会掩盖这些令人震惊的结构特点（这些特点很明显是故意想要削弱传统的欧洲白人小说传统），而应该直面这些特点，因此才能阐明《紫色》和与之相比较的传统模式之间蓄意挑衅性的背离。

⤵ 3s 版本

❶《紫色》令评论家困惑。

❷这是一部看起来现实主义的小说，但是很多人发现了其不现实的地方。

第一段 3s：《紫色》不现实。

❶《紫色》不现实。

❷盖茨关注到《紫色》的不现实。

❸盖茨通过"声音"来评价《紫色》。

第二段 3s：盖茨通过"声音"来评价《紫色》。

❶尽管盖茨的评价方法表明用现实主义来评价《紫色》是不正确的。

But ❷❸盖茨利用"声音"来评价《紫色》无法解释为什么这本书不现实。

❹好的评论应该解释《紫色》为什么不现实。

第三段 3s：盖茨利用"声音"来评价《紫色》的做法是不合适的，应该关注《紫色》的不现实。

全文3s版本：作者认为盖茨利用"声音"来评价《紫色》的做法是不合适的，应该关注《紫色》的不现实。

📝 文章点拨

第一段：

本段是作者引用评论家们对《紫色》的评价。难点在第 ❷ 句，面对这么长的句子，通常的处理方法就是先把主干找出来，这样至少这句话的 3s 版本就有了。这句话的主干部分是：many reviewers perceived violations of the conventions of the realistic novel form，即"这本小说不现实"。主干之后通过平行结构，列举了三个例子来说明这本书是多么的不现实：a. more velocity than credibility 中的 credibility 等于"现实"，加上 than，表示"不现实"。b. little motivation or warrant 也体现出不现实。c. unrealistic 和 forgoes the concretizing details 也对应不现实。

第二段：

这一段的主要内容是作者引用了盖茨对《紫色》的评价。第 ❸ 句的 voice 等于第 ❷ 句的 speaks。这表明盖茨对《紫色》的研究主要集中在这本书里那个会说话的神。

第三段：

这一段是作者对盖茨的文学评价的评价。第 ❶ 句相当于让步，承认盖茨确实也承认了《紫色》的不现实，但是重点在第 ❷ 句的 But。作者认为盖茨过分关注于会说话的神，这个关注点不正确，因为这无法解释这本书为什么不现实。第 ❸ 句是例子。第 ❹ 句是作者观点，认为恰当的评论应该能解释清楚为什么这本书是不现实的。

总结：

本文前两段是对《紫色》的评价，第三段是对文学评价的评价。

🔍 题目讲解

1. 文章作者最可能同意下列哪一项关于妮蒂写给西莉的信的陈述？

   A.（错误）这些陈述标志着一种非刻意的转变，转变到脱离了地理和文化的背景之中。

   B.（正确）这些陈述体现一种有意识的尝试去削弱某些小说传统。

   C.（错误）这些陈述比它们一开始看起来的更贴近于小说的主要情节。

   D.（错误）这些陈述比西莉给上帝写的信更归功于奴隶故事的传统。

   E.（错误）这些陈述阐明了书信体小说形式的传统的具体化细节。

解析： B：本题问作者观点，因此定位到第三段。根据 ❸❹，妮蒂写给西莉的信体现的是刻意的违背现实主义，因此选项 B 正确，certain novelistic conventions 指的是 19 世纪欧洲白人的现实主义小说传统。

   A：错在 unintended。

   C：connected to the main action of the novel 表述相反。

   D：文中没有提妮蒂写的信和奴隶故事传统之间的关系。

   E：illustrate the traditional concretizing details 表述相反。

2. 在第二段中，文章作者主要关注于

   A.（错误）研究了《紫色》迎合其公认的前辈《他们眼望上苍》的方法

   B.（错误）提供了一个评论家的例子，他充分地应对了《紫色》的结构特点

   C.（正确）表明 19 世纪现实主义小说之外的模式可以帮助我们理解《紫色》

   D.（错误）证明了一个特定的想对《紫色》给出替代性评价方法的学术尝试的无效性

   E.（错误）反驳了一个观点，这个观点认为《紫色》违背了现实主义小说形式的传统

解析：C：作者写第二段的目的就是想要借助其他评论家来说明《紫色》的不现实，因此选项 C 正确。other than the nineteenth-century realistic novel 对应的便是"不现实"。

A：盖茨关注的是这两本书之间的共同点，与作者无关。

B：这一段还看不出来盖茨有没有充分地应对《紫色》的结构特点。

D：这是第三段的内容。

E：表述相反。

3. 根据文章，应对《紫色》的令人惊讶的结构特征的评论方法可以完成下列哪一项成就？

A.（错误）会充分地解释为什么这本小说的很多评论家发现了与现实主义小说传统之间的关联。

B.（正确）会表明这本小说与 19 世纪著名的欧洲白人模式之间的区别。

C.（错误）会详细阐述声音在这本小说中的重要角色。

D.（错误）会应对这本小说迎合赫斯顿的《他们眼望上苍》的方法。

E.（错误）会揭露出这些结构特征用于模仿小说传统的方法。

解析：B：根据题干，本题定位到第三段最后一句 confronts them, thus illuminating...it has been compared，因此应对这本书的结构特征可以完成的成就就是解释这本书的不现实，选项 B 正确，欧洲白人的模式是"现实"。

4. 文章作者表明盖茨与第一段中所提及的评论家最相似之处在哪？

A.（错误）他指出了《紫色》和其他传统书信体小说之间的区别。

B.（错误）他认为关注于找到一种声音对《紫色》和《他们眼望上苍》是一样重要的。

C.（错误）他认为《他们眼望上苍》刻意地想要成为一个符合 19 世纪欧洲裔美国人现实主义的小说。

D.（错误）他没有应对《紫色》中很多令人不安的结构特征。

E.（正确）他承认了《紫色》对欧洲白人现实主义小说传统的违背。

解析：E：本题问盖茨和第一段中 reviewers 之间的共同点。根据文章，共同点是都发现《紫色》的不现实，因此选项 E 正确。

A：盖茨的评价中看不出来其他书信体小说。

B："声音"是盖茨特有的，与 reviewers 无关。

C：reviewers 没有评价《他们眼望上苍》。

D：这是盖茨特有的。

Passage 131

诗人的动机不是_____，而是_____

📖原文翻译

❶因为主题是如此的个人化，因此几位杰出的20世纪中期诗人的作品被称为"忏悔"诗。❷但是，对于诗人所做的作品来说，忏悔是一个不好的比喻。❸忏悔的动机是赎罪或疗愈——通过公开表

达个人的罪过和悲惨遭遇，诗人们想让它们更容易承受。❹但是这些诗人通常以艺术家的方式来处理作品，并且他们的写作动机是审美。❺从疯狂、绝望和贪婪等经历中来写作，诗人们的目标是创造有效的艺术，而非治疗自己。❻如果认为他们的诗歌是对个人经历的记录，这不仅仅是轻视了诗人们的成就，也忽视了他们对忏悔诗思想的一致鄙视。

3s 版本

❶忏悔。

But/bad ❷不忏悔。

❸忏悔的定义。

But ❹诗人的动机不是忏悔，而是审美。

小结：❸❹封装，与❷取同。

❺❻诗人的动机不是忏悔，而是审美。

全文3s版本：诗人的动机不是忏悔，而是审美。

文章点拨

本文在讨论诗人写作的动机是出于忏悔还是审美。关于这两个含义，文中有大量的同义改写。忏悔：confessional、penitential、therapeutic、cure themselves、documents of personal experience；审美：artists、aesthetic、effective art。

题目讲解

1. 文章作者认为将文中所讨论的诗人的作品称之为"忏悔"

   A.（正确）错在这个称呼所暗示出来的诗人动机

   B.（正确）考虑到诗歌的主题，有可能表面看起来是合适的

   C.（错误）由于缺少其他合适的术语而引起的一个错误

解析：A：本题考查作者的观点，因此正确答案的选择方向应该是负面的。选项 A 正确，诗人的动机是审美，因此忏悔无法暗示出这一动机。

B：正确，诗歌的主题对应第 ❶ 句，是个人化的，因此可以被认为是忏悔的，但是实际上又不是忏悔，因此只能从表面上让忏悔这一主题看起来是合理的。

C：文中未提及 absence of any other convenient term。

2. 文章暗示被讨论的诗人没有

   A.（错误）认为诗人写作的动机对于评价一位诗人的作品是重要的

   B.（错误）因为写作而经历任何减轻个人痛苦的方法

   C.（正确）给自己的作品打上让作品随后被人知道的标签

解析：C：label 对应 confessional，因此选项 C 主要就是说这些诗人没有给自己的作品打上"忏悔"的标签。选项后面的"通过这一标签，作品随后被人知道"对应到第 ❶ 句的时态变化：Because the subject matter was so personal, the work of several prominent mid-twentieth century poets has been termed "confessional" poetry. was 表明诗歌的完成发生在过去，has been 表明诗歌被打上忏悔的标签是发生在之后，对应选项 C 的 subsequently。

A：根据最后一句，如果理解错诗人，既是鄙视诗人的成就，也是忽视诗人对忏悔诗歌的鄙视，这说明诗人认为写作的动机是很重要的。

B：原文只是说诗人的目的不是忏悔，但是不代表他们没有忏悔或治疗过自己。这就好比坐高铁从北京去上海，目的地是上海，不代表中间不会路过河北。

Passage **132**

两个原因解释为什么_____

原文翻译

❶我们的研究表明，守卫巢穴的长尾蜥蜴离家越近，回家的成功率越高。**❷**有两个原因可以解释为什么回家的成功率会随着离家的距离增加而下降。**❸**一种可能性是雌性仅仅是离家太远以至于找不到回家的路。**❹**但是，这一点是不可能的，因为一些蜥蜴从我们设置的任何距离上都成功地找到了回家的路。**❺**第二种可能性是在长途回家的风险和回家所带来的好处之间进行权衡。**❻**动物应该只有在综合成本很低的情况下消耗能量。**❼**随着爬行动物活动时间的增加，它们每天的能量消耗会显著上升。**❽**回家的能量消耗和蛋在回家途中被捕食的概率都会随着离家的距离增加而上升。**❾**比如，雌性蜥蜴从300米远的地方回家所要花费的130小时（5.5天）就足以让一条吃蛋的蛇发现并捕食整个巢穴。**❿**但是，拥有更大巢穴的雌性更有可能从50米之外的地方回家。**⓫**对这些雌性蜥蜴来说，成功孵化更多的蛋所带来的相对好处会超过回到巢穴所要花费的能量成本，即使这个巢穴可能早就被捕食了。

3s 版本

❶离家越远，回家成功率越低。

❷有两个原因可以解释。

❸原因一：离家太远容易迷路，导致回家成功率降低。

However **❹**不是所有的蜥蜴都是离家越远回家成功率越低。

❺~❽原因二：回家的风险和回家得到的好处之间的权衡。

❾权衡之后选择不回家的例子

However **❿⓫**决定回家的例子。

小结：**❾~⓫**封装，与**❺~❽**取同。

全文3s版本：两个原因解释为什么蜥蜴离家越远，回家成功率越低。

题目讲解

1. 文章的主要目的是

A.（错误）质疑关于长尾蜥蜴护巢行为研究的有效性

B.（正确）考虑关于长尾蜥蜴的一项发现的解释

C.（错误）讨论长尾蜥蜴回家的重要性

D.（错误）描述长尾蜥蜴的巢穴大小和回家成功率之间的关系

E.（错误）指出长尾蜥蜴中一种普遍行为的好处

解析： B：a finding 对应文章第 **❶** 句，而文章的主旨便是对这句话所描述的现象给出两种解释，对应该选项的 explanations。

A：没有质疑任何研究的有效性。

C：文章讨论的是为什么有的蜥蜴不回家，没提回家的有效性问题。

D：仅仅是原因二，属于细节。

E：a behavior 可以认为指的是蜥蜴回家，但是文章是为了解释这一行为，而非说它的好处。

2. 标黑体句子对于成功地在每一个距离找到回家的路的蜥蜴做了下列哪个假设？

A.（错误）它们比其他被研究的长尾蜥蜴更加不能够发现吃蛋捕食者。

B.（错误）它们比其他被研究的长尾蜥蜴更加厌恶风险。

C.（错误）它们比其他被研究的长尾蜥蜴在回家的时候消耗更少能量。

D.（正确）它们比其他被研究的长尾蜥蜴并不具备更好的回家技能。

E.（错误）它们比其他被研究的长尾蜥蜴有更小的巢穴。

解析： D：本题相当于假设题，因此选择取反之后推翻原文的选项。选项 D 取反后的含义是这些蜥蜴具备更好的回家技能。这么一来，这个实验便有了两个变量：回家技能和回家距离。但是合理的实验应该只有一个变量，选项取反后增加一个变量，也就意味着这个实验不可靠，进而其对应的结论被推翻。选项符合取反后推翻原文的原则，故正确。当然，这道题的简单做法便是其余选项均含有原因二才提及的信息，均为定位错误，只有选项 D 正确。

3. 关于没能在 50 米以外的距离回家的雌性长尾蜥蜴，"第二种可能"暗示了下列哪一项作为一种可能的解释？

A.（正确）它们有相对小的巢穴。

B.（错误）它们不能找到回家的路。

C.（错误）它们缺少足够的能量成功回家。

D.（错误）它们有雄性长尾蜥蜴看家。

E.（错误）它们发现了巢穴周围有吃蛋蛇的证据。

解析： A：根据原因二的思想，蜥蜴回家与否取决于回家之后能被成功孵化的蛋的数量与回家所消耗的能量之间的权衡。根据第 **❿** 句，离家 50 米的蜥蜴，当巢穴很大的时候就会回家。那么离家 50 米但是不回家的蜥蜴，其原因就是巢穴小，因此选项 A 正确。

B：这是原因一，与原因二无关，属于定位错误。

C：这是一个陷阱选项。要注意"耗能高"和"自身没有足够能量"之间的关系。原文蜥蜴不回家是因为觉得回家"耗能高"，相比于能被孵化出来的蛋来说很不划算。原文没说蜥蜴本身有没有足够的能量。

D：没提雄性。

E：根据最后一句，即使有可能蛋都被吃了，只要离家近，或者巢穴足够大，蜥蜴还是愿意回家的，所以发现周围有蛇的证据不构成蜥蜴不回家的原因。

Passage **133**

解释为什么很少有与_____有关的灭绝

原文翻译

❶有大量的记录表明当地物种的灭绝是由外来的捕食者和病原体导致的。❷但是，令人惊讶的是，当地物种灭绝很少是由外来物种的竞争导致的。❸比如，在过去400年间，4000种植物被引进到了北美，并且这些外来植物目前占北美植物种类的20%。❹但是，没有证据表明任何北美当地植物物种灭绝是由新物种的竞争导致的，这可能意味着这种灭绝花费的时间比科学家一开始认为的要长，或者，灭绝很少是由非当地物种导致的。

3s 版本

❶有大量记录表明外来物种会导致当地物种灭绝。

However ❷很少有灭绝是由竞争导致的。

❸北美外来物种引入后，有的物种灭绝了。

Yet ❹这些灭绝与竞争无关。

❹原因可能是竞争导致灭绝花费的时间很久，或者竞争根本不会导致灭绝。

全文3s版本：解释为什么很少有与竞争有关的灭绝。

文章点拨

本文前两句的功能在于制造矛盾。明明有大量的外来物种导致灭绝的记录，但是这些灭绝却很少能归因于竞争。只要文章开头提出矛盾，后面的内容就是解释这种矛盾，这和逻辑题的解释题题型的出题思路是一致的。为了解释这个矛盾，文章❸❹两句先描写了符合这一矛盾的实例。第❹句后半句才是对这种矛盾的解释：很少有灭绝归因于竞争，要么是因为竞争导致的灭绝实际发生时间很久，只是科学家还没来得及观察到，导致人们认为竞争没有导致灭绝，要么就是竞争确实不会导致灭绝。

题目讲解

1.　本文主要关注于

　　A.（错误）指出一种特定方式的物种灭绝很少发生

　　B.（正确）关于特定物种灭绝方式的冲突的数据提出一种可能性解释

　　C.（错误）解决一个关于特定物种灭绝方式的频率的辩论

　　D.（错误）比较两个关于特定物种灭绝方式的可能原因的理论

　　E.（错误）反驳对一种特定物种灭绝现象越来越少的解释

解析： B：本题选项中的 a particular type of species extinction 指的是"竞争导致的灭绝"这种灭绝形式，而非灭绝的物种种类。本文的重点是解释前两句的矛盾是如何发生的，因此选项 B 正确。a possible explanation 指的是第 ❹ 句后半句所给出的解释，conflicting data 指前两句的矛盾。

　　A：竞争导致的灭绝很少发生，这是文中被解释的现象，属于细节。

C：a debate 在文中无对应。

D：two theories 在文中无对应。

E：文中没提 refuting，也没提 increasingly rare。

2. 作者介绍了北美外来植物物种的数据的主要目的是

    A.（错误）削弱一个解释，关于缺少一个特定现象发生的证据

    B.（错误）将北美外来植物物种的影响同外来动物物种的影响进行对比

    C.（错误）表明北美当地植物是一个有足够空间让一个特定影响发生的区域

    D.（错误）强调在过去 400 年北美的生态在多大程度上被外来物种的引入所影响

    E.（正确）证实一个观点，关于引进的外来物种对当地种群所产生的总体影响

解析：E：本题属于功能题，定位到第 ❸ 句。定位句是数据，因此是一个证据，而证据的功能就是用来支持观点的，因此 E 的表述正确。the overall effect 指的是引入外来物种后，并没有通过竞争来导致当地物种灭亡。因此这个数据可以证实作者在第 ❷ 句的观点——很少有竞争导致的灭绝。

A：文章给出解释是在最后一句，定位句的数据只能用来支持前面的观点，无法削弱后面的解释。

B：文章没提动物物种。

C：作者引用外来物种的数据，其侧重点在外来物种所产生的影响，和当地物种是否是一个充分的领域无关。另外，该选项可以看作是作者引用北美种群数据的原因，而非目的。

D：定位句只涉及北美的植物种群，ecology 的范围太大。

Passage 134

解释为什么德兰德拉林地比南部高原有更多的_____

🔽 原文翻译

❶最近，研究者们调查了澳大利亚两处独立的桉树林（距离新南威尔士州以西大约3000千米的西澳大利亚德兰德拉林地和南部高原）中鸟类的觅食情况。❷尽管它们的地理位置不同，但是这两个地方的物种有很大的重叠。❸但是，德兰德拉林地的地面觅食物种的比例（61%）远高于南部高原的比例（34%）。

❶德兰德拉林地的地面觅食者比例更高的原因可能是栖息地很开阔，即缺少密集的地面植被，以及缺少连贯的灌木丛。❷地面捕食似乎会因为裸露地面上的大面积开阔栖息地而受益。❸但是，研究者们发现南部高原地面上有从稀疏到密集的富含木质碎屑的枯枝落叶层，并且有不连贯的或缺失的地面及灌木层。❹因此，这些地区和德兰德拉林地之间栖息地结构上的不同不能完全解释德兰德拉林地有更多的地面觅食者。

❶研究者们提供了几种假说来解释这些不同。❷首先，一些栖息地结构的不同并不是通过偶然的观察就能发现的。❸比如，树木高度和**树冠的复杂性**的不同会导致食树皮和食树叶鸟类在物种丰富度和觅食行为上存在差异。❹第二，尽管结构上存在相似性，但是枯枝落叶的数量和生活在地面的猎物的数量在不同栖息地之间有可能存在差异。❺如果存在这些差异，则可能表明桉树林生态系统里能量和

营养如何循环、在哪循环以及总体生产力之间存在根本差异。❻最后，德兰德拉林地和南部高原之间觅食情况的差异有可能是鸟类物种的历史变化的结果，这种变化是由于放牧和火灾导致的变化、外来捕食者（比如狐狸和山猫）的影响，以及欧洲殖民者进行的伐木活动。❼**这些过程对地面觅食和地面筑巢的鸟类产生的影响最大。**❽德兰德拉林地并没有免受这些影响，但是这些影响或许发生在近期，这导致德兰德拉林地比南部高原保留了更加天然和完整的鸟类多样性。

🔽 3s 版本

❶❷德兰德拉林地和南部高原的物种很相似。

However ❸德兰德拉林地比南部高原有更高比例的地面觅食者。

第一段 3s：德兰德拉林地比南部高原有更高比例的地面觅食者。

❶❷德兰德拉林地的地面开阔导致有更多的地面觅食者。

However ❸南部高原的地面也很开阔。

❹不是德兰德拉林地更开阔导致德兰德拉林地有更多的地面觅食者。

第二段 3s：不是德兰德拉林地更开阔导致德兰德拉林地有更多的地面觅食者。

❶有好几种理由去解释为什么德兰德拉林地有更多的地面觅食者。

❷❸原因一：依然有可能是栖息地结构的差异。

❹❺原因二：地面资源的差异。

❻❼❽原因三：外来因素影响了地面生物种群。

第三段 3s：三个理由解释为什么德兰德拉林地有更多的地面觅食者。

全文 3s 版本：解释为什么德兰德拉林地比南部高原有更多的地面觅食者。

🔽 题目讲解

1. 下列哪一项最好地描述了第二段的结构？
   A.（错误）提出一个理论，并提供支持性的例子。
   B.（正确）一个理论被提出、被考虑然后被拒绝。
   C.（错误）描述对立的观点，评价这些观点所基于的证据。
   D.（错误）一个观点被描述、被拒绝，然后提供一个新观点。
   E.（错误）一个假说被提供、被评价、被反驳，然后得到了重新认证。

   解析： B：第二段属于驳论文的结构。第❶句给出观点，认为是德兰德拉林地的地面开阔导致地面觅食者更多。第❷句给出理由，将地面的开阔和觅食者建立联系。第❸❹句 However 取反，反驳之前的观点。整段只在反驳，而没有提出新观点，因此选项 B 正确。

2. 下列哪一项最好地描述了标黑体句子的作用？
   A.（错误）这句话调和了文章之前提到的两个相互冲突的理论。
   B.（错误）这句话为文章之前描述的一个普遍趋势提供了例子。
   C.（正确）这句话表明前一句提及的现象的相关性。
   D.（错误）这句话支持了第一段给出的观点。
   E.（错误）这句话为第二段讨论的假说提供了证据。

解析: C: 定位句的前一句话提出一个观点: 是外来的影响导致德兰德拉林地有更多的地面觅食者。这些外来的影响是: changed grazing and fire regimens, the impact of introduced predators, such as foxes and feral cats, and logging following European settlement。同时, 它们也可以看作是一些 phenomena。但是这句话本身并不能看出和德兰德拉林地有更多的地面觅食者之间的关系, 于是就有了定位句。定位句说这些现象有利于地面觅食者, 所以选项 C 正确。

A、D、E: 根据定位句的 3s 版本可知, 定位句只和原因三有关系, 因此排除 A、D、E。

B: a general tendency 找不到对应, 因此排除。

3. 关于"树冠复杂性", 文章表明了下列哪一项?
   A. (错误) 树冠复杂性的降低会导致地面觅食者变得更多。
   B. (错误) 树冠复杂性的增加通常帮助保持更加天然的鸟类多样性。
   C. (错误) 树冠复杂性的增加通常对地面筑巢的鸟类有伤害。
   D. (正确) 两个区域之间的树冠复杂性的差异通常不明显。
   E. (错误) 以树叶为食的鸟类之间觅食行为的差异会导致树冠复杂性之间的差异。

解析: D: 第三段第❷句表明两个地方的栖息地结构差异可能不容易被发现。第❸句列举的便是这种不容易被发现的结构差异: 树木高度和树冠复杂性, 因此选项 D 正确。

A: 有的考生可能会觉得, 树冠复杂性降低表明以树叶为食的鸟类只能来到地面觅食。但是文中并没有说树冠复杂性到底会增加还是减少地面觅食者的数量, 因此选项 A 不能选。

4. 关于"狐狸和山猫", 作者表明了下列哪一项?
   A. (错误) 它们会受益于欧洲殖民者的伐木行为。
   B. (错误) 它们可能会影响生态系统的整体生产力。
   C. (错误) 它们主要以地面觅食的鸟类为食。
   D. (错误) 它们很少以在树上筑巢的鸟类为食。
   E. (正确) 相比于南部高原, 它们可能对德兰德拉林地产生了更少的影响。

解析: E: 根据第三段❻~❽, 狐狸和山猫属于外来影响的一种, 它们会影响地面觅食者的数量。德兰德拉林地经受了这种影响, 但是经受得比较晚, 因此鸟类多样性方面比南部高原更天然和完整。所以选项 E 正确。

C: 根据第三段第❼句可知, 狐狸和山猫确实会以地面觅食鸟类为食, 但看不出来是不是"主要"以这些鸟类为食。

Passage

格蒂斯_____了"GDM"这一解读

📖 **原文翻译**

❶ 在他最近的书里, 路易斯·格蒂斯认为19世纪美国北方的改革家通过一种实用主义政治经济学价值观——恰当的公共政策要求政府采取一切措施, 使全部公民有机会去最大化个人幸福感和物质

回报——攻击了南方的奴隶制度。❷根据这一思想，当个人可以自由追求自我利益的时候，社会福利就实现了。❸格蒂斯认为，因为南方奴隶制排除了个人独立以及对物质回报的自由追求，所以大量的北方改革家在1830年代开始反对奴隶制。

❶在论证这一观点的过程中，格蒂斯给"持不同意见的少数集体增长"（Growth of a Dissenting Minority，下文简称"GDM"）的解读提供了迄今为止最有说服力的表述，这个"GDM"的解读认为一个缓慢但稳定的、有广泛群众基础的北方废奴联盟的发展在废奴总统林肯1860年赢得总统选举时达到顶峰。❷这一解读性框架，曾经主导了废奴历史学研究，但由于两个原因被历史学家反驳。❸首先，它倾向于将北方改革家们的政治多样性统一起来；北方改革家自身差异很大，并且分属不同的政党。❹第二，它似乎与新兴的关于南方蓄奴问题的学术不兼容，新兴的学术研究认为1830年代北方废奴人士并没有成功地将北方公共意见进行传播，也没有在1860年给林肯铺平道路。❺相反，南方蓄奴者误认为1830年代的废奴观点是主流，而非非主流的北方观点，并且普遍指责北方人反对奴隶制。❻以这种观点来看，正是南方人的指责渐渐地导致北方出现了广泛的废奴情绪。

❶格蒂斯通过强调并非是南方人的态度，而是北方改革家一致致力于实用主义价值观，刺激了大众去支持废奴，从而恢复了"GDM"这一解读。❷但是，与早期对"GDM"的解读的支持者不同，格蒂斯并没有把北方改革家简化为统一的集体，或者也没有试图辩称改革家们共有的观点削弱了他们对不同政党的忠诚度。❸两个主要政党的成员依然会因为意识形态的差异而互相攻击。❹尽管如此，格蒂斯认为这些不同的政党立场并没有削弱改革家们团结的现实，这种团结在1830年代达到了顶峰。❺在这一时期，北方改革家，比如威廉·劳埃德·加里森和塞缪尔·蔡斯，认为美国宪法的立法者就是个人独立和资本主义价值观的支持者。❻建国者的这种观点成为强调自由是民族道德上的迫切需求的基础，并且，这种观点也认为美国宪法就是一部废奴文件。❼格蒂斯和对"GDM"解读框架的传统拥护者的不同点在于，他认为废奴联盟的基本要素非常牢固，并且早在1830年代后期就被北方改革集体的所有要素所接受。

3s 版本

❶路易斯·格蒂斯认为南方违背了价值观导致北方人到南方废奴。

❶❷价值观的具体内容。

❸南方违背了价值观导致北方人到南方废奴。

第一段 3s：路易斯·格蒂斯认为南方违背了价值观导致北方人到南方废奴。

❶路易斯·格蒂斯对"GDM"的解读是成功的。

时间对比❷"GDM"曾经因两个原因而被历史学家反驳。

❸原因一："GDM"认为北方人是统一的，但实际上是不统一的。

❹原因二："GDM"与新兴的学术不兼容，新兴的学术发现"GDM"其实并没有传播开来。

❺❻北方人的废奴原因不能被"GDM"所解读，而是因为南方人的指责导致北方人废奴。

第二段 3s：两个原因导致"GDM"被历史学家反驳，它不能解释为什么北方人废奴。北方人废奴的原因是南方人的指责。

❶格蒂斯恢复了"GDM"这一解读。

However ❷格蒂斯的解读和传统解读不同：格蒂斯认为北方政党之间是不统一的。

❸北方政党之间是不统一的。

Nevitherless ❹政党不同，但是思想一致。

小结：❸❹封装与❷递进。

❺❻❼美国的建国者都是"GDM"的支持者，这说明"GDM"有广泛的群众基础。

第三段 3s：格蒂斯恢复了"GDM"这一解读。

全文3s版本：格蒂斯恢复了"GDM"这一解读。

文章点拨

本文的难点在于很多考生读不出文章内部的时间发展顺序。本文中发生最早的是"GDM"的解读。注意，"GDM"本质上是一种"解读"，它想要去解读本文的主题：为什么北方人到南方去废奴。根据第二段第❶句，这个"GDM"认为北方出现了一种有广泛的群众基础的废奴联盟而导致废奴。这一解读曾经主导了历史学研究，之后被历史学家用两个原因所反驳：a."GDM"认为北方人是统一的，但实际上北方人是分属两个不同党派的。b."GDM"认为北方人废奴有广泛的群众基础，但是新兴的学术却发现这种废奴情绪并没有传播开来。于是，并不是"GDM"中所给出的理由导致北方人废奴，而是南方人误会了北方人，于是对北方人进行指责。是这种指责导致北方人到南方去废奴。

"GDM"解读被历史学家反驳后，格蒂斯在第三段恢复了这种解读，只是相比于老版本的"GDM"，格蒂斯的版本有所不同。老版本认为北方人是团结的，格蒂斯的版本则认为北方人"形散神不散"，即北方人确实属于两个不同政党，但是他们一致废奴。第二个不同在于老版本的"GDM"被认为没有传播开来，但是格蒂斯认为，美国宪法的立法者和建国者都认为美国应该废奴，也就是说，"GDM"已经上升到了宪法层面，那么废奴自然是广泛传播的。

本文属于老观点被提出（传统版本"GDM"）、被批判（被历史学家批判）、再提出新观点（格蒂斯的恢复）的对比型结构。

题目讲解

1. 本文的主旨是
   A.（错误）批判一个传统观点的支持者，因为他们忽略了重要的数据
   B.（错误）调和关于同一现象的两种不同解释
   C.（正确）描述对一个传统解读的重新表述
   D.（错误）倡导对一个有争议的话题的传统处理方法
   E.（错误）表明一个新的解读是基于错误假设的

解析：C：a reformulation 对应 revives，a traditional interpretation 对应传统版本的"GDM"。
   A：criticizing 负态度词开头，对应驳论文，不符合本文结构。
   B：本文没有 reconcile。
   D：支持了老观点，表述相反。
   E：反驳了新观点，表述相反。

2. 作者最有可能同意下列哪一项关于格蒂斯对"GDM"解读的表述？
   A.（错误）这种表述和传统版本的"GDM"解读太相似了。
   B.（错误）这种表述无效，并且没有把研究拓展到废奴运动。

C.（错误）这种表述被 19 世纪南方的最近研究所支持。

D.（正确）这种表述比传统版本的 "GDM" 解读更可信。

E.（错误）这种表述是非常重要的作品，对未来的研究会有很大影响。

解析： D：作者对格蒂斯的表述持有正评价，因此选项 D 正确。而且文中的 revive 也体现出格蒂斯的版本比传统版本更好。

　　A：新老两种表述是不同的，表述相反。

　　B：应该是正评价，表述相反。

　　C：文中未提及 recent research。

　　E：文中未提及预测未来。

3. 这篇文章支持了下列哪一个关于 "GDM" 解读的陈述？

　　A.（错误）这一解读被之前的历史学家所忽视，但是最近又开始主导废奴历史学研究。

　　B.（错误）这一解读最近获得了来自 19 世纪南方新兴学术研究的支持。

　　C.（正确）这一解读曾经在废奴历史学研究中非常有影响力并且最近被重新表述。

　　D.（错误）这一解读总是备受争议，并且依然被历史学家广泛辩论。

　　E.（错误）这一解读最近被关于 19 世纪南方实用主义价值观的新兴学术批判。

解析： C：once very influential in antislavery historiography 对应第二段第 ❷ 句，reformulated 对应第三段第 ❶ 句。

　　A：错在 recently come to dominate antislavery historiography。

　　B：新兴学术是反驳这一解读的。

　　D：文中未提及 controversial。

　　E：这一新兴学术与实用主义价值观无关。

4. 下列哪一项，如果正确，会最不支持格蒂斯在文中所描述的观点？

　　A.（错误）在 1870 年代，在废奴之后，很多北方人仍然团结一致，希望看到一个有效的自由劳动力体系在南方运行。

　　B.（错误）早在 1830 年代，致力于实用主义价值观的北方废奴者和北方改革家开始同意，美国宪法就是一部重要的废奴文件。

　　C.（错误）很多对政治政策持有不同态度的北方改革家认为废奴应该是美国政府的核心目标。

　　D.（错误）早在 1836 年，很多北方改革家认为奴隶制破坏了个人追逐自我利益的能力以及阻碍了对物质回报的自由追求。

　　E.（正确）因为属于不同的政党，因此有着实用主义价值观的北方改革家并没有在重要的废奴行动中联合到一起。

解析： E：本题重点在于对格蒂斯观点的理解。首先格蒂斯是认可实用主义价值观的。另外，他还认为北方人实际上 "形散神不散"。因此选项 E 可以削弱格蒂斯的观点。选项 E 相当于 "形散，神也散"。

　　A、B、C、D：这四个选项均起到了加强作用。

Passage **136**

_____对早期历史学研究做了贡献

原文翻译

❶广为接受的女权主义观点认为尤其在20世纪之前，历史是男人的领土，缺少女性主题和人物。❷正如《安为自由而战》（*Ann For Freedom*）在1972年所认为的，从希罗多德的历史到威尔·杜兰特的历史，主要人物、主要观点和兴趣都是男性。❸1970年代和1980年代的女权主义者认为历史学（关于历史的学科）绝大多数是"他的"，杜撰出"女性历史"这一术语并且将之作为一种对于女权主义的补偿。❹女性历史将女性置于关于过去发生的事情的一种新的故事描述方式的中心地位。❺罗莎琳德·迈尔斯重申了这一受欢迎的理论：相比之下，女性历史只是刚刚开始自我创造。❻男性早在公元前3000年就已经开始从事记录、定义和解读事件的工作；对于女性，这一过程直到19世纪才开始。❼女性历史方法给女权主义历史学家提供了一种途径，去探索那些之前被忽视的由女性创作和关于女性的材料。❽女性历史推动了学校里的学科转变，并被用作T恤、铅笔和纽扣上的标语。❾在揭露男性历史学家的计谋和刻意的性别歧视时，女性历史学家想要纠正这些记录——表明女性已经撑起了历史的半边天。

❶尽管在这一战争口号的背后取得了巨大的学术成就，但是女性历史的一个知名错误——尤其是关于缺少那些记录了历史的女性——需要一番修正。❷女性历史可以精确描述女权主义者努力构建以女性为中心的对过去事件的解读，但是这一术语无意中使我们忽视了19世纪之前女性对历史言论所做的重要贡献。❸历史学并不完全是男性的专属，尽管女权主义者在纠正这一长期存在的男性观点上是正确的。❹事实上，对历史学研究中性别歧视的批判并不是最近才开始的。❺18世纪早期的女权主义者玛丽·阿斯泰尔就反抗道，当男性是历史学家的时候，他们很少会屈尊记录女性的伟大的和美好的行为。❻阿斯泰尔，就像那些在两个半世纪之后响应她的观点的人一样，会因为她们对纠正学术错误的热情而得到赞赏，但是她认为历史学家只有男性的推断是不正确的。❼她的观点特别奇怪，因为她本身就写了一部历史作品，《叛乱和内战起因的公正调查》（*An Impartial Enquiry into the Cause of Rebellion and Civil War*, 1704）。❽同时，阿斯泰尔的判断又是可以理解的，因为17世纪后期的很多女性写的历史作品直到19世纪才出版。❾不论她们多么有勇气，她们的愤怒是多么合理，阿斯泰尔和她的后人们忽视了早期现代女性作家对历史学的贡献。

3s 版本

❶❷传统观点中，历史是男人的历史。

❸女性在历史中的地位不重要。

换对象❹女性历史将女性放在中心地位。

❺❻女性历史是新鲜事物。

❼❽❾女性历史的作用。

第一段 3s：介绍女性历史。

revision负态度取反❶不应该忽略女性在早期对历史的贡献。

❷女性在19世纪之前对历史学做出了贡献。

❸历史学研究并不是男人的专利。

❹很早就有人批判历史研究中的性别歧视。

❺阿斯泰尔在18世纪认为历史学研究中只有男人。

inaccurate负态度取反❻阿斯泰尔的观点不正确。

❼阿斯泰尔自己就是一名早期的女性历史学家。

小结：❺❻❼封装，与❹取同。

❽很多早期的女性历史作品直到近代才被出版。

overlook负态度取反❾早期女性对历史研究的贡献依然被忽视了。

小结：❽❾封装，与❹取同。

第二段 3s：认为早期历史研究中没有女性的贡献，这是不对的。

全文3s版本：女性对早期历史学研究做了贡献。

文章点拨

第一段：

第❶句 enclave 表示"飞地"，指的是在一国境内属于另外一国的领土。作者使用了 enclave，而非 area 等词，可以体现出女权主义者认为历史应该是属于女性的，男性只不过在里面占领了一块领土罢了，但是历史这块土地却缺少女性。前三句都是用一些例子来说明，历史研究从古至今都缺少女性角色，因此它们都是 HIStory，即"男性历史"。

第❹句提出 HERstory 这个概念，认为女性才应该是历史研究的中心。之后的句子都是在从各方面支持这一观点。

第二段：

第❶句的 revision 负态度，体现作者观点，认为女性历史学者的观点有问题，她们认为历史学研究中缺少女性的参与。❷~❹都和❶取同，都在说历史研究中一直有女性的参与。❺❻❼封装，依然与作者观点一致，即历史学研究中有女性。这一部分作者引用了玛丽·阿斯泰尔作为例子。玛丽·阿斯泰尔认为女性历史研究中缺少女性，但是这一点很明显站不住脚，因为她自己就是一个历史学家，怎么能说历史研究中没有女性呢？❽❾做 But 封装，最终的结论依然是，历史学研究中一直有女性。

题目讲解

1. 从文章可以推测出来罗莎琳德·迈尔斯指出公元前三千年的主要目的是

   A.（错误）呈现一个历史行为曾经包含的事物的综述

   B.（错误）表明历史研究的起源比人们之前认为得还要早

   C.（错误）表明为什么公元前三千年获得了来自历史学家如此多的关注

   D.（正确）确立关于被历史所记录的时间长度方面男性和女性的区别

   E.（错误）表明历史行为在多大程度上在公元前三千年之后发生了变化。

   解析： D：本题属于功能题，正确答案是定位句的 3s 版本。本题定位到第一段第❻句。该句的主要目的是说明男性和女性存在于历史记录中的时间差异，男性自公元前三千年就已经被记录了，但是女性直到19世纪才开始被记录。因此选项 D 正确。

2. 从文章可以推测出女性历史这一术语
   A.（错误）主要在 19 世纪受欢迎
   B.（错误）是一个被女权主义者用作新用途的老术语
   C.（错误）在女权主义社会中是有争议的
   D.（错误）尤其对学者没什么用途
   E.（正确）被发明出来用来提出一个特定观点

解析：E：本题答案可以通过汇总文中和 herstory 有关的内容得到。第一段第 ❸ 句的 coining the term herstory and presenting it as a compensatory feminist practice、第一段第 ❹ 句的 Herstory designated women's place at the center of an alternative narrative of past events、第二段第 ❷ 句的 Herstory may accurately describe feminists efforts to construct female-centered accounts of the past，这三处都可以表明 herstory 被发明出来是为了说明"女性在历史研究中很重要"，对应选项 E。

3. 玛丽·阿斯泰尔被作者当作一个什么样的 18 世纪女权主义历史学家的例子？
   A.（错误）代表了当时女性历史学家的学术兴趣
   B.（错误）启发了很多 20 世纪的女性历史实践者
   C.（正确）和现代历史学家共享一个关于历史写作的错误假设
   D.（错误）其主要作品在出版时引起了很多争议
   E.（错误）其主要作品依然没有得到来自学者的应得的关注

解析：C：对应第二段第 ❾ 句的 Astell and her descendants overlooked early modern woman writer's contributions to historiography，选项的 a mistaken assumption 指的是早期历史没有包含女性。
   A：文中未提及。
   B：很多人觉得该项对应第二段第 ❻ 句的 Astell, like those who echoed her sentiments two and a half centuries later，但是这只能说明 20 世纪的一些历史学家认同玛丽·阿斯泰尔的观点，但是不见得是被玛丽·阿斯泰尔所启发的。另外，本题是功能题，玛丽·阿斯泰尔作为一个例子，所要支持的作者的观点应该是"认为早期历史研究中没有女性的贡献，这是不正确的"，因此相比之下，选项 C 更合题目要求。
   D：文中未提及。
   E：文中未提及。

4. 关于阿斯泰尔的推断，作者暗示了下列哪一项？
   A.（正确）阿斯泰尔的推断有可能出现是因为阿斯泰尔并不知道很多女性写的历史作品。
   B.（错误）阿斯泰尔在她写了自己的历史作品之后重新考虑了这一推断。
   C.（错误）阿斯泰尔的推断并没有在阿斯泰尔的年代被其他女权主义历史学家所共享。
   D.（错误）阿斯泰尔的推断启发了阿斯泰尔去写自己的历史作品。
   E.（错误）阿斯泰尔的推断直接和女性历史的一个基本声称相矛盾。

解析：A：定位到第二段第 ❽ 句 given that much historical writing by women of the late seventeenth century was not published until the nineteenth century，由此可以推得，玛丽·阿斯泰尔之所以认为女性历史被忽视，是因为在当时她不知道有女性写了历史，因为女性历史当中有很多是 19 世纪才面世的。
   B：文中未提及。

C：文中没有提及玛丽·阿斯泰尔的推断有没有被同时代其他历史学家所共享。没提及不代表没共享，所以不选。

D：文中未提及。

E：根据第二段第 ❷ 句的 but the term inadvertently blinds us to women's important contributions to historical discourse before the nineteenth century 可知，女性历史学的一个基本观点认为女性在早期历史研究中被忽视了，这与玛丽·阿斯泰尔的观点相一致。

Passage **137**

描写了对_____的研究态度的变化

原文翻译

❶在1930年之前，很少有美国内战历史学家会关注那些反对1861年至1865年南方邦联脱离美国的南方人。❷相反，南方历史学家坚持认为，面对北方的入侵，南方的表现是一致的。❸只有当像朗恩一样的学者决定研究战争的这一面时，南方邦联的历史学家才开始认识到还存在一些南方人忠于联邦（联邦主义者）。❹尽管这些早期的南方历史学家的异议开创了先河，但是他们也再现了南方邦联权威对反独立者的消极观点，认为他们的动机不纯。❺即使是塔图姆，他对反独立者大多持同情态度，也倾向于将这些人归到一个模糊的类别，提供宽泛的概括，忽略了联合主义者的身份及经历的独特性。

❶尽管如此，这些20世纪早期的历史研究代表了1960年代和1970年代之前的南方异议的领先研究。❷社会历史方法论所催生的新一代历史学家发现联邦主义者很有意思，因为他们体现了邦联内在的缺陷。❸这些学者关注阿巴拉契亚山脉以及邦联的上南方地区，他们认为在南方白人中，那些从奴隶种植园中获得经济利益的人和没有获得经济利益的人之间存在着深刻的分歧。❹其中一位持有这种观点的历史学家是埃斯科特，他强调南方人之间的地区和经济冲突。❺埃斯科特认为联合主义者和其他持不同意见的人是一些山民，他们出于经济和社会疏离的原因而不能认同南方支持奴隶制。❻这一主题极大地影响了以后的学者的研究，他们通常将联合主义者置于一系列以阶级为基础的南方邦联不满态度的两端，这些不满态度最终导致了南方的崩塌。❼因为研究反独立者的历史背后的驱动力是想要解释邦联的意识形态、政治和失败，因此更多地强调了南方反独立者是如何违背了邦联民族主义的政治和经济主流的。

❶直到目前，一些内战历史学家才开始认为联合主义者和它们的经历才是研究重点，而非邦联。❷这些学者对持不同意见的集体做了大量的社区和地方研究，这些研究考虑了一系列社会和文化以及军事和政治因素对南部后方的影响。❸想要更好地理解谁在战争期间仍忠于联邦，这些历史学家试图解释内战的基本特征、规模以及对特定的县或镇的影响，尤其是在上南方和阿巴拉契亚山脉地区的。❹这一相对较新的趋势强调了详细的研究，钻研了大后方的政治联盟复杂性，并且就像萨瑟兰所注意到的，强调了"人民的坚韧不拔"。

3s 版本

❶1930年前，历史学家很少关注反对独立的人（即关注的是希望从北方独立出去的南方人）。

❷南方历史学家关注的是希望从北方独立出去的南方人。

only when（时间对比）❸朗恩的研究，让南方历史学家关注想要统一的南方人（Unionist）。

dubious负态度取反❹这些历史学家和邦联主义者都认为这些想要统一的南方人（loyalists=Unionist）动机不纯。

❺塔特姆无法给出具体的对Unionist的分类。

第一段 3s：对 Unionist 的研究很笼统。

nonetheless ❶这些研究其实是领先的。

❷南方的联合主义者可以反映南方的缺陷。

❸南方白人之间有分裂。

❹埃斯科特强调了南方人的冲突。

❺埃斯科特认为南方联合主义者无法实施奴隶制。

❻埃斯科特使后人认为南方联合主义者的不满导致最终南方的失败。

❼更多研究强调联合主义者相比于分裂主义者的次要地位。

第二段 3s：第一段提到的研究也有可取之处，但是南方统一者只是陪衬。

时间对比recently ❶最近开始把南方联合主义者当研究的主体了。

❷❸研究南方人。

❹对这个研究方法给予正评价。

第三段 3s：把南方联合主义者当研究主体的研究方法是好的。

全文3s版本：描写了对南方统一者的研究态度的变化。

文章点拨

本文的难度主要在于对"希望统一的南方人"起了太多不同的称呼。以下表达均指代这些南方人：Southerners who opposed the 1861-1865 secession from the United States、loyal to the Union、Unionists、Southern dissent、loyalists。而文中一直出现的 Confederacy（邦联），指的是希望南方从北方独立出去。

第一段前两句描述的是 1930 年之前，最早的一批历史学家对于南方人的看法，认为他们是持有分裂态度的。第❸句时间对比，后来的一批历史学家开始关注南方的统一派。❹❺dubious 负态度取反，认为研究得并不充分。

第二段第❶句 nonetheless 与上一段取反，上一段的研究很笼统，这是负评价。第二段开头说这些研究有领先意义，正评价。❸~❼则是详细介绍了这些历史学家对于南方的研究。通过总结，我们会发现这些历史学家尽管研究了南方人，但是南方的统一派并没有被当成研究主题，而是重点研究了南方内部的冲突。

第三段时间对比，引出最近期的研究，认为应该把统一者当作主体去研究，并对这种研究方法给出正评价。

本文三段段间时间对比，因此本文是在描述一种随着时间而进行的演化过程。

题目讲解

1. 本文的主要目的是

A.（错误）总结历史学家中的一个特定争议

B.（正确）追溯一个特定历史研究领域的发展

C.（错误）挑战关于一个特定历史时段的普遍误解

D.（错误）指出一个历史主题的特定研究方法的缺陷

E.（错误）解释为什么一个特定的历史问题得到了很少的学术关注

解析：B：本题属于主旨题，根据【文章点拨】，本文按照时间发展的顺序描述了对南方统一派的研究发展过程，因此选项 B 正确。

A：文中未提及 a particular debate。

C：该选项对应驳论文，但是本文并非驳论文，因此不正确。

D：a particular approach 指的是研究统一派，但是指出他们的缺陷的只有前两段，第三段是正评价。该选项属于细节。

E：a particular historical question 指的是存在南方统一派，但是解释这一问题的只有第一段前两句。

2. 本文表明"有些内战历史学家"有可能同意下列哪一个关于南方统一者的观点？

A.（错误）他们的经济条件比社会和文化身份更能确定他们对邦联事业的不满。

B.（错误）他们对历史学家的意义主要在于他们的行为揭示了他们所背离的邦联民族主义的主流。

C.（正确）他们的政治忠诚必须相对于特定的位置因素去理解，这些因素影响了他们在内战期间的生活。

D.（错误）他们比邦联事业的支持者更可能来自上南方和阿巴拉契亚山脉之外的地方。

E.（错误）他们比邦联事业的支持者更可能来自有经济特权的集体。

解析：本题定位到第三段。

C：根据第三段的 intensive community and local studies of dissenting groups、in particular counties or towns 等内容可以看出，这些历史学家重点关注的是地理位置因素，与选项 C 对应。

A：从第三段看不出来经济和社会谁更重要。

B：第三段研究的是南方统一派本身，而非邦联。该项描述的是第二段的内容，定位错误。

D：没提统一派更可能来自哪里。

E：第三段没有讨论统一派的经济情况。

3. 关于 1930 年之前写的内战历史，本文提到了下列哪一项？

A.（错误）一些历史对南方统一派给出了很有同情心的评价。

B.（错误）对这些历史的兴趣被最近历史学家的作品所修正。

C.（正确）大多数研究提供了很少的对南方统一派的生活和动机的分析。

D.（错误）很多研究倾向于将南方统一派归到让他们之间的区别很模糊的分类里。

E.（错误）很少研究接受南方在内战时期政治上是统一的观点。

解析：C：根据 1930 年之前可知本题定位到第一段前两句，即没有研究统一派，因此选项 C 正确。

A：给出同情心评价的是塔图姆，他是 1930 年之后的研究者。

B：文中未提及。

D：这是 1930 年之后的研究者做的事情。

E：根据第一段第 ❷ 句，1930 年之前的研究者认为当时的南方是统一的，一致对抗北方。

4. 下列哪一项最好地描述了标黑体句子的功能？

A.（错误）这句话挑战了一个普遍的误解，关于一群有影响力的内战历史学家的动机。

B.（错误）这句话描述了 1960 年代和 1970 年代启发了新一代学者的内战历史学家的主要贡献。

C.（错误）这句话强调了邦联事业的一些方面，这些方面对忠于联邦的南方人来说是陌生的。

D.（正确）这句话指出了内战研究的一个趋势，这一趋势是最近的学术所远离的。

E.（错误）这句话解释了南方统一派的意识形态和政治方面是如何拒绝了邦联事业的。

解析：本题属于功能题，定位句 3s 版本，即描述了第二段中的研究者的观点，因此选项 D 正确。

D：a tendency 指代的便是第二段的观点，主要研究南方统一派和邦联的区别，而这种观点在第三段被最近的研究所疏远，因为第三段的新研究把统一派放在重要位置。more recent scholarship 指的便是第三段的研究。

A：本句话旨在介绍第二段的研究者的研究内容，无法用来批判某个观点。

B：看不出是贡献。

C：这句话强调的是第二段研究者的研究内容，而非邦联事业的某些方面。

E：没有解释统一派如何拒绝了邦联。

Passage 138

意大利文艺复兴时期的建筑设计不体现＿＿＿＿＿＿

原文翻译

❶20世纪早期现代派建筑理论中的一个重要价值观就是"忠于材料"，即建筑的设计必须传达出建材的"本质"特征。❷这种强调可能令意大利文艺复兴（16世纪）时期（这一时期被广泛认为是建筑成就的巅峰）的建筑师们感到很困惑，因为文艺复兴时期建筑师们的设计几乎不会由所使用的材料决定。❸意大利自然资源的多样性为文艺复兴时期的建筑师提供了多种建材。❹皮蒂宫(1558~1570)的建造者使用了大量托斯卡纳石料，就像生活在意大利同一地方的伊特鲁利亚人在大约20个世纪之前所做的那样。❺如果佛罗伦萨文艺复兴时期的建筑师模仿伊特鲁利亚风格，就可以说是他们的材料决定了风格，因为伊特鲁利亚风格与石块巨大、光秃、坚固的特性很匹配。❻但是这些非常适合伊特鲁利亚风格的材料被佛罗伦萨文艺复兴有效地用于创造最精美、最优雅的风格。

❶在对立风格中使用相同材料的一个类似的例子是对罗马石灰华大理石的使用。❷当17世纪罗马的巴洛克建筑师想要一种宏伟而坚固的纪念碑风格时，他们使用了石灰华大理石，其"本质效果"是宽广、高耸并且光滑的圆形表面。❸但是，在文艺复兴时期，同样的材料被反其"本质"而行之，被用于佛罗伦萨的锐利雕刻细节的传统中。❹意大利文艺复兴时期的建筑与其说是由手头材料的"本质"塑造的，不如说是由意大利文艺复兴时期的艺术环境塑造的，包括绘画、雕塑和建筑。❺尽管罗马的石灰华大理石可以被精雕细刻，但是在**佛罗伦萨文艺复兴时期绘画**中所表现出来的佛罗伦萨对完

美细节的热情并不亚于佛罗伦萨文艺复兴时期的建筑。❻类似地，在之后的一个世纪，巴洛克绘画对阴影和质感的强调模仿了巴洛克建筑中为了产生大面积阴影和厚重感而对罗马石灰华大理石的使用。

❶文艺复兴时期的建筑师们的天赋并不局限在不按照材料的天然外表去使用材料。❷如果他们认为使用某种材料的设计太昂贵或不容易处理时，他们会毫不犹豫地模仿那种材料。❸他们使用的大理石和石头经常被涂上灰泥。❹如果他们建造的石砖和计划的尺寸不符，那么他们会隐藏真实的接缝，然后画一个假的。❺正如某些**学者**认为的，这些行为并不仅仅局限于后来所谓的艺术堕落时代。❻在当时，材料是完全服务于风格的。

3s 版本

❶20世纪早期现代派建筑师认为建筑设计应该体现出建材的本质。

时间对比❷文艺复兴时期（16世纪）的建筑设计和建材无关。

❸文艺复兴时期的建材种类很多。

❹建造皮蒂宫用的石材和20个世纪之前伊特鲁利亚人用的一样。

❺（虚拟语气字面含义）文艺复兴时期（佛罗伦萨文艺复兴时期）模仿了伊特鲁利亚，这种石材体现的是巨大、粗犷的风格。

But ❻（实际情况）文艺复兴时期实际上用这种石材表达了精细、优雅的风格。

小结：❸~❻But封装，与❷取同。

第一段 3s：文艺复兴时期建筑设计和材料无关。

❶罗马大理石也不是按照材料本质被使用。

❷17世纪的大理石是按照其材料本质被使用的。

Yet ❸文艺复兴时期（16世纪）大理石没有按照其本质被使用。

❹文艺复兴时期的建筑不是由建材决定的，而是由艺术氛围决定的。

❺文艺复兴时期的绘画风格也不是由建材决定的。

时间对比❻17世纪巴洛克绘画模仿了建材的风格。

第二段 3s：16 世纪不体现大理石的本质，17 世纪则体现大理石的本质。

❶文艺复兴时期的建筑师不仅仅违背建材的本质。

❷他们会用仿制的材料。

❸❹仿制材料的方法。

❺仿制材料在文艺复兴时期已经很普遍了。

❻材料服务于风格。

第三段 3s：文艺复兴时期的建筑师还会仿制材料。

全文3s版本：意大利文艺复兴时期的建筑设计不体现建材的本质。

文章点拨

本文的难点在于大量的地名以及时间。其中 Italian Renaissance 和 Florentine Renaissance 变来变去，让人分辨不清。其实佛罗伦萨是意大利的一部分，所以 Italian Renaissance 和 Florentine Renaissance 在文中其实指的是一回事。本文真正作出区分的并不是意大利和佛罗伦萨，而是将 Renaissance（16 世纪）和 Baroque（17 世纪）进行区分。至于文章提及的其他专有名词，比如 Pitti Palace、Tuscan、Etruscan 和 Rome 就并不重要了。

🔖 **题目讲解**

1. 文章主要关注于

    A.（错误）解释不同建材之间的品质差异

    B.（错误）讨论伊特鲁利亚、佛罗伦萨文艺复兴时期和罗马巴洛克建筑之间的区别

    C.（错误）描述不同的建材如何影响不同城市的建筑

    D.（错误）描述文艺复兴时期的建筑师使用人造材料和令人产生幻觉的材料的方式

    E.（正确）证明 16 世纪和 17 世纪意大利建筑师对建材的态度

解析： E：本文的主要内容就是 16 世纪意大利建筑师不遵循建材的本质，同时也提及了 17 世纪的建筑师会体现建材的本质。选项 E 正确。

    A、B：文章重点既不是材料的差异，也不是建筑的差异，而是建筑师对材料的使用是否体现材料的本质。

    C：本文的主旨便是建材不会影响建筑。本选项表述相反。

    D：是第三段的细节。

2. 从文章可以推测出，关于巴洛克时期的绘画和建筑，作者认为下列哪一项是正确的？

    A.（错误）都强调了对材料的使用要体现其"本质"。

    B.（错误）都起源于佛罗伦萨文艺复兴时期的风格。

    C.（错误）都被 20 世纪现代派建筑师所忽视。

    D.（正确）它们有某些共同的视觉特征。

    E.（错误）它们阐明了一种风格的衰落。

解析： D：根据 Baroque，本题只能定位到第二段的 ❷❻ 两句。而讨论巴洛克绘画和建筑的，只有第二段第 ❻ 句。这句话表明巴洛克的绘画模仿了巴洛克建筑的阴影和厚重，因此选项 D 正确。certain visual features in common 指的便是阴影和厚重感。

    A：干扰选项。根据第 ❷ 句，巴洛克的建筑确实体现了建材的本质。但是如果要选 A，文中还应该说巴洛克的绘画体现了"绘画材料"的本质，但这一点是未被提及的，因此选项 A 不选。

    B：根据第二段，巴洛克和文艺复兴不同，因此巴洛克不可能起源于文艺复兴时期。

    C：文中未提及。

    E：看不出巴洛克是否体现艺术风格的衰落。

3. 结合文章上下文，作者提及佛罗伦萨文艺复兴时期的绘画是用来支持下列哪一个观点的？

    A.（错误）在建筑中起作用的约束和在绘画中起作用的约束不同。

    B.（正确）佛罗伦萨的建筑风格并不被大理石的本质所决定。

    C.（错误）佛罗伦萨文艺复兴时期是其他艺术取得和建筑同样杰出成就的时期。

    D.（错误）佛罗伦萨文艺复兴时期的所有艺术中的技术进步决定了这些艺术的风格品质。

    E.（错误）当地对于风格的偏好在不同艺术中的体现方式不一样。

解析： B：本题定位到第二段第 ❺ 句，其服务的观点是文艺复兴时期的建筑并不体现建材的本质，所以选项 B 正确。

    A：根据第二段第 ❺ 句，佛罗伦萨绘画对细节的热情不亚于佛罗伦萨的建筑，因此绘画和建筑的重点在于共同之处，而非不同点。

C：文章没说不同的艺术是否取得了同样的成就，只说不同的艺术形式组成了意大利文艺复兴的艺术氛围。

D：文中没提"技术进步"。

E：文中没提"当地风格偏好"。

4. 关于黑体部分的"学者"，文章表明了下列哪一项？

A.（错误）他们认为堕落阶段是所有重要艺术运动的特征。

B.（错误）他们拒绝认为文艺复兴时期是建筑成就巅峰时期的观点。

C.（正确）他们认为一座有活力的和健康的建筑不会使用假的表面或模仿建材。

D.（错误）他们代表了关于佛罗萨文艺复兴时期的评论和历史思想的主流。

E.（错误）他们关注比如建材成本这样的技术问题而非艺术问题。

解析： C：根据第三段第❺句，这些学者认为前文所述的模仿建材和造假都是堕落行为，并且这种堕落在文艺复兴时期就广为流行。因此，不堕落的建筑应该不适用于模仿建材和造假的建筑表面，所以选项 C 正确。

Passage **139**

沃斯通克拉夫特对女性的观点是_____的

📎 **原文翻译**

❶**现代女权主义者**使英国作家玛丽·沃斯通克拉夫特(1759~1797)的名声达到了应有的光芒。❷尽管在她死后的几年里，她在政治激进主义者中享有一定的知名度，但是从19世纪开始，她作为一位作家的名声就被当时大家对她非传统的、在当时非常令人震惊的个人生活的过分关注所掩盖。❸因此，当弗吉尼亚·伍尔夫在1925年写到沃斯通克拉夫特的《男权辩护》(*A Vindication of the Rights of Men*)和《女权辩护》(*A Vindication of the Rights of Woman*)时，认为这两本书是如此的真实以至于现在看起来没有包含任何新鲜事物，这一观点更多的是一种希望而非对真相的精确陈述。❹沃斯通克拉夫特在道德思考方面的进步依然有能力使每一方采取立场的人感到震惊。❺据说，即使在今天，性别的重要性都被认为在评价社会中男女行为方面超过其他标准；相比而言，沃斯通克拉夫特认为男性和女性共有的道德应该超越所有性别规范。

❶沃斯通克拉夫特认为基于性别的道德是野蛮年代的残留：这被特殊化成了美德的一种，这种美德认为对性别的感受应该以自由主义（在男性中）或者虚假的谦虚（在女性中）的形式表达出来。❷在她看来，男性和女性应该有一个共同的道德标准，两种性别应该培养相同的美德。❸沃斯通克拉夫特反对她那个时代的大量情绪化的文学作品，她认为这些作品以高人一等的姿态看待女性，通过说明贞操与谦虚对女性是有好处的，以及这些美德是对女性的自我奖赏。

❶在《男权辩护》中，沃斯通克拉夫特从一个出人意料的角度探索了这一双重标准。❷这部作品是首次对埃德蒙·伯克的《对法国大革命的反思》(*Reflections on the Revolution in France,*

1790）的重要回应，这一回应出现在伯克的作品热情洋溢地支持被废黜的法国君主制之后的不到一个月内。❸伯克的支持者认为沃斯通克拉夫特的书语无伦次地堆积了充满奸诈的坦白、可笑的慷慨以及尽管不是错误的但至少也是毫无必要的指责。❹但是沃斯通克拉夫特依然成功地证明了传统的女性美德——情感道德——如何被伯克传递给了贵族。❺对沃斯通克拉夫特来说，伯克为法国王后所作的狂想曲（如启明星般闪耀，充满生机，充满壮丽与欢愉）是"美和直觉一定要经常超越理性"这个观点的一个例子，伯克采取这一观点用来为旧秩序辩护。❻伯克认为，就像女性一样，出于她们的本性中相似的伟大和细腻，贵族女性应该获得尊重并且得到怜悯。❼对沃斯通克拉夫特而言，伯克的观点非常危险地将同情和权力联系在了一起；她（沃斯通克拉夫特）认为贵族不比女性本身更值得按照传统对待女性的方式来对待。

3s 版本

❶现代女权主义者很欣赏沃斯通克拉夫特的作品。

beginning in the nineteenth century时间对比❷以前的人只关注沃斯通克拉夫特的个人生活。

❸伍尔夫认可沃斯通克拉夫特，并且认为沃斯通克拉夫特的作品没有新的内容（但是作者认为实际上沃斯通克拉夫特的作品还是有新东西的）。

换对象❹作者认为沃斯通克拉夫特的作品有新东西。

❺沃斯通克拉夫特对性别的看法是非传统的。

第一段 3s：沃斯通克拉夫特非传统。

❶沃斯通克拉夫特认为用性别来衡量道德是过时的（在道德中，不应将男性女性分别对待）。

❷男性和女性的道德标准应该是一样的。

❸沃斯通克拉夫特批判了以性格为基础的对道德的评价。

第二段 3s：沃斯通克拉夫特认为男女的道德标准应该是一样的。

❶以《男权辩护》为例说明沃斯通克拉夫特对双重标准的研究（即将男性和女性的道德区别对待）。

❷这部作品是用来应对伯克的。

❸伯克批判沃斯通克拉夫特的作品。

But ❹沃斯通克拉夫特证明了伯克是按照传统道德标准来衡量贵族女性的。

❺❻伯克对法国王后的歌颂体现了对女性的传统评价标准。

小结：❷~❻封装，总结伯克的观点。

换对象❼沃斯通克拉夫特认为贵族女性也不应该按照传统道德标准去衡量。

第三段 3s：通过沃斯通克拉夫特对伯克的反驳，体现了沃斯通克拉夫特的观点：女性不应按照传统标准被衡量。

全文3s版本：沃斯通克拉夫特对女性的观点是非传统的。

文章点拨

第一段：

第❶句："应有的光芒"可以推断出沃斯通克拉夫特现在所经受的评价和以前得到的评价并不一致。

第❷句：这句话要注意和前一句是时间对比，这句话讲以前人们更多关注于沃斯通克拉夫特的个人生活，而非其作品。

第 ❸ 句：therefore 顺承前一句，以伍尔夫为例，说明前人没有关注沃斯通克拉夫特的作品，因为伍尔夫认为沃斯通克拉夫特的作品 nothing new，没有新东西。当然，作者在这句话中评价了伍尔夫的观点，认为伍尔夫的观点是不精确的，而只是异想天开。

第 ❹ 句：开始讲作者观点。advances 可以体现沃斯通克拉夫特的观点很不一样，shock position-takers of every party 可以理解为对每一个既有观点的持有者都产生了冲击，也就意味着沃斯通克拉夫特的观点非常反传统，以至于采取了任何一种之前的观点的人都会受到冲击。

第 ❺ 句：将两种看待性别的观点进行对比：传统上用性别去评价道德，而沃斯通克拉夫特认为男女之间的道德是一样的，不具有特殊性。

第二段：

第 ❶ 句：这句话顺承上一段最后一句，认为不应该按照性别去评价道德，同时还给出例子：对于男性来说，"性的感受"就意味着自由开放，而对于女性则意味着错误的谦虚。这个例子便是下一段要提及的 double standard。同样是"性"，对于男人来说就应该按照自由的方式去表达，而对于女性来说必须用谦虚的方式去表达。这就是双重标准。而 false modesty 中的 false 可以体现出沃斯通克拉夫特认为这种双重标准是歧视女性的。

第 ❷ 句：和上一句取同，认为评价男女道德应该用同样的标准。

第 ❸ 句：也是例子，表明沃斯通克拉夫特是如何反对双重标准的。沃斯通克拉夫特反对了那些强调女性贞操的作品。

综上，这一段是对上一段中沃斯通克拉夫特的非传统的性别观点的展开。

第三段：

第 ❶ 句：和上一段取同，依然是用例子来说明沃斯通克拉夫特的非传统的性别观点。

第 ❷❸ 句：和沃斯通克拉夫特的观点无直接关系，而只是介绍了伯克的作品，以及伯克对沃斯通克拉夫特的批判。由此可见两人的观点是截然对立的。

第 ❹ 句：sentimental 和上一段第 ❸ 句的 sentimental 一样。从上一段可以推断出，sentimental 的作品对女性持有歧视态度。而在这句话里，伯克将 sentimental 转移到了贵族女性上，因此可推测，贵族女性受到了歧视对待。

第 ❺❻ 句：这是说明伯克对贵族女性持有歧视态度的例子：伯克用"美"和"直觉"而非"理性"来评价法国王后，这便是传统上对女性的评价。old order、compassion 也表明伯克持有的是对女性有歧视态度的，同时也是被沃斯通克拉夫特所批判的老观点。

第 ❼ 句：换对象，开始讨论沃斯通克拉夫特的观点。dangerous 表明沃斯通克拉夫特不认可伯克的观点。这句话的难点在于对 aristocrats do not deserve to be treated in the way that women have traditionally been treated any more than women themselves do 这部分的理解。这句话最后的 do 指代前面的 deserve to be treated in the way that women have traditionally been treated，因此这一部分的理解方式是：aristocrats do not deserve to be treated (in the way that women have traditionally been treated) any more than women themselves (deserve to be treated in the way that women have traditionally been treated)，贵族不比女性本身更值得被按照传统方式对待。结合分号之前的 linked sympathy and power in a dangerous alliance，伯克的观点可能认为权力越大（贵族权力更大）越应该得到同情，但是沃斯通克拉夫特不认可这一点，因此才有"贵族不比女性更值得被按照传统方式对待"，而"传统方式"便是歧视女性、同情女性（参见上一段第 ❸ 句 sentimental 作品对于女性的态度）。

题目讲解

1. 通过引用黑体部分对伯克的辩护，作者成功地

   A.（错误）为将法国君主制罢黜的政治骚乱提供背景

   B.（错误）强调了沃斯通克拉夫特区分男性和女性的哲学方法

   C.（错误）解释了为什么沃斯通克拉夫特的作品在 20 世纪比 19 世纪得到了更多的认可

   D.（错误）阐明了伯克观点吸引人的本质

   E.（正确）证明了沃斯通克拉夫特的作品所引起的敌意

解析： E：定位句 3s 版本便是反驳沃斯通克拉夫特，因此正确选项的选择方向就是找反驳沃斯通克拉夫特的

选项，所以选项 E 正确。

A、B、C、D：这四项均看不出对沃斯通克拉夫特的反驳。

2. 文章作者引用伯克对法国王后的描述的主要目的是

   A.（正确）提供对沃斯通克拉夫特所不认可的观点的特定阐述

   B.（错误）提供伯克陈腐的作品风格的特定例子

   C.（错误）平衡来自伯克的匿名支持者的引言

   D.（错误）提供关于伯克的观点比沃斯通克拉夫特的观点更广为接受的原因的证据

   E.（错误）提供关于沃斯通克拉夫特认为伯克缺少政治敏锐度的例子

解析： A：根据伯克和沃斯通克拉夫特两人的观点截然不同这一点可知选项 A 正确。

3. 关于弗吉尼亚·伍尔夫对《男权辩护》和《女权辩护》的评价，文章表明下列哪一项是正确的?

   A.（错误）伍尔夫支持沃斯通克拉夫特的理论，反对那些只关注沃斯通克拉夫特臭名的 19 世纪评论

   家的攻击。

   B.（正确）伍尔夫支持由沃斯通克拉夫特所推动的进步，并且错误地假设这些进步在 20 世纪已经不

   证自明了。

   C.（错误）伍尔夫错误地计算了沃斯通克拉夫特所推动的进步对社会产生的实际影响。

   D.（错误）伍尔夫谴责 18 世纪和 19 世纪所做的社会进步在 20 世纪流失掉了。

   E.（错误）伍尔夫反对她认为的沃斯通克拉夫特缺少原创，而同时又在倡导比沃斯通克拉夫特提出的

   更全面的改变。

解析： B：根据第一段第 ❸ 句的 so true 可知，伍尔夫是支持沃斯通克拉夫特的。they seem now to contain

nothing new in them 表明伍尔夫同时又认为沃斯通克拉夫特的观点在 20 世纪是不证自明的、不需要做

改变的。此句的 more a wishful than an accurate statement of the case 体现出作者认为伍尔夫的观点是错的，

对应该选项的 mistakenly assumed。

A：伍尔夫确实支持了沃斯通克拉夫特，但是看不出这种支持是用来反驳什么的。

C：伍尔夫只是错误地认为沃斯通克拉夫特的观点不需要再做创新，但是不知道沃斯通克拉夫特有没

有产生实际影响。

D：看不出社会进步流失了。

E：伍尔夫确实认为沃斯通克拉夫特没有新东西，但是并没有反对。

4. 文章作者表明现代女权主义者以下列哪种方式对待了沃斯通克拉夫特的作品?

A.（正确）现代女权主义者强调了沃斯通克拉夫特作品中的激进的方面，而同时将她的作品和她的私人名誉分离开来。

B.（错误）现代女权主义者强调了沃斯通克拉夫特作为理论学家的重要性，而同时又低估了她对她那个时代的日常生活的影响。

C.（错误）现代女权主义者努力将沃斯通克拉夫特的哲学进步和她同时代的人的哲学进步进行综合。

D.（错误）现代女权主义者相信沃斯通克拉夫特作为理论学家的相对重要性，而同时拒绝了她基于性别的道德理论中的某些元素。

E.（错误）现代女权主义者将沃斯通克拉夫特的关于大众对女性的同情的思想等同于她对政府中君主制系统的观点。

解析：　A：根据 modern feminism，本题定位到第一段前两句。根据 Modern feminism has brought the reputation...something approaching the luster it deserves 以及 her fame as a writer was hidden...to her unconventional and, at the time, shocking personal life 可知，被掩盖的是沃斯通克拉夫特的名誉，所以这也是沃斯通克拉夫特的 luster it deserves（应有的光芒）。再加上第 ❷ 句让步部分沃斯通克拉夫特在极端者中得到认可，所以我们可以得到结论：modern feminism 认可沃斯通克拉夫特的激进，同时认为其名誉不应被掩盖在个人生活之下，要做到这点，就要把名誉和个人生活分开，所以选项 A 正确。

B：文中未提及。

C：文中未提及。

D：文中未提及。

E：文中未提及。

Unit 06

Practice Tests:
Set One

题目原文下载1   题目原文下载2

GRE 是一条通往初心的路。

——李羚萱
Boston University
微臣教育线下325课程学员
2019 年 7 月 GRE 考试 Verbal 165

Section 1

Passage 1

科学和工程之间<u>有/没有</u>界限

原文翻译

❶根据文科尔曼，一位科学家应该去理解已有的事物；一位工程师应该去创造还没有的事物。❷但是二元论很少是界限清晰的。❸当一位科学家提出一个全新假说的时候，比如宇宙的起源，这一假说在那位科学家说出这个假说之前"从未存在"。❹爱因斯坦，一位典型的科学家，采取了这一观点，于是批判了物理学家和哲学家恩斯特·马赫，因为恩斯特·马赫认为"理论是通过探索而非发明产生的。"❺科学历史学家托马斯·休斯注意到，对爱因斯坦来说，发明不仅仅是对事物的处理，也是对概念的处理。❻爱因斯坦认为一件人造物是概念的物化，并且认为技术和科学之间从来没有存在过。

3s 版本

❶文科尔曼认为科学与工程存在界限。科学研究已经存在过的，工程发明未存在过的。

But ❷科学与工程的界限并不明晰。

❸科学理论也可以是未存在过的。

❹爱因斯坦也这么认为。

❺科学也会操纵概念。

❻工程是概念的物化，因此科学与工程之间没有界限。

全文3s版本：科学和工程之间没有界限。

题目讲解

1. 文章的主旨是

    A.（错误）表明某一术语经常被误解

    B.（正确）质疑一个特定区别的基础

    C.（错误）表明一个领域如何被另一个所影响

    D.（错误）认为一种二元论的观点随着时间而发生了变化

    E.（错误）研究一个科学理论的起源

解析： B：本文首句认为科学和工程之间存在区别，第 ❷ 句反驳了这一观点，后面句子均和这句话顺承，因此本文是驳论文，选项 B 正确。

    A：文中未提及。

    C：这两个领域可以认为分别指的是科学和技术，但是文章说这两个领域没有界限，并不等于一个领域影响另一个。

D：文中未提及。

E：文中未提及。

2. 文章作者提及马赫最主要的目的是

A.（正确）提供可以阐明爱因斯坦的观点的对比

B.（错误）指出对文科尔曼观点的启发

C.（错误）表明关于发明的本质的观点如何随时间发生变化

D.（错误）表明爱因斯坦关于马赫的观点如何影响了其他科学家关于发明的观点

E.（错误）阐明爱因斯坦和马赫关于技术的价值的对立观点

解析： A：作者在介绍完爱因斯坦的观点之后又介绍了和爱因斯坦完全对立的马赫的观点，其目的应该就是作对比，因此选项 A 正确。

B：文中未提及。

C：文中未提及。

D：文中未提及。

E：两个人确实是对立观点，但是他们的观点都是关于科学和技术界限的，而非技术的价值。

Passage 2

现代的研究者只关注了荷兰绘画的_____而没有关注_____

🔖 原文翻译

❶在19世纪后期，艺术评论家认为17世纪荷兰绘画是对现实的直接反映。❷这些绘画是社会民主的指标，反映了阶层、行为和他们的职业；各种各样的现实主义被认为是荷兰艺术的伟大成就。❸但是，对荷兰艺术的更近期的研究成果则恢复了一个事实："现实主义"的绘画不仅仅是日常生活的体现。❹尽管这些绘画当然也是现实主义的，但是现在有一点很清楚了，那就是这些绘画被认为是象征了死亡、世间生命的转瞬即逝以及上帝的力量，并且被认为是一些包括从轻微的道德教化到绝对的说教的信息。❺这种象征性过程有意成为何种程度上的清晰和一致是一个更加棘手的问题，但是任何人，只要他不仅仅是荷兰文学或者插图书籍（尤其是象征符号册子）中的图片的过往路人，都会认识到给日常物体和熟悉场景赋予超越其表面和外表的含义是一件多么常见的事情。❻在1960年代中期，艾迪·德容出版了一系列材料——尤其是来自符号书籍和方言文学的材料——这些材料证实了仅仅按照表面价值理解荷兰绘画是不可靠的。

❶但是，像德容这样的评论家的发现中最大的困难在于很难评估荷兰评论家解读这些绘画的多层次性。❷德容的追随者通常认为绘画单纯只是象征性的。❸不是每一件荷兰绘画中的物体都要按照它在符号书籍中的等价物的注释来解读。❹不是每一个暖脚炉都要按照罗默·维舍尔1614年的Sinnepoppen一书中的暖脚炉去理解；**不是每一根缰绳都是束缚的象征**（尽管很多缰绳确实就是表示束缚）。❺如果像布朗所认为的，内舍尔的绘画《教孩子读书的女士》中的两个小孩"表示勤奋和懒惰"，这就是没有理解绘画有多种多样的可能含义，尽管画作本身毫无疑问地会包含一些不可能被误解

的象征含义。❻现代艺术史学家有可能认为找到一幅绘画和一个特定象征之间存在类比是很令人兴奋的；他们就像17世纪的评论家一样，探索着很多绘画背后的双重含义。❼但是17世纪的评论很难被简化成一个准则。❽如果不这么认为（即只关注于象征意），就是在暗示现代人对17世纪荷兰艺术的解读的费力过程，但是，从大多数情况来看，表达言外之意并不是17世纪（评论家）本身的特点。

3s 版本

❶❷19世纪评论家认为17世纪荷兰绘画是现实的。

However ❸ 近期的研究认为荷兰绘画是不现实的。

❹❺举例说明荷兰绘画的象征含义。

❻1960年代的德容也认为荷兰绘画不现实。

第一段 3s：19 世纪认为荷兰绘画是现实的，近期的观点认为荷兰绘画是不现实的。

However ❶ 近期的研究无法解读荷兰绘画的多面性。

❷ 近期研究只关注了荷兰绘画的象征性。

❸❹❺举例说明荷兰绘画的多面性。

❻现代艺术史学家和17世纪评论家一样关注荷兰绘画的象征性。

But ❼17世纪的评论家不是只关注了象征性。

❽17世纪评论家还关注了荷兰绘画的多面性。

第二段 3s：现代评论家没有像 17 世纪评论家一样关注绘画的多面性。

全文3s版本：现代的研究者只关注了荷兰绘画的象征性而没有关注多样性。

题目讲解

1. 文章主要关注下列哪一项？
   A.（错误）调和了关于艺术如何反映现实的两个不同观点。
   B.（错误）批判了一个传统的解读方法。
   C.（错误）追溯了一个有创造性的学术方法的发展。
   D.（正确）描述并且评价了一个最近的评论方法。
   E.（错误）描述了一个长期的争议以及它是如何被解决的。

解析：D：第一段描述了现代人对于荷兰绘画的研究，认为荷兰绘画不现实，第二段则是对这一观点的评价，认为其没有关注到荷兰绘画的多面性，所以选项 D 正确。

2. 文章作者在黑体部分提及缰绳的最主要目的是
   A.（错误）表明束缚只是很多和缰绳有关的象征含义中的一个
   B.（错误）提供一个没有象征含义的日常物品的例子
   C.（错误）提供一个物品的例子，现在评论家给它赋予的象征含义和 17 世纪荷兰艺术家赋予的含义不同
   D.（正确）提供一个有象征含义但是又不总是被用作象征物品的例子
   E.（错误）提供一个出现在大量的 17 世纪荷兰绘画中的日常物品的例子

解析：D：本题定位到第二段第 ❹ 句，这很明显是第 ❸ 句的例子。第 ❸ 句想要表达的就是荷兰绘画不仅仅拥有象征含义，因此选项 D 正确。

A：文章想用缰绳表达评论家应该关注到荷兰绘画的多层次性，即不仅仅看象征性，还要看物品的本意，这并不是在说一个物品的象征含义不止一个。

B：缰绳有象征含义，但是不能完全按照象征含义去解读。

C：现代评论家确实给缰绳赋予了象征含义，但是文中看不出来17世纪荷兰画家给缰绳赋予的象征含义是什么。

E：看不出"大量"。

3. 下列哪一项最好地描述了文章最后一段的功能？

    A.（错误）这一段提供了前一段中介绍的评论方法的具体应用。

    B.（正确）这一段呈现了关于前一段讨论的评价方法的一个警告。

    C.（错误）这一段呈现了关于前一段所基于的理论的研究。

    D.（错误）这一段反驳了前一段的理论并且倡导要回到更加传统的方法。

    E.（错误）这一段提供了关于前一段描述的不正常现象的进一步的信息。

解析： B：第二段的主旨是评价上一段提及的现代评论家的评价方法，认为这个方法没能关注到荷兰绘画的解读的多样性，因此这是一个含有负向含义的评价，选项B正确。caveat一词表示"警告"，即对现代评论家的方法给出负评价。

      D：错在"回到传统方法"，第二段只是作者让读者警惕现代的方法无法像17世纪评论家那样看到荷兰绘画的多样性，并没有表达要回到17世纪方法的观点。

4. 关于17世纪荷兰的符号学书籍，文章表明了下列哪一项？

    A.（错误）这些书籍证实了17世纪荷兰绘画会描绘一些日常生活中的物体和场景。

    B.（错误）这些书籍比方言文学材料在提供关于17世纪荷兰绘画象征含义方面更加有用。

    C.（错误）这些书籍被诸如德容这样的艺术评论家所误解，他们认为17世纪荷兰绘画含有象征含义。

    D.（错误）这些书籍在解读17世纪荷兰风景绘画方面没有帮助。

    E.（正确）这些书籍包含可以质疑19世纪后期关于17世纪荷兰绘画的评论的假设。

解析： E：符号学书籍对应的一定是象征含义，而这和19世纪的解读相反，因此选项E正确。

      A：符号学书籍证实的是荷兰绘画有象征含义。

      B：根据第一段第❻句，符号学书籍和方言文学是平行并列关系，没说谁比谁更有用。

      C：根据第一段第❻句，这些符号书籍是德容所利用的，不可能被德容误解。

      D：文中未提及。

Passage 3

削弱题

📎 **原文翻译**

    相比于只在办公室看病的医生，在病人家里看病的医生会和病人建立更好的个人关系。这些病人也更加不可能对家庭医生发起医疗事故诉讼。这种更低的医疗事故诉讼率很明显可以支持一个普遍观点，那就是和病人发展亲密的关系可以在出现问题的时候增加病人给医生假定其无过失的意愿。

    * the benefit of the doubt：只当证据不充分的时候，假定其无罪。

3s 版本

全文3s版本：家庭医生和病人有亲密的个人关系→诉讼少

题目讲解

1.　如果对家庭医生来说是正确的，下列哪一项最能削弱原文?

　　A.（错误）家庭医生比非家庭医生更可能相信一个医生对病人的态度是药物治疗中非常重要的一部分。

　　B.（正确）家庭医生比非家庭医生更经常看望病人，并且因此得到了关于病人情况的更多信息。

　　C.（错误）家庭医生比非家庭医生更加缺乏药物的使用经验。

　　D.（错误）家庭医生和非家庭医生采取的治疗手段相同。

　　E.（错误）家庭医生的医疗事故保险费用不比非家庭医生少。

解析：B：得到信息多→医疗事故少→诉讼少。寻找他因，削弱原文，故正确。

　　　A：家庭医生认为态度更重要→发展亲密关系→减少诉讼，该选项加强原文，故不选。

　　　　　* bedside manner：对病人的态度

　　　C：家庭医生经验少，结果诉讼少，进一步加强是因为和病人的关系好才导致诉讼少，属于加强原文，故不选。

　　　D：两种医生的治疗手段一样，结果家庭医生的诉讼更少，进一步加强是因为家庭医生和病人关系好才导致诉讼少，故不选。

　　　E：malpractice insurance 意为医疗事故保险，指的是医生购买的用于承担今后可能发生的医疗事故赔偿的保险。因此该项讨论的是医生本身的保费多少，和是否有更多的诉讼没有必然联系，属于无关选项，故不选。

Passage 4

应该/不应该忽略史密斯和克莱顿提供的影响非裔美国人的因素

原文翻译

❶在美国内战（1861~1865年）之后，很多南方乡下的非裔美国人成为佃农（帮地主种庄稼，分享部分利润）或者土地租用人（卖掉他们种的庄稼并且支付一部分利润作为租金）。❷大多数史学家认为这些非裔美国人是偏见和农田租用体系的受害人。❸但是，这一理解方式忽略了非裔美国人农村改革家所扮演的角色，比如得克萨斯州农民改良协会的创始人罗伯特·劳埃德·史密斯，以及第一位为得克萨斯州农业部创办农业研究机构的约瑟夫·埃尔沃德·克莱顿。❹这两位都倡导为非裔美国人提供舒适的家庭和更好的教育；两个人都将贫穷和无知归因于种族偏见之外的因素，比如虫害；并且两个人都努力让非裔美国人农民留在土地上，尽管史密斯反对农田租用体系。❺这两位都被同时代的人所批评，因为他们低估了农业租用制度对非裔美国人农民的破坏性影响以及他们包容了奴隶制。❻尽管这些改革家的影响力还需要更多的研究，但是很清楚的是，他们的组织给非裔美国人农民提供了一种声音，让他们可以去改善自己在南方农业地区的地位。

3s 版本

❶内战之后很多非裔美国人成为佃农或土地租用人。

❷大多数历史学家认为这些非裔美国人是种族偏见和农田租用体系的受害人。

However ❸罗伯特·劳埃德·史密斯和约瑟夫·埃尔沃德·克莱顿的观点被忽视了。

❹这两个人关注的是奴隶制和农田租用体系之外的因素。

换对象/accuse负态度取反❺这两位被同时期历史学家批判。

换对象❻作者对于这两个人的观点给予正评价。

全文3s版本：不应该忽略史密斯和克莱顿提供的影响非裔美国人的因素。

题目讲解

1. 文章主要关注于

   A.（错误）恢复两个长期被历史学家所诋毁的改革家的名誉

   B.（错误）通过证明这些批评家是毫无依据的，来反驳同时代人对两个改革家的批判

   C.（正确）提供证据支持一个观点，认为历史学家对特定现象的理解是不完整的

   D.（错误）讨论两个在生前就很知名的改革家被今天的历史学家认为无效的一些原因

   E.（错误）表明关于佃农制度对于内战之后南方乡村经济的影响的一种替代性解读

解析：C：evidence 指的就是史密斯和克莱顿的研究。历史学家只认为是偏见和佃农制影响了非裔美国人，但是两个人还关注了别的，这说明历史学家的观点是不完整的。

   A：过分强调两个人的名誉，但是本文关注的是学术研究的正确性，和名誉关系不大。

   B：文章只是在支持这两个人的观点，没有反驳那些批判两个人的人。

   D：没提 today。另外，文中的历史学家没有批判两位改革家，这些历史学家只是没有看到偏见和佃农制的正面作用，批判了改革家的是改革家同时代的批判者。

   E：文中唯一提及的佃农制的影响就是可能影响了非裔美国人，没有 alternative。

2. 选择一个认同出主流学术观点的句子。

答案：第 ❷ 句

解析：a prevailing scholarly view 对应 Most historians。

3. 文章作者最有可能同意下列哪一项关于史密斯和克莱顿的陈述？

   A.（错误）需要更多的研究来确定他们的组织在那些用于援助内战之后南部乡村非裔美国人农民的组织中是否是典型的。

   B.（错误）他们用于改善非裔美国人农民生存境况的贡献被随后的政治争议所掩盖。

   C.（错误）他们作为改革家的成就被内战之后的很多历史学家所夸大。

   D.（正确）有证据证明他们致力于援助南方农村的非裔美国人农民。

   E.（错误）同时代的人对他们的批判程度很难确定。

解析：D：对应最后一句。

   A：根据最后一句的让步部分，需要进一步研究的是他们的影响力，而非他们的组织是否典型。

   B：文中未提及 political controversy。

   C：这两个人被同时代的历史学家所批评，而非夸大。

   E：根据最后一句可知，这些改革家的影响力是难以评估的，未提及对其批评的程度难以评估。

Section 2

Passage **1**

_____被低估了

原文翻译

❶美国早期的一些常见的行为使得历史学家很容易低估美国女性有偿劳动的程度。❷在被称之为"保护"的法律原则之下，已婚女性在法律上被认为不具有她们丈夫之外的经济所得，并且不能够获得工资。❸计件工作（以计件工资计算的在家里做的活）的薪酬记录将男性的名字作为工资接收人。❹人们要去看记录工作总量的那一栏才能发现女性的名字被列为生产者。❺进一步讲，大多数有偿劳动者的部分报酬以货物的形式结算，只在每季度或每年有一到两次的现金结算。❻现金结算的低频率使得历史学家很难将其当成工资。

3s 版本

❶女性有偿劳动被低估。

❷女性在法律上不得从事有偿劳动。

❸薪酬记录体现的是男性的名字。

❹女性其实也参与了生产。

❺现金结算工资的频率很低。

❻这种低频率使得历史学家不认为女性领了工资。

全文3s版本：女性的有偿劳动被低估了。

题目讲解

1. 根据文章，美国早期对于有偿劳动者的报酬

   A.（错误）通常相比于其他种类的有偿劳动，计件工作更低

   B.（错误）相比于女性工人，男性工人普遍更高

   C.（错误）相比于女性工人，向男性工人支付得更高频

   D.（正确）通常以现金之外的形式被支付

   E.（错误）通常不会被雇主记录

解析：D：对应原文第 ❺ 句。

2. 文章关于计件工作的薪酬记录表明下列哪一个选项？

   A.（错误）它们只是最近才得到了来自历史学家的关注。

   B.（正确）它们可以轻易地被历史学家误解。

C.（错误）它们经常被历史学家所忽视。

D.（错误）它们表明男性和女性工资存在差异。

E.（错误）它们没能反映对于完成工作的薪酬支付的低频率。

解析： B：对应第 ❸ 句，这些记录通常体现的是男人的名字，因此容易被历史学家误解。

Passage ② ....

蝙蝠创造了面包树林，玛雅人＿＿＿＿＿＿＿＿＿＿＿了这些树林

原文翻译

❶在中美洲玛雅废墟中或附近密集出现了面包树，这一开始被认为是古代玛雅存在造林学的证据，换句话说，这片林子是玛雅人种植的果园的遗迹。❷但是，之后的研究表明这片林子来自在废墟中筑巢的美洲果蝠（Artibeus bats）。❸这些蝙蝠飞到丛林里，收集果实，把果实带回巢穴，吃掉果肉，然后扔掉未受损的种子。❹**蝙蝠持续地散播这些种子**，保证面包树几百年来持续地存在于这片遗迹中。

❶但是，这种观察并没有否认面包树由玛雅人使用和管理的可能性。❷实际上，如果我们研究这些树的特性而非密集度或位置，就会发现刻意的基因改造的证据。❸这一点对危地马拉季卡尔玛雅遗址附近的树丛来说尤其明显：这些树的生产力几乎是墨西哥韦拉克鲁斯的两倍，它们具有几乎相同的环境条件。

3s 版本

❶老观点认为这些树是玛雅人故意种的。

however ❷之后的研究认为这些树林是蝙蝠创造的。

❸❹蝙蝠的造林过程。

第一段 3s：树林是蝙蝠创造的。

however ❶玛雅人使用并管理了这些树林。

❷这些树上有基因改造的证据。

❸相同条件下，玛雅的树比墨西哥的树生产力更高。

第二段 3s：玛雅人使用并管理了这些树林。

全文3s版本：蝙蝠创造了面包树林，玛雅人使用并管理了这些树林。

题目讲解

1. 文中提及"蝙蝠持续地散播这些种子"是为了解释

   A.（错误）某些面包树林的生产力

   B.（正确）在某些地方出现了面包树

C.（错误）玛雅果园中果实树木的分布

D.（错误）玛雅遗迹样貌的改变

E.（错误）玛雅遗迹周围的森林的改变

解析： B：蝙蝠播撒种子这一信息就是作者给出的关于面包树分布范围的一种解释，故选项 B 正确。

2. 文章暗示了下列关于在季卡尔所观察到的面包树的哪一项？

A.（错误）它们代表从季卡尔带到墨西哥的品种。

B.（正确）它们代表被玛雅人繁育以增加产量的品种。

C.（错误）它们的果实相比于其他物种的果实更被美洲果蝠所喜欢。

D.（错误）它们在季卡尔遗迹周边的数量多于位于其他玛雅遗址的面包树数量。

E.（错误）它们的种子能够承受可能防止发芽的损害。

解析： B：根据原文，作者将季卡尔的面包树作为证据，说明玛雅人对面包树进行了基因改造，故选项 B 正确。

3. 文章暗示了在韦拉克鲁斯观察到的面包树的哪一项？

A.（错误）它们是选择性育种的产物。

B.（错误）它们的发展受到蝙蝠行为的影响。

C.（错误）它们的果实品质不好。

D.（错误）它们不能适应韦拉克鲁斯的生长条件。

E.（正确）它们和季卡尔的树在基因组成上差异很大。

解析： E：根据文章最后一句，季卡尔的树和韦拉克鲁斯的树在生长环境方面几乎一样，但是季卡尔的树生产力更强，这说明两者的基因组成不同，选项 E 正确。

Passage 3

解释题

📎 原文翻译

　　房屋主人通常会增加房屋的抗寒能力，也就是说他们会增加隔热物以及封住缝隙避免屋子漏风。过去，很多房主使用的隔热物会释放甲醛，这种气体在高浓度下会导致健康问题。现在这种隔热物已被禁止。但是，提升房屋抗寒能力依然有可能产生危险水平的甲醛，因为减少气流会增加任何房屋中释放的气体的浓度，并且_____。

📎 3s 版本

　　全文3s版本：禁止使用释放甲醛的隔热物，但是甲醛浓度依然可能升高。

题目讲解

1. 下列哪一项最能符合逻辑地完成这篇文章?

A.（错误）在这项禁令之前安装的所有释放甲醛的隔热物早已停止释放甲醛。

B.（正确）房子里的很多东西都会释放大量甲醛。

C.（错误）释放甲醛的隔热物容易安装到现有的房子里。

D.（错误）几乎所有进入经过抗寒改装房屋的新鲜空气都通过加热和冷却通风口。

E.（错误）某些种类的隔热物，如果不恰当使用会导致其他健康问题。

解析： B：即使隔热物释放的甲醛不存在了，但是其他东西依然会释放甲醛，加上原文提到的减少空气流动会导致气体浓度升高，可知该项能够解释文章，正确。

A：隔热物早就停止释放甲醛，无法解释为什么现在的甲醛浓度依然有可能升高。

C：和是否容易安装无关，不选。

D：新鲜空气来自哪里，和本文讨论内容无关，不选。

E：文中只是讨论甲醛，和其他健康问题无关，不选。

Passage 4

受欢迎的建筑不见得是_____的建筑

原文翻译

❶人们可能会认为最受崇敬的建筑应该是建造得最好的建筑。❷尽管这在过去是正确的，但是在20世纪，当新的建筑材料和新的审美理论驱动了建筑师进行草率的实验的时候，即使是著名的建筑师都不符合标准。❸当设计巴黎的蓬皮杜中心时，伦佐·皮亚诺和理查德·罗杰斯几乎将建筑的内部翻到了外面。❹那些之前被隐藏的元素，比如管道、管线和电梯都暴露在大众视野中——并且这些元素之间也是相互暴露。❺结果可以想见：在仅仅二十年后，这一建筑就被关闭，为了进行两年的翻修。❻尽管当局们认为是出乎意料的大量游客使得这次翻修成为必要，但是大部分预算都用于翻新建筑的表面。

3s 版本

❶受欢迎的建筑才是好建筑。

时间对比❷20世纪开始，建得好的不见得是受欢迎的。

❸❹蓬皮杜很反传统。

❺❻蓬皮杜进行了为期两年的翻修，证明它尽管受欢迎，但是建筑质量不高。

全文3s版本：受欢迎的建筑不见得是建得好的建筑。

📝 题目讲解

1. 下列哪一项最好地描述了标黑体句子的功能?
   A.（错误）这句话有助于证实作者关于 20 世纪前建筑的说法。
   B.（正确）这句话提供了前一句引用的趋势的例子。
   C.（错误）这句话支持了认为现代建筑阻碍审美实验的观点。
   D.（错误）这句话重述了文章开头句提及的假设。
   E.（错误）这句话标志着向讨论法国建筑趋势的过渡。

解析：B：定位句是一个例子，用于支持前一句认为从 20 世纪开始，受欢迎的建筑标准发生了改变的观点，故选项 B 正确。

2. 蓬皮杜中心的以下哪些品质构成了作者对伦佐·皮亚诺和理查德·罗杰斯作品的批评的基础?
   A.（错误）受欢迎程度
   B.（错误）初始建造成本
   C.（错误）规模
   D.（正确）耐用性
   E.（错误）地点

解析：D：根据 ❺❻ 两句，作者认为蓬皮杜在建造仅仅二十年后就被翻修，并且其翻修的原因是建筑表面，因此可知作者利用蓬皮杜中心的耐用性不良批判了伦佐·皮亚诺和理查德·罗杰斯两人，因此答案为选项 D。

Passage ⑤

用实验反驳了蜜蜂是/不是色盲这一观点

📝 原文翻译

> ❶尽管蜜蜂光顾**很多种颜色**的花朵，但是直到20世纪早期，人们普遍认为蜜蜂是完完全全的色盲。❷为了验证这一点，动物学家卡尔·冯·弗里施在一系列的卡片上放置了食物。❸在一堆不同的灰色卡片中，唯一一张蓝色卡片上放着装有糖水的盘子。❹一旦蜜蜂学会光顾这张卡片和食物组合，他就调换卡片在矩阵中的位置。❺之后，他用一套全新的材料取代了所有的卡片和食物，让蓝色卡片上的盘子空置着。❻尽管如此，蜜蜂还是回到了蓝色卡片上。❼如果蜜蜂真的是色盲，那么它们就会至少发现它们是无法区分一些灰色卡片和蓝色卡片的。

📝 3s 版本

❶老观点：蜜蜂是色盲。

❷~❺广义封装，尝试证明蜜蜂是色盲。

Nonetheless ❻实验结果支持蜜蜂不是色盲。

❼蜜蜂不是色盲。

全文3s版本：用实验反驳了蜜蜂是色盲这一观点。

📝 文章点拨

　　本文的难点在于 ❷~❻ 这个实验流程的理解。第 ❸ 句蓝色卡片上面有糖水的目的是吸引蜜蜂。第 ❹ 句调换卡片的位置的目的是排除蜜蜂是因为记住了位置而不是因为记住了颜色才重新回到蓝色卡片的这一因素。第 ❺ 句用全新的材料取代之前的材料，其目的是排除蜜蜂在之前的材料上留下痕迹这一因素。而蓝色卡片空置是为了证明，如果蜜蜂还是找到了蓝色卡片，就证明蜜蜂认识蓝色，而不是被糖水吸引到了蓝色卡片。第 ❻ 句在排除了诸多干扰因素后，蜜蜂还是回到了蓝色卡片，这就证明蜜蜂不是色盲。第 ❼ 句则解释了渐变灰色卡片的作用：如果动物是色盲，那么它们的眼中只有黑白两色，正常人眼中的彩色在色盲眼中可能就是不同程度的灰色。既然蜜蜂最终回到了蓝色卡片，而没有将某种灰色误以为成蓝色，则说明蜜蜂不是色盲，或者至少说明蜜蜂认识蓝色。第 ❷ 句开头的 To test this 可以认为是为了验证首句的老观点，即蜜蜂是色盲，因此和直到第 ❺ 句封装，算作整个实验的流程。第 ❻ 句的nonetheless 句间取反，和前文想要论证的蜜蜂是色盲相取反。因此本文的结构是用一个实验反驳了之前认为蜜蜂是色盲的观点。

📝 题目讲解

1. 文章作者指出"丰富的颜色"主要目的是

   A.（错误）证实一个曾经被广泛接受的关于蜜蜂色觉的观点

   B.（正确）表明为什么蜜蜂被认为是色盲这一点令人惊讶

   C.（错误）使得关于蜜蜂色觉的争论复杂化

   D.（错误）指出蜜蜂视觉局限性的原因

   E.（错误）预测了对于文章所描述的实验方法的反驳

解析：　B：本题是功能题，但问的是让步部分的功能，因此有两种思路：a. 承认一个观点在某种程度上是正确的；b. 衬托转折之后的内容。本题的这一让步部分没有针对一个观点发表评价，因此不是第一种功能，所以正确选项的选择方向是衬托转折之后的内容，因此选项 B 正确。

　　　　A：a view 对应老观点，即蜜蜂是色盲。本句是由 despite 连接的让步转折，因此 extravagant colors 和后面的老观点在逻辑上是取反的，但是本选项的 validate（证实）对应的是取同的关系，逻辑不对。

　　　　C：文章没有针对蜜蜂的色觉进行争论，所谓争论，指的是两个相反的观点同时存在，不分上下，难分对错。但是文中提到在 20 世纪早期，大家普遍认为蜜蜂是色盲，之后的实验反驳了这一观点，所以文章不存在争论。

　　　　D：该项错误原因同选项 A，"原因"也是前后取同的逻辑。

　　　　E：an objection 无对应。

2. 从文章可以推测出，当用空置的卡片替代糖水的时候，冯·弗里施安排了全新的卡片是为了

   A.（错误）能够精确地记录因泼溅所导致的任何颜色的变化

   B.（错误）能够在每一轮实验中轻微改变放置了糖水的卡片的颜色

   C.（错误）引入了新的和糖水位置相关的线索

   D.（错误）成功地证明了蜜蜂只能看到有限的色彩范围

   E.（正确）能够排除蜜蜂在以前的试验中以某种方式标记蓝色卡片的可能性

解析： E：根据第 ❺ 句，用全新的材料取代之前的材料的目的就是排除蜜蜂在之前的材料上留下痕迹这一因素，因此选项 E 正确。

A、B、C：这三项都引入了新的变量，违背了本文控制变量的基本原则。

D：本实验最终反驳了蜜蜂是色盲，表述相反。

Unit 07

Practice Tests:
Set Two

题目原文下载1　　题目原文下载2

只要按照正确方法准备，你就会发现 GRE 远
远没有传说中的那么难。

——罗兴寰
吉林大学
微臣教育线下 325 课程学员
2018 年 9 月 GRE 考试 Verbal 164
录取学校：The University of Chicago

Section 1

Passage 1

关于_____有不同观点

原文翻译

❶圣洛伦索是古代中美洲奥尔梅克的文化中心，因为其巨大的石雕和独特的陶瓷人像而著名。❷但是，考古学家关于为什么在距离奥尔梅克中心地带非常远的遗址也发现了奥尔梅克风格的陶瓷人像持有不同意见。❸母亲文化理论的支持者认为这些雕像象征着前所未有的社会组织方式，并且将这些陶瓷人像的分布方式解释为奥尔梅克对不那么复杂的社会产生影响的证据。❹但是，根据姐妹文理论，这些奥尔梅克风格的陶瓷仅仅是众多中美洲文化所共有的信仰的一种视觉化呈现，随着时间的推移，这些文化之间的交流越来越多。❺奥尔梅克既不会单独对这一风格的创造和传播负责任，也不会比和它们交流的文化更先进。

3s 版本

❶奥尔梅克文化因其石雕和陶瓷而著名。

however ❷考古学家关于在距离奥尔梅克很远的地方发现类似的陶瓷的原因有不同观点。

❸母亲文化理论：奥尔梅克对其他社会产生了影响。

however ❹❺姐妹文化理论：多个平等社会沟通交流中所产生的共享的思想导致陶瓷很像。

小结：❸~❺广义封装，与❷取同。

全文3s版本：关于在距离奥尔梅克很远的地方发现类似陶瓷的原因有不同观点。

文章点拨

本文针对为什么不同的地方都能找到奥尔梅克风格的雕塑给出两个理论：母亲文化和姐妹文化。顾名思义，母亲文化是指由于奥尔梅克文化对其他文化的影响导致其他文化出现了和奥尔梅克一样的雕塑。姐妹文化，即各个文化之间就像姐妹一样是平等的，大家在交流中产生了类似的雕像，奥尔梅克文化并不会比其他文化对于某些文化产生更多的影响。

题目讲解

1. 从文中可以推断出对于姐妹文化的支持者最不可能同意下列哪一项由母亲文化给出的解释？
   A.（错误）信仰在奥尔梅克社会中的重要性。
   B.（错误）圣洛伦索和其他中美洲文化之间交流的程度。
   C.（错误）在远离圣洛伦索的地方发现了奥尔梅克风格的物品。
   D.（正确）奥尔梅克文化的中心对奥尔梅克风格的陶瓷所做的相对贡献。
   E.（错误）在圣洛伦索生产奥尔梅克石雕像所需的社会组织的程度。

解析：D：本题的核心在于理解姐妹文化和母亲文化之间的差异。根据文章，这两种理论之间的区别在于，母亲文化是"中央集权"，其他地方和奥尔梅克文化中心并不平等，奥尔梅克对其他地方有很大的影响；姐妹文化则是"共同繁荣"，各个地方很平等，不同地方之间没有谁支配谁一说，因此选项D正确。

　　　　A：文中没提母亲文化理论中对信仰的看法。

　　　　B：文中没提圣洛伦索和其他文化的沟通，只提了奥尔梅克文化和其他中美洲文化之间的交流。

　　　　C：两种观点只对奥尔梅克文化对其他文化的影响程度做了对比，但是我们依然不知道这些陶瓷到底是在哪生产的。

　　　　E：姐妹文化理论没有评价社会组织程度。

2.　下列哪些发现可以给两种解释中的任意一种提供证据？

　　　A.（正确）在圣洛伦索发现的大量奥尔梅克风格的塑像在奥尔梅克中心地带之外被生产。

　　　B.（正确）尽管很多奥尔梅克中心地带之外的地方找到了在圣洛伦索生产的雕像，但是没有哪个地方拥有在其他地方生产的陶瓷。

　　　C.（正确）一种奥尔梅克风格的陶瓷在奥尔梅克中心地带之外的一些地方被发现，但是没有在圣洛伦索被发现。

解析：A：对应姐妹文化，因为其他地方也能生产奥尔梅克风格的塑像。

　　　　B：对应母亲文化，因为只有圣洛伦索可以生产这种雕像。

　　　　C：对应姐妹文化，因为没有在圣洛伦索发现这些雕像，证明其他文化也有生产这种雕像的能力。

Passage 2

鲍尔和斯穆茨发现＿＿＿＿＿和＿＿＿＿＿对狗的游戏并非必要

原文翻译

❶在很多种哺乳动物中所观察到的社会性游戏表明个体经常背离通常的社会传统，比如通过改变支配和被支配的地位，而这种改变并不会发生在游戏之外的情况。❷有的研究者甚至认为个体在两方游戏（两个个体之间的游戏）中必须遵循50：50的规则，因此每个参与者都有平等的获胜概率。❸通常被用于使游戏平等化的合作策略包括自我设障（参与者使自己更容易受到对手的攻击）以及角色反转（在游戏之外的情况下处于支配地位的个体在游戏中会显得居于次要地位）。❹这些策略会发生于并不势均力敌的游戏中，通过使游戏对处于劣势的玩家更有吸引力而对游戏起到促进作用。

❶当鲍尔和斯穆茨开始研究家犬的游戏行为时，他们做了一些预测。❷他们预测在狗的行为中不会发现明显的性别差异。❸狗在打闹游戏中使用的动作技巧很像在非游戏性的入侵和狩猎中所用的技巧，在这些领域中，狗的行为在性别上差异不大。❹他们还预测更大的体型、更大的年龄和更有优势的地位会影响狗的两方游戏。❺对大量物种的**现有的研究**表明具有这些优势的个体通常会拒绝攻击和追逐，或者这些个体会使用自我设障，因此不至于吓到玩伴。❻如果这对于狗也是适用的，那么体型更大、年龄更大和更有主导性的狗会比玩伴表现出更多的自我设障。❼但是鲍尔和斯穆茨却预测狗会

违背假设的50：50规则，处于优势地位的个体会通过发动更多的攻击和追逐并且使用比同伴更少的自我设障行为来保持优势地位，从而加强现有的等级。

❶鲍尔和斯穆茨对狗的两方游戏进行了为期三年的研究，他们发现大多数两方游戏表现出某种程度的不对称性（一只狗比另一只狗赢得更多的比赛），有些两方游戏表现出完全不对称。❷他们还发现，总体而言，年龄大的狗会表现出更多的攻击和追逐，年龄小的狗反而有更多的自我设障行为。❸处于优势和非优势地位的角色互换也多种多样：有的双方从来不对调优势地位，少量的双方经常对调角色，而大多数的双方只是偶尔对调角色。

❶鲍尔和斯穆茨关于两方游戏中不对称性的发现有几个意义。❷首先，这表明主动的自我设障和角色对调对于游戏的发生来说并非是必要的。❸事实上，当游戏的一方总是赢的时候，游戏还能进行很久。❹第二点，因为经常发生角色对调，那些普通的地位不平等在游戏中就更加随意了。❺这表明尽管角色对调并不是必须的，但是确实会有助于游戏。

🖢 3s 版本

❶动物在游戏中会改变各自在传统中的地位。

❷游戏双方应该实力均等。

❸通过自我设障、角色对调来实现游戏的平等。

❹这样做会使得游戏更有意思。

第一段 3s：动物在游戏中会通过策略达到实力均等。

❶鲍尔和斯穆茨对狗的游戏行为做了预测。

❷❸预测一：狗在游戏中没有性别差异。

❹预测二：狗的身体优势会影响游戏。

❺现有研究表明本来具有优势地位的动物会削弱自我实力来保证游戏平等。

❻狗可能也会使用策略来保证游戏平等。

But ❼鲍尔和斯穆茨预测狗不会使用策略保证游戏平等。

第二段 3s：鲍尔和斯穆茨关于狗的游戏做了两个预测。

❶鲍尔和斯穆茨的研究表明狗在游戏中确实不平等。

❷❸不平等的例子。

第三段 3s：狗在游戏中不会保证平等。

❶这种不对称性具有几个意义。

❷❸自我设障和角色对调并非是必要的。

❹❺角色对调也确实会对游戏有促进作用。

第四段 3s：鲍尔和斯穆茨的发现的意义。

全文3s版本：鲍尔和斯穆茨发现自我设障和角色对调对狗的游戏并非必要。

🖢 文章点拨

第一段概述性地描写了动物在游戏中，有优势的一方会刻意地让着对方，使得游戏更公平，可玩性更强。同时给出了两种谦让对方的策略：自我设障（类似于下象棋的时候实力强的一方拿掉自己的某些棋子）和角色对调（相当于本来实力强的一方故意隐藏实力）。

第二段则呈现了鲍尔和斯穆茨对狗的游戏中是否存在使用策略来保证游戏公平做了预测。第❷句预测狗在游戏中没有性别差异（比如比赛的时候不会分成"男子组""女子组"，或者没有"女士优先"）。第❸句则给这一预测提供了理由：狗在游戏中使用的技巧和日常狩猎中使用的技巧是一样的，而在这些技巧上，雌雄本身就一样，因此也就没必要存在性别差异来保证游戏公平。因为这个理由已经足够充分让人相信狗在游戏中不会存在性别差异，因此后文的实验发现便没有再讨论性别问题了。第❹句是第二个预测：狗本身的一些优势也会影响游戏。注意，这句话中我们无法判断本身有优势的狗是否会让着有劣势的狗。第❺句是现有研究发现，本身具有优势的动物会让着对方。第❻句是虚拟语气，其字面含义是说现有研究的结果也适用于狗。当虚拟语气后面出现转折的时候，3s版本以其字面含义为准，因为真实情况会在后面的转折中提及。于是，第❼句提出鲍尔和斯穆茨的具体预测，同时也是针对上一句虚拟语气字面含义的取反，认为有优势的狗不会让着另一方。

第三段呈现了鲍尔和斯穆茨的发现。首先，自我设障在狗的游戏里不存在。其次，角色对调也并不是普遍存在。

第四段则描述了上一段的发现所带来的意义。既然自我设障不会存在，角色对调又并非普遍存在，因此这两个策略对于狗的游戏来说都不是必要的。当然，偶尔的角色对调对于增加游戏趣味性还是有帮助的。

综上，本文相当于作者客观地描述了鲍尔和斯穆茨针对狗的游戏所做研究呈现的发现。

📖 题目讲解

1. 本文的主要目的是
   A.（错误）将两个不同的但是紧密相关的动物行为进行对比
   B.（正确）呈现关于动物行为的特定研究的发现
   C.（错误）解释在哺乳动物中观察到的一个特定行为
   D.（错误）质疑用于支持一个特定动物行为的假说的证据
   E.（错误）解释一个动物行为研究的方法论如何影响了其发现

解析： B：本题属于主旨题，如【文章点拨】所述，答案为选项B。a particular study of animal behavior 指的是鲍尔和斯穆茨对狗的游戏行为的研究。
   A：文中未提及。
   C：a particular behavior 姑且可以认为是动物的游戏行为，或者认为是优势地位的动物会让着对方，但是 account for 表示解释某事件发生的原因，本文的重点并不在于游戏行为发生的原因。
   D：文中未提及。
   E：文中未提及。

2. 从文中可以推断出"现有的研究"发现了下列哪一项关于动物的游戏行为？
   A.（错误）当参与两方游戏时，大多数动物展现出明显的性别差异。
   B.（正确）占优势地位的动物会调整行为以便鼓励居于次要地位的对手和它们玩。
   C.（错误）体型更大、更有经验的动物普遍在两方游戏中和体型更小、更年轻的动物保持它们的等级角色。
   D.（错误）很少有参与两方游戏的动物严格遵守50：50的规则。
   E.（错误）一些动物比其他动物更多地表现出不平等。

解析： B：本题定位到第二段第❺句。选项B正确，同义改写这句话。
   A：现有的研究并没有提及性别差异。
   C、D、E：现有的研究观点是动物会让着对方来保持平等，这三项的表述相反。

3. 下列哪一项最好地描述了标黑体句子的作用?

A.（错误）这句话引用了鲍尔和斯穆茨预测会导致狗违背 50：50 规则的某些因素。

B.（错误）这句话指出鲍尔和斯穆茨在开始对狗的游戏进行研究时做的一些预测。

C.（正确）这句话解释了如果鲍尔和斯穆茨的研究对象表现得就像是前一句话所描写的对象的话会发生什么。

D.（错误）这句话推断了为什么狗的游戏行为会和之前研究的动物很像。

E.（错误）这句话质疑了很多研究者曾经关于对于优势地位的狗的行为的假设。

解析: C：本题定位到第二段第 ❻ 句的虚拟语气。这句话的功能在于基于前一句所描述的其他动物的行为，而预测到狗也会展现同样的行为，因此选项 C 正确。

A：定位句表明狗会保证游戏公平，因此该选项表述相反。

B：这是现有研究的预测，不是鲍尔和斯穆茨的预测。

D：这句话只是一个预测，不能解释"为什么"狗的行为和其他动物的很像。

E：这句话和之前的研究者观点应该是一致的。

4. 下列哪一项可以推测出关于鲍尔和斯穆茨的研究中所观察到的狗的行为?

A.（错误）大多数狗的游戏行为，不论对方的年龄如何，在面临不同对手时保持一致。

B.（错误）狗的游戏行为是由对手的体型和年龄所决定的，而非自己的体型和年龄。

C.（正确）实力不均等的对手之间的游戏并不服从之前研究者所假定的 50：50 的规则。

D.（错误）年龄大的狗在和年龄小的狗一起游戏时几乎从来不会展现自我设障的行为。

E.（错误）大多数玩两方游戏的狗并不会背离其在非游戏情况下所具有的优势和劣势角色。

解析: C：根据鲍尔和斯穆茨的发现，狗在游戏中不会刻意追求平等，因此 C 正确。

A：根据第三段第 ❷ 句，年龄小的狗表现出自我设障，年龄大的狗不会，因此面临不同年龄的狗，狗有的时候要自我设障，有的时候不需要。

B：根据文中信息，无法排除自身体型和年龄带来的影响。

D：根据第三段第 ❷ 句，只是说年龄大的狗更多地表现出侵略性，而年纪小的狗更多地表现出自我设障，但这并不代表年龄大的狗就不表现出自我设障。

E：根据第三段第 ❸ 句，大多数狗会有角色对调，该项表述相反。

Passage 3

评价题

⯈ **原文翻译**

> 去年，菲尔莫尔县的农民对他们的作物使用了 Sordane，这是一种有效的非持久性杀虫剂。尽管作物产量令人满意，但是在空气中喷洒 Sordane 增加了这个地方的呼吸系统疾病的风险。今年，农民们喷洒了一种更弱的杀虫剂 Kaskanine。农作物产量不变，但是这个地方的呼吸系统疾病发病率明显下降。因此，如果明年农民只使用 Kaskanine，那么在不影响农作物产量的情况下，呼吸系统疾病的发病率将保持在较低水平。

3s 版本

全文3s版本：明年只使用Kaskanine→呼吸系统疾病减少+农作物产量不变

题目讲解

1. 下列哪一项最能够评价原文的论证?

A.（错误）Sordane 是否是菲尔莫尔县的农民能够得到的最有效的杀虫剂。

B.（正确）是否因为去年喷洒了 Sordane，所以今年的害虫数量比农民只使用 Kaskanine 的一年要少。

C.（错误）由空气喷洒 Sordane 导致菲尔莫尔县的呼吸系统疾病发病率的上升是否是农民们更换到 Kaskanine 的唯一考虑因素。

D.（错误）其他地方是否因为和菲尔莫尔县相同的原因而禁止使用 Sordane。

E.（错误）对 Sordane 的限制是否会导致呼吸系统疾病的明显减少。

解析：B：该项想要解决的问题本质上是今年喷洒 Kaskanine 导致害虫减少，是因为 Kaskanine 本身有效，还是因为去年的 Sordane 的药效延续到了今年。针对该项回答"是"，即今年的害虫少于假如去年只使用了 Kaskanine 的情况，那么这就说明今年的害虫少是因为去年 Sordane 的药效延续下去，因此如果明年只用 Kaskanine，那么害虫数量有可能增多，作物产量会受到影响，削弱原文；如果该项回答"否"，即今年的害虫不会少于假如去年只使用了 Kaskanine 的情况，也就是说，今年害虫减少和 Sordane 的药效延续无关，而真的就是 Kaskanine 的功劳，那么如果明年只使用 Kaskanine，明年的作物产量不会受到影响，加强原文。综上，该项回答"是"，表削弱，回答"否"，表加强，正确。

A：文章要评价的内容是如果只用 Kaskanine 会产生怎样的结果，和 Sordane 是否是唯一的有效杀虫剂无关。

C：无关，不论这是不是唯一考虑因素，反正农民们是换成了 Kaskanine，而文章关心的是换成 Kaskanine 之后的结果，而非原因。

D：与其他地方为什么停止使用 Sordane 无关。

E：回答"是"，停止使用 Sordane，即只使用 Kaskanine，会导致疾病减少，加强原文；回答"否"，停止使用 Sordane 不会导致疾病减少，削弱原文。到这为止，考生们会觉得选项 E 也正确。但是要注意，原文已经告诉我们，在今年停止使用 Sordane 之后，疾病确实减少了，因此选项 E 所提及的问题是不需要被回答才能评价原文的，因为原文已经告诉我们这一问题的答案了。该项属于重复原文，不选。

Passage **4**

学者应该开始研究_____对美洲原住民文学的影响

原文翻译

❶在一些美洲原住民中，一个集体的口头传统有时影响了另一个集体的口头传统；实际上，追溯这种影响是美洲原住民口头文学学者的主要任务。❷可以理解的是，欧洲人的影响经常被认为是另一件事情了。❸比如，内莉·巴恩斯在一项对美洲原住民口头文学的早期风格化研究中，只研究了欧洲

影响之前的形式。❹但是，意大利民谣《公鸡和老鼠》的祖尼版本表明，尽管美洲原住民口头文学学者的观点不同，但是欧洲的影响和美洲原住民传统的衰落并不是一回事。❺祖尼族的故事叙述者利用欧洲故事作为一个机会来锻炼他的叙事天分，从而使他的传统被欧洲影响所加强而非削弱。❻这样一些例子应该促使那些研究对美洲原住民口头故事影响的学者去重新评价他们在这些研究领域内的观点。

3s 版本

❶大多数学者研究的是美洲原住民集体之间的影响。

❷他们不研究欧洲对美洲原住民文学的影响。

❸内莉·巴恩斯不研究欧洲对美洲原住民文学的影响。

Yet ❹欧洲对美洲原住民文学有影响，并且没有导致美洲原住民文学的衰落。

❺欧洲使得美洲原住民文学得以加强。

❻学者应该重新评价自己的研究重点。

全文3s版本：学者应该开始研究欧洲对美洲原住民文学的影响。

文章点拨

本文前三句取同关系，均在说明之前大多数研究关注的是美洲原住民之间的影响，认为欧洲的影响是"另一件事情"，并以内莉·巴恩斯的研究方法为例子。第 ❹ 句"Yet"取反，可以预判欧洲对美洲原住民文学有影响。本句中的"祖尼"可以推知是一个美国原住民族。祖尼版本的意大利民谣，这说明肯定是欧洲影响了祖尼对这部民谣的创作。第 ❹ 句后半句和第 ❺ 句则都在说明欧洲对美洲原住民文学起到的是加强的作用，因此得到第 ❻ 句的结论：研究者应该重新考虑他们的研究重点，即开始研究欧洲对美洲原住民文学的影响。

题目讲解

1. 文章的主旨是

A.（错误）评估对一种故事传统的影响程度

B.（错误）指出曾经被认为很稀有的一种故事的流行程度

C.（错误）报道最近对一种特定故事传统的研究结果

D.（正确）提出将特定研究领域进行扩大

E.（错误）阐明一个不传统的新型研究方法的使用

解析： D：本题属于主旨题。本文除了表明欧洲对美洲原住民文学有影响之外，还在最后一句呼吁，应该更多地去研究欧洲的影响，因此答案是选项 D 而非选项 A。

B：a type of narrative once thought to be rare 在文中无对应。

C：没提最近的研究。

E：文中未提及 new research methodology。

2. 根据文章，美洲原住民口头文学的学者研究的重点一直是

A.（错误）追溯欧洲民谣对美洲原住民故事传统的影响

B.（错误）重建在被欧洲影响之前的美洲原住民民谣的形式

C.（正确）记录了美洲原住民口头传统如何影响了彼此

D.（错误）指出违背了欧洲影响的土著故事的特点

E.（错误）分析了在受到欧洲影响之后美洲原住民故事中的差异

解析： C：本题问的是学者们一直在研究什么，因此定位到第 ❶ 句，故选项 C 正确。

A、B、D、E：涉及欧洲，与本题意图相反，不选。

3. 文章作者指出内莉·巴恩斯的研究最主要的目的是

A.（错误）指出大多数口头文学的早期风格化研究中普遍存在的缺陷

B.（正确）阐明美洲原住民口头文学学者中普遍采用的研究方法

C.（错误）提供了研究美洲原住民口头传统的不正常方法的例子

D.（错误）将早期引导研究的假设和今天引导美洲原住民口头文学的假设进行对比

E.（错误）强调在最近几年越来越被忽视的研究领域

解析： B：本题属于功能题。本题定位到第 ❸ 句，其 3s 版本是"不研究欧洲的影响"，因此可知，内莉·巴恩斯在文中是一个例子，用来说明以前大多数学者的研究领域只限于美洲原住民，而不研究欧洲的影响，因此选项 B 正确。

A：该项可以从三方面排除：a. 本文只是说要将研究领域扩大到欧洲的影响，但是没说研究美洲原住民之间的影响是错的。内莉·巴恩斯只研究美洲原住民之间的影响，这不见得是缺陷。b. 即使我们认为只研究美洲原住民是缺陷，那也是第 ❹ 句开始说的事情，内莉·巴恩斯依然只是例子，支持前面的研究。c. most oral literature 已经超出了本文讨论的 Native American oral literature，范围太大。

C：内莉·巴恩斯的研究方法是大多数学者的方法，因此不是 anomalous。

D：这句话只提及以前的研究，何谈对比。

E：看不出 increasingly neglected，也看不出时间的变化。

Passage 5

伊丽莎白·毕肖普故意拒绝＿＿＿＿＿＿＿＿＿＿＿＿

🔖 **原文翻译**

> ❶伊丽莎白·毕肖普的《诗歌全集》（*Complete Poems*，1927~1979)对大多数读者来说是一部完成度如此之高的写了一辈子的作品，以至于人们很难不去关注毕肖普写作诗歌的速度有多慢以及她最终创作了多么少的作品。❷但是毕肖普自身一直都意识到自己的作品数量稀少。❸尽管作品数量和写作节奏在她的眼中一直是她写作生涯中为之道歉的一种过失（**表面**看起来这是合乎道理的），但是，正如我将在这篇文章中论证的那样，毕肖普没能写出更多的诗歌也是因为她拒绝这么做。❹毕肖普的少量以及可控的作品使得她的作品在她去世后得到了评论界非常好的反响。❺（罗伯特·洛威尔的作品数量更多，但是从来没有出版过一套完整的作品集。）❻但是，作品数量少也体现出毕肖普的格格不入，也就是说，她与文学文化的关系是不安的、抵触的，而今天的文学文化称她为那个时代的伟大诗人。

3s 版本

❶毕肖普的作品数量很少。

But ❷毕肖普一直都意识到自己的作品数量少。

❸作者认为是毕肖普故意拒绝扩大自己的作品数量。

❹毕肖普的作品数量少有助于其去世后在评论界中的地位。

换对象❺（罗伯特·洛威尔的作品很多，但是从来没有出版完整的诗集。）

Yet ❻毕肖普作品的数量少体现了她对当时文学界的疏离。

全文3s版本：伊丽莎白·毕肖普故意拒绝扩大自己作品的数量。

题目讲解

1. 文章表明毕肖普的作品数量少为下列哪一项做出了贡献?

    A.（正确）毕肖普对她的时代的文学文化的疏离

    B.（正确）毕肖普去世后其作品获得的学术界的好评

    C.（错误）读者们关于为什么毕肖普写作如此之慢的兴趣

解析： A：对应第 ❻ 句。

   B：对应第 ❹ 句。

   C：未提及读者的兴趣。

2. 从文章上下文来看，"complexion"最接近的含义是

    A.（正确）表面

    B.（错误）构造

    C.（错误）颜色

    D.（错误）复杂度

    E.（错误）性格

解析： A：in complexion=seemingly，意思是"表面上"，因此 appearance 最接近 complexion 的含义。

Section 2

Passage **1**

_____变了

原文翻译

❶17世纪法国烹饪技术中发生的最明显的变化是调料。❷尽管中世纪的重口味依然有一些支持者，但是被越来越多的人拒绝，这些人更喜欢保留了天然风味的由脂肪制成的酱料。❸尽管香料依然占了食谱中的约三分之二，这一比例和中世纪时一样高，但是香料的使用越来越少了。❹仅凭食谱很难证实这一点，因为食谱仍然不精确。❺但是也有一些法国旅行者抱怨国外的菜太辣而吃不下的报道。❻这些直到17世纪中期才出现的抱怨证实了口味的变化。

3s 版本

❶17世纪法国调料变了。

❷人们由原来的重口味变成了更天然的口味。

❸中世使用的香料越来越少。

❹食谱无法证实调料的变化。

However ❺法国旅行者表示国外的口味太辣。

小结：❹❺封装，与❸取同。

❻法国人口味确实变了。

全文3s版本：法国调料变了。

文章点拨

本文很简单，需要注意的便是 ❹❺ 两句存在的"But"封装。

本文主旨在第 ❶ 句，17 世纪法国的调料变了，之后的内容都是支持这一观点的例子。❷❸ 通过和中世纪的重口味作对比，表明 17 世纪法国人的口味变了。但是食谱表明 17 世纪法国的香料比例和中世纪一样，食谱无法体现实际的香料使用量，因此在第 ❺ 句引用了旅行者的抱怨。法国人到外国去觉得外国菜太辣，这说明法国人的口味确实变了。

题目讲解

1. 根据文章，在 17 世纪，法国越来越多地养成了对哪方面的喜好？

   A.（错误）出国旅游

   B.（正确）温和的酱汁

   C.（错误）甜品

   D.（错误）辣的食谱

   E.（错误）中世纪的食谱

解析： B：根据第 ❷ 句，人们越来越不喜欢中世纪的重口味，因此 17 世纪的口味更多地偏向温和的酱汁，选项 B 正确。

A：并不是法国人 17 世纪突然之间喜欢去国外旅游了，而是 17 世纪之后法国人的口味开始变淡，再吃国外的菜会觉得口味重，不适应，所以法国的旅行者到 17 世纪才开始抱怨国外的菜口味太重了。

2.　根据文章上下文，"sensibilities" 最接近的含义是

　　A.（错误）怪癖

　　B.（错误）敏感、脆弱

　　C.（正确）喜好

　　D.（错误）感觉

　　E.（错误）情感

解析： C：尽管 sensibilities 的本意中没有 preferences 这一含义，但是唯一符合原文内容的只能是选项 C。

Passage **2**

直立人会＿＿＿＿＿＿

📝 原文翻译

　　❶根据一个流行的观点，直立人（Homo erectus），即智人（Homo sapiens）的祖先，缺少能够控制火的智商和技术；直到4万年前智人的出现。❷但是，最近的证据极大地削弱了这一观点。❸在肯尼亚的两处遗址中，在直立人的骨头和石头工具旁边发现了很多小的、变色的**镜片状地块**。❹分析表明，这些地块就像那些工具和骨头一样，可以追溯到160万年前，这些地块可以很确定地说是故意生火的结果，因为这种火明显比通常自然发生的灌木火要热。❺这些地块的大小也排除了闪电袭击的可能，尽管闪电可以解释火的高温。❻除此以外，在这些火中添加了草和木头，这强烈表明是有意的收集燃料。❼另外，**很多直立人的工具是由玄武岩和石英制成的**，这些石头在接触了大火之后，会在表面留下凹痕。❽最近的一项研究发现这些凹痕从未出现在早于160万年前制造出来的工具上，但是都出现在了之后的工具上。

📝 3s 版本

　　❶直立人不会使用火。

　　However ❷最近的证据反驳了这一观点（直立人会使用火）。

　　❸在直立人的遗址中找到了火的痕迹。

　　❹❺❻表明这些是直立人故意用火的证据。

　　❼❽直立人故意用火开始于160万年前。

　　全文3s版本：直立人会故意用火。

📝 文章点拨

　　本文是典型的驳论文，第 ❷ 句直接将第 ❶ 句的老观点进行反驳，之后的内容都是作者给出的证据，用于反驳老观点。作者给了四个证据来反驳老观点。

1. ❸❹ 两句表明发现了被火烧过的小地块，而从其燃烧程度可以判断火的温度很高，这加强了是可控的火所导致的可能性。

2. 第 ❺ 句通过排除闪电，来进一步加强这样的高温是由可控的火所导致的。

3. 第 ❻ 句通过说明火堆里被添加了草和木头，来说明这是故意用火，因为如果是自然火灾的话，不需要往里面刻意添加草和木头。

4. ❼❽ 两句的重点则在于被发现的工具上的痕迹说明直立人第一次故意使用火的时间点是 160 万年前，远远早于老观点中的 4 万年前。

题目讲解

1. 文章的主旨是

   A.（错误）挑战对某些众所周知的发现的根深蒂固的解读

   B.（错误）支持一个广泛持有的观点，避免受到特定的批判

   C.（错误）调和某些发现的相互冲突的解读

   D.（正确）呈现证据质疑一个受欢迎的观点

   E.（错误）指出某些发现的特定解读在科学上的不可信

   解析：D：本题属于主旨题。本文的主旨便是通过肯尼亚的发现来挑战第 ❶ 句的老观点，因此选项 D 正确。

   A：文章挑战的是老观点，但是这个老观点并没有解读某些发现。

   B：本文在于反驳老观点而非支持老观点。

   C：没有 reconcile。

   E：certain findings 可以认为对应肯尼亚的发现，但是文章利用这些发现支持自己的观点，而非指出这些发现的不科学之处。

2. 产生了"镜片状地块"的火的温度被提到的主要目的是

   A.（错误）为地块面积小提供一种解释

   B.（正确）呈现证据支持关于那些火的起因的假说

   C.（错误）表明科学家如何确定了填充这些火的燃料

   D.（错误）呈现数据帮助确定地块的年龄

   E.（错误）承认那些火的某些特征存在着尚未解决的矛盾

   解析：B：本题属于功能题。定位到第 ❹ 句，可见这是一个证据，用来说明这些火是直立人刻意为之，因此选项 B 正确。

3. "很多直立人的工具是由玄武岩和石英制成"，这一事实和文章的论证有关，是因为

   A.（错误）在和智人有关的遗址中没有发现这些石头制成的工具。

   B.（错误）这些石头是刻意被收集用作工具的。

   C.（错误）这些石头很少出现在 4 万年前的遗址中。

   D.（错误）由这些石头制成的工具在没有巨大热量的情况下无法被制成。

   E.（正确）这些石头产生了一些和高温有关的特性。

   解析：E：这些石头经受高温后会产生凹痕，根据文章最后一句，直到 160 万年前的工具上才出现了凹痕，这说明直立人开始主动用火的时间就是 160 万年前，因此选项 E 正确。

Passage 3

削弱题

原文翻译

　　根据古代的记录，Selea政府征收的第一个消费税是在Selea每卖掉一罐食用油要交两个硬币。税收记录表明尽管人口数量很稳定，但是在实施这项税收的前两年食用油税收收入显著下降。因此，很大一部分Selea人没有为他们所购买的食用油交税。

3s 版本

　　全文3s版本：少缴税→税收减少

题目讲解

1. 下列哪一项，如果正确，最能削弱原文的论证？
   A.（错误）少交一罐油的税所带来的惩罚不会超过一罐油的价格。
   B.（错误）即使加上了税，Selea 家庭一罐食用油的总成本在实施税收那几年的前后也是显著下降的。
   C.（错误）在实施税收的前两年，Selea 的法律要求卖油的商人使用的罐子的尺寸要和实施税收之前一样。
   D.（错误）Selea 家庭使用的油的数量在实施税收之后增加了。
   E.（正确）生产自己的食用油的 Selea 家庭的比例在实施税收后增加了。

解析：　E：是因为生产自己的食用油的家庭多了，导致食用油销售量减少，进而导致税收减少，属于寻找他因，削弱，正确。

　　　　A：如果惩罚大于一罐油的价格，那么逃税的成本会很高，于是大家都会交税。但是既然现在少交税的惩罚并不大于一罐油的价格，因此提升了大家逃税的可能性，加强原文，不选。

　　　　B：根据原文，交多少税，并不取决于油的价格，而是取决于几罐油。该项只讨论了用油成本下降，不知道用油的罐数，因此对原文无法产生影响。

　　　　C：根据原文可知，税收取决于罐子的数量，而非油的绝对数量。因此实施税收后用的罐子尺寸不变，那么实施税收前后卖掉的罐数也不变，可是税收减少，这进一步加强是因为逃税才导致税收减少。

　　　　D：税收和油的数量无关，只和罐子数量有关。

Passage 4

无法用大型动物的骨头来推断气候，而应该用＿＿＿＿＿＿＿＿

原文翻译

　　❶因为不同的哺乳动物喜欢不同的环境，因此从史前山洞遗迹中发现和计数骨头可以揭露出很多气候变化的信息。❷但是，利用大型哺乳动物的骨头来推断气候可能会带来问题。❸一些物种，比如

马鹿，适应性很强——开阔的草原和浓密的森林都可以是它们的家。❹除此以外，一些大型动物的骨头在被遗弃之前会被搬运得非常远：食肉动物和人类都可以拥有大片的狩猎范围，并且带回来和它们巢穴或者营地附近不同的大型动物。❺因此，在山洞遗迹中找到的小动物的骨头会为气候变化提供更好的指标：这些骨头数量更多，这些动物对环境条件更敏感，并且很少会在它们短暂的一生中走得很远。

3s 版本

❶利用动物骨头推断气候变化。

However ❷无法用大型动物的骨头来推断气候。

❸原因一：大型动物的适应性很强。

❹原因二：大型动物的骨头可能被搬运到很远的地方。

❺小动物的骨头是很好的推测气候的指标。

全文3s版本：无法用大型动物的骨头来推断气候，而应该用小动物的骨头。

文章点拨

对于原因一的解释：因为大型动物适应性强，在草原和丛林都能生活。而草原和丛林分别代表不同的气候，因此出现大型动物的骨头有可能说明是干旱气候，也有可能说明是潮湿气候。

对于原因二的解释：因为大型动物的骨头会被捕食者搬运到很远的地方，因此某地出现了这种骨头也不能说明这种动物就曾经生活在这里，因此也就无法推测当地的气候了。

题目讲解

1. 下列哪项是使用动物骨头推测过去气候所要面临的困难？

A.（正确）食肉动物的打猎范围。

B.（错误）小型哺乳动物迁徙的范围。

C.（正确）某些物种在不同环境条件下生存的能力。

解析：A：对应原因二。

C：对应原因一。

2. 文章提到"马鹿"作为什么样的动物的例子？

A.（错误）有可能被食肉动物或人类长距离搬运

B.（错误）经常在史前动物遗迹中被发现

C.（错误）可以被用于重建过去的气候变化

D.（错误）在一生中会走很远的距离

E.（正确）产生了关于过去环境条件的很有限的信息

解析：E：本题属于功能题，定位句是第 ❸ 句，可见马鹿是那些具有适应性的动物的例子，因此选项 E 正确。

正是因为适应性强才无法让人们推断出过去的气候。

A：对应原因二，但是从文中看不出来马鹿本身是不是这种会被捕食者搬运很远的动物。

B：没提及这些动物骨头的发现频率。

C：显然说反了。

D：对应原因二，但是从文中看不出来马鹿本身会不会走很远的距离。

Passage 5

_____不见得表明生命的存在

原文翻译

❶用来确定太阳系之外的行星是否包含生命的方法是从它们的光中去寻找迹象。❷活着的有机体会在其环境中产生一种化学失衡，这种失衡通常可以由一种分子表示，这种分子只有当某些东西在不断地产生它们的时候才会存在。❸比如，**地球大气层含有氧气**，因为光合作用产生氧气的速度比岩石中铁生锈等过程所消耗氧气的速度要快。❹但是，化学失衡并不一定能表明生命的存在，就像火星上的甲烷一样，这种失衡有可能是通过非生物学过程发生的。

3s 版本

❶❷化学失衡可以表明生命的存在。

❸地球上氧气的失衡就是由生命导致的。

However ❹化学失衡并不一定能表明生命的存在。

全文3s版本：化学失衡不见得表明生命的存在。

题目讲解

1. 文章提到"地球大气层包含氧气"的主要目的是

   A. （错误）有助于讨论光合作用的本质

   B. （正确）给出一种化学失衡的例子

   C. （错误）识别出科学家在火星上正在寻找的一种元素

   D. （错误）阐明只会在地球发生的过程

   E. （错误）介绍氧气和甲烷的对比

解析：B：本题属于目的题，定位句是第❸句，很明显是例子，用来介绍前文提及的化学失衡，所以选项B正确。

2. 根据文章，下列哪一项关于化学失衡的存在是正确的?

   A. （正确）化学失衡可能表明生命的存在。

   B. （正确）化学失衡可能是非生命过程的产物。

   C. （错误）化学失衡是非常短期的。

解析：A：对应文章前三句。

　　　B：对应第❹句。

　　　C：文中未提及。

Unit 08

Practice Tests:
Set Three

题目原文下载1　　题目原文下载2

对得起花费的时间和精力，从刷题、做总结开始。静下心来，好好备战，下次考试就是最后一次。

——肖苿
University of Wisconsin-Madison
微臣教育线下 325 班学员
2019 年 7 月 GRE 考试 Verbal 162

Section 1

Passage **1**

解释为什么章鱼也会有_____

原文翻译

❶章鱼展现出惊人的认知能力：破解迷宫、了解线索以及记住破解方案。❷除此以外，最近的研究表明章鱼展现出了第一次在无脊椎动物中所发现的"性格"：当面临相同的威胁和食物刺激时，不同的个体的应对方法是不同的。❸直到最近，这些特点都被认为是高等脊椎动物所特有的，并且主要存在于长寿的群居动物中。❹人们认为长寿使生物对巨大的、复杂的大脑的"投资"变得合理。❺为什么短命的独居章鱼也会发展出这些特点？❻马瑟推测，那些在变化的、危险的生存环境中追求不同食物来源的动物必须发展出不同的狩猎和防御策略。❼个体性格的变化通过确保不同的个体以不同的方式应对变化的环境，使一些个体得以茁壮成长，从而增强了个体在多面的、有竞争性的环境中存活的机会。

3s 版本

❶章鱼有认知能力。

❷不同的章鱼对相同的刺激产生不同的应对（章鱼有"性格"）。

Until recently时间对比❸以前人们认为这些特征只会发生在长寿的群居脊椎动物中。

❹长寿才能使这种复杂的认知能力变得合理（支持前一句）。

换对象❺短命的独居章鱼也有复杂的认知能力。

❻❼这种复杂的认知能力有利于章鱼在复杂环境下存活下来。

全文3s版本：**解释为什么章鱼也会有复杂的认知能力。**

文章点拨

本文的难点在于文中转折较多。❶❷ 是最近的发现，❸❹ 时间对比描述老观点，会发现老观点和新发现是矛盾的，因此需要给出解释。第 ❺ 句换对象，短命的独居生物也有复杂的认知能力。❻❼ 给出了解释。本文的句子顺序如果改成❸❹❶❷❺❻❼，就是我们所熟悉的老观点—被批判—新观点的对比结构文章了。

题目讲解

1. 下列哪一项最好地描述了标黑体句子的功能？

   A.（错误）这句话表达了马瑟理论中最核心的推测。

   B.（错误）这句话指出被认为对群居动物来说很独特的特征。

   C.（错误）这句话呈现了证据削弱了之前广泛持有的观点。

   D.（正确）这句话解释了最近被挑战的观点背后的逻辑。

   E.（错误）这句话指出了认知能力复杂的物种和其他物种之间的关键区别。

解析：D：指出群居动物的特征，这是第 ❸ 句的功能，而定位句则是解释了第 ❹ 句观点背后的原理，因此选项 D 正确。

A、C、E：本题属于功能题，定位句很明显是用于支持前一句的老观点的，因此可以排除选项 A、C、E。

2. 从文章可以推断出来，在文中所讨论的章鱼发现之前，一个主流的观点认为
   A.（错误）狩猎和防御策略和大脑尺寸无关
   B.（错误）寿命与物种的高级认知能力的发展无关
   C.（错误）在多变的、危险的环境中，群居动物比独居动物更能生存下来
   D.（正确）相同物种中无脊椎动物的行为在面对特定刺激时的反应可能差别不大
   E.（错误）无脊椎物种的个体以及脊椎物种的个体都同样有可能展现出个体"性格"

解析：D：本题问老观点，根据 ❸❹ 两句，老观点认为只有高级动物才会有复杂的认知能力，而低等生物无法产生复杂的认知能力。根据文章，这种认知能力指的是相同物种的不同个体在面对相同刺激时会产生不同的应对，因此选项 D 正确。

B：表述相反，老观点认为正是长寿才使得高等生物应该具有复杂的认知能力。

E：老观点认为无脊椎动物应该没有"性格"。

Passage ②

_____使得人们对女性的印象固化

原文翻译

❶17世纪和18世纪英国策划出了独特的女性需求的想法是对市场营销历史的首次背离。❷走在前面的是书商和印刷商，他们在1600年代专门针对女性将标题进行优化，同时1688年之后的印刷量的增长又目睹了专为女性定制的口袋日记的出版、所有种类女性小册子的传播、1740年代的《女性视角》（*Female Spectator*）以及1770年以来长期运营的《女性杂志》（*Lady's Magazine*）。❸当领先的家具制造商在1760年代的新插图分类中开始根据性别、年龄和潜在客户的特有需求进行分类时，他们就向实物领域迈进了一步。❹当然，服装上的性别差异就像人类的文明一样悠久，尽管迎合女性需求的家具并非是前所未有的（比如分娩用的凳子），但是按照文字、图像和物件将差异进行系统化和具体化的处理则是一次巨大的创新。❺女性和男性家具概念的快速传播表明性别差异早已和男性、女性消费者产生了共鸣，但是随着差异化家具概念的拓展、之后的制造商所设想出的修辞用语以及消费者也接受了这些概念，关于男性重要和女性优雅的传统思想也就被放大并且固定了下来。❻在这一过程中，女性以一种特定且被狭隘定义的审美标志被表达出来。

3s 版本

❶市场开始迎合女性。
❷出版物和印刷品影响女性的方式。
❸实物对女性的迎合。
❹对女性的迎合是巨大的创新。

❺❻在迎合女性的过程中，男女区别被固化，女性特征变得狭隘。

全文3s版本：市场对女性的迎合使得人们对女性的印象固化。

文章点拨

　　本文一共六句话，中间一次转折都没有，属于递进型结构的文章，即每一句比前一句都会讲得更深刻。前三句基本是按照时间顺序，以第❷句所述的出版物对女性的迎合为背景，在第❸句进入到家具对女性的迎合。❹❺❻则是对迎合女性这种市场行为的评价，认为这尽管是巨大的创新，但同时又是对女性特征的固化。这就好比将服装分成男装和女装，女装主要是裙子，男装是裤子。如果对女性的特征固化下来，认为女性就应该穿裙子，那么如果女性穿了裤子，这就被认为很奇怪。这就是市场将男女进行分类所导致的印象固化。

题目讲解

1. 根据文章，关于 1760 年代之前的家具，下列哪一项是正确的?
   A.（正确）一些专门为了女性而设计的家具早就存在了。
   B.（错误）大多数家具设计早就被女性的喜好所影响。
   C.（错误）定制的家具很罕见。
   D.（错误）能够得到的家具范围很小。
   E.（错误）广告很少用于激发消费者对家具的需求。

解析：A：很多考生做这道题很容易想到利用"1760s"定位到第❷句，但是第❷句只是说 1760 年代开始对家具进行分类，这在选项中找不到对应。选项 A 的对应是第❹句：while the idea of furniture suited to female needs is not unprecedented (think of birthing stools)，这就意味着很久之前就已经存在为女性设计的家具了，因此选项 A 正确。

B：most 范围太大。

C：Custom-designed furniture 太宽泛，看不出这里的"定制"是否是针对性别差异进行的定制。

D：文中未提及。

E：文中未提及。

2. 下列哪一项陈述最好地描述了标黑体句子的功能?
   A.（错误）这句话缓和了文章第一句的说法。
   B.（错误）这句话解读了在第一句介绍的例子。
   C.（正确）这句话给文章之后内容所分析的现象提供了历史背景。
   D.（错误）这句话介绍了文章之后所阐释的两种历史方法的区别。
   E.（错误）这句话总结了文章之后更详细探索的历史发展。

解析：C：所谓 historical context 指的是与某一发生在过去的事件同一时代的事情，定位句的事件发生时间局限于 1600~1770 年代，后文中家具进入到迎合女性的时代是 1760 年代，时间上是符合的，可以认为后文对家具的讨论便是定位句所描述的事件的后续发展。因此选项 C 正确。

A：本题属于功能题，定位句很明显是支持前一句观点的例子，因此选项 A 的 mitigates 不对。

B：第一句里面没有例子。

D：文章后面没有 two historical approaches。

E：文章之后探索的是家具的性别分类，但是定位句只涉及出版物对女性的迎合，因此定位句不可能总结了后文所探索的历史发展。

3. 文章作者最有可能同意下列哪一项关于以性别为区分的家具的出现所带来的影响?

    A. (错误) 以性别为区分的家具的出现将新的关于男女的思想介绍给了消费者。

    B. (错误) 以性别为区分的家具的出现比以年龄为区分的家具更成功。

    C. (错误) 以性别为区分的家具的出现削弱了传统男性思想。

    D. (错误) 以性别为区分的家具的出现导致消费者定制家具的上升。

    E. (正确) 以性别为区分的家具的出现导致女性定义被局限。

解析: E: 对应文章最后一句。

Passage 3

Boldface题

原文翻译

> 历史学家:
>
> 公元前4世纪的作家柏拉图描写了一个他称之为亚特兰蒂斯的岛屿,那里有一个古老的文明因为非常独特的红色黏土制成的陶器而闻名,这一文明在火山爆发摧毁它之前曾繁荣昌盛。人们通常认为**亚特兰蒂斯完全就是柏拉图的想象**。但是,考古学家现在认为火山爆发摧毁现在被称之为圣托里尼的希腊岛屿上的文明的时间大致就是柏拉图假想的亚特兰蒂斯被摧毁的时间。因为圣托里尼也有一些独特的红色黏土遗迹,因此一些学者现在就认为圣托里尼就是柏拉图的亚特兰蒂斯。但是有一个事实,那就是柏拉图之前的作家从来没有提及任何像亚特兰蒂斯一样的文明。因为如果真的存在这样的文明,他们就会提及这个文明,**传统的观点肯定是正确的**。

文章点拨

第一个黑体部分是传统观点,第二个黑体部分是历史学家对传统观点的支持,两句话都是结论,取同。

题目讲解

1. 在历史学家的论证中,两个黑体部分扮演了下列怎样的角色?

    A. (正确) 第一个黑体部分是历史学家考虑的观点;第二个黑体部分表达了历史学家关于那一观点的结论。

    B. (错误) 第一个黑体部分是历史学家反驳的观点;第二个黑体部分用于证实那个反驳的结论。

    C. (错误) 第一个黑体部分呈现了一个被历史学家支持的观点;第二个黑体部分呈现了历史学家关于一个不同观点的结论。

    D. (错误) 第一个黑体部分呈现了用于支持历史学家结论的证据;第二个黑体部分呈现了那个结论。

    E. (错误) 第一个黑体部分是历史学家所评价的观点;第二个黑体部分提供证据去支持历史学家对那个观点的评价。

解析: A: 全文都是历史学家对第一个黑体部分观点的论证,而第二个黑体部分是历史学家最终的结论,认为第一个黑体部分是正确的。

B：历史学家支持了第一个黑体部分，不选。

C：该选项前半句正确。后半句第二个黑体部分是历史学家针对传统观点的直接评价，没有评价另一个不同观点。

D：第一个黑体部分本身就是结论，而非证据。

E：第二个黑体部分是历史学家的结论，而非证据。

Passage 4

摩根的理论被_____

原文翻译

> 这篇文章节选自2002年出版的材料。
>
> ❶在1971年板块构造理论被接受之后，J·W·摩根提出热点——有强烈的火山活动的区域，比如夏威夷、黄石和冰岛——是由热物质组成的羽状物（地幔柱/热羽柱）导致的，这些羽状物从地幔深处涌上来并且冲破了移动的浅层地幔和地壳最终到达地表。❷摩根的理论被提出用来解释和某些热点相关的按照时间顺序排列的火山链以及热点之间明显的相对固定位置。❸**如果火山的来源是固定的深层地幔，那么这些火山的来源相互之间是不会运动的，并且表层的板块会在深层地幔上方漂移，产生火山链。**❹但是，根据地质学家G·R·弗格最近的一篇文章，尽管热点确实存在，但是它们并没有时间顺序的火山链，并且相互之间位置也不固定。

3s 版本

❶摩根认为热点是由从地幔深处涌上来的物质组成的。

❷摩根的理论可以解释按时间排列的火山链以及热点之间相对固定的位置。

❸摩根理论背后的原理。

however ❹摩根所认为的火山链和相对位置固定都不存在。

全文3s版本：摩根的理论被反驳。

题目讲解

1. 文章暗示摩根的观点

A.（错误）被提出用来质疑一个新的理论

B.（正确）基于之后被质疑的考虑

C.（错误）被反驳了，尽管这一理论成功地解释了其想要解释的现象

D.（错误）被范围更广的理论所取代

E.（错误）想要解释看起来与被接受的理论相矛盾的观察

解析：B：consideration 指的是摩根所要解释的但是根本不存在的现象，而文章反驳的也确实只是这个现象而已，因此选项 B 正确。

C：根据本文，正是因为摩根认为火山链是按照时间排列的并且热点之间的位置相互固定，所以才提出他的理论：热点由地幔深处涌出的物质组成。而弗格则认为火山链和热点位置的相对固定是不存在

的。注意，文章写到这里，摩根的理论本身并没有被质疑。摩根的理论确实能够解释火山链的时间顺序，所以选项 C 中的 "its success in explaining the phenomena" 是正确的。可是根据文章最后一句，摩根所要解释的现象其实根本不存在，所以摩根本质上是"为了解释而解释"，解释了半天，最后发现要解释的现象根本就不存在，所以选项 C 的 "intended" 一词用得也很准。但是摩根的理论本身是"热点由地幔深处涌出的物质组成"，作者没有在文中对这一点进行评论，所以选项 C 错在 "rejected"。

A：摩根的理论是被质疑的，而非质疑其他人的。

B：supplanted 不对。本文是驳论文，没有替代性观点。

E：an accepted theory 指的是板块构造，但是文中没提与之矛盾的观察。

2. 下列哪一项最好地描述了标黑体句子的作用？

　　A.（错误）这句话指出一个理论的错误结果。

　　B.（正确）这句话详细阐述了摩根理论背后的想法。

　　C.（错误）这句话解释了为什么板块构造理论被接受了。

　　D.（错误）这句话传达了作者对摩根的理论的态度。

　　E.（错误）这句话介绍了可以取代摩根的解释的观点。

解析：B：本题属于功能题，定位句 3s 版本便是摩根的理论背后的机理，因此选项 B 正确。

　　A：定位句是支持摩根理论的，不可能用于指出其错误结果。

　　C：文中未提及。

　　D：没提作者观点。

　　E：驳论文，没有替代性解释。

Passage 5

梅尔佐夫的解释<u>对/不对</u>

⚲ 原文翻译

❶梅尔佐夫和摩尔报道了一些实验，表明人类新生儿拥有模仿某些面部表情的能力，比如吐舌头或者张大嘴。❷但是大量的研究者质疑**梅尔佐夫的解释**，这个解释认为这种新生儿的模仿是之后模仿能力的来源，之后的模仿开始于大概8到12月大的时候。❸这些研究者指出新生儿的模仿行为在大约2个月大的时候就消失或者减弱了。❹除此之外，因为之后的研究都只观察到一种对面部表情的模仿行为（即吐舌头），因此一些研究者认为新生儿模仿根本就不是模仿，而仅仅是一种对有趣刺激的试探性的应对。

⚲ 3s 版本

❶梅尔佐夫认为新生儿具有模仿面部表情的能力。

Yet ❷这种模仿会影响8个月大之后的模仿行为，这一观点不对。

❸新生儿的模仿能力在2个月大时就消失了。

❹人们只观察到吐舌头这一种模仿行为。

全文3s版本：**梅尔佐夫的解释不对**。

文章点拨

这篇文章要注意区分 neonatal imitation 和 later imitation。neonatal imitation 指新生儿模仿，特指的是第 ❶ 句里提到的吐舌头和张大嘴，是小孩一生下来就会做的模仿。而 later imitation 则是指 8 到 12 个月大的时候所产生的模仿行为。梅尔佐夫的观点认为这些小孩一生下来就具有的模仿行为应该是 8 个月大开始习得的模仿行为的起源。但是后续的研究则发现，新生儿模仿（neonatal imitation）在 2 个月大时就消失了，因此无法解释为什么 8 个月大又有了新的模仿行为。另外，梅尔佐夫所提到的很多新生儿模仿行为中，只有吐舌头被观察到了，因此有理由认为新生儿模仿行为或许并非是在模仿，而只是随机的对有意思刺激的应对。

题目讲解

1. 根据文章，那些质疑"梅尔佐夫的解释"的人之所以这么做是因为梅尔佐夫的解释

   A.（错误）表明了一个不精确的预测

   B.（错误）缺少可以被检验的结论

   C.（错误）假设了一个不可信的理论

   D.（正确）留下了一个无法解释的空白

   E.（错误）包含了循环论证

解析：D：本题问的是之后的研究者凭什么反驳了梅尔佐夫，因此可以从两个角度去答。一是梅尔佐夫认为新生儿模仿行为是 8 个月大时的模仿行为的起源，但是新的研究发现新生儿模仿行为在 2 个月大的时候就消失了。2 个月和 8 个月之间的差距不好解释，故梅尔佐夫被反驳，因此 D 正确。D 项的 gap 指的便是 2 个月和 8 个月之间的差距。二是只观察到吐舌头，而没观察到张大嘴，这是梅尔佐夫的理论和现实之间的矛盾。但是这一点没有选项对应。

A：predictions 可以指的是新生儿 8 个月大开始有模仿行为，但这是事实。真正不精确的应该是新生儿模仿行为和以后的模仿行为之间的关系。

B：梅尔佐夫的理论中当然有结论，并且这个结论确实被后面的研究者所检验，只不过这种检验的结果是证伪。

C：本文没提及梅尔佐夫理论的前提假设是什么。梅尔佐夫直接通过吐舌头这种新生儿模仿行为的事实得出了被后文反驳的结论。

E：文中没提循环论证。

2. 关于梅尔佐夫和摩尔的实验结果，文章暗示了下列哪一项？

   A.（正确）这些结果最多也只是被后续的研究证实了一部分。

   B.（错误）这些结果质疑了关于新生儿的某一特定声称的有效性。

   C.（错误）这些结果导致了关于其他新生儿行为的新的解释。

   D.（错误）这些结果的方法论被证明是有缺陷的。

   E.（错误）这些结果质疑了新生儿中模仿性和非模仿性行为之间的差异。

解析：A：根据第 ❹ 句，梅尔佐夫的理论中所观察到的吐舌头行为确实在后续研究中被发现了，但是梅尔佐夫理论中的其他观点则被反驳，因此只是 only partially borne out。

B：梅尔佐夫的理论是被反驳的，它本身没有反驳任何人。

C：文中未提及。

D：文中没提方法论。

E：梅尔佐夫的理论是被反驳的，它本身没有反驳任何人。

Section 2

Passage 1

尽管印象派受其他人影响，但是印象派确实＿＿＿＿＿＿＿＿＿＿＿

原文翻译

❶1876年，埃德蒙德·杜兰蒂将新兴的法国印象派艺术家的风格称为"新式绘画"。❷印象派画家清晰的风景画不仅仅是一种绘画风格，而且被视为一种新的观察方式。❸当然，印象派也并不是全新的。❹法国艺术家所熟知的英国画家康斯特布尔和特纳早在19世纪初就已经在户外作画，并出色地捕捉自然场景对他们的情感所产生的影响。❺库尔贝坚定的现实主义和戎金的港口景象也对新兴运动有很大的启发。❻印象派画家从未否认这一先例；但是他们也知道，他们将这些画家们非传统的实验抬升到了前所未见的水平，并且他们还团结在一起发动了一场运动，他们实际上就是在让这种绘画变得新潮起来。

3s 版本

❶❷埃德蒙德·杜兰蒂认为印象派是新的。

Of course ❸印象派绘画也不是全新的。

❹❺印象派受其他人影响的例子。

换对象，印象派自己的观点❻尽管印象派受其他人影响，但是印象派确实创造了新东西。

全文3s版本：尽管印象派受其他人影响，但是印象派确实创造了新东西。

题目讲解

1. 下列哪一项最好地描述了标黑体句子的功能?

   A.（正确）这句话给文章之前的观点提供了支持。

   B.（错误）这句话削弱了文章之前的观点。

   C.（错误）这句话质疑了将艺术家归类到一种特定运动中的有效性。

   D.（错误）这句话指出一个艺术家的作品被一些印象派所表扬。

   E.（错误）这句话表明户外作画在 1800 年代早期是不常见的。

解析：A：本题属于功能题，定位句 3s 版本是"印象派受其他人影响的例子"，因此其功能是用来支持前一句认为"印象派并不是全新的"，所以选项 A 正确。an assertion made previously in the passage 对应第 ❸ 句。

B：定位句是例子，所以无法用来"削弱"，且这句话所支持的第 ❸ 句是让步句，undermine 一词程度太强。

C：同选项 B，选项 C 的 question 也程度太强。

D：文中未提及。

E：文中未提及。

2.　文章表明印象派的影响力可以部分归功于

　　A.（错误）杜兰蒂在推动这一运动时的热情

　　B.（错误）当第一次呈现作品的时候，这些绘画呈现的垂死状态

　　C.（错误）库尔贝和戎金的作品在法国广受欢迎

　　D.（错误）之前缺少户外作画的先例

　　E.（正确）印象主义实践者的团结

解析： E：对应第 ❺ 句的 consolidating themselves as a movement。

Passage 2

一些假说被菲律宾果蝠的研究＿＿＿＿＿＿，更多的假说被＿＿＿＿＿＿

🔖 原文翻译

❶最近对菲律宾果蝠动物群的研究证实了之前一些关于海岛上的蝙蝠的假说：比如，物种丰富度（特定地点不同物种的数量）以及数量在低洼地带是最高的，并且随着高度的上升而减少。❷很少有例外的是，每种地方性物种（在一个地方土生土长的物种）被限制于现代岛屿中，而这些岛屿在海平面很低的时候是一整片岛屿，**并且基因分化被物种的生态学以及当下和过去的地理地质条件所影响。**❸但是，之前的假说被推翻的次数远远多于被支持的次数。❹一些地方性的菲律宾物种和非地方性的在东南亚广泛分布的物种一样，广泛地利用被干扰过的栖息地。❺所有物种内部的基因分化水平都很高，并且并不是天生的容易受到自然因素影响而灭绝，这些蝙蝠的独立分支在很小的一片区域长期存在了很长一段时间（通常数百万年），尽管经常发生台风和火山爆发。❻尽管外来物种的定居很明显导致了高水平的物种丰富度，但是群岛内部的物种形成至少对物种丰富度的四分之一做出了贡献，包括很多最常见的物种。

🔖 3s 版本

❶❷最近的研究证实了一些假说。

However ❸更多的假说被推翻了。

❹❺❻被推翻的若干假说。

全文3s版本：一些假说被菲律宾果蝠的研究证实，更多的假说被推翻。

🔖 题目讲解

1.　文章的主要目的是

　　A.（错误）利用菲律宾果蝠的研究来提出关于海岛上蝙蝠的新理论

　　B.（错误）表明最近关于菲律宾果蝠的研究如何反映了关于海岛蝙蝠的辩论

　　C.（错误）支持和菲律宾果蝠有关的某些新证据如何与海岛蝙蝠的研究有关

　　D.（正确）借助关于海岛蝙蝠的传统观点讨论了关于菲律宾果蝠的最近研究

　　E.（错误）解释了为什么菲律宾果蝠在海岛蝙蝠中在基因分化方面是不典型的

解析： D：本文的主旨便是利用最新的研究支持了一些假说同时反驳了更多的假说。这些被支持或被反驳的
假说对应选项 D 的 conventional wisdom regarding bats on oceanic islands。

A：本文没有新观点，都是在评价各种老观点孰对孰错。

B：没有辩论，被推翻和支持的理论都不属于同一个话题，因此无法构成 debate。

C：文章没讨论 certain new evidence。

E：文章没有把果蝠单列为一种非典型蝙蝠。

2. 黑体部分的主要功能是

A.（错误）从菲律宾果蝠的研究中找到一个发现，这一发现对人们普遍如何理解海洋蝙蝠产生重大
影响

B.（错误）指出一个假说，这一假说是在研究海洋蝙蝠的研究者中产生明显争议的主题

C.（错误）呈现很难和关于菲律宾果蝠的其他近期研究相调和的证据

D.（正确）阐明被菲律宾果蝠研究所证实的关于海洋蝙蝠的广泛持有的观点

E.（错误）指出一个并不普遍适用于海洋蝙蝠的关于菲律宾果蝠的特点

解析： D：本题属于功能题，定位句 3s 版本，即"被证实的假说"，因此选项 D 正确。

A：黑体部分不是发现，而是最近关于菲律宾水果蝙蝠的发现所证实的假说。

B：黑体部分没提 disagreement。

C：既然黑体部分是被菲律宾水果蝙蝠发现所证实的，也就意味着黑体部分不是与最近发现不可调和。

E：黑体部分没提 feature。

3. 关于"最近的研究"，从文章可以推断出下列哪一项？

A.（正确）这些研究表明了需要去修正关于海岛蝙蝠的观点。

B.（错误）这些研究基于一个假设：菲律宾水果蝙蝠在海洋蝙蝠中是比较非典型的。

C.（错误）由于这些研究所测试的标准假说的数量太多，它们在研究者中仍然比较有争议性。

D.（错误）这些研究极大地证实了科学家对菲律宾水果蝙蝠的观点。

E.（错误）这些研究表明海岛蝙蝠比之前所认为的更容易灭绝。

解析： A：因为很多都被最近的研究推翻了，因此需要修正观点，正确。

B：文中没提 atypical。

C：文中未提及。

D：largely 程度太强。

E：根据第 ❺ 句，该项内容表述相反。

Passage ③

假设题

📖 原文翻译

　　注射了实验室培养的伯氏疏螺旋体（一种导致莱姆病的细菌）的仓鼠的免疫系统的应对方式和人
类不同，这些人被这种疾病的携带者蜱虫叮咬而感染了这种细菌。但是，当仓鼠被蜱虫叮咬感染这种

细菌之后，它们的免疫系统的应对和人类完全相同。因此，蜱虫体内的细菌有可能和实验室培养的细菌不同。

3s 版本

全文3s版本：仓鼠被实验室细菌和蜱虫细菌分别感染后的免疫反应不同→实验室细菌和蜱虫细菌不同

题目讲解

1. 文章基于下列哪一项假设？

   A.（正确）感染物进入体内的方式差异并不是导致仓鼠免疫系统应对差异的原因。

   B.（错误）人类免疫系统对伯氏疏螺旋体感染的应对方式和仓鼠免疫系统对该细菌感染的应对方式是一样的。

   C.（错误）在野外，仓鼠至少偶尔会被蜱虫叮咬而感染莱姆病。

   D.（错误）在实验室培养的细菌中，没有一种会导致仓鼠的免疫系统像被蜱虫叮咬感染伯氏疏螺旋体时那样做出反应。

   E. 在除仓鼠以外的啮齿动物中，通过注射和蜱虫叮咬导致的伯氏疏螺旋体感染而产生的免疫反应和仓鼠一样。

解析： A：选项取反，感染进入体内的方式导致仓鼠免疫系统应对的差异→并非是两种细菌之间的差异，而是感染方式之间的差异导致免疫系统差异，寻找他因削弱原文，正确。

B：人类的应对方式在文章中是干扰内容。文章真正想要表达的就是仓鼠对两种感染方式的应对是不一样的，和仓鼠感染细菌是否应该和人类一样无关。

C：和野外无关。

D：文章只是讨论为什么仓鼠在两种感染方式下的应对方式不同，和是否存在相同效果的实验室细菌无关。反正文章讨论的只是那些和蜱虫叮咬感染的细菌产生效果不同的实验室细菌。

E：本题和其他啮齿动物无关。

Passage 4

实验室观察的个体识别在＿＿＿＿＿＿＿中很难发生

原文翻译

❶识别特定个体的能力对诸如互惠利他的复杂社会行为的发展有着深刻的影响。❷很多研究者认为对个体的识别——在实验室鱼群中经常看到的一个现象——也有可能在野生鱼群中发生，因为对个体的识别可以有助于复杂的互动。❸但事实上，野生鱼群中的个体识别的证据并不明显。❹这有可能是因为对很多物种来说，实验室中观察到的个体识别是实验设计的产物，这导致个体之间的长时间互动变多，并且阻止了鱼群移入和移出给社会结构带去的稀释作用，这些因素在自然环境下会侵蚀集体的稳定性并且使得无法识别个体身份。

☟ **3s 版本**

❶识别个体的能力很重要。

❷实验室鱼群的识别个体的能力在野生鱼群中也可能发生。

In fact ❸野生鱼群中个体识别的证据不明显。

❹因为实验条件下鱼群之间的沟通增多导致容易识别，但是这在自然条件下很难发生。

全文3s版本：实验室观察的个体识别在自然环境中很难发生。

☟ **题目讲解**

1. 文章的主旨是
   A.（错误）解决一个争议
   B.（错误）描述一个行为
   C.（错误）忽视一个理论
   D.（错误）预测一个结果
   E.（正确）评价一个假设

解析：E：本文通过实验室中鱼群的个体识别能力，推测出在野生鱼群中也能观察到个体识别的现象，但是后面的证据表明这种现象很少会发生，因此选项 E 正确。an assumption 对应的是"野生鱼群可以看到个体识别"。

C：dismiss 的意思是"瞧不上、不理会、不考虑"，有偏见态度。

2. 作者最有可能同意下列哪一项关于发生在实验室中的鱼当中的个体识别的存在的陈述？
   A.（错误）实验室研究的这种个体识别被设计去模拟被研究鱼群的自然习惯。
   B.（错误）这种个体识别表明个体识别为野生鱼群带去的好处和为实验室鱼群带去的好处显著不同。
   C.（正确）这种个体识别由于持续地接触相同的个体而被夸大。
   D.（错误）随着鱼群个体数量的上升，这种个体识别发生的频率会增加。
   E.（错误）这种个体识别会帮助理解野生鱼群中的互惠利他行为。

解析：C：对应最后一句，实验室的条件阻止了野生状况下个体识别能力的稀释，因此实验室条件下的个体识别能力被夸大了。

Passage **5**

美国废奴主义者开始支持＿＿＿＿＿＿＿派

☟ **原文翻译**

❶废奴主义者弗雷德里克·道格拉斯在1847年搬到了纽约的罗切斯特，这是他在寻找自己的思想道路上迈出的重要一步。❷和纽约西部其他很多地方一起，罗切斯特为一场废奴运动提供了肥沃的土壤，这场运动背离了道格拉斯之前支持的威廉·劳埃德·加里森领导的运动。❸与那些认为美国宪

法所建立的联邦必须要解散才能废奴的加里森支持者不同，很多罗切斯特的活动家开始认为美国宪法和政治过程都是达成废奴目标的非常有价值的手段。❹在1840年代和1850年代，很多废奴主义者已经对加里森的道德说教方法的失败感到沮丧。❺他们转向利用政治手段去攻击奴隶制。

🔽 3s 版本

❶道格拉斯搬到罗切斯特有重要意义。

❷罗切斯特的运动背离了加里森。

❸罗切斯特派认为要利用宪法和政治来废奴。

❹加里森失败了。

❺废奴主义者开始支持罗切斯特派。

全文3s版本：美国废奴主义者开始支持罗切斯特派。

🔽 题目讲解

1. 下列哪一项最好地描述了标黑体句子的功能？

A.（错误）这句话强调了加里森在 1840 年代之前的废奴主义者中的受欢迎程度。

B.（错误）这句话指出加里森的观点和道格拉斯的观点在后者搬到罗切斯特之前的相似程度。

C.（错误）这句话阐明了加里森对将政治作为达成废奴的工具的鄙视程度。

D.（正确）这句话解释了罗切斯特废奴者之所以与加里森分崩离析背后的原因。

E.（错误）这句话表明道格拉斯和加里森之前的联盟被过分强调了。

解析：D：本题属于功能题，定位句 3s 版本是"加里森失败了"，而这又是罗切斯特和加里森分开的原因，因此选项 D 正确。

2. 作者暗示弗雷德里克·道格拉斯搬到罗切斯特是重要的，因为

A.（错误）很多罗切斯特活动家质疑了威廉·劳埃德·加里森对废奴运动的忠诚

B.（错误）罗切斯特居住着相信道德说教有效性的废奴主义者

C.（正确）那里流行的政治氛围强化了道格拉斯在哲学上与加里森越来越疏远

D.（错误）那里的活动家认可道格拉斯领导废奴事业的能力

E.（错误）那里的活动家关注如何修订宪法来达到废奴的目的

解析：C：根据文章，我们可以总结出以下论证：一开始道格拉斯是支持加里森的，后来道格拉斯搬到罗切斯特之后加入了罗切斯特，同时罗切斯特有政治氛围，所以罗切斯特的政治氛围使得道格拉斯背叛了加里森，选项 C 正确。

Unit 09

Practice Tests:
Set Four

题目原文下载1　　题目原文下载2

越过 GRE 这座大山去看更远的世界吧！

——石嘉逸
复旦大学
微臣教育线上课程学员
2019 年 1 月 GRE 考试 Verbal 161

Section 1

Passage

_____导致鼠兔消失

原文翻译

❶鼠兔是一种小型的兔类哺乳动物，生活在北美西部高山的岩石山坡上。❷在1990年代，生态学家埃里克·比弗重新考察了24个地方——它们都在美国西部的大盆地——这里曾经在1898年至1947年间观察到了鼠兔，他发现之前的地点中有7个已经没有鼠兔了。❸消失了的是那些生活在海拔较低、温度较高地区的鼠兔，这表明气候变暖是鼠兔消失的原因之一。❹通常，当气候变暖改变了栖息地时，动物要么迁徙到更高、更冷的地方，要么就迁往更北的地方。❺但是，大盆地的鼠兔并不能轻易地以这种方式迁徙。❻它们生活在由不适宜居住的山谷与其他山脉隔开的山区里。❼除此之外，即使是最能流动的鼠兔在它们一生中搬离的距离也不会与它们的出生地相隔超过一公里。

3s 版本

❶介绍鼠兔。

❷有7个地方已经没有鼠兔了。

❸气候变暖导致鼠兔消失。

❹气候变暖，其他动物通常迁徙到高处或者北方。

However ❺鼠兔无法以这种方式迁徙。

❻鼠兔的生活环境使得它们无法搬离太远。

❼鼠兔本身就不愿意搬离太远。

小结：❹❺But封装，与❸取同，证明不是因为鼠兔搬走了才导致那7个地方没有鼠兔。

全文3s版本：气候变暖导致鼠兔消失。

题目讲解

1. 下列哪一项，如果正确，会加强气候变化是导致鼠兔消失的原因之一？

 A.（错误）在大盆地之外，很多鼠兔正在减少。

 B.（正确）一些曾经是鼠兔的低海拔栖息地的植物现在只能在高海拔地区发现。

 C.（错误）某些大盆地的其他物种实际上经历了微弱的数量增加。

解析： 本题属于加强题。需要加强的论证是：气候变暖→鼠兔减少。

 B：属于列举证据。通过说明低海拔的植物也消失了来进一步加强气候变暖这一原因。

 A：看不出是因为什么导致鼠兔减少，属于无关选项。

 C：数量上升，削弱原文。

2. 下列哪一项最好地描述了标黑体句子的功能？

A.（正确）详细阐明一种关于鼠兔和其他动物之间的区别的解释。

B.（错误）帮助解释前一句关于鼠兔的陈述。

C.（错误）呈现新的信息，这一信息限定了第二句的发现。

D.（错误）尽量减少前一句呈现的关于鼠兔的信息的重要性。

E.（错误）提供与文中一开始的观察相矛盾的证据。

解析： A：本题属于功能题。定位句和前一句很明显都是支持第 ❺ 句观点的例子。第 ❺ 句的观点：Pikas...are not easily able to migrate in this way 便是在说鼠兔不能迁徙太远，这也是鼠兔和第 ❹ 句所述的那些可以迁徙的动物之间的区别，因此选项 A 正确。

B：根据定位句的 further 可知，这句话和前一句并列为两个不同的例子，因此定位句只能用于解释第 ❺ 句的观点，而不能解释前一句与之不同的例子。

C：全篇文章都是在解释第 ❷ 句的发现，无法 qualify。

D：minimize 有反驳之意。定位句是和前一句相并列的例子，不能反驳。

E：全篇文章都是在解释第 ❷ 句的观察，没有矛盾。

Passage **2**

_____这一趋势并不存在

原文翻译

❶18世纪早期的英国，人们**普遍担忧**婚姻已经沦落成纯粹的商业契约和以自我为中心的增加财富的方式，这种担忧在当时的媒体中被反映出来。❷比如，在剧院中，那些支持自由并且认为婚姻是社会的因此是虚伪的制度的王政复辟时期的风尚喜剧（那些指出社会生活方式的小缺点的戏剧）让位于了那些歌颂纯爱而又鄙视财富和地位的伤感喜剧，比如**《自觉的情人》**（ _The Conscious Lovers_ ）。❸新的期刊杂志，比如广受欢迎的《旁观者》（ _Spectator_ ），用很多期来报道商业婚姻的邪恶以及歌颂爱情超过金钱的荣耀。

❶但是，这些作品的流行则质疑了婚姻走向商业的趋势的真实性。❷诚然，在这段时期内，婚姻财产协议（将家产通过女儿的婚姻传递给下一代）越来越多的使用和复杂性意味着至少在精英阶层，婚姻协议越来越像商业协议。❸但是，我们也应该注意到，长期以来，精英一直利用婚姻来巩固政治和社会关系以及增加家族财富。

3s 版本

❶对婚姻沦落为商业行为的担忧在媒体中反映出来。

❷在剧院中，更多的喜剧在描写纯爱。

❸期刊杂志更多地歌颂纯爱。

第一段 3s：对婚姻沦落为商业行为的担忧在媒体中被反映出来。

However ❶婚姻走向商业化这一趋势并不存在。

Admittedly ❷精英阶层的婚姻越来越商业化。

However ❸精英阶层的婚姻本来就是商业化的。

小结：❷❸封装，与❶取同。

第二段 3s：婚姻走向商业化这一趋势并不存在。

全文3s版本：婚姻走向商业化这一趋势并不存在。

📖 文章点拨

第一段主要说明媒体可以反映婚姻越来越商业化的趋势，因为媒体开始强调纯爱胜过金钱。这可能是因为大家看到婚姻正在堕落，因此更多的媒体开始歌颂纯爱。

而第二段作者则反驳了这一趋势的存在，认为这些作品恰好说明婚姻没有商业化的趋势，因为这些作品反映的恰恰是纯爱，这说明纯爱依然很多。第 ❷ 句作者承认在精英阶层确实存在婚姻的商业化，但是第 ❸ 句告诉我们，精英婚姻本来就商业化，因此也就不存在越来越商业化的趋势。

注意，本文没有否认婚姻有商业化的事实，但是否认了婚姻变得越来越商业化的趋势。

📖 题目讲解

1. 本文的主旨是

   A.（正确）质疑 18 世纪早期英国人对婚姻商业化增加的担忧事实上是否被支持

   B.（错误）通过当时媒体的例子阐明了 18 世纪早期英国婚姻商业化的上升

   C.（错误）表明当下关注 18 世纪早期英国的学术研究是有缺陷的

   D.（错误）研究导致 18 世纪早期英国婚姻商业化的因素

   E.（错误）比较在 18 世纪早期英国某些媒体中反映出来的关于婚姻的两种不同观点

解析：A：本题属于主旨题。本文是驳论文，第一段描述了英国人对婚姻商业化的担忧，第二段则说明其实商业化即使存在，但是并没有变得更严重，因此选项 A 正确。

　　　B：仅仅对应第一段的英国人的担忧，属于细节。

　　　C：文中没提 current scholarship。

　　　D：本文讨论的是婚姻商业化的趋势是否发生，没讨论其发生因素。

　　　E：文章没作这种比较。

2. 文章作者提到下列哪一项质疑了"普遍担忧"的有效性？

   A.（错误）王政复辟时期的风尚喜剧很受欢迎。

   B.（错误）婚姻协议越来越复杂。

   C.（错误）婚姻协议和商业协议之间越来越多的相似性。

   D.（错误）精英阶层为了爱而非金钱而结婚的趋势。

   E.（正确）不同媒体中支持爱胜过金钱的作品的成功。

解析：E：对应第二段第 ❶ 句。该句子中 such works 指第一段里那些宣扬纯爱胜过金钱的作品，very popularity 对应选项 E 的 success。作者认为这些作品的流行恰恰说明婚姻变为商业行为这种趋势本身没有发生。

　　　A：表述相反。风尚喜剧让位于伤感喜剧，也就是说伤感喜剧的流行恰好说明婚姻没有变得商业化。

B、C：表述相反。对应第二段第 ❷ 句让步部分，这恰好在承认婚姻的商业化现象。

D：文中未提及。

3. 文章作者提及《自觉的情人》的目的是

A.（错误）给出一个有代表性的风尚喜剧的例子

B.（正确）表明一种担忧如何在媒体中被反映出来

C.（错误）支持婚姻变成了商业行为这一观点

D.（错误）表明某些担忧被媒体夸大了

E.（错误）提供一个质疑婚姻的舞台作品的例子

解析： B：本题定位到第一段第 ❷ 句。其前一句说关于婚姻的担忧在媒体中被反映出来，紧接着出现了这句话的例子，因此这部作品就是一个例子来说明关于婚姻的担忧被反映了出来，选项 B 正确。

A：这部作品是伤感喜剧。

C：这只是一部喜剧，提及这个例子并不能为婚姻变得商业化这一观点提供支持。如果要支持这一观点，作者应该给出具体的乐观例子或数据来说明，但是这只是一部剧，充其量反映了这一可能存在的趋势。反映这种趋势的存在无法支持这一观点。

D：文中未提及。

E：文中未提及。

Passage 3

削弱题

⛛ 原文翻译

拜占庭帝国中期现存的绝大多数装饰工艺品都是为教会使用而设计的。但是即使那些没有明显教会功能的装饰工艺品也几乎都装饰有教会场景和符号。这一证据强烈表明拜占庭帝国中期，工匠几乎没有机会创造完全世俗性质的装饰作品。

⛛ 3s 版本

全文3s版本：没有教会功能的物品被装饰上了教会符号→拜占庭时期没有机会创作完全世俗的作品

⛛ 题目讲解

1. 下列哪一项最能削弱文章？

A.（错误）因为拜占庭的修道院往往是学习中心，因此即使是现存的拜占庭帝国中期讨论纯世俗主题的手稿也是由生活在教会环境中的僧侣们创作的。

B.（正确）与保存在私人家庭和宫殿宝库中的物品不同，保存在拜占庭教会宝库中的物品在几个世纪以来都受到入侵者的尊敬。

C.（错误）装饰有教会花纹的拜占庭帝国中期的纺织品既有可能被用于装饰私人房屋，也有可能被用于装饰教会圣所。

D.（错误）几乎所有未被装饰过的拜占庭帝国中期现存的工艺品都没有明显的教会功能。

E.（错误）用教会花纹装饰且装饰得最为华丽的现存的拜占庭中期物品没有明显的教会功能。

解析： B：用于教会的装饰受到入侵者的尊敬，因此用于世俗的装饰品被毁掉了，所以现存的工艺品中几乎都是用于教会的，因此不是当年没有机会去制作世俗工艺品，而是因为世俗工艺品被毁掉了，削弱原文，正确。

A：文章讨论的是工艺品，该选项讨论的是手稿，无关。

C：文章讨论的是是否有机会创作完全世俗的工艺品，但是该选项中的纺织品上有教会花纹，因此就算可以被用于世俗，也并非是文章讨论的完全世俗性质的工艺品，无关。

D：原文讨论的是被装饰过的工艺品，该项讨论的是未被装饰过的工艺品，无关。

E：原文已经说过这些装饰有教会符号的工艺品没有教会功能，因此该项重复原文，不选。

Passage 4

让读者接受_____的过程

原文翻译

❶欧洲第一批印刷商将他们的书籍模仿成非常接近手写的书稿，使得读者可以轻易地接受印刷作品，但是在尝试应用印刷技术方面却出现了一些严重失误。❷复制手写稿外观的尝试鼓励了双色或三色印刷的实验。❸这是很复杂和昂贵的工作，很多印刷商发现，花钱请专业的书法家为未经装订的纸张加上额外的颜色进行手工装饰是更好的选择。❹在手写年代很熟悉的闪闪发光的标题以及装饰有助于引导读者阅读文本。❺为了达到类似的效果，印刷商们开始实验新的排版方式，用大字体做标题，并且用装饰性木雕代替手工加工的首字母。❻最终，读者开始接受单色印刷的书籍了。

3s 版本

❶印刷商为了模仿手写稿而做了一些错误的决定。

❷用两三种颜色的印刷来模仿手写稿。

❸❹这些方法很昂贵。

❺印刷商尝试了新的排版方式来帮助阅读。

❻读者接受单色印刷的书籍。

全文3s版本：让读者接受印刷书籍的过程。

题目讲解

1. 文章作者表明在欧洲印刷的最早一批书籍的读者

A.（错误）不能负担得起多种颜色印刷的书籍

B.（错误）认为这些书比不上手稿

C.（错误）给印刷商提出了一些改进建议

D.（错误）质疑未被证实的技术

E.（正确）认为书的外表令人熟悉

解析： E：根据第❶句，欧洲第一批印刷商要让书籍模仿手稿才能让读者接受，这就意味着这些书会让读者们觉得很熟悉，因此选项 E 正确。

2. 下列哪一项最好地描述了黑体部分的功能？

A.（错误）这句话为之前的观点提供了一些历史背景。

B.（正确）这句话为文章之前提及的一种方法提供了一个特定的例子。

C.（错误）这句话限定了文章之前提及的一个观点。

D.（错误）这句话修正了关于早期印刷书籍的一个误解。

E.（错误）这句话预料了被之后证据所反驳的一个观点。

解析： B：根据定位句内容可知，这是对前一句所描述的如何模仿手写稿的具体展开，所以选项 B 正确。

　　A："历史背景"指的是和这个事件同时发生，但是不同于这个事件的东西。但是定位句就是把前一句的模仿行为具体化，因此不是背景。

　　C、D：定位句与前一句之间取同，因此根据句间关系排除选项 C、D。

　　E：文中未提及。

Passage

牧草变化并非仅仅由_____导致

🔖 原文翻译

❶注意到北美野牛群似乎选择性地在被北美土拨鼠占领的区域吃草，科波克认为这种吸引力是由于草料质量的提高：土拨鼠自己的吃草行为改变了牧草的动态、植物物种的组成以及营养循环。❷这一区域有相对比较少的低品质成熟直立牧草，其特点是植物群落中含有大量的粗蛋白并且容易消化。❸但是，这种结果并非仅仅由土拨鼠导致。❹威尔姆斯认为牛群选择性吃草的区域减少了直立的死亡植物，改变了物种组成并且增加了土壤的硝酸盐、氨以及磷。❺实际上，任何食草动物的长期、大规模的食用都会导致植物种群的类似的变化。

🔖 3s 版本

❶土拨鼠改变了牧草的质量。

❷土拨鼠导致的改变。

However ❸这种改变并非仅仅由土拨鼠导致。

❹牛群吃草行为本身也在改变牧草。

❺各种行为都有可能导致牧草变化。

全文3s版本：牧草变化并非仅仅由土拨鼠导致。

题目讲解

1. 标黑体句子最主要的目的是
   A.（错误）提供关于土拨鼠喜欢的草料种类的信息
   B.（错误）反驳关于土拨鼠捕食方法的一个特定的观点
   C.（正确）明确是什么使得土拨鼠创造的草料条件能够吸引野牛
   D.（错误）表明土拨鼠的活动会导致环境退化
   E.（错误）指出能够影响土拨鼠选择居住地的特征

解析：C：本题属于功能题，定位句是例子，用于说明土拨鼠具体做了哪些改变使得这片土地能够吸引野牛，因此选项 C 正确。

2. 文章作者最有可能同意关于成熟直立牧草的下列哪一项陈述？
   A.（错误）直立牧草对食草动物来说很容易消化。
   B.（错误）直立牧草在土壤营养上升的地方是占主导地位的。
   C.（正确）直立牧草在一个地方的丰富度使得这一区域不吸引野牛。

解析：C：根据第 ❷ 句，土拨鼠所在的地方之所以吸引野牛是因为这片区域没有直立牧草，因此这些牧草越多，野牛就越不喜欢这里，选项 C 正确。

Section 2

Passage

凯瑟琳·林奇认为女性参与_____是参与_____的一种方式

原文翻译

❶尽管历史学家琳达·尼科尔森认为19世纪欧洲女性参与自治组织是与女性生活日益降级到孤立的、"私人的"领域一样的活动，但是历史学家凯瑟琳·林奇认为这种活动使得女性相互联合并且在公民社会中发展出了一种隐蔽的公民权，尽管这不是公民权的正规形式。❷尽管**这类经历**不能取代真正的政治权利，但是林奇认为这些活动值得更多关注，因为它们帮助女性形成了社区之间的坚强纽带以及家庭生活之外的身份。❸她认为，一个人只有将公共生活的概念限制在正规的政治参与中才能认为大多数西方社会女性真的属于孤立的或者"私人的"领域。

3s 版本

❶凯瑟琳·林奇认为女性参与自治组织是参与公共生活的一种方式。

❷这些活动值得被关注。

❸不是只有正规的政治活动才叫作公共生活。

全文3s版本：凯瑟琳·林奇认为女性参与自治组织是参与公共生活的一种方式。

文章点拨

根据凯瑟琳·林奇的观点，我们可以将以下概念进行区分：

自治组织（voluntary associations）和正规的政治参与（formal political participation）都属于公共生活（public life），但是自治组织和正规的政治参与不是一回事，因为自治组织是不正规的。

但是在琳达·尼科尔森的观点中，自治组织是私人生活（private）的一部分，因为她认为自治组织证明女性从公共生活中被排挤了出去。可是凯瑟琳·林奇反驳了这一观点。

所谓的公共生活，通俗讲就是参政议政；正规的政治参与就是必须在政府做官；私人生活指的就是待在家里。本文中凯瑟琳·林奇的观点便是，尽管女性没有直接以做官的方式参与政治，但是她们的自治组织也是不正规的参与公共生活的方式之一。

题目讲解

1. 文中的"这些种类的经历"在凯瑟琳·林奇的观点中是

   A.（错误）女性参与政治的早期阶段

   B.（正确）在女性公共生活中所扮演的角色没有被充分认可

   C.（错误）被非常恰当地分配到了"私人"领域

   D.（错误）改变政治结构的一种途径

   E.（错误）在历史上对西方社会的女性是不典型的

解析：B：对应第 ❷ 句 they deserve more attention for their importance。

A：根据第 ❷ 句 no substitute for actual political entitlements 可知，女性参与自治组织不同于参与政治，因此不可能是参与政治的早期阶段。

C：表述相反。根据凯瑟琳·林奇的观点，这些经历是女性参与公共生活的体现。

D：文中未提及。

E：文中未提及。

2. 文章暗示林奇会认为正式的政治参与

A.（错误）随着 19 世纪的进步变得越来越重要

B.（错误）是在 19 世纪欧洲公民社会的女性中被低估的现象

C.（错误）对帮助个体形成社区纽带来说是必要的

D.（正确）是公共生活的重要组成成分

E.（错误）体现一种隐蔽的公民权

解析：D：根据第 ❶ 句的句内取反可知尼科尔森与林奇的观点相对立。尼科尔森认为女性参与自治组织中是 private，而林奇认为这种行为是 public。再根据第 ❸ 句，只有当人们把公共生活视作和正规的政治参与等价的时候，那些女性才属于 private。但既然林奇认为这些女性是 public，因此公共生活就不仅仅包括了正规的政治参与，这些女性的活动也可以包含进去。因此正规的政治参与只是公共生活的一部分。选项 D 正确。

A：文中未提及。

B：根据第 ❷ 句 no substitute for actual political entitlements 可知，林奇认为女性的活动不属于正规的政治参与，因此不能说政治参与被低估了。

C：同选项 B，政治参与没法为女性社区形成纽带，所以选项 C 也不对。

E：体现隐蔽公民权的是女性的自治组织，而非正规政治参与。

Passage 2

解释野兔数量呈周期性变化以及_____

📖 原文翻译

❶北美野兔种群数量的波动周期在动物中是很不常见的，因为这种波动很有规律——每 8 到 11 年达到顶峰——并且在大片区域内都是同步的。❷从顶峰开始的下降是幼兔在冬天的低存活率、下降的出生率以及成年野兔下降的存活率所引发的。❸种群数量上升的开始则是因为存活率和出生率的上升。

❶一些生物学家认为当北美野兔数量顶峰超过了它们在冬天的食物供给，这个周期就开始了；由此引发的营养不良导致种群衰落。❷随着野兔数量减少，捕食者相比于野兔的比例上升了，因此捕食者对野兔的捕食影响也上升了。❸这使得种群的衰落延续到了冬季食物缺乏之后。❹野兔数量的减少导致捕食者减少，当捕食者减少以及冬季食物增加后，野兔种群进入到下一个周期。❺捕食者应对野兔数量地区差异的高移动性导致了地区之间的同步。

3s 版本

❶北美野兔数量呈现周期变化，并且不同区域之间是同步的。

❷下降趋势的引发原因。

❸上升趋势的引发原因。

第一段 3s 版本：**野兔数量呈周期性变化，不同地域是同步的。**

❶食物减少→野兔数量减少。

❷❸野兔数量减少→捕食者比例上升→野兔数量进一步减少。

❹野兔数量进一步减少→捕食者减少+食物增加→野兔数量开始上升。

小结：❶~❹广义封装，解释野兔数量周期性变化的过程。

❺捕食者的移动性导致这种变化在地域间同步。

第二段 3s 版本：**解释野兔数量呈周期性变化以及不同地域之间的同步。**

全文3s版本：**解释野兔数量呈周期性变化以及不同地域之间的同步。**

题目讲解

1. 文章表明很多其他物种的种群波动和北美野兔种群数量波动之间的区别是因为其他物种的种群波动

   A.（错误）因为捕食者水平的更剧烈变化而更加不规律

   B.（错误）通常长期发生

   C.（错误）在更大的区域内同步

   D.（错误）更不依赖于食物数量

   E.（正确）通常更加不可预料

解析： E：根据第一段第 ❶ 句可知，北美野兔和其他物种之间的区别在于北美野兔的种群波动更加规律因而可以预测，因此选项 E 正确。

2. 根据文章，生物学家关于北美野兔种群波动表明了下列哪一选项？

   A.（错误）这些波动的规则性是因为幼兔长期受到缺乏营养的威胁。

   B.（错误）这些波动和其他野兔物种的波动在时间长度上类似。

   C.（正确）这些波动的同步部分是因为捕猎这些野兔的捕食者改变地域的能力。

   D.（错误）这些波动在不同区间是不一样的，这部分是因为捕食者的可替代猎物在不同区域间的数量差异。

   E.（错误）这些波动的规律性是因为野兔可以持续获得可依赖的食物资源。

解析： C：正确，对应最后一句。

3. 文章表明下列哪一个关于北美野兔种群波动的选项是对的？

   A.（错误）野兔种群数量的变化并不和捕食者数量高度相关。

   B.（正确）一个区域的野兔数量在达到顶峰的时候，邻近区域的野兔种群数量不可能同时处于周期的最低点。

   C.（错误）野兔种群波动的规律性在种群每 8 年达到一次巅峰的区域要强于每 11 年达到一次巅峰的区域。

   D.（错误）在种群周期大于 11 年的区域，捕食者的移动性非常高。

E.（错误）野兔种群的波动在不同区域差异很大，这取决于冬天的食物供给。

解析： B：一个区域在最下面，这个区域就不可能在最上面，这就是区域间的同步，选项 B 正确。

Passage 3

解释题

📥 原文翻译

仙王座伽玛星（Gamma Cephei）的外表发生有规律的变化。一颗围绕恒星运行的行星会有规律地改变恒星的外表。但是，仙王座伽玛星外表的规律变化并不能让人认为有行星围绕它运转，因为恒星的缓慢自转也能导致其外表发生规律变化，并且_____。

📥 3s 版本

全文3s版本：恒星自转+？ →并非是行星导致恒星外表发生有规律性的变化

📥 题目讲解

1. 下列哪一项可以有逻辑地补充上文？
   A.（错误）很多有行星围绕它们运转的恒星会缓慢自转。
   B.（错误）仙王座伽玛星比很多其他恒星呈现更大的外表的变化。
   C.（错误）相比于确定是否有行星围绕恒星公转，确定恒星自转的速度是更容易的。
   D.（正确）对仙王座伽玛星上的太阳黑子活动的分析表明它缓慢自转。
   E.（错误）仙王座伽玛星是很多恒星中唯一外表发生规律变化的恒星。

解析： D：恒星自转会导致其外表发生变化，同时仙王座伽玛星自身确实会自转，因此可以排除行星公转导致的恒星外表变化，正确。

A：该选项填到文章内不能进一步证明是因为仙王座伽玛星的自转导致其外表发生变化。

B：仙王座伽玛星外表变化大无法进一步证明是什么原因。

C：文章和确定转速的难易程度无关。

E：文章已经说仙王座伽玛星发生规律变化，至于它是不是唯一的，和文章无关。

Passage **4**

....

_____会一直存在下去

原文翻译

❶1755年，英国作家塞缪尔·约翰逊出版了写给切斯特菲尔德勋爵的一封言辞激烈的信件，在这封信中，塞缪尔·约翰逊指责了这位赞助人，因为他忽略并且削减了进一步的支持。❷约翰逊拒绝了他的赞助人迟来的赞助，这通常被认为是出版历史上的关键一刻，标志着赞助文化的终结。❸**但是，尽管赞助已经衰落了50年，但是依然会以微弱的方式继续存在至少50年。**❹事实上，约翰逊在1762年被授予皇家补贴——这是一种微妙的赞助形式，相当于国家赞助。❺约翰逊的信与其说具有历史价值，不如说具有情感价值；这封信是所有反对赞助制度的人以及支持市场法则的人的试金石。

3s 版本

❶约翰逊的信指责了他的赞助人。

❷这标志着赞助文化的终结。

However ❸赞助会一直存在下去。

❹约翰逊在写了那封信之后依然接受了赞助。

❺评价约翰逊的信。

全文3s版本：赞助会一直存在下去。

题目讲解

1. 文章作者提及约翰逊在 1762 年得到的补贴的目的是

   A.（错误）揭露约翰逊在 1755 年之后依然坚持反对切斯特菲尔德勋爵

   B.（错误）提供证据说明 18 世纪后半叶私人赞助被国家赞助所取代这一普遍趋势

   C.（错误）将赞助是否终结的辩论放置于 18 世纪经济历史的更广泛范围中

   D.（错误）表明约翰逊在 1762 年写给切斯特菲尔德勋爵的信仅仅在其出版几年之后就被皇家注意到了

   E.（正确）强调在约翰逊写给切斯特菲尔德勋爵的信之后，赞助依然帮助支持约翰逊的写作

解析：E：本题属于功能题，定位句 3s 版本便是在写了信之后，约翰逊依然接受赞助。当然，这句话的根本目的是说明赞助会一直存在下去，因此选项 E 正确。

2. 下列哪一项最好地描述了黑体部分的功能?

   A.（错误）这句话指出约翰逊写给他的赞助人的信中最明显的暗示。

   B.（错误）这句话表明约翰逊拒绝切斯特菲尔德勋爵的赞助的动机。

   C.（正确）这句话提供的信息符合约翰逊的信对于一个出版时代的终结的定义。

   D.（错误）这句话对切斯特菲尔德勋爵对约翰逊的忽略提供了一个可能的辩护。

   E.（错误）这句话反对了赞助人主要存在于贵族这一观点。

解析：C：本题属于功能题，从句间关系来看，这句话功能与前一句观点取反。从这句话内容上来看，又没

有完全否认前一句的观点，因为赞助确实已经衰落了，只不过会依然存在，因此 qualifies 一词用得就很精准，选项 C 正确。

Passage 5

道伊认为_____的理论是不对的

📖 原文翻译

❶1919年，英国经历了史上最大的工时削减，削减到了每周48小时。❷在道伊看来，每周48小时在1920年代英国疲软的经济表现中发挥了核心作用。❸道伊认为这次工时下降以及工资的快速增长抬高了物价。❹但是，格里斯利和奥克斯利发现第一次世界大战（1914~1918年）则从宏观经济方面对英国竞争力产生了更大的冲击。❺斯科特认为道伊的理论忽略了大量的证据，这些证据表明当工作小时数从较高的基础水平减少时，每小时的生产力会提高。❻非常关键的是，道伊的理论没有承认当时大多数工业化国家工业工人的工作时长都减少到了大约每周48小时——这说明减少工时并没有使英国的生产力相对于其他国家降低。

📖 3s 版本

❶1919年英国将工作时长减少为每周48小时。

❷❸道伊认为工时下降导致英国经济下滑。

However ❹格里斯利和奥克斯利认为一战带来的影响更大。❺❻斯科特反驳道伊。

全文3s版本：道伊认为工时下降导致英国经济下滑的理论是不对的。

📖 题目讲解

1. 下列哪一项，如果正确，会为斯科特的观点提供最强的支持？
   A.（错误）公司们普遍发现兼职员工比全职员工效率更低。
   B.（错误）当一家公司的总工时因为更多员工的加入而增加时，通常的结果是公司的生产力提高了。
   C.（错误）当两家公司所有员工每周总工作时间一样时，每小时的生产力也是相同的。
   D.（错误）员工每周工作时间很长的公司比类似的但是员工工时更短的公司的总成本更高。
   E.（正确）公司发现每个员工的总产出不一定会因为每个员工的工时下降而发生变化。

解析：E：根据第❺句，斯科特的观点认为工时的减少会提高单位时间的生产力。单位时间生产力 = 单位时间产出 ÷ 工时。根据选项 E，工时下降，产出不变，这就意味着单位时间生产力提高，加强斯科特的观点，正确。

A：没提兼职和全职的区别。

B：斯科特的观点的核心在于单位时间生产力的升降，但是该选项只说明了总的生产力，无关。

C：讨论的是总工时和总生产力，与斯科特讨论的单位生产力无关。

D：成本和生产力没有必然联系。

2. 从文章可以推测出，在格里斯利和奥克斯利的观点中
   A.（错误）每周工时的减少最终有利于员工
   B.（错误）1919 年工时的减少对经济产生的影响很短暂
   C.（正确）英国在 1920 年代经济变得更加没有竞争力
   D.（错误）减少的工时是道伊所观察到的经济变化的主要原因
   E.（错误）英国 1920 年代经济表现的变化是未被预见的

解析：C：根据第 ❹ 句的 negative macroeconomic shock to Britain's competitiveness 可知，格里斯利和奥克斯利认为英国经济在 1920 年代的竞争力下滑，因此选项 C 正确。

A：与格里斯利和奥克斯利的观点相反。

B：尽管格里斯利和奥克斯利确实认为工时减少对经济下滑的影响有限，但是看不出这种影响是否短暂（brief）。

D：与格里斯利和奥克斯利的观点相反。

E：文中未提及。

逻辑篇

逻辑视频课

Unit 01

逻辑方法总论

题目原文下载1　　题目原文下载2

尽人事，听天命。

——信烁
同济大学
微臣教育线上课程学员
2018 年 2 月 GRE 考试 Verbal 167

逻辑题概述

① 逻辑题的基本信息

在新 GRE 考试中，每一个语文部分（Verbal Section）都包含一道逻辑题，如果不考虑语文加试，一场考试会遇到两道逻辑题。六类题型会随机出现在 GRE 考试当中，一道逻辑题的做题时间平均为 2 分钟。个别的 GRE 阅读中也会包含逻辑题，做题方法和题型设置与本书所讨论的逻辑题完全一致，但是每个语文部分仍然会有一道逻辑题以"单题"的形式存在。

② GRE 逻辑题题型分类

在新 GRE 考试中，逻辑题共分成七大类：削弱题、加强题、假设题、评价题、解释题、结论题和 Boldface 题（黑体字题）。

削弱题考查考生识别他人逻辑缺陷的能力；假设题考查考生对于前提条件的识别能力；加强题考查考生弥补逻辑缺陷的能力；解释题考查考生对于现象、问题、矛盾的自圆其说能力，同时也会考查考生对于现象的解释给出其他可能解释的能力；评价题考查考生对于论证过程既考虑被支持的情况，也考虑被反驳的情况的辩证思考能力。这五种题型所用到的思维方式均会在 Argument 写作中体现。结论题考查考生根据原文信息进行归纳汇总和合理推测的能力，对应 GRE 阅读的推断题；Boldface 题考查考生对于文章内句子功能的判断，对应 GRE 阅读的功能题。

综上，削弱题、加强题、假设题、评价题和解释题这五类题型可以归为"Argument 类"逻辑题，考查考生对于论证过程的评价能力；结论题和 Boldface 题可以归为"阅读型"逻辑题，考查考生对于文本的理解。

③ 逻辑题的重要性

GRE 考试全称为美国研究生入学考试（Graduate Record Examination），因而其考查所有的题目都是为了衡量考生将来从事学术研究、阅读及撰写学术论文的能力。GRE 考试中的阅读部分（Reading Comprehension）、逻辑部分（Logical Reasoning）和写作部分（Analytical Writing）三者共同考查学生对于学术文章的阅读及撰写，和对于辩证客观的批判性思维逻辑进行理解和应用的能力。逻辑部分考查的能力也是写作和阅读中的一项基础能力。

对于理解 GRE 阅读文章而言，考生首先需要具有读懂单词、短语、长难句等的语言能力，还需要掌握"3s 版本"和"句间关系"用以理清文章结构。除此之外，作者在文章中对于观点的反驳、支持、解释、推测等论证手段，其背后的基本思维模式正是逻辑题所考查和运用的思维模式。因此，语言能力可以帮你理解文章每句话都在说什么，"3s 版本"和"句间关系"帮你理解每句话之间的关联是什么，而逻辑题的思维方式帮你理解作者为什么要说这句话。

对于 GRE 写作而言，除了语言层面要保证词句用对，Issue 部分的严密推理和有说服力的论证运用的就是逻辑题的解题思路，Argument 部分的四大类写作指令（Assumption、Evidence、Question、Explanation 详见《GRE 写作高频题目及考点精析》）也都能够在逻辑题各题型中找到相应的影子。Argument 写作和逻辑题其实就是同一题型的不同方向的呈现。逻辑题是从选项里面选择符合题目要求的内容，而 Argument

写作没有选项，需要考生自己创造出符合题目要求的选项。如果考生没有掌握逻辑题的解题思路，那么一篇 Argument 写作即使用中文也是写不出的。

综上所述，尽管逻辑题本身在新 GRE 考试中分数占比很低，但是其解题思路则贯穿于写作和阅读中。

④ 逻辑题的解题流程

先读题干，明确题型，预知本题的解题策略；再读文章，根据七种题型的要求分别提炼出文章的重点，从头浏览选项，选择符合题目要求的选项。

⑤ "if true" 原则

逻辑题题干中往往有 "if true" 字样，这意味着正确答案一定不能重复原文的内容。

⑥ 不完备性原则

逻辑题有两条铁律：一是重复原文内容的选项一定错；二是正确选项一定符合不完备性。所谓的不完备性指的是正确选项未必是这道题目唯一的合理选项。比如，对于削弱题来说，正确选项只要做到**降低**可能性，而不一定要把原文彻底推翻。对于假设题来说，选择的是作者所遗漏的假设之一，而不需要选择所有原文结论所遗漏的假设。

Argument 类题型解题概述

① Argument 类题型解题的共同步骤

削弱题、加强题、假设题、评价题、解释题这五种 Argument 类题型的共同之处在于，读完文本后，需要总结出 A→B 形式的 3s 版本。而之后的解题都围绕着这个 A→B 形式的 3s 版本进行。

所谓 B，指的是文章论证过程中的"终极结论"，也就是说，根据原文提供的信息，这个结论已经无法再进一步往下推导。

所谓 A，指的是得到上述"终极结论"的最直接原因。

下面请看一个中文例子，便能理解如何在文章中找出 A 和 B：

小明最近遭受了事业和感情的双重打击，于是他决定努力攒钱去国外留学，以换取事业上的成功。

通常来讲，一篇文章的"终极结论"是相对好找的。在上文中，通过"于是"可知，后面的内容是结论。但是在"于是"所引导的后半句中，又出现了"以"字，因此"以"之后的内容是本文最终的结论，本文的 B 就是"事业成功"。

接下来只要看一下谁是"事业成功"最直接的原因即可。上文中可以称得上是"原因"的内容有：事业和感情受到打击、攒钱、去国外、留学，但是唯一称得上是"事业成功"的直接原因的只有"留学"。

因此，上文的推理逻辑如下：

事业和感情受到打击→攒钱→去国外→留学→事业成功。"留学→事业成功"便是本文所要得到的 A→B 形式的 3s 版本。

② 结论的标志

逻辑题原文中通常会用如下几个标志来表示结论，找到结论就可以轻松地找到其直接原因。

① 表示结论的词：So、Therefore、Hence、Consequently 等。例如：

The use of nets at beach resorts to protect swimming areas from sharks has been criticized by environmentalists because the nets needlessly kill thousands of marine animals annually. However, environmentalists have recently discovered that an electrified cable buried beneath the periphery of swimming areas causes sharks to swim away while harming neither humans nor marine life. **Hence**, by installing such cables, resort communities will be able to maintain tourism while satisfying environmentalists' concerns.

Hence 之后的内容是文章的结论部分，同时这一部分可以画出"安装电缆→不影响旅游业 + 使得环境保护主义者安心"这一推理逻辑链，这正是本文的 A → B。

② 转折之后的观点。例如：

The Great Sphinx is a huge statue in Egypt that has a lion's body with a man's head. The face of the Sphinx has long been claimed to be that of pharaoh Khafre, who lived around 2600 B.C., **but** it cannot be: erosion patterns recently discovered on the lion's legs can only have been caused by heavy rains, and the Sahara has not had heavy rains in over 10,000 years.

but it cannot be 是本文的结论，根据上文，这个结论说的是"斯芬克斯的脸不是公元前 2600 年的哈夫雷法老的脸"，冒号之后的内容为本文的直接原因。因此，本文的 A→B 为：狮子腿最晚是 10000 年之前建造的→斯芬克斯的脸不是公元前 2600 年的哈夫雷法老的脸。

③全文的观点，通常由 demonstrate、indicate、show 等词引导。例如：

Although the percentage of first graders in Almaria who were excellent readers varied little between 1995 and 2010, the percentage of first graders who had considerable difficulty reading their schoolbooks increased markedly during that period. This evidence strongly **indicates** that the average reading ability of first graders decreased between 1995 and 2010.

indicate 之后的内容是全文的结论，并且可知 This evidence 是其直接原因。根据上下文，可得到本文的 A→B 是：阅读有困难的学生百分比上升→平均阅读能力下降。

④其他。例如：

Although several ancient cultures practiced mummification, mummies from ancient Egypt are generally more well-preserved than mummies of similar antiquity from other cultures. **One possible explanation** for this difference is that the mummification techniques or materials used by ancient Egyptians were better than those of other cultures. **A second, more likely, explanation** is that the extremely dry climate of ancient Egypt was largely responsible, given that dryness promotes the preservation of organic remains generally.

explanation 一词本身表示原因，因此本文给出的两个 explanation 之前的第一句是本文的结论。本文的 A→B 是：更好的技术和材料+更干旱的气候→古埃及木乃伊保存得更好。

③ Argument 类题型的相互关联

削弱题、加强题、假设题、评价题和解释题五类题型之间的关系：
削弱题的解题思路和加强题互相取反。
假设题的做题方法必须用到削弱题的思路。
一篇文章的假设一定可以加强原文，而加强题的正确选项却未必能够成为文章的假设。
评价题的做题过程既包含了加强题，也包含了削弱题。
解释题要求针对原文矛盾给出原因，这一点和削弱的"寻找他因"一致。

④ Argument 类题型的本质

Argument 类题型本质上考查的是考生对于文中内容进行"评价"的能力。只有当论证本身有缺陷的时候，才能进行评价。因此只有存在缺陷的文章才能成为 Argument 类的逻辑题。五种 Argument 类题型分别对应不同的缺陷形式。

削弱题：原文本身存在逻辑漏洞，考生需要从选项中找出这个逻辑漏洞，降低原文成立的可能性。

假设题：作者"偷懒"导致原文结论所依赖的某一个或某几个前提假设缺失，考生需要从选项中找出缺失的假设之一，进行补充。

加强题：原文本身存在逻辑漏洞，考生需要从选项中找出能够弥补这个逻辑漏洞的选项，提升原文成立的可能性。

评价题：文章本身的合理性存疑，需要通过确定选项中某个问题的答案才能确定原文的论证是否正确。

解释题：原文本身会描写一段自相矛盾的事情，考生需要从选项中选择能够自圆其说这个矛盾的内容。或者，原文给出的解释不唯一，考生还可以找到另外的解释。

Unit 02

削弱题

题目原文下载1　　题目原文下载2

如果你真心渴望某样东西，整个宇宙都会联合起来帮助你完成！

——刘子昊

吉林大学

微臣教育线上课程学员

2019 年 7 月 GRE 考试 Verbal 160

录取学校：Brandeis University

削弱题方法论

🔍 题型标志

题干中出现 weaken、undermine、challenge 等表达的题目。比如：

Which of the following, if true, most weakens the argument above?

削弱题的本质是"降低原文成立的可能性"。既然只是降低可能性，那么正确答案就不需要具有完备性，即正确答案可以将原文成立的可能性削弱至 0，也可以只削弱 1%。而削弱的程度是无法被量化的，因此只要保证选项可以降低文章可能性即可，而不需要讨论选项的削弱程度。

🔍 解题方法

下面我们以"因为教授 A 取得了极大的学术成就，所以人们认为他应该很有名气"为例，展示削弱题的做题流程和方法。

1. 既然削弱题是 Argument 类题型，那么做题的第一步是总结出 A→B 的 3s 版本。上面例子的 3s 版本是"极大的学术成就→有名气"，这道题目需要削弱的内容就是诺贝尔奖和名气之间的关系。

2. 接下来我们做这种题的目的，就是针对 A、B、A 与 B 的因果关联中的任何一个进行加强，共有如下四种方法：

① 直接削弱原因

即直接降低原因成立的可能性。在上例中，就是降低了"教授 A 取得了极大的学术成就"这一原因的可能性，比如：**教授 A 最近几年的学术成就不过是一些小打小闹**。

正如前面所说，并不是每一道题目的原因都可以被直接削弱，我们需要区分原文中导致结论的原因是客观事实还是主观推断。如果上题改成"教授 A 因为获得了诺贝尔奖，所以人们认为他应该很有名气"，得诺贝尔奖是一个客观事实，那么就既不能削弱，也不能加强。

② 直接削弱结论

即降低"结论"部分成立的可能性。在上例中，就是降低教授 A 有名气的可能性，比如：**调查显示，教授 A 在学术圈里其实默默无闻**。

③ 寻找他因

通过寻找其他因素，"稀释"文中原因得出结论的可能性。在上例中，我们可以说"**教授 A 经常活跃在社会公众活动中**"。经常参加公众活动，结果还很有名气，这就削弱了教授 A 是因为有极大的学术成就而变得很有名气的可能性。

④ 直接削弱因果关联

在加强题中，若原命题是 A→B，则 -A→-B（A 取反推出 B 取反）可以加强 A→B。因此，如果原命题是 A→B，选项是 -A→B 或 A→-B，即能说明 A 和 B 之间并不存在关联。在上例中，"**教授 A 在取得任何学术成就之前已经很有名气**"就使用了 -A→B 这种方式削弱因果关联。

例题

原文翻译

> 市长：四年前，当我们为了省钱而重组警察局时，评论家认为这次重组会使得警察对市民越来越不负责任，并且因此会导致更多的犯罪。警察汇总了重组之后那四年的盗窃案数据，表明评论家是错的。所有种类的盗窃案报警数量都有所下降，包括小型盗窃案。

3s 版本

报警数量下降→犯罪率没有上升（评论家是错的）

题目讲解

下列哪一项，如果正确，最能质疑市长的论证？

A. （正确）当警察被认为不负责任的时候，盗窃案的受害者更加不可能报警。

B. （错误）针对市长的评论家普遍认为警察关于盗窃案报警的数据提供了关于犯罪率最可靠的数据。

C. （错误）在其他的城市中，警察局也经历了类似的重组，但是盗窃案的报警数量在重组之后有所上升。

D. （错误）市长对于警察局的重组未能节省预计的金额。

E. （错误）在重组之前的四年间，所有种类盗窃案的报警数量相比于其他类型犯罪有稳定上升。

解析： A：该选项表明，报警数量下降所反映出来的未必是犯罪率的下降，还有可能是警察不负责任导致受害者报警意愿的降低。属于"直接削弱结论"，正确。

B：原文结论是评价是错的，而该选项则说明评论家认识到了自己的错误，属于加强原文结论，故不选。

C：干扰选项。很多考生会觉得，类似的重组导致报警数量上升，也就意味着犯罪率上升，而原文说重组之后犯罪率没有上升，故该选项削弱原文。但是，原文待削弱的因果关系是报警数量和犯罪率之间的关系，因此犯罪率和报警数量之间的关系还是不确定的。该选项只是说其他城市发生了类似的重组后报警数量上升了。但是，报警数量上升并不能说明什么。该选项是典型的因为过度推断而容易选错的选项。

D：本文想要论证的是报警数量和犯罪率之间的关系，和是否省钱无关，故不选。

E：本文所讨论的是重组之后的事情，和重组之前无关，故不选。

削弱题例题解析

原文翻译

尽管有使用了人工甜味剂的大量产品，但是人均蔗糖消耗量依然持续上升。现在生产商正在引入多种食物的零脂肪版本，它们的口味和质感据说和传统的高脂肪版本一致。就算生产商的说法正确，但是因为无糖食物并没有减少蔗糖的消耗，因此这些零脂肪食物不可能削弱脂肪的消耗。

3s 版本

人工甜味剂的使用并未减少蔗糖的消耗→零脂肪食品不会减少脂肪的消耗

题目讲解

1. 下列哪一项，如果正确，最能削弱上文的论证？

   A.（错误）生产商可以使用多种脂肪替代品，每一种都会给使用了它们的产品赋予不同的口味和质感。

   B.（正确）含有人工甜味剂的产品，其口味和含有蔗糖的产品不一样。

   C.（错误）无糖食品总体上并没有削弱脂肪的水平，但是很多即将上市的零脂肪食品含糖量很低。

   D.（错误）经常购买人工甜味剂产品的人相比于其他人更有可能购买零脂肪产品。

   E.（错误）不是所有含有脂肪的食品都有零脂肪版本。

解析： B：原文的论证前提是人工甜味剂可以类比零脂肪食品（即这两种产品的情况一样），既然蔗糖的消耗并没有因为甜味剂的出现而减少，那么零脂肪食品也不会削弱脂肪的消耗。但是该选项表明，蔗糖的消耗量之所以没有减少，是因为人工甜味剂和蔗糖的口味不一样，然而原文告诉我们零脂肪食品和高脂肪食品的口味和质地都一样，因此人工甜味剂的情况和零脂肪食品的情况并不相同，论证前提被削弱了，属于"直接削弱原因"，正确。

　　A：该选项只能说明脂肪替代品的多样性，与原文无关，故不选。

　　C：原文讨论的是人工甜味剂是否可以和零脂肪食品构成类比，该选项在讨论零脂肪食品和无糖食品之间是否会存在互相削弱的情况，与题干无关，故不选。

　　D：原文讨论的是人工甜味剂是否可以和零脂肪食品构成类比，与购买人工甜味剂的人是否购买零脂肪食品无关。而且，购买零脂肪食品的人也不见得不会购买高脂肪产品，所以这些人对于零脂肪产品的消耗到底能否影响脂肪的消耗是不确定的，故不选。

　　E：本文与多少食品有零脂肪版本无关，故不选。

原文翻译

里维拉艺术博物馆最近开始收门票钱了。因此而导致的游客数量下降要比其他当地博物馆更严重，这些博物馆也收门票钱。这种明显的游客数量下降有可能是因为里维拉艺术博物馆更靠近政府办公室。因为门票费对于那些想要短暂光顾的人的阻止是最明显的，所以之前会在午休时间或下班之后来光顾的政府的工作人员现在就不来了。

3s 版本

门票收费对于短暂光顾的政府工作人员影响最大+里维拉博物馆靠近政府办公室→门票收费导致里维拉的客流损失是当地最大的

题目讲解

2. 下列哪一项，如果正确，最能削弱原文的解释？

A.（错误）里维拉的门票价格不比其他博物馆的高。

B.（错误）里维拉并没有记录参观者在博物馆里待的时间长短。

C.（正确）里维拉在工作日的游客下降数量不比非工作日的大。

D.（错误）游客数量下降最小的博物馆最受国外游客的欢迎。

E.（错误）在宣布门票收费和真正开始收费之间的那段时间里，里维拉的游客数量有所上升。

解析： C：该选项说明，非工作日也会发生不少于工作日的游客数量降低，证明除了靠近政府办公室以外，还有其他原因也会导致游客数量发生变化，属于"直接削弱原因"，正确。

A：该选项说明游客数量下降并不是由价格高导致的，反而进一步提升了是因为靠近政府办公室而导致游客数量下降的可能性，故不选。

B：里维拉是否记录游客的参观时间长短，并不会影响导致游客数量下降的原因，与原文无关，故不选。

D：从文中看不出国外游客对博物馆的游客数量贡献的大小，与原文无关，故不选。

E：文章讨论的是为什么收费以后游客数量减少，和收费之前游客数量短暂上升无关，故不选。

03

原文翻译

在沙滩风景区使用渔网保护游泳区域免受鲨鱼影响的这种行为被环境保护主义者所批判，因为渔网每年会毫无必要地杀死成千上万的海洋动物。然而，环境保护主义者最近发现，在游泳区域边缘埋藏的电缆会导致鲨鱼远离这里，同时不会伤害人或者海洋动物。因此，通过安装这种电缆，景区就能够既保证旅游业发展，又能使得环境保护主义者安心。

3s 版本

安装电缆→不影响旅游业+使得环境保护主义者安心

题目讲解

3. 下列哪一项，如果正确，最能削弱上文的论证？

A.（错误）很多从来没有发现过鲨鱼的海边风景区会花钱安装埋在地下的电缆。

B.（错误）发现有鲨鱼出没的景区里尽管很多人害怕鲨鱼，但是旅游业只受到了轻微影响。

C.（错误）因为他们很害怕鲨鱼，所以很多游客更喜欢在已知防范了鲨鱼的海滩游泳。

D.（错误）埋在地下的电缆并不是唯一一项被环境保护主义者认可的发明，他们认为这些发明可以成功驱赶鲨鱼而又不会伤害他们。

E.（正确）很多景区用于吸引游客的海洋动物不会进入埋了电缆的区域。

解析：E：该选项说明，因为装了电缆，反而会使得吸引游客的海洋动物也远离景区，这对旅游业来说是一种破坏，属于"直接削弱结论"，正确。

A：原文讨论的是用电缆驱赶鲨鱼是否会影响景区的旅游业，与那些本来就没有鲨鱼出没的景区无关，故不选。

B：文章最终讨论的是安装电缆对于景区旅游业的影响，和鲨鱼是否影响旅游业无关，故不选。

C：安装电缆是防范鲨鱼的一种方式，而游客更喜欢在这些景区旅行，这是促进旅游业，加强原文，故不选。

D：电缆不是唯一的让环境保护主义者认可的驱赶鲨鱼的方式，这至少证明电缆可以保证旅游业又能使得环境保护主义者安心，虽然利用其他方式也能达到这一目的，但是电缆达到这一目的的可能性并没有被削弱，故不选。

原文翻译

> 1998年，美国交通部收到了一万封关于航空公司的顾客投诉；1999年，收到了超过两万封。更甚的是，每十万名乘客的投诉数量也翻了一番。在这两年里，大部分投诉都是关于航班晚点、取消、行李处置不当以及客户服务。因此，很清楚的一点是，尽管美国的航空工业花了大力气去改善在这些方面的表现，但是乘客对于航空公司服务的不满在1999年显著地上升了。

3s 版本

投诉总量和人均投诉量在1999年都翻了一番→1999年乘客的不满显著上升了

题目讲解

4. 下列哪一项，如果正确，最能削弱原文的论证?

A.（错误）尽管准时到达的航班比例总体轻微下降，从 1998 年的 77% 降至 1999 年的 76%，但是某些美国航空公司 1999 年的准点率要比 1998 年的准点率高。

B.（错误）美国航空公司乘客数量在 1999 年明显比 1998 年多。

C.（错误）每 1000 名美国航空公司的乘客的行李丢失或延误数量，在 1999 年要少于 1998 年。

D.（正确）1999 年出现的很多新网站会把投诉直接转接给交通部，这使得顾客投诉比以往要容易得多。

E.（错误）尽管 1999 年每家大型美国航空公司的顾客投诉数量都上升了，但是对于某些航空公司来说，这种增长的幅度很大，而对另一些公司来说幅度却极小。

解析：D：该选项说明，投诉量上升了，反映的不是顾客满意度下降，而是投诉比以往更容易了，属于"直接削弱结论"，正确。

A：本文讨论的是投诉数量和人均投诉量能否反映顾客满意度，与哪些航空公司改善了准点率没有关系，故不选。

B：乘客数量增多，再加上原文提到的人均投诉量增加，那么就说明不满的顾客在 1999 年更多了，这是在加强原文结论：1999 年乘客的不满显著上升，故不选。

C：本文讨论的是投诉数量和人均投诉量能否反映出顾客满意度，与行李丢失率是否下降没有关系，故不选。

E：该选项本质上在重复"投诉总量上升"这一点，属于重复原文，故不选。

05

原文翻译

福克兰沿岸富含龙虾的水域的平均温度已经连续好几年上升。在更温暖的水域中，龙虾生长得更快。尤其是，龙虾幼仔花费更少的时间就能够长成不易受到年幼鳕鱼攻击的体型，这些年幼鳕鱼是龙虾幼仔的主要生存威胁。因此，龙虾幼仔的生存率一定会上升，并且福克兰海岸的龙虾数量一定会增加。

3s 版本

温度上升→龙虾幼仔不易受到年幼鳕鱼威胁→龙虾幼仔的生存率和龙虾数量会上升

题目讲解

5. 下列哪一项，如果正确，最能削弱上文的论证?

A.（错误）没有迹象表明在最近几年，福克兰沿岸的渔船以不利于可持续发展的高速度捕捞鳕鱼。

B.（错误）福克兰沿岸水温的上升不如福克兰的土壤平均温度上升的明显。

C.（正确）因为龙虾的加速生长，现在龙虾在达到成熟之前就会长到可以合法捕捞的大小。

D.（错误）尽管龙虾在温暖水域生长更快，但是温暖的水域对于龙虾最终可以达到的最大体型没有影响。

E.（错误）鳕鱼是冷水物种，并且升高的水温导致了福克兰的鳕鱼群向北迁徙。

解析：C：龙虾因为长得快，导致可以在更早的年龄被捕捞，因此龙虾的数量会比之前更少，属于"直接削弱结论"，正确。

A：鳕鱼没有被以非常高的速度被捕捞，这说明渔船并没有显著影响鳕鱼的数量，进而没有影响到龙虾的数量，与原文无关，故不选。

B：水温上升和土壤温度上升谁更明显，与本文所讨论的内容无关，故不选。

D：龙虾能够长成的最大体型与本文无关，故不选。

E：鳕鱼迁徙离开福克兰，证明龙虾所面临的威胁减少，所以龙虾的数量有可能上升，加强原文，故不选。

06

原文翻译

郎兰的（1330~1400 年）《耕者皮尔斯》和乔叟的（1342~1400 年）《声誉之屋》，两部英国中世纪关于梦境的诗歌，在结构和主题上有很多的相似性。有的评论家认为因为大量的共有元素在中世纪诗歌中是不常见的，并且因为郎兰的诗歌有可能要比乔叟的诗歌早好几年，因此乔叟在写《声誉之屋》的时候最有可能受到了《耕者皮尔斯》的影响。

3s 版本

郎兰和乔叟的作品很像+郎兰早于乔叟→郎兰影响了乔叟

题目讲解

6. 下列哪一项，如果正确，最能削弱评论家的论证?

A.（错误）《耕耕者皮尔斯》是郎兰的一部主要作品，而《声誉之屋》是乔叟的一部次要作品。

B.（错误）《声誉之屋》只留存下了三部手稿，明显少于郎兰作品现存的手稿数量。

C.（错误）因为《耕者皮尔斯》在当时就是家喻户晓的作品，因此《耕者皮尔斯》和《声誉之屋》之间的相似性有可能是很多读者在乔叟刚写完《声誉之屋》之后读到这部作品时就发现了。

D.（正确）《耕者皮尔斯》的很多主题和结构也在拉丁文、意大利文、法文作品中被发现了，而这些作品又是乔叟很熟知的。

E.（错误）没有证据表明乔叟和郎兰曾经见过或者互相之间就文学话题通过信件。

解析： D：该选项说明两部作品之间的共同点可能并不是乔叟被郎兰影响所得到的，而是乔叟很熟悉其他语言的作品，而这些语言的作品又碰巧和郎兰的作品像。该选项属于"直接削弱结论"，正确。

A：本文要论证的是两个作家谁影响谁。与各自作品分别是主要作品还是次要作品没有关系，故不选。

B：现存的手稿数量和谁影响谁没有关系，故不选。

C：该选项讨论的是什么样的读者发现了两部作品的相似性，与文章想要论证的内容无关，故不选。

E：根据文章，我们看不出是否见面以及通信和郎兰对乔叟产生影响有什么关系，故不选。

 07

原文翻译

公主鱼是一种珊瑚礁鱼种，它们会被潜水员活捉，然后潜水员通过给它们注射某种毒药来使其昏迷。由于潜水员会将自己的捕捞量限制在几条鱼，并且注意不会过度捕捞，因此潜水员持续的活动很明显不会对鱼群造成显著的破坏。

3s 版本

不过度捕捞→不破坏鱼群

题目讲解

7. 下列哪一项，如果正确，最能削弱上文的论证?

A.（错误）公主鱼用传统的方法无法被活捉。

B.（错误）用来弄晕公主鱼的毒药对于吃了鱼的人来说没有任何影响。

C.（错误）对于公主鱼的需求在过去十年保持稳定。

D.（正确）残留在海水中的毒药的痕迹会破坏珊瑚，而珊瑚可以保护公主鱼赖以生存的礁石。

E.（错误）被弄晕但是没有被活捉的鱼会立刻从毒药的短暂效果中恢复过来。

解析： D：潜水员的毒药残留物破坏了公主鱼的生存环境，证明会破坏鱼群，属于"直接削弱结论"。该选项也可以看作是"寻找他因"。原文中假设导致鱼群破坏的原因只有过度捕捞，而该选项则说明，毒药残留物破坏生存环境也会破坏鱼群。

A：公主鱼是否能被传统方法活捉，与鱼群是否会受到破坏无关。

B：文章讨论的是鱼的情况，和吃鱼的人无关。

C：对于鱼的需求保持稳定，只能进一步加强潜水员不会过度捕捞，故不选。

E：鱼会从毒药的效果中恢复过来，进一步加强说明鱼群没有遭到破坏，故不选。

原文翻译

地理学家和历史学家传统上持有一个观点：南极大陆是在1820年第一次被发现的，但是一些16世纪的欧洲地图却显示了一个很像极地的地方，尽管那一时期的探险家从来没有见到过它。因此，一些学者认为这片大陆一定就被古代人发现并且画在了地图上，而这些地图就成了欧洲地图学家的参考对象。

3s 版本

古代人早已发现南极大陆并将其画在了地图上→16世纪欧洲地图出现了类似于南极大陆的地方

题目讲解

8. 下列哪一项，如果正确，对学者们的推断最具破坏性？

A.（错误）关于谁在现代第一个发现了南极大陆的问题依然备受争议，并且没有人能够给出确切的证据。

B.（错误）在 3000 到 9000 年前，世界比现在更冷，并且极地地区有可能更小。

C.（错误）只有少量的 16 世纪地图体现了像南极一样的大陆。

D.（错误）大多数将惊人的成就归因于古文明甚至是外星文明的说法都被证明是不可信的，或者因为太荒谬而被反对。

E.（正确）古代哲学家认为南极地区必须要有一片大陆去平衡北部大陆并且使得世界对称。

解析： E：该选项说明，南极地区之所以出现在了 16 世纪的地图上，不是因为古代人真的见到了南极大陆，而是一种猜想认为南极应该有大陆，属于"列举他因"，正确。

A：文章讨论的是古人是否发现过南极大陆，与谁是第一个发现南极大陆的现代人无关，故不选。

B：文章讨论的是极地地区是否在古代被发现过，与它的大小没有关系。

C：本选项重复原文，故不选。

D：本文没有提到"惊人的成就"，与原文无关，故不选。

原文翻译

TEB的律师：TEB公司因为没有做足够的事情去阻止其管理者欺骗政府而被起诉。这一指控很明显是错误的，因为TEB根据自己的政策，会奖励任何举报了他人犯错的人并且立即开除被证明确实犯错的人。

3s 版本

TEB自己的政策会惩罚做错事的人→TEB不应被指控没有努力阻止管理者欺骗政府（即TEB会惩罚那些欺骗政府的人）

题目讲解

9. 下列哪一项，如果正确，最能削弱律师对 TEB 的辩护？

A.（正确）"错事"在 TEB 的公司政策中被定义为"TEB 员工所做的任何欺骗 TEB 的事情"。

B.（错误）TEB 实施了一项"顾客友好"政策来应对顾客提出的每一项投诉。

C.（错误）政府并不是 TEB 的唯一客户，甚至不是大客户。

D.（错误）欺骗政府涉及不止一个雇员。

E.（错误）那些起诉 TEB 没有阻止管理者欺骗政府的人本身就是政府雇员。

解析：A：根据该项可知，TEB 只会惩罚欺骗 TEB 的人，也就意味着不会惩罚欺骗政府的人，削弱结论。

B：既然会应对每一项投诉，就意味着也应对了政府的投诉，加强结论。

C：和政府是不是大客户无关。

D：和涉及雇员数量无关。

E：本文讨论的是 TEB 的政策和 TEB 有没有惩罚欺骗政府的人之间的关系，和谁起诉无关。

原文翻译

逆戟鲸通常在鲸鱼群中移动。以海洋哺乳动物为食的逆戟鲸的鱼群很小，但是那些以鱼类为食的逆戟鲸有相对大的鱼群。因为更大的鱼群可以增加集体发现猎物的能力，因此以哺乳动物为食的逆戟鲸只在小鱼群游泳是因为它们所捕猎的哺乳动物更容易发现大鱼群并且逃离。

3s 版本

哺乳动物容易发现大鱼群→以哺乳动物为食的逆戟鲸只能在小鱼群里游泳

题目讲解

10. 下列哪一项，如果正确，最能削弱文章？

A.（正确）以鱼类为食的逆戟鲸几乎总是待在它出生时所在的鱼群，但是如果之前的鱼群变得太大，以哺乳动物为食的逆戟鲸会形成新的鱼群。

B.（错误）没有观察到任何的逆戟鲸在以鱼类和哺乳动物为食之间来回转变。

C.（错误）逆戟鲸的鱼群通常包含至少一个母亲以及一两个它的后代。

D.（错误）不像海洋哺乳动物，鱼类通常在大的鱼群中移动，这会给大的逆戟鲸鱼群提供食物。

E.（错误）来自不同鱼群的个体经常发生互动，并且如果鱼群很小，这样的互动主要都是觅食活动。

解析：A：寻找他因。不是因为哺乳动物容易发现大鱼群，而是因为当鱼群太大时，逆戟鲸会自觉地分成小鱼群。

B：无关选项。

C：无关选项。

D：该选项讲的是以鱼类为食的逆戟鲸，而这道题讨论的是以哺乳动物为食的逆戟鲸。

E：无关选项。

 11

原文翻译

　　冰川中提取的样本表明在上一次冰河时代，大气中有比现在更多的灰尘。因为大气中灰尘越多，到达地球表面的阳光就越少，因此那时候存在的大量灰尘可能帮助地球维持了低温，并且因此延长了冰河时代。

3s 版本

大气灰尘→维持冰河时代

题目讲解

11. 下列哪一项，如果正确，最能削弱文章？

　　A.（正确）大气中大量的灰尘往往会使到达地球表面的太阳热量不进入外太空。

　　B.（错误）冰川的样本表明在两场最近的冰河时代之间的时间段的大气尘土数量低于两场冰河时代本身的尘土数量。

　　C.（错误）最近发生的火山喷发释放出了足够的尘埃，导致全球温度模式发生可察觉的变化。

　　D.（错误）上一个冰河时代中期大气中的尘埃量明显大于末期。

　　E.（错误）阳光是地球表面的主要热源。

解析： A：灰尘有加热的作用，削弱了原文灰尘会降温的观点，故正确。

　　　　B：该选项可以说明冰河时代比其他时代的尘土数量多，说明尘土和冰河时代可能有关系，加强了原文。

　　　　C：该选项也加强了灰尘影响冰川时代的观点。

　　　　D：不需要将冰河时代的不同阶段进行区分。

　　　　E：阳光是热源+尘埃可以阻挡阳光→地球变冷，加强了原文，故不选。

 12

原文翻译

　　在斯坦顿涉及出租车的交通事故中，每次事故的平均受伤人数高于未涉及出租车事故的受伤人数。尽管斯坦顿的出租车都配有乘客安全带，但是出租车司机表示乘客很少系安全带。因此，如果出租车乘客被要求系安全带的话，每次出租车事故的受伤人数很快就不会比其他交通工具的事故高了。

3s 版本

系安全带→出租车平均每次事故受伤人数就会比其他车的少

📥 题目讲解

12. 下列哪一项，如果正确，最能削弱文章?

   A.（错误）交通事故的数量近几年一直在下降。

   B.（错误）因为出租车每年比其他车开的里程数更多，因此相比于其他车，它们在一年里更有可能出事故。

   C.（错误）运营的出租车数量在所有车中的占比相比于其他和斯坦顿同规模的城市来说更高。

   D.（正确）出租车里的人数，包括司机，要比其他车里的多。

   E.（错误）并非所有乘坐出租车以外的汽车乘客都系安全带。

解析：D：因为车里人多，所以每次事故受伤的人会更多，而非因为没系安全带。属于"寻找他因"，正确。

   A：文章讨论的是平均每次事故的受伤人数，和事故数量无关。

   B：错误原因同选项 A。

   C：错误原因同选项 A。

   E：由该选项我们依然无法得知其他车和出租车乘客谁系安全带多，与原文无关，故不选。

📥 原文翻译

在富含二氧化碳的温室中种植葡萄会增加作物的产量，当生长温度也同步提升几度的时候，这一效应会被加强。尽管封闭式的耕种对于葡萄园来说是不现实的，但是露天种植葡萄的产量会上升，因为化石燃料的燃烧所产生的气体肯定会在接下来一个世纪里导致大气二氧化碳含量上升。

📥 3s 版本

化石燃料导致的二氧化碳上升→露天种植葡萄的产量上升

📥 题目讲解

13. 下列哪一项，如果正确，最能削弱文章?

   A.（正确）当葡萄在温室生长的时候，控制在富含二氧化碳的空气中茁壮成长的害虫相对容易。

   B.（错误）最近害虫控制的改善增加了很多葡萄园的葡萄产量。

   C.（错误）温室中二氧化碳水平的上升没有被证明可以提升温室葡萄的品质。

   D.（错误）温室中二氧化碳水平的上升可以增加温室中葡萄的糖分。

   E.（错误）随着露天空气中二氧化碳水平的上升，地球表面的温度也会上升。

解析：A：二氧化碳上升时，在露天环境下控制害虫不容易→产量下降。削弱了结论，故正确。

   B：该选项加强了结论，故不选。

   C：文章讨论的是产量，品质无关，故不选。

   D：错误原因同选项 C。

   E：温度和二氧化碳都上升，根据文章可知这会导致葡萄产量上升。加强了结论，故不选。

14

⊛**原文翻译**

在1970年至1980年之间，美国工业能源消耗达到了顶峰并且之后开始下降，因此在1980年之前，能源使用总量低于1970年，尽管在同一时期，工业产量显著上升。工业在那些年一定使用了很高效的能源节约措施才得以取得如此出色的成果。

⊛**3s 版本**

能源节约措施→能源消耗量降低+工业产量上升

⊛**题目讲解**

14. 下列哪一项，如果正确，最能削弱文章的结论?

   A. (错误) 在 1970 年代，很多工业使用的石油都尽可能地从高价转向低价。

   B. (错误) 1980 年美国居民总能源消耗高于 1970 年。

   C. (错误) 很多工业能源使用者在 1970 年之前很少关注能源节约。

   D. (错误) 工业产出在 1970 年至 1980 期间的增长比在 1960 年至 1970 年期间要慢。

   E. (正确) 在 1970 年代产值显著下降的工业包括那些能源消耗量很大的工厂。

解析: E: 原文认为是能源节约措施导致能源消耗量减少，但是该选项认为是因为关闭了能源消耗量大的企业才导致能源消耗量减少，属于"寻找他因"的削弱，正确。

   A: 石油价格和文章讨论的内容无关，故不选。

   B: 该选项说的是居民能源消耗，与文章无关，故不选。

   C: 该选项进一步说明了因为能源节约，导致 1970 年至 1980 年之前的能源消耗量减少，故不选。

   D: 本题只需要讨论工业产出的增长，和增长速度无关，故不选。

Unit 03

假设题

题目原文下载1　　题目原文下载2

攻克 GRE，证明自身实力，磨炼意志力，感谢微臣一路的指导与陪伴！

——刘暄葳
Tulane University
微臣教育线下 325 班学员
2019 年 7 月 GRE 考试 Verbal 161

假设题方法论

题型标志

题干中出现 assume、assumption、rely on、depend on 等表达的题目。比如：

Which of the following is an assumption on which the argument depends?

解题方法

1. "假设"的定义

"假设"指的是文章结论赖以成立的**前提条件**，也称之为**必要条件**。而所谓前提条件，又有一个通俗的说法：**没它不行**，即如果没有这个前提条件，原文结论就无法成立。比如，"她在图书馆工作"就是"她是图书馆馆长"的前提条件。

2. 假设题的做法

既然假设=前提条件=没它不行，所谓"没它"就是"将它取反"，所谓"不行"就是"取反原文结论"。因此，假设题的做法分成两步：

① 既然"假设"是"结论"赖以成立的前提条件，因此读完文章后，要总结出文章的结论。

② 正确选项的选法为：**取反之后推翻原文结论的选项就是原文所依赖的假设。**

3. 取反的方法

将选项进行取反时，通常只需要遵循一个原则即可：只取反主句谓语。例如：

The number of deer hit by commercial vehicles will increase significantly when the housing is occupied. 取反后：The number of deer hit by commercial vehicles will not increase significantly when the housing is occupied.

4. 答案不需要具有完备性

正确选项只要是结论的前提条件"之一"即可，选项本身不需要涵盖结论所依赖的所有假设。比如，正确的推理模式是 A→B→C→D，可是文中只讲了 A→D，因此本文中结论 D 所依赖的假设是 B 和 C，那么这个时候，正确选项可以只提及 B，也可以只提及 C，也可以涵盖 B+C。比如，上文中给的例子"她是图书馆馆长"，这一结论所依赖的前提假设有很多，除了"她在图书馆工作"，还应该有"她在馆长办公室工作""她经常出入图书馆"等，但是只需要选出"她在图书馆工作"这其中一个假设便是正确的。

5. 假设题和加强题的关系

很多考生一开始做假设题时，会觉得取反之后削弱原文这一做法过于繁琐，于是干脆选择加强原文的选项。**一篇文章的假设一定可以加强原文，但是能加强原文的选项不一定是文章的假设。**这是因为，加强题要找的是提升原文成立可能性的选项，而前提条件一定可以提升可能性，但是能够提升可能性的条件未必一定是前提条件。

比如，针对"她是图书馆馆长"这一结论，"她在图书馆工作"既是前提条件又是提升可能性的条件。而"图书馆的读者都认识她"则可以提升她是馆长的可能性，但并不是前提条件。

例题

原文翻译

斯普林敦的消防局希望镇议会给它再买一辆消防车。这些消防车对扑灭高层建筑的火灾来说是非常有用的。然而，镇议会认为斯普林敦只有两栋高层建筑，并且消防局早已经拥有了足够数量的消防车来扑灭任何的火灾。因此，他们说斯普林敦不需要另外一辆消防车。

3s 版本

斯普林敦不需要另外一辆消防车。

题目讲解

镇议会的论证的假设是

A. （错误）斯普林敦买不起另外一辆消防车

B. （错误）斯普林敦的高层建筑都满足或超过了当前的火灾安全标准

C. （错误）斯普林敦的高层建筑数量有可能上升

D. （正确）斯普林敦至少有一辆消防车没到期并且在不远的将来需要永久性退出服役

E. （错误）在没有消防车的情况下，也有可能成功扑灭高层建筑的火灾

解析： D：选项取反。斯普林敦的所有消防车都要退役了→需要买新车，削弱原文，正确。

A：本文谈论的是是否需要买的问题，与买不买得起无关。

B：选项取反。斯普林敦的高层建筑中，至少有一栋不满足安全标准。但是根据原文，现有的消防车已经可以扑灭任何火灾了，所以就算有建筑不满足安全标准，也并不意味着需要另买一辆消防车，无法削弱原文，不选。

C：高层建筑数量上升，说明需要另买一辆消防车，本身就在削弱原文，不选。

E：该选项只能说明需要消防车，但说明不了需要另买一辆消防车，与原文无关，不选。

假设题例题解析

01

原文翻译

> 尽管在海北岛上有很多石油品牌，但是那里的公司销售的所有精加工石油都是来自海北港口唯一的储油罐，而这个储油罐总是会用同样品质的石油进行填充。因此，海北的石油品牌有可能在名称和价格上不一样，但是它们的品质是完全一样的。

3s 版本

> 海北销售的石油的品质是一样的。

题目讲解

1. 上文得到的结论所依赖的假设是什么？
   A.（错误）消费者通常无法意识到他们购买的石油品质的变化，除非石油公司宣布那些变化。
   B.（错误）当海北港口的石油发货时，海北的储油罐总是会得到与之前的发货同样数量的石油。
   C.（错误）在海北售卖的不同石油品牌中，价格有很大差异。
   D.（正确）如果任何一家海北的石油公司在销售之前改变了石油的品质，另外的石油公司也会在销售之前使用一些方法导致石油品质同样的改变。
   E.（错误）海北的储油罐足够大，可以满足所有不同石油公司的需求。

解析： D：选项取反。如果有的公司品质变了，另外的公司不会发生同样的变化→各家石油品质不一样，削弱原文，正确。

A：本文讨论的是海北各家石油公司售卖的石油的变化，与消费者是否意识到这些变化无关，不选。

B：本文讨论的是石油的品质，与数量无关，不选。

C：本文讨论的是石油的品质，与价格无关，不选。

E：油罐大，这是石油的数量问题，与品质无关，不选。

02

原文翻译

> 只生长在北极区域的棉花草，一直以来都是驯鹿唯一的夏季蛋白质来源。在夏天无法取得足够蛋白质的驯鹿在来年就无法繁殖。然而，北极区域越来越高的平均温度正在导致棉花草消失。因此，如果温暖的趋势持续下去的话，驯鹿就有可能会灭绝。

3s 版本

> 驯鹿有可能会灭绝。

题目讲解

2. 下列哪一项是上文的论证所依赖的假设?

A.（错误）棉花草是唯一一种随着北极区域温度越来越高而逐渐变得稀少的驯鹿的食物来源。

B.（错误）没有吃到足够的蛋白质来繁殖的驯鹿不如吃了足够的蛋白质的驯鹿活得长。

C.（正确）北极区域的温暖趋势不会使其他植物给那里的驯鹿提供蛋白质。

D.（错误）驯鹿是唯一一种将棉花草当作主要食物来源的动物。

E.（错误）如果温暖的趋势持续下去，并且棉花草从北极区域消失了，那么棉花草将会灭绝。

解析： C：选项取反。温暖趋势会使其他植物为驯鹿提供蛋白质→驯鹿可以获取蛋白质→不会灭绝，削弱原文，正确。注意，有些考生认为该选项重复原文第一句，但是本文第一句的时态是现在完成时，指的是从过去一直到目前，棉花草都是唯一的蛋白质来源。但是该选项的时态是将来时，因此不是重复原文。

A：选项取反。棉花草不是唯一一种会变少的驯鹿食物来源→驯鹿的食物来源变得更稀缺→驯鹿更加无法繁殖→驯鹿灭绝，加强原文，不选。

B：本文讨论的是驯鹿灭绝的前提假设，而该选项讲的是驯鹿会活多久，无关选项，不选。

D：选项取反。驯鹿不是唯一一种将棉花草当作主要食物来源的动物，依然在说驯鹿会依赖于棉花草，再加上原文中提到的棉花草会减少，驯鹿依然有灭绝的可能，加强原文，不选。

E：该选项重复原文，不选。

原文翻译

> 面对面社交的减少会导致抑郁。因为花在互联网上的时间无法用在面对面社交上，所以心理学家推断急剧上升的互联网使用可能会导致抑郁。对经常上网的人的研究发现，那些最近上网时间是其他人两倍的人的抑郁症发病率更高。因此，心理学家们的推断有可能是正确的。

3s 版本

> 心理学家的推断（上网多→抑郁增加）是正确的。

题目讲解

3. 下列哪一项是上文论证所依赖的假设?

A.（错误）普遍来说，研究中的人将自己的上网时间增加了一倍的原因并不是因为他们之前经历过面对面社交机会的显著减少。

B.（错误）面对面社交的减少是日常生活里唯一一会导致抑郁增加的日常生活的变化。

C.（正确）使用互联网没有提供机会使人们可以增加日常生活中的面对面社交。

D.（错误）经常上网的抑郁症患者如果减少上网时间，他们的心情会立即得到改善。

E.（错误）在上网时间增加一倍之前，那些这么做的人比普通网民更容易患抑郁症。

解析： C：选项取反。使用互联网提供增加面对面社交的机会。再根据文章第一句，面对面社交增加导致抑郁下降。因此该选项取反，上网→面对面社交增加→抑郁下降，削弱原文，正确。

A：选项取反。面对面社交减少→上网时间增加。再根据文章第一句可知，面对面减少→抑郁增加。因此该选项取反后，上网时间增加与抑郁增加产生了关联，加强原文，不选。

B：选项取反。面对面社交的减少不是唯一导致抑郁增加的变化。取反后说明，面对面社交减少依然会导致抑郁增加，加强原文，不选。

D：选项取反。减少上网→心情不会立刻改善。心情不会立刻改善与抑郁上升还是下降无关，不选。

E：该选项本身就说明，这些抑郁的上网者不是因为上网导致抑郁，而是因为本来就容易得抑郁症，削弱原文，不选。

原文翻译

研究野生猴子的生物学家有时需要一只特定猴子的DNA来确定猴子的血统。直到最近，DNA都还只能从血液中提取得到。收集血液样本需要给供体动物注射镇定剂。现在，DNA可以从毛发中提取得到。猴子会在它们睡觉的地方脱落大量的毛发。因此，研究者现在可以从DNA中确定一只猴子的血统而不需要给猴子注射镇定剂了。

3s 版本

通过提取毛发中的DNA来确定猴子的血统，而不需要镇定剂。

题目讲解

4. 下列哪一项是文中论证所依赖的假设？

A.（错误）研究者容易到达猴子睡觉的地方。

B.（错误）猴子血统的信息是唯一一种能从猴子毛发中提取的 DNA 中获得的信息。

C.（正确）至少从猴子栖息地采集到的一些毛发样本，研究者可以将其与这些毛发来自的猴子进行关联。

D.（错误）研究 DNA 是唯一一种确定野生猴子血统的方式。

E.（错误）需要从猴子睡觉的地方得到任何用来确定猴子血统的毛发样本。

解析：C：选项取反。对于任何毛发，研究者都无法将这些毛发与对应的猴子产生关联，即研究者无法知道这些毛发来自什么猴子，因此这些毛发无法用来确定猴子的血统，削弱原文，正确。

A：是否容易到达猴子睡觉的地方和能否通过毛发来确定猴子血统无关，不选。

B：选项取反。血统信息不是唯一一种可以从 DNA 中提取的信息。但是这并不意味着无法从 DNA 中获取血统信息，并没有削弱原文，不选。

D：选项取反。研究 DNA 不是唯一一种确定猴子血统的方式。这表明研究 DNA 依然是确定猴子血统的方式之一，没有削弱原文，不选。

E：选项取反。不需要从猴子睡觉的地方得到某些毛发。本文与需要从哪里获得毛发无关，不选。

05

🔽 **原文翻译**

　　一种基于植物的汽车燃料可以在Ternland得到。一加仑新型植物燃料和一加仑汽油可以让一辆车行驶得一样远，但是一加仑植物燃料成本更低并且会导致更少的污染。因此，改用植物燃料的Ternland的司机会减少他们每年花费在燃料上的钱，同时会导致更少的环境破坏。

🔽 **3s 版本**

　　使用植物燃料会降低每年的燃料花费，同时减少环境破坏。

🔽 **题目讲解**

5. 下列哪一项是上文论证所依赖的假设？
　　A.（错误）当使用植物燃料时，不会产生比使用汽油更高的与行车有关的花费。
　　B.（错误）使用了植物燃料的汽车再也无法使用普通的汽油。
　　C.（错误）汽车导致的环境破坏几乎全都是归因于汽车使用的燃料的生产和燃烧。
　　D.（正确）植物燃料相比汽油的优势不会使开始使用植物燃料的人更经常开车。
　　E.（错误）大多数 Ternland 的司机会从使用汽油改成使用植物燃料。

解析：D：选项取反。使用植物燃料→更经常开车→更多花费+环境破坏，削弱原文，正确。

　　　A：该选项重复原文，不选。

　　　B：本文讨论的是使用植物燃料时是否会产生更少的花费和污染，与汽车能不能同时使用这两种燃料无关，不选。

　　　C：本文讨论的是使用燃料本身导致的环境破坏，和汽车的环境破坏是否全都归因于燃料无关，不选。

　　　E：本文讨论的是改成植物燃料的司机自己的花费和环境破坏，与会有多少司机改用植物燃料无关，不选。

06

🔽 **原文翻译**

　　金星的表面含有方解石，这是一种吸收气态二氧化硫的矿物质。二氧化硫通常是由火山活动产生的，并且大量存在于金星的大气层中，因此一定有一个来源，有可能是火山，会在金星上产生二氧化硫。

🔽 **3s 版本**

　　火山是金星上的二氧化硫的来源。

🔽 **题目讲解**

6. 下列哪一项是文章论证所依赖的假设？
　　A.（正确）在不远的过去，金星大气层的二氧化硫水平不比现在高很多。

B.（错误）如果金星表面有火山活动，那么也不足以维持观察到的大气二氧化硫的数量。

C.（错误）金星大气层的二氧化硫会形成一些云，这些云阻止了对表面的直接观察。

D.（错误）地球表面活动产生的二氧化硫也会被方解石以外的矿物质吸收。

E.（错误）金星表面的方解石数量足够用于在未来几百万年内持续地吸收二氧化硫。

解析： A：选项取反。在过去，金星二氧化硫的水平远远高于现在。这说明现在二氧化硫少了，这在一定程度上削弱了火山是二氧化硫的来源这一论证，削弱原文，正确。

B：该选项本身就在削弱原文，不选。

C：本文讨论的是二氧化硫的来源，与观察是否容易无关，不选。

D：本文讨论的是金星，和地球无关，不选。

E：本文讨论的是现状，即明明金星表面有方解石吸收二氧化硫，可是金星大气层中依然有二氧化硫，与未来无关，不选。

07

📄 原文翻译

> 在山区，林木线指的是树木能够生长的最高高度。在落基山脉，目前的林木线的高度处在生长季温度低于10摄氏度的高度之上。在落基山脉林木线100米以上发现了1万年前生长的树木的化石残骸。因此，显然，落基山脉现在的气候比1万年前要冷。

📄 3s 版本

落基山脉现在的气候比1万年前要冷。

📄 题目讲解

7. 上文论证所依赖的假设是什么？

A.（错误）在过去的 1 万年里，唯一生长在今天林木线以上的树是发现了化石残骸的树。

B.（错误）1 万年之前，没有树的生长海拔高度是在发现了化石树木残骸的高度以上。

C.（正确）化石所属物种的耐低温能力并没有低于目前生长在林木线附近的物种。

D.（错误）落基山脉在过去 1 万年并没有发生明显的侵蚀。

E.（错误）落基山脉的气候从来没有比发现了化石的树木的生存年代温暖。

解析： C：化石所属的物种的耐低温能力比目前生长在林木线附近的物种强→不是因为过去温度高导致林木线以上存在树木，而是因为以前的树木耐低温能力强→削弱原文结论，正确。

A：选项取反。唯一生长在今天林木线以上的树不是发现了化石残骸的树→还有其他树生长在林木线以上→进一步加强过去温度比现在高，没有削弱原文，不选。

B：选项取反。1万年之前，有树生长在发现了化石残骸的高度以上→加强过去的温度比现在的温度高，没有削弱原文，不选。

D：山脉的侵蚀和林木线的高度无关，不选。

E：该选项重复原文结论，不选。

08

⊙ **原文翻译**

目前，Sulandian的记者支持Blue Party的可能性是其他工作人员的两倍，并且Sulandian的新闻专业学生支持Blue Party的可能性明显高于在职电视记者。因此，假设这些学生不会随着年龄的增长而改变他们的政治立场，随着目前Sulandian新闻专业学生进入到这个行业，Sulandian的新闻记者和其他工作人员之间的政治立场的差异会越来越大。

⊙ **3s 版本**

Sulandian的新闻记者和其他工作人员之间的政治立场的差异会越来越大。

⊙ **题目讲解**

8. 下列哪一项是文中论证所依赖的假设？

　　A.（错误）目前在 Sulandia 工作的电视记者中，极少数在 Sulandian 新闻学院接受过培训。

　　B.（错误）在 Sulandia，政治立场与普通民众不同的记者倾向于让他们的政治观点影响他们报道政治新闻的方式。

　　C.（错误）目前在 Sulandia 工作的大多数支持 Blue Party 的电视记者在学生时代也支持 Blue Party。

　　D.（正确）对想要成为电视记者的 Sulaidan 新闻专业学生来说，对 Blue Party 的支持并不比 Sulandian 新闻专业全体学生对 Blue Party 的支持少。

　　E.（错误）Sulandian 新闻学院的课程不是主要由在职的 Sulandian 记者讲授的。

解析：　D：选项取反。对想要成为记者的 Sulandian 地区的新闻专业学生来说，对 Blue Party 的支持率要小于 Sulandian 地区新闻专业全体学生对 Blue Party 的支持率→这些学生将来成为记者之后，会稀释记者总体上对 Blue Party 的支持率→记者和大众的政治立场分歧减小，削弱原文，正确。

　　A：文中没有提及政治立场差异和是否在新闻学院接受培训之间的关系，无关选项，不选。

　　B：其一，文中没有提及记者的政治立场影响报道新闻的方式会对政治立场的差异产生什么影响；其二，顺着该选项继续想，记者的政治立场影响自己的报道方式→大众立场逐渐和记者的立场一致→立场差异减少，削弱原文，不选。

　　C：该选项讲的是现在和过去这些记者学生时代的立场，而本文讨论的是学生成为记者，是将来的情况，无关选项，不选。

　　E：文中没有提及政治立场和课程是否由 Sulandian 地区的记者讲授的关系，不选。

09

⊙ **原文翻译**

一些环境保护主义者十分担心非洲某些地方的偷猎行为正在导致大象种群急剧减少，他们呼吁那些象牙出口国禁止象牙进口。他们认为，这个禁令会阻止象牙贩子进入它们的市场，并且大象种群将有可能恢复。

3s 版本

禁止象牙进口使得大象种群有可能恢复。

题目讲解

9. 文中描述的环境保护主义者的建议基于下列哪一个假设？

A.（正确）在出口市场中可能存在贩卖象牙的任何非法渠道都无法通过扩张产能来满足那些市场的需求。

B.（错误）现在有一些人工合成的象牙替代品，它们本质上和天然产品没有什么区别。

C.（错误）禁止象牙进口需要和加大力度阻止偷猎相结合才能有效。

D.（错误）对于有大量大象种群的国家的经济来说，大象活着比死了更有价值。

E.（错误）在某些偷猎已经导致大象种群消失的非洲地区，那些种群早已无法恢复。

解析：A：选项取反。出口市场可以扩充产能来满足需求→尽管象牙无法进口了，但是出口市场扩大了→大象种群依然会受到破坏，削弱原文，正确。

B：与天然象牙差别不大的人工合成品本身就能减少象牙的进口和销售，因此意味着不需要禁止象牙进口。选项本身就在削弱原文，不选。

C：选项取反。禁止象牙进口不需要和阻止偷猎相结合就能有效，加强原文，不选。

D：依靠活着的大象来发展经济的国家应该属于象牙出口国，而文章讨论的是禁止进口，与本文无关，不选。

E：该选项本身在削弱原文，不选。

10

原文翻译

滨岸县最近买了该县的一片荒地以阻止其被开发。在这么做的过程中，滨岸县放弃了这片土地上未来所有的资产税。资产税取决于市场价值，如果这片土地被开发了，它将为滨岸县贡献非常可观的年税收。因此，因为这次购买，每年的总税收会比开发这片土地要少。

3s 版本

因为买了荒地，所以滨岸县每年的总税收会减少。

题目讲解

10. 下列哪一项是文章所依赖的假设？

A.（错误）滨岸县花在这片荒地上的服务居民或工厂的费用会超过开发这片土地所得到的税收。

B.（错误）滨岸县未开发资产的市场价值在可见的将来不会显著上升。

C.（错误）滨岸县从这片荒地以前的拥有者那里得到的资产税，相对于该县全年税收总额而言占比小。

D.（正确）滨岸县购买的土地附近的土地市场价不会因为周围的荒地被保护了起来而显著上升。

E.（错误）滨岸县在可以预见的将来不会再阻止任何的土地开发。

解析：D：选项取反。周围的土地价值会升高→周围土地的资产税会上升→滨岸县的总税收会上升，推翻原文，正确。

A：无关选项。文章讨论的是总体的税收，和滨岸县的服务费用无关。

B：无关选项。根据原文，滨岸县放弃了这片土地上的所有资产税，所以无论市场价值怎么变，在这片土地上得到的资产税都是零。

C：无关选项。本文讨论的是滨岸县收购这片土地之后的税收情况，和之前的拥有者没关系。

E：不阻止开发→市场价值升高→税收上升，这个选项本身就在削弱原文，不选。

11

原文翻译

关于19世纪作家埃德加·爱伦·坡的一个传说是他对吗啡上瘾。爱伦·坡在他的信件中几乎讨论了他生活中所有已知的方面。但是，在他大量的信件中没有找到关于他著名的吗啡成瘾的记录。基于这一证据，我们可以得到结论，关于他对吗啡上瘾的报告是不正确的。

3s 版本

爱伦·坡的信件中找不到对吗啡上瘾的记录→爱伦·坡对吗啡上瘾这一报告是不正确的

题目讲解

11. 下列哪一项是文章所依赖的假设？

A. （错误）传说中关于爱伦·坡的症状以及作为对吗啡上瘾的证据的症状是由不同情况引起的。

B. （错误）爱伦·坡有一些对手，如果关于爱伦·坡对吗啡上瘾的谣言被人相信的话，他们的事业会得到促进。

C. （正确）爱伦·坡不会出于任何对隐私和名誉的考虑而拒绝在信件中提及任何他可能有的上瘾现象。

D. （错误）认为爱伦·坡对吗啡上瘾的报告直到他死了才开始传播。

E. （错误）没有任何关于爱伦·坡对吗啡上瘾的报告可以被追溯到认识爱伦·坡的个人。

解析：C：选项取反。爱伦·坡会隐藏他的上瘾现象→爱伦·坡的信件中找不到上瘾记录就不能说明爱伦·坡不对吗啡上瘾→削弱原文，正确。另外，既然原文通过爱伦·坡的信件中没有上瘾的记录就说明爱伦·坡不上瘾，其前提之一就是爱伦·坡的信件中的描述都是真的，符合该选项。

A：该选项只能说明传说的准确性。但是本文想要研究的是爱伦·坡的信件的记录和他是否真的对吗啡上瘾之间的关系，因此属于无关选项，不选。

B：该选项错误的原因同选项 A。

D：爱伦·坡是否对吗啡上瘾和关于其上瘾的报告何时开始流传无关。

E：报告是否可以追溯到个人和爱伦·坡是否真的上瘾无关。

12

原文翻译

一种被称之为猛水蚤的甲壳类动物在海洋沉积物中广泛存在，它们通过消化微生物所附着的沉积物颗粒来觅食微生物。重金属，比如工业污染物中发现的重金属，可以轻易地附着在沉积物颗粒上。

猛水蚤会因为重金属中毒，但是不会受到大多数其他污染物的影响。因此猛水蚤在一个区域的密度是海洋环境是否有重金属的很好的指标。

3s 版本

猛水蚤在一个区域的密度可以体现海洋的重金属含量。

题目讲解

12. 下列哪一项是文章所依赖的假设？

A.（错误）工业污染是海洋沉积物里重金属的主要来源。

B.（错误）猛水蚤是唯一一种通过消化沉积物颗粒来觅食微生物的甲壳类动物。

C.（错误）猛水蚤比其他海洋生物对重金属中毒更加敏感。

D.（正确）猛水蚤觅食的微生物不会被对猛水蚤无害的污染物杀掉。

E.（错误）猛水蚤觅食的微生物会吸收重金属。

解析： D：选项取反。微生物被对猛水蚤无害的污染物杀掉→因为没有微生物可吃，所以有无害污染物的区域依然没有猛水蚤。而原文想得到的结论应该是没有猛水蚤就等于有重金属。但是该选项取反之后，没有猛水蚤还可以表明这个地方没有无害污染物，这使得猛水蚤不能成为可靠的判断重金属的指标，推翻原文，正确。

A：本题和重金属的来源无关。

B：选项取反。猛水蚤不是唯一一种通过吃沉积物颗粒来吃微生物的甲壳类动物→猛水蚤依然是以这种方式吃微生物的甲壳类动物，没有推翻原文。

C：本题关键不在于对比猛水蚤相比于其他生物对重金属的敏感度。我们只关心猛水蚤本身的敏感度。

E：微生物吸收重金属对我们判断文章结论没有帮助。

13

原文翻译

在一项实验中，给一组怀孕的老鼠喂食含有微量激素BPA的食物。对照组的怀孕老鼠没有服用BPA。服用BPA的母鼠的后代在断奶之后比对照组的后代大了10%。很明显，这一结果支持一个假说：产前接触BPA对老鼠的身体发育有极大的影响。

3s 版本

服用BPA的母鼠的后代断奶后比没服用BPA的母鼠的后代长得更大→产前接触BPA对身体发育有影响

题目讲解

13. 下列哪一项是文章所依赖的假设？

A.（错误）老鼠产前接触到的 BPA 的剂量小于实验中用的就不会显著影响老鼠的身体发育。

B.（正确）出生时，服用 BPA 和没服用 BPA 的母鼠的后代的大小没区别。

C.（错误）断奶之前老鼠产后接触 BPA 对老鼠的身体发育有重要影响。

D.（错误）怀孕老鼠接触到实验中的 BPA 的剂量不会增强其喂奶的能力。

E.（错误）服用 BPA 的母鼠的后代和对照组母鼠后代大小的差异在断奶后很久都存在。

解析：B：选项取反。大小不同→不是因为 BPA，而是因为生下来的时候身体大小就不一样，削弱原文，正确。

A：和剂量无关。

C：产后接触 BPA 不是本文讨论的内容。

D：本文讨论的是老鼠产前接触 BPA 对其发育的影响，而该选项讨论的喂奶行为已经是产后了，无关。

E：文章讨论的是断奶时老鼠的大小，和断奶后很久无关。

原文翻译

在 Tomwa 湖的浅水区，有大量杰弗瑞松树的残留物，这些松树是在长期干旱期间生长在那里的。研究者们一直认为这次干旱持续了至少 150 年，但是碳年代测定表明从 1200 年直到 1320 年，这些松树只在湖床生存了 120 年。因为杰弗瑞松树不能在水中生存，因此它们一定是在干旱结束时死掉的，所以碳年代测定可以证明这次干旱持续时间不到 150 年。

3s 版本

干旱的持续时间不到 150 年。

题目讲解

14. 上文依赖于下列哪个假设？

A.（错误）没有其他树木物种在 1200 年之后生长在 Tomwa 湖的湖床上。

B.（错误）没有任何种类的树木残留物存于 Tomwa 湖更深区域的底部。

C.（错误）湖床上至少有一棵树在 1200 年至 1320 年期间完整地存活。

D.（错误）没有任何最近的干旱导致湖水的浅水区干涸。

E.（正确）湖水浅水区在杰弗瑞松树开始生长于湖床之前干旱的时间短于 30 年。

解析：E：选项取反。在杰弗瑞松树出现之前，湖水干旱的时间已经超过 30 年了→再加上之后松树的 120 年→湖水干旱时间超过 150 年，而原文的结论是不到 150 年，因此该选项取反之后推翻原文，正确。

A：文章只讨论杰弗瑞松树能否用来证明干旱时间，而且发现的残留物也只有杰弗瑞松树，和其他树木物种没关系。

B：讨论其他种类的树，无关。

C：这些杰弗瑞松树生长在 1200 年至 1320 年的 120 年间是文中已提及的事实，属于重复原文，不选。

D：文章只讨论杰弗瑞松树存在时期的那段干旱，至于有没有近期的干旱和文章无关，不选。

15

原文翻译

> 在飞机上时，孔苏埃洛从来不会欣赏被广为推荐的电影，因为飞机播放电影的低画质会破坏她的欣赏。既然她也从来不会去看那些被人鄙视的电影，因此结论是她从来不会在飞机上看电影。

3s 版本

不看被推荐的电影，也不看被鄙视的电影→从来不在飞机上看电影

题目讲解

15. 下列哪一项，如果正确，能够得到上文的结论?

A.（错误）孔苏埃洛唯一会欣赏被推荐的电影的地方是电影院。

B.（错误）被推荐的电影从来不会在飞机上被播放。

C.（正确）如果飞机上的电影并没有被人鄙视，那么这些电影都会被推荐。

D.（错误）如果飞机上的电影画质更好，那么孔苏埃洛会欣赏被推荐的电影。

E.（错误）一些电影既不被推荐，也不被鄙视。

解析： C：本题是假设题。不看被推荐的电影，也不看被鄙视的电影，因此从来不在飞机上看电影，在这个论证中，很明显缺少一环，那就是飞机上的电影要么是被推荐的，要么是被鄙视的，因此选项 C 符合条件，正确。另外，选项 C 取反。如果电影没有被鄙视，那么其中有的电影不会被推荐→孔苏埃洛会在飞机上看这部分没被推荐但是又没被鄙视的电影→与文章结论"从来不在飞机上看电影"相矛盾，取反之后推翻原文，选项 C 依然正确。

A：文章讨论的是在飞机上看电影，和电影院无关。

B：与原文事实矛盾，根据第一句可知，飞机上会播放被推荐的电影。

D：文章的结论是不在飞机上看电影，该选项本身在推翻文章结论，不选。

E：根据文章，这种电影是孔苏埃洛会在飞机上观赏的电影，与文章结论矛盾，不选。

Unit 04

加强题

题目原文下载1　题目原文下载2

有拼搏当下的决心，就有把握未来的信心。

——费立涵
西安交通大学
微臣教育线上课程学员
2019 年 3 月 GRE 考试 Verbal 162

加强题方法论

题型标志

题干中出现 support、strengthen、provide additional evidence 等表达的题目。比如：

Which of the following, if true, most strengthens the argument?

加强题的本质是"提升原文成立的可能性"。既然只是提升可能性，因此正确答案不需要具有完备性，即正确答案可以将原文成立的可能性提升至 100%，也可以只提升 1%。

解题方法

下面我们以"因为教授 A 取得了极大的学术成就，所以人们认为他应该很有名气"为例，来展示加强题的做题流程和方法。

1. 既然加强题是 Argument 类题型，因此做题的第一步是总结出 A→B 的 3s 版本。所以上面例子的 3s 版本是"极大的学术成就→有名气"。这道题目需要被加强的内容是取得了极大的学术成就和名气之间的关系。

2. 接下来做这种题的目的就是针对 A、B、A 与 B 的因果关联中的任何一个进行加强。共有如下五种方法：

① 直接加强原因

即提升"原因"部分的成立可能性。在上例中，就是提升教授 A 取得了极大的学术成就的可能性，比如：**教授 A 获得了诺贝尔奖**。获得诺贝尔奖是对极大的学术成就的具体化表述，因此加强了原因，进而提升了原文成立的可能性。

需要注意的是，并不是每一道题目的原因都可以被加强，我们需要区分原文中导致结论的原因是客观事实还是主观推断。客观事实，如数据、观察等，都是既无法加强也无法削弱的，因为事实就是事实，无法进行评价。而主观推断，如观点、抽象描述等，都是可以进行评价的。比如上例中"极大的学术成就"，成就有多大？由此可见这个原因就是一个主观的表述，是可以进行加强或削弱的。但如果上题改成"教授 A 因为获得了诺贝尔奖，所以人们认为他应该很有名气"，得诺贝尔奖是一个客观事实，既不能削弱，也不能加强。

② 直接加强结论

即提升"结论"部分的成立可能性。在上例中，就是提升教授 A 有名气的可能性，比如：**全国上下每一个人都认识教授 A**。

③ 排除他因

通过排除导致原文结论的其他原因来提升原文的原因导致结论的可能性。在上例中，我们可以说"教授 A 从不参加社会公众活动"。不参加公众活动，结果还很有名气，这就加强了教授 A 是因为有极大的学术成就而变得很有名气。虽然导致教授 A 有名气的原因还有很多，但是因为社会公众活动这一因素被排除了，所以他是因为学术成就导致有名气的可能性还是被提升了。

④ 直接加强因果关联

若原命题是 A→B，则 -A→-B（A 取反推出 B 取反）可以加强 A→B。因为 A 取反推出了 B 取反，这至少说明 A 和 B 存在"联动"关系，这便是加强了 A 和 B 的因果关联。这个时候有些考生会觉得难道

不是 -B→-A 才能加强 A→B 吗？其实，-B→-A 是 A→B 的逆否命题。我们在数学中都学过，逆否命题是原命题的等假命题。所以 -B→-A 相当于是把 A→B 重复了一遍。重复原文的选项在 GRE 逻辑题中必错。

在上例中，"**教授 A 在取得任何学术成就之前一点名气也没有**"，便是这种 -A→-B 的加强方式。

⑤ 列举证据

通过列举出不同于原文但是符合原文因果关系的证据来加强原文的因果关系。比如在上例中，为了证明"极大的学术成就导致很有名气"这一对因果关系，文中用到了"教授 A"这一例子。但是只有教授 A 有学术成就并且有名气，就一定能说明教授 A 的名气是来自学术成就吗？这时"**所有取得了极大的学术成就的人都很有名气**"便是一个额外的例子，用来加强原文中"极大的学术成就导致很有名气"这一对因果关系。

🔍 例题

↘ 原文翻译

> 有一项法律被提出，要求装运碎石的货车的货箱要用防水帆布盖起来，因为敞着的话，紧跟在装运石头货车后面的车辆可能会被从货车上飞下来的碎石破坏。然而，该法律不可能从根本上减少这种破坏：相比于来自货箱本身，飞出的碎石更有可能来自轮胎的缝隙中，碎石可以在装载的时候嵌入这些缝隙。

↘ 3s 版本

碎石更有可能从轮胎缝隙中飞出来→要求盖住货箱的法律不会被通过（就算盖住货箱也不会减少破坏）

↘ 题目讲解

下列哪一项，如果正确，会为上文的论述提供最强的支持?

A.（正确）相比于货车没有被盖住时，搬运碎石的货车后面的车辆司机更有可能会靠近被盖住的货车。

B.（错误）大多数装运碎石的卡车，当用来搬运沙子的时候，早已经盖上了司机用于盖货箱的防水帆布，这些沙子会大量地从货箱中被风刮下来。

C.（错误）所有发生在高速公路上的对于车辆的破坏中，从货车上飞下来的碎片只占了所有事故原因的很小一部分。

D.（错误）被提出的法律允许高速公路上敞着货箱的货车在货箱空着时可以不用盖住货箱。

E.（错误）因为碎石很重，因此搬运碎石的货车司机经常比路上的其他车开得更慢。

解析： A：如果货箱被盖住了，后面的车会靠得更近。根据文章，石头其实是从轮胎的缝隙中甩出去的。后面的车靠得更近了，于是受到的破坏会更大。该选项属于"直接加强结论"，正确。

B：本文讲的是盖住货箱会不会减少碎石对后面的车的破坏，至于沙子，文章没有讨论其破坏性，无关选项，不选。

C：干扰选项。很多考生认为因为碎石造成的破坏只占了很小一部分，就会觉得法律就算通过了也起不了什么作用，所以加强原文。但是，文章讨论的是，法律对减少破坏所起到的作用。既然是要减少破坏，则和碎石这一事故起因本身占比多少没什么关系了。无关选项，不选。

D：文章讨论的是货箱运输碎石时的情况，和货箱空着的时候无关。不选。

E：干扰选项。很多考生会觉得，搬运碎石→开得慢→甩出去的石头更少→破坏小→盖住货箱没用。但是文章根本没有提到车速和甩出来的石头之间的关系。无关选项，不选。

加强题例题解析

原文翻译

　　尽管少数的古代文明制造木乃伊，但是古埃及的木乃伊总体上比其他文明类似古迹中的木乃伊要保存得更好。这种差异的一种可能性是古埃及使用的木乃伊制作技术或材料比其他文明更好。第二种更有可能的解释是古埃及极端干旱的气候是主要原因，因为干旱一般会促进有机物残骸的保存。

3s 版本

更好的技术和材料+更干旱的气候→古埃及木乃伊保存得更好

题目讲解

1. 下列哪一项可以支持上面的论述？
   A.（正确）古埃及用于制造木乃伊的材料在其他制造木乃伊的古文明中并没有被使用。
   B.（错误）一些古埃及木乃伊比同时代的其他古埃及木乃伊保存得更好。
   C.（错误）生活在潮湿地区的古人不制造木乃伊。
   D.（错误）在制造木乃伊这一行为开始之前就已经存在的古埃及墓穴里的尸体保存得像古埃及木乃伊一样好。
   E.（错误）在埃及之外的地方发现的古代木乃伊普遍不如古埃及的木乃伊保存得好。

解析：A：古埃及用于制造木乃伊的材料都没有在其他文明中使用，这说明古埃及制造木乃伊的材料是独一无二的。原文中说古埃及制造木乃伊的材料要比其他文明更好，这也是在说独一无二。因此，选项 A 将"更好的材料"这一原因进行了更加具体化的描述，属于"直接加强原因"。因此该选项正确。

B：原文要论证的是为什么古埃及的木乃伊比其他文明的木乃伊更好，是古埃及和其他文明相比较。但是该选项是把古埃及自己的木乃伊之间进行比较，属于无关选项，不选。

C：该选项只能说明制造木乃伊的人都生活在干旱地区，是制造木乃伊的各个文明的共同之处，无法体现原文中古埃及"更"干旱这一点。不选。

D：这是本题最具迷惑性的选项。有的考生会以为古埃及的墓穴中的尸体保存得像木乃伊一样好，证明古埃及很干旱，于是加强了"干旱"这一原因。但是，文章根本没有提到尸体保存好是因为什么。一定是因为干旱会导致尸体保存得好吗？尽管文章最后一句提到干旱会促进有机物残骸的保存，但是并没有说干旱是促进保存的唯一因素，因此尸体保存得好不见得就能证明古埃及干旱。选项 D 属于无关选项，不选。

E：该选项重复原文，不选。

02

原文翻译

为了拯救亚马逊雨林使之免受破坏，有必要找到一种商业上有利可图的伐木方法。然而，收割雨林的水果和坚果并不是一个好的替代性方法。为了让收割变得有利可图，必须改变或破坏雨林生物之间的生态关系。

3s 版本

雨林生态关系会被破坏→收割水果和坚果不是好方法

也可以是：收割水果和坚果来获利→破坏雨林生态关系

题目讲解

2. 下列哪一项，如果正确，最能支持上文的论述？

A.（错误）市场调查已经证实，超过 76% 的经常购买从雨林收割的水果和坚果的消费者并不知道这些水果和坚果的来源。

B.（正确）现在亚马逊雨林中坚果的收割水平正在导致很多鸟类和哺乳动物饿死，这些动物本来是以这些坚果为食的。

C.（错误）一些收割雨林水果和坚果的公司会向他们的商业客户征收 5% 的环境费用来恢复雨林的伐木区域。

D.（错误）亚马逊雨林的当地人从收获坚果和伐木上只会得到低于生活标准的收入。

E.（错误）收割植物来制造毒药、药品或食物是雨林民族的传统文化，并且不会对雨林造成显著破坏。

解析：B：该选项用鸟类和哺乳动物饿死来进一步加强破坏雨林生态这一结论，属于"直接加强结论"，正确。

A：原文讨论的是收割果子和破坏雨林之间的关系，与消费者是否知道它们的来源无关，不选。

C：征收环境费用来恢复雨林，说明在改善生态，削弱原文，不选。

D：该选项只能说明伐木和收割果子对当地人收入产生的影响，与生态关系无关，不选。

E：不会对雨林造成破坏，削弱原文结论，不选。

03

原文翻译

尽管1995年至2010年期间，Almaria的一年级优秀阅读者的百分比变化不大，但是在这段时间里被认为很难理解课本的一年级学生的百分比有了显著上升。这一证据有力地表明一年级学生的平均阅读能力在1995年到2010年期间下降了。

3s 版本

阅读有困难的学生的百分比上升→平均阅读能力下降

题目讲解

3. 下列哪一项，如果正确，最能支持上文的论述？

A. （错误）Almaria 的一年级课堂上用于阅读的时间，平均来说在 1995 年到 2010 年期间变化不大。

B. （错误）在 Almaria 有算术困难的一年级学生的百分比在 1995 年到 2010 年期间的增长量并不比有阅读困难的学生百分比多。

C. （错误）Almaria 这个地方的一年级录取学生的数量在 1995 年到 2010 年期间逐渐下降。

D. （正确）Almaria 一年级课堂里使用的课本的平均难度在 1995 年到 2010 年期间下降了。

E. （错误）Almaria 一年级课堂里使用的课本的平均数量在 1995 年到 2010 年期间上升了。

解析：D：课本难度下降，结果有阅读困难的学生的百分比还在上升，这只能反映出平均阅读能力下降。该选项属于"直接加强结论"。

A：这是一个迷惑性选项。有的考生会认为，既然阅读的时间不变，但是阅读困难的百分比上升，于是就说明阅读能力下降。但是文章根本没有提到阅读时间和阅读能力之间的关系，无关选项，不选。

B：算术能力和阅读能力没有关系，无关选项，不选。

C：文章讨论的是平均阅读能力，而百分比=阅读困难学生/总学生，本身也就是平均数。而该选项讨论的是学生数量的变化，与文章讨论的平均数没有关系，因此不选。

E：课本数量和阅读能力没有必然联系，无关选项，不选。

原文翻译

海洋考古学家最近在一个古代的地中海港口水下发现了好几百件可以追溯到4000年前的陶瓷物品。尽管任何船的木头框架残骸可能早就已经腐烂了，但是最初的调查中发现的陶瓷数量和种类使考古学家认为他们发现了一艘大约4000年前的沉船。

3s 版本

4000年前的陶瓷→4000年前的沉船

题目讲解

4. 下列哪一项，如果正确，会为考古学家的假设提供最强的支持？

A. （错误）海洋考古学家在另外一个古代地中海港口中发现了一艘 3000 年的沉船。

B. （错误）当沉入水底时，木头的腐烂速度随着木头种类的不同而不同。

C. （错误）两艘被证实了的沉船，分别是 3500 年和 3000 年之前的，都在这些陶瓷物品被发现的同一个港口被发现了。

D. （错误）在这个港口中发现的陶瓷物品和几个其他的地中海港口的陶瓷物品很相似。

E. （正确）大约 4000 年前的铜制船锚在陶瓷物品所在的海底被发现了。

解析：E：同一个地方的 4000 年前的船锚进一步提升了这是一艘 4000 年沉船的可能性。该选项属于"列举证据"，正确。

A：另外一个港口和 3000 年的沉船，都和原文无关。不选。

B：站在出题人的角度来看该选项，当我们知道木头的种类时，可以得到腐烂的速度，如果还知道在过程中木头腐烂了多少，那么就能求出木头腐烂了多长时间。所以这个选项一开始的目的是用来证明沉船的年份。但是根据原文，船的木头残骸早就没了，因此木头的种类、木头腐烂的数量都不得而知，不选。

C：3500 年和 3000 年都与原文的 4000 年无关，不选。

D：其他几个地中海港口的陶瓷物品是多少年之前的？它们和沉船有关吗？这些都无法确定，不选。

05

原文翻译

在受控条件下，从幼苗期开始生长并且接触了是正常值两倍浓度的二氧化碳的橘子树，是正常情况下的三倍大小。这一结果表明全球大气中二氧化碳浓度的上升会给世界农业带来好处。

3s 版本

接触了高浓度二氧化碳的橘子树长得更大→全球二氧化碳上升有助于全球农业

题目讲解

5. 下列哪一项，如果正确，会支持上文的结论？

A.（错误）因为全球二氧化碳上升而经历了生长激增的植物的产物相比正常生长速度的植物的产物来说，每盎司的营养含量更低。

B.（正确）研究中使用的橘子树的果实产量是正常值的三倍。

C.（错误）某些影响植物生长的土壤营养会随着大气二氧化碳的上升而流失。

D.（错误）研究中使用的橘子树种类相对来说长得很矮小。

E.（错误）随着二氧化碳量的增加，与农作物竞争的植物也会生长激增。

解析：B：在原文橘子树长得更大这一基础上，又增加了果实产量更高这一证据，提升了二氧化碳对农业有帮助的可能性，属于"列举证据"，正确。

A：全球二氧化碳上升的条件下产生的农作物营养含量反而不高，这对农业来说是坏事，削弱原文，不选。

C：土壤营养流失对农业发展是坏事，削弱原文，不选。

D：橘子树本身是否矮小与本题无关。本题关注的是二氧化碳带来的变化，与植物本来的大小无关，不选。

E：二氧化碳含量上升，农业面临的竞争也在加剧，说明这对农业未必是好事，削弱原文，不选。

06

⊙ **原文翻译**

　　数量惊人的濒危物种——地中海僧海豹——最近已经死亡。验尸分析表明存在一种至今还是未知的病毒，以及一种已知细菌毒素的证据。从海豹死亡区域中得到的海水样本确实含有异常高浓度的有毒细菌。因此，尽管细菌和病毒都可以杀死海豹，但是这些死亡更有可能是细菌毒素造成的。

⊙ **3s 版本**

　　细菌毒素→海豹死亡

⊙ **题目讲解**

6.　下列哪个选项，如果正确，会提供额外证据来支持结论？
　　A.（错误）病毒比细菌在验尸分析中更难发现。
　　B.（错误）地中海僧海豹是唯一存在于发现了细菌的区域中的海豹物种。
　　C.（错误）细菌至少以很低的浓度存在于水中。
　　D.（正确）几乎所有的近期死亡都发生在成年海豹中，但是小海豹比成年海豹更容易受到病毒的影响。
　　E.（错误）几年前，大量的僧海豹因为接触了一种不同的细菌毒素在同一区域死亡了。

解析： D：根据原文，海豹的死亡要么是由细菌导致的，要么是由病毒导致的。根据该选项，如果是病毒导致海豹死亡，那么先死的应该是小海豹，可是死的都是成年海豹，因此死亡原因必然不是病毒，那就只能是细菌导致海豹死亡了。该选项属于"排除他因"，正确。

　　　A：本文想要论证的是海豹死亡是否是由细菌导致的，与细菌和病毒谁更容易被发现无关。不选。

　　　B：原文已经说了在海豹死亡的区域发现了细菌，但至于僧海豹是否是这一区域唯一的海豹物种，与它们是否被细菌所杀没有关系，不选。

　　　C：既然细菌总是存在，那么如果真的是细菌导致海豹死亡，那么这片区域应该每天有海豹死亡。但是根据原文只有最近才发现了海豹的死亡，因此该选项反而削弱了细菌这一因素，不选。

　　　E：几年前的事情跟最近发生的事情无必然关系；不同的毒素和原文讨论的细菌毒素也没有关系，不选。

07

⊙ **原文翻译**

　　米诺斯文明在公元前2000年的克里特岛上很繁荣。在克里特岛上发现了大量的青铜工具以及用于制造这些工具的火炉，这说明米诺斯人有着很繁荣的青铜工业。此外，在希腊南部还发现了很多这一时期的青铜器，其风格与克里特岛上的青铜器相似。因此，除了制造青铜器在国内使用外，米诺斯人还把青铜器出口到了希腊南部。

⊙ **3s 版本**

　　希腊南部发现了和克里特岛上的青铜器风格很像的铜制品→ 米诺斯人把青铜器出口到了希腊南部

题目讲解

7. 下列哪一项，如果正确，最能加强原文的论述？

A.（错误）铜元素和锡元素是铜的两种主要成分，都存在于希腊南部。

B.（正确）在希腊南部没有发现任何可以追溯到米诺斯时代的以及适合生产铜制工具的火炉。

C.（错误）米诺斯人出口大量的在其他文明中很值钱的陶器。

D.（错误）米诺斯生产铜所用的火炉所需的燃料是由多种当地硬木物种所提供的。

E.（错误）克里特岛上发现的一些青铜器并不是起源于米诺斯文明的。

解析： B：该选项说明希腊南部不存在生产青铜器的条件，但是根据原文，希腊南部有青铜器，这就进一步加强了这些青铜器是从米诺斯进口的可能性，同时也排除了希腊自己生产青铜器的可能性。该选项属于"排除他因"，正确。

A：该选项只能说明希腊南部存在生产青铜器所需的成分，与米诺斯人出口青铜器无关，不选。

C：陶器和文章所讨论的青铜器无关，不选。

D：米诺斯是否出口青铜器和燃料从哪来没有关系，不选。

E：原文说希腊南部发现了一些和克里特岛上的青铜器风格很像的铜制品，而该选项则说明克里特岛上的青铜器未必起源于米诺斯文明，也就意味着希腊南部的青铜器不一定是米诺斯人出口的，削弱原文，不选。

原文翻译

在一节体育课上，20个学生被测试了射箭准确度。之后，这些学生参加了为期两天的射箭技巧训练课程。这些学生再次接受测试，结果显示准确率提升了30%。这一结果表明，这门课程在提升射箭准确率方面是很有效的。

3s 版本

上课→提升射箭准确率

题目讲解

8. 下列哪一项，如果正确，会为上文的论述提供最强的支持？

A.（错误）这些学生都是优秀的运动员，并且优秀的运动员擅长射箭。

B.（错误）第一次测试环节为第二次测试起到了练习的作用。

C.（错误）人们射箭的准确程度和眼神有紧密关联。

D.（正确）类似的一组学生也被测试了射箭准确率，但是并没有上这门课，他们的准确率就没有提升。

E.（错误）射箭射得好是从事这项运动的少部分人才能达到的成就。

解析： D：原文是上课→准确率提升，该选项说的是没上课→准确率没提升，属于"直接加强因果关联"，正确。

A：该选项是在削弱原文。原文想要证明上课会提升准确率，而该选项则说明射得准不是因为上课，而是因为运动员本来就很优秀，不选。

B：该选项是在削弱原文。原文想要证明上课会提升准确率，而该选项则说明射得准不是因为上课，而是因为在第一次测试的时候做了练习，不选。

C：该选项是在削弱原文。原文想要证明上课会提升准确率，而该选项则说明射得准不是因为上课，而是因为眼神好，不选。

E：该选项是在削弱原文。原文想要证明上课会提升准确率，而该选项则说明射得准不是因为上课，而是因为这些学生就是那些优秀的少部分人，不选。

原文翻译

> 唯一一家有大天窗的Savefast百货商场的经历表明，商场里有阳光可以增加产品销量。天窗使得阳光可以照亮商场的一半区域，减少了人造光的使用。商场的其他区域只使用人造光。自从这家百货商场两年前开张以来，有阳光的一侧的店铺明显比其他地方的店铺销量更高。

3s 版本

有光的一侧的店铺生意更好→阳光可以促进销量

题目讲解

9. 下列哪一项，如果正确，最能加强上文的论述？

A.（错误）在阴天的时候，更多的人造光会被用于照亮天窗下的那部分店铺。

B.（正确）当商场在夜间开张时，在天窗下面的那一部分店铺的销量不比其他店铺销量高。

C.（错误）很多消费者在一次购物过程中会从两侧都买东西。

D.（错误）除了天窗以外，两部分店铺还有一些显著的建筑上的差异。

E.（错误）天窗下那部分的店铺通常是 Savefast 的其他连锁商场中销量最高的店铺。

解析：B：原文中，有阳光的那部分店铺销量比其他店铺更高。该选项提供一个额外信息：天窗下的店铺在没有光照的时候，销量不比其他店铺高。原文是"有阳光，销量高"，该选项是"没阳光，销量不高"，原因取反，结论也跟着取反，属于"直接加强因果关联"，正确。

A：在阴天的时候，有天窗和没有天窗的店铺都需要人造光，两种店铺没有区别，看不出阳光的优势，无关选项，不选。

C：从两侧都买东西，证明无论有没有阳光，销量都一样，削弱原文，不选。

D：除了阳光之外，还有其他的变量会导致销量的差异，削弱原文，不选。

E：根据原文，Savefast 连锁店只有一家商场是有天窗的。但是根据该选项，这部分店铺销量高并非是因为有阳光，因为所有的这类店铺都是销量最高的，和阳光无关，削弱原文，不选。

10

原文翻译

在1600年代，欧洲在探索如何制造瓷器方面存在剧烈的竞争。在中国工作的两群欧洲人——荷兰商人和法国传教士——都试图发现中国制造商的秘密。第一部法国传教士游记直到1717年才出版，这在欧洲瓷器生产开始之后的几年。因此，欧洲制造商并没有复制中国的技术，而是通过实验学会了如何制造瓷器。

3s 版本

欧洲瓷器生产发生在传教士游记出版之前→欧洲人没有复制中国，而是自己学会了制造瓷器

题目讲解

10. 下列哪一项，如果正确，最能支持文章的论证？

A.（错误）第一批欧洲瓷器制造者使用的技术和中国瓷器制造者使用的技术是一样的。

B.（错误）第一批欧洲制造的瓷器在品质上和当时从中国进口到欧洲的低质量瓷器一样。

C.（错误）1717 年出版的游记的手稿被在中国的法国传教士写了下来并且在 1717 年之前被送到了法国。

D.（错误）用于制作瓷器的原材料直到瓷器生产开始才被欧洲陶瓷制造商使用。

E.（正确）欧洲第一家瓷器工厂由一名制造商在德国建立，他没有任何渠道和中国或者在中国工作的欧洲人交流。

解析： E：排除了欧洲制造商和中国人产生交流的可能性，因而加强了欧洲人自己原创了瓷器生产方法的可能性。

A：既然技术一样，这有可能说明欧洲人就是复制了中国的技术，削弱。

B：和瓷器品质无关。

C：这进一步说明了欧洲人复制中国技术的可能，削弱。

D：和原材料无关。

11

原文翻译

黑脉金斑蝶在成熟之后会从故乡飞到几百英里以外的地方将卵产到乳草属植物上。出生的幼虫会以乳草属植物为食并吸收乳草属植物树液中的配糖体。乳草属植物中的配糖体在黑脉金斑蝶的活动范围内的不同区域间是不一样的。由于成熟的蝴蝶会保留这些配糖体，因此成熟的黑脉金斑蝶的配糖体可用于确定其起源地。

3s 版本

成熟蝴蝶保留配糖体+配糖体在不同区域间是不一样的→配糖体可用于确定蝴蝶的起源地

📥 **题目讲解**

11. 下列哪一项，如果正确，最能够加强文章？

   A.（正确）成熟黑脉金斑蝶不会吃含有配糖体的乳草属植物。

   B.（错误）乳草属植物树液中的配糖体对其他物种的幼虫有轻微的毒性。

   C.（错误）大多数在特定地点孵卵的成熟黑脉金斑蝶都是从一个地方出发的。

   D.（错误）乳草属植物树液里的配糖体之外的物质会积累在黑脉金斑蝶幼虫的体内，并且会被成熟蝴蝶所保留。

   E.（错误）在所有乳草属植物的树液中都会找到某种配糖体，不论它们生长于黑脉金斑蝶生活范围的哪个地方。

解析： A：既然成熟蝴蝶不会再吃其他能够让其出现配糖体的植物，因此蝴蝶身上的配糖体只能是其幼虫时期所得到的。该项属于排除他因的加强，正确。

   B：其他物种的幼虫属于无关选项。

   C：成熟蝴蝶从哪里出发和问题无关。

   D：本题只讨论配糖体能否用于确定蝴蝶起源地，至于蝴蝶体内是否有其他物质，和本题无关。

   E：蝴蝶体内只要有配糖体，就可以确定其起源地。至于是不是所有植物都有配糖体，和本题无关。

📥 **原文翻译**

最近，人们发现大量海豚死于传染病，并且这些海豚中的大多数身体中含有异常高浓度的某种化合物，这些化合物即使浓度很低，也会降低海豚的抵抗力。在这些海豚生存的环境中，这些化合物的唯一来源是船漆。因此，由于海豚一旦停止接触这种化合物，它们的身体会快速排出这些化合物，所以如果禁止使用这种船漆，那么海豚的死亡率会快速下降。

📥 **3s 版本**

禁止使用船漆→海豚死亡率下降

📥 **题目讲解**

12. 下列哪一项，如果正确，最能够加强文章？

   A.（错误）今天用于船漆的化合物含量低于十年前生产的船漆。

   B.（错误）在高浓度下，这些化合物对于很多海洋动物来说是有毒的。

   C.（正确）化合物在接触水或者空气几个月之后会降解成无害的物质。

   D.（错误）很多海洋动物体内发现了高浓度的化合物，但是没有记录表明任何动物大量死亡。

   E.（错误）如果船漆严格按照生产商的指示来使用的话，化合物并不会从船漆中渗透出来。

解析： C：原文禁止使用船漆，这解决了化合物的来源问题。但如果化合物一直残留在海水中，那么海豚死亡率依然不会降低。所以借助这个选项提供的信息，化合物自己还会降解，这解决了水中化合物的存量问题。禁止使用船漆，不会有新的化合物；化合物降解，旧的化合物也会减少，于是海豚死亡率确实会降低。该选项属于直接加强原文结论。注意，很多考生认为这个选项是"寻找他因"，其实不然。

如果是寻找他因，那么原文的原因和选项提供的原因应该是竞争关系。但是本题中，原文的原因是"禁止使用船漆"，该选项的原因是"化合物降解"，选项对于原文起到促进作用，而非竞争关系。

A：根据该选项，只需要使用今天生产的船漆而非十年前的，依然可以减少海豚的死亡率。该选项起到削弱作用，不选。

B：原文中化合物对于海豚来说是有毒的，这是一个事实。因此，即使化合物对于很多动物来说是有毒的，依然无法加强这个事实。不选。

D：并不确定该选项里的"很多海洋动物"是否包含了原文的海豚，无关选项，不选。

E：该选项的错误原因同选项A，都起到削弱作用，不选。

Unit 05

评价题

题目原文下载1　　题目原文下载2

Work is the best antidote to sorrow.

——李浩天
University of Wisconsin-Madison
微臣教育线下 325 班学员
2019 年 7 月 GRE 考试 Verbal 161

评价题方法论

题型标志

题干中出现 evaluate 一词，或选项由 whether 一词开头。比如：

Which of the following would it be most useful to determine in order to evaluate the argument?

A. Whether...

B. Whether...

…

解题方法

我们首先要理解"评价（evaluate）"一词的含义。所谓评价，指的是既要考虑到一个论证过程是正确的情况，也要考虑到一个论证过程是错误的情况。简言之，评价＝削弱＋加强。

评价题的做题过程，本质上就是 Question 类 Argument 写作的论证过程，即通过针对原文的论证提出问题，针对问题的不同回答会对原文起到加强或削弱的作用。

评价题做题步骤如下：

第一步：总结出原文 A→B 形式的 3s 版本。这个 3s 版本便是题目要评价的内容。

第二步：既然选项由 whether 开头，因此评价题的选项本质上是一般疑问句的陈述句形式，于是将每个选项分别用 Yes 和 No 进行回答。

第三步：正确选项就是回答了 Yes 可以加强 / 削弱原文，同时该选项回答了 No 可以削弱 / 加强原文。即某选项回答了 Yes，加强原文；若回答 No，削弱原文，那么这个选项正确。或者，某选项回答了 Yes，削弱原文；若回答 No，加强原文，那么这个选项也正确。

评价题例题解析

原文翻译

老鼠的免疫系统通常会排斥和其自身产生的蛋白质不一样的蛋白质。但是，怀孕老鼠的免疫系统不会排斥老鼠的胎儿，尽管胎儿在发育过程中产生的组织通常包含许多这种蛋白质。一些科学家认为是围绕胎儿的胎盘在物理上阻隔了母亲的免疫系统。但是其他人注意到胎盘会产生IDO，这是一种可以抑制免疫系统的酶，他们认为IDO在保护胎儿方面起着至关重要的作用。

3s 版本

胎盘或者IDO保护胎儿。

题目讲解

1. 为了在两种假说中做出选择，需要确定下列哪一项?

   A.（错误）老鼠不怀孕的时候是否产生 IDO。

   B.（错误）胎儿的免疫系统是否能够攻击它母亲的身体组织。

   C.（错误）是否有一些案例，怀孕老鼠的免疫系统攻击某些胎儿但是不攻击其他胎儿。

   D.（错误）IDO 是否是唯一一种由老鼠产生的能够抑制免疫系统的物质。

   E.（正确）吃了一种可以阻止 IDO 产生的药的怀孕老鼠是否之后会排斥胎儿。

解析： E：Yes：没有 IDO →排斥胎儿→ IDO 起到保护作用；No：没有 IDO →没排斥胎儿→胎盘起到保护作用。该选项回答 Yes 和 No 分别评价了两个假说，正确。

A：和不怀孕的老鼠没关系。

B：无关选项。

C：无关选项。

D：Yes：IDO 是唯一一种物质→支持了 IDO 保护胎儿这一观点；No：IDO 不是唯一一种物质→ IDO 和胎盘都会保护胎儿，那到底谁起到保护作用呢? 该选项回答 No 无法起到评价作用，不选。

原文翻译

许多种类的蜘蛛会将自身的颜色变换成它们所在的花朵类似的颜色。很多捕食这种蜘蛛的动物拥有尖锐的颜色辨别能力，因此它们不像人类，尽管蜘蛛有伪装，但它们可以很轻易地看到这些蜘蛛。因此，蜘蛛改变颜色不太可能给予它们明显的生存优势。

捕食者可以辨别蜘蛛的颜色→蜘蛛改变颜色不太可能给予它们明显的生存优势

题目讲解

2. 下列哪一项可以最好地用来评价文章?

A.（错误）蜘蛛自己的颜色辨别能力是否像捕食者一样尖锐。

B.（错误）蜘蛛是否拥有可以被称之为是自然色的颜色。

C.（正确）蜘蛛的颜色变化能否让它们的猎物识别不出这些蜘蛛。

D.（错误）不同的变色蜘蛛是否喜欢不同的花。

E.（错误）变色蜘蛛是否捕食变色猎物。

解析： C： Yes：猎物识别不出蜘蛛→变色蜘蛛更容易吃到猎物→提升生存的可能性，削弱。No：猎物能识别变色蜘蛛→变色也不能让蜘蛛吃到更多的猎物 + 变色蜘蛛依然可以被捕食者发现→生存概率下降，加强。

A： 蜘蛛自己辨别颜色和蜘蛛的生存没关系。

B： 无关选项。

D： 无关选项。

E： 该选项看不出变色对于蜘蛛的好处。

03

原文翻译

当老鼠处于应激状态时，它们的肾上腺会立即增加皮质酮激素的分泌，不久之后，白细胞的数量就会显著下降。但是，在应激状态下，肾上腺受损的老鼠的白细胞的数量下降并不明显。因此，老鼠肾上腺所产生的皮质酮激素的上升导致白细胞数量下降。

3s 版本

肾上腺→皮质酮→白细胞数量下降

题目讲解

3. 下列哪一项最能够用于评价上述论证的推理?

A.（错误）处于应激状态的老鼠的白细胞数量下降是否足以使老鼠更容易感染白细胞通常能抵抗的疾病。

B.（错误）正常的白细胞数量对于不处于应激状态的健康老鼠来说是否有巨大差异。

C.（正确）处于应激状态的老鼠的肾上腺是否会增加皮质酮之外的任何激素的分泌。

D.（错误）当老鼠不处于应激状态时，老鼠的肾上腺是否分泌了高水平的皮质酮。

E.（错误）老鼠的肾上腺是否被老鼠的其他器官分泌的激素影响。

解析： C：Yes：皮质酮增加了，其他激素也增加→有可能是其他激素导致白细胞数量下降，寻找他因，削弱原文；No：只有皮质酮增加→只能是皮质酮导致白细胞数量下降，排除他因，加强原文。正确。

A："疾病"属于无关信息，不选。

B："健康老鼠"属于无关信息，不选。

D：文章最终的结论针对的是处于应激状态的老鼠，而非不处于应激状态的老鼠。

E：肾上腺受到的影响和本文没关系，不选。

Unit 06

解释题

题目原文下载1　题目原文下载2

为了应当前往的未来，当由自己开辟出道路。

解释题方法论

🔍 题型标志

1. 题干中出现 explain、explanation 等表达的题目。比如：

Which of the following, if true, would most help to explain the greater effect of zander on the native fish population?

2. 题目原文的最后会挖空，要求考生从五个选项中选择一个句子来补充原文。例如：

原文：**People widely..., since _____.**

题干：**Which of the following most logically completes the passage?**

🔍 解题方法

要学习解释题的解法，首先要知道解释题的出题本质，即什么东西才需要解释。在逻辑题中，"自相矛盾"的东西才需要解释。因而，解释题的做题方法就很清晰了：**读懂原文，找出矛盾之处，找到可以解决这个矛盾的选项**。

🔍 例题

📝 原文翻译

> 人们发现了两套亨利八世国王所穿的战甲，一套是 1510 年登基时穿的，另一套是 1540 年穿的。尽管两套战甲都是为亨利八世打造的，但是 1540 年的战甲比 1510 年的战甲重了 40 磅。

📝 3s 版本

同一个人穿的两套战甲重量差了 40 磅。

📝 题目讲解

下列哪一项，如果正确，最不能解释上文所描述的矛盾？

A. （错误）亨利，尽管刚登基的时候很瘦，但是因为体重增加了，他的身材变得魁梧。

B. （正确）在他统治期间，亨利扩充了他的武器库，因为尽管 1510 年他很受欢迎，但是到了 1540 年，英国的老百姓对他的统治已不抱有幻想。

C. （错误）尽管在亨利统治初期战甲的风格是朴素和严肃的，但是由于他对装饰的热爱，他开创了一种用沉重并且精美的金属碎片来装点战甲的潮流。

D. （错误）亨利还是青少年时就登上了王位，在他当国王的前五年里，他长高了三英寸。

E. （错误）因为 1530 年代武器的设计得到了改进，因此战甲被赋予了一种多层的设计，这样更加尖锐和强大的武器就不会刺穿它了。

解析： B: 老百姓喜不喜欢亨利八世的统治和战甲的重量没有必然联系，无法解释原文矛盾，符合本题要求，正确。

　　　A: 长胖了导致穿的战甲变大，进而变重，可以解释原文，不选。

　　　C: 因为对战甲的装饰导致战甲变重，可以解释原文，不选。

　　　D: 长高导致战甲变大，进而变重，可以解释原文，不选。

　　　E: 战甲的设计改进导致战甲变重，可以解释原文，不选。

解释题例题解析

01

原文翻译

在某个国家，个人可以轻易地从一个政党改变到另外一个政党。在过去，联邦党因为这一趋势而变得越来越大，但是，尽管大多数改变到新政党的人都会加入联邦党，但是联邦党的规模在最近几年保持不变。

3s 版本

不断地有人加入联邦党，结果联邦党规模保持不变。

题目讲解

1. 下列哪一项，如果正确，最能帮助解释上文所提及的联邦党增长模式的变化？

　　A.（错误）经济最近非常繁荣，并且很多改变政治立场的人都升官发财了。

　　B.（错误）在最近几年，那些没有加入任何党派的人如果要加入什么党派的话都会加入联邦党。

　　C.（错误）到了投票年纪的公民每年改变政治立场的比例保持不变，并且这些公民的数量每年也不变。

　　D.（错误）到了投票年纪的公民加入任何政党的比例在过去十年增加了。

　　E.（正确）很多联邦党的成员最近几年放弃了所有的政治依附。

解析：E：很多人会加入联邦党，同时根据该选项又会有很多人离开，因此导致联邦党规模不变，可以解释原文，正确。

　　　A：该选项说明改变政治立场的好处很多，联邦党应该越来越壮大才对，无法解释原文，不选。

　　　B：该选项只能说明联邦党应该越来越壮大，无法解释原文，不选。

　　　C：公民的数量每年不变，改变政治立场的人的百分比也不变，因此每年改变政治立场的人数也不变。根据原文，只要改变了政治立场，大多数人会加入联邦党，那么这些年下来，联邦党还是应该越来越壮大。该选项没有考虑到就算每年改变政治立场的人数不变，但是加入联邦党的人数会逐年累加，不选。

　　　D：该选项只讨论了百分比的变化，没有提及公民的基数，因此无法判断改变政治立场的人数的具体变化，不选。

02

原文翻译

石器时代的陶器制作者们会制作一些复杂和精美的陶瓷器皿、工具和珠宝。他们也制作很粗糙的陶俑。很多精美的陶瓷器皿、工具和珠宝都被发现完好无损，相比之下，几乎是和这些陶瓷同时制造出来的陶俑，大部分都是些碎片。

3s 版本

同一时期制造的陶瓷和陶俑，陶瓷是完好无损的，可是陶俑大部分是些碎片。

题目讲解

2. 下列哪一项，如果正确，能够最好地解释为什么极少的陶俑和很多的精美陶瓷被发现是完好无损的？

A.（错误）当任何一批陶瓷物品在完成时碎了，石器时代的人有时会刻意把这一批次的其他物品打碎，有可能是为了避免厄运。

B.（错误）黏土的成分会影响用它制成的任何陶器的耐久性，世界各地的黏土成分差别很大。

C.（错误）陶器是在石器时代被发明的，并且用来制造陶器的技术在精美陶瓷制作所需的技术之前就已经被掌握了。

D.（错误）石器时代的陶工们制造陶俑的频率和陶瓷的频率一样。

E.（正确）石器时代的很多仪式都包括破坏陶俑这一环节，有可能是用来祭祀神灵的。

解析：E：陶俑是为了祭祀神灵而碎的，可以解释原文，正确。

A：根据原文，碎了的陶俑和完整的陶瓷都是同一时间完成的，即同一批次，则根据该选项，要砸碎都砸碎，但是只有陶瓷物品是完整的，因此无法解释原文，不选。

B：本文没有讨论世界各地的不同情况，不选。

C：本文和技术掌握的先后顺序无关，不选。

D：制作频率和陶俑破碎无关，不选。

03

原文翻译

尽管青光眼一开始毫无症状，但如果治疗不当，最终可以导致失明。传统的治疗方法——每天滴眼药水——的实验室条件下的测试表明，传统的治疗方法和新型的激光外科手术治疗方法对缓解导致青光眼的眼球内部压力来说是同样有效的。但是，由青光眼导致失明的患者中，接受过青光眼手术的比例明显低于只采取眼药水治疗方法的患者。

3s 版本

滴眼药水和做手术治疗效果理论上相同，但是做手术的人失明的比例更小。

题目讲解

3. 下列哪一项，如果正确，最能够解释那些做了手术的病人中得青光眼失明的低比例？

A.（错误）青光眼失明在那些只做了手术的病人中并不比在滴了眼药水之后又做了手术的病人中更加常见。

B.（错误）医生很少会推荐已经开始使用传统治疗方法的青光眼患者去做手术。

C.（错误）除了眼睛内部压力增加外，再也没有已知的青光眼发病的生理原因。

D.（正确）被开出眼药水处方的病人中很高比例的人不能每天都遵医嘱，因为眼药水有令人不悦的副作用。

E.（错误）传统上用于治疗青光眼的眼药水通常不会被用于治疗其他眼疾。

解析：D：既然眼药水因为副作用导致很多人不会遵医嘱，因此只滴眼药水而失明的人的比例会高于做手术而失明的人的比例，就算理论上两种方法治疗效果一样。正确。

A：该选项本质上只是在讨论手术，而没有讨论手术和传统疗法的区别，与原文无关，不选。

B：该选项说明传统疗法和手术一样有效，属于重复原文，无法解释文中矛盾，不选。

C：该选项只能说明眼药水和做手术确实是有效的，但是没法解释为什么做手术的人失明的比例更小。

E：本文就是在讨论眼药水在青光眼治疗上的有效性，与其他眼疾无关，不选。

原文翻译

> 对北极的观察表明，北冰洋每年夏天的冰覆盖都会比前一年夏天冰覆盖少。如果这种变暖的趋势继续下去，那么在50年之内北冰洋在夏季将不再结冰。这种情况本身对全球海平面几乎没有影响，因为漂浮在水中的冰的融化并不会影响水位。然而，对海平面的严重影响依然会发生，因为_____。

3s 版本

冰少了本身不会影响海平面水位，但北冰洋的冰少了依然会对海平面产生影响。

题目讲解

4. 下列哪一项，如果正确，能够最有逻辑地完成上文论证？

A.（错误）大量的漂浮海冰在冬天依然会持续形成。

B.（错误）北冰洋温度的显著变化伴随着世界上更加温暖的地方的温度变化。

C.（正确）北冰洋的升温会引发北极大陆冰川的大规模融化。

D.（错误）没有冰的北冰洋的生态系统和现在的会有很大不同。

E.（错误）在春天，融化的海冰会导致更多的冰山形成并且向南漂移进入航行路线。

解析：C：根据本文，海洋浮冰的减少不会影响海平面，但是该选项增加了大陆冰川融化这一条件，增加了海平面受到影响的可能，正确。

A：本文讨论的是为什么冰少了还会对海平面产生影响，该选项讨论的是冰形成的情况，无关，不选。

B：本文仅仅讨论温度的变化，和海平面无关，不选。

D：该选项讨论的是生态，和本文无关，不选。

E：本文没有提到冰川向南漂移与海平面有什么关系，不选。

原文翻译

> San是一个以打猎和采集植物为生的社会，其成员的饮食中水果和蔬菜的含量远高于工业社会中典型的低盐饮食。他们与工业社会的不同之处还在于极低的高血压和肥胖症的发病率。然而，与一些人认为的相反的是，如果工业社会的人采取了San的饮食习惯，这些社会的高血压和肥胖症的发病率不会显著降低，因为_____。

3s 版本

工业社会采取和 San 一样的饮食，但是并没有降低高血压和肥胖症的发病率。

题目讲解

5. 下列哪一项，如果正确，能够最有逻辑地完成这篇文章?

A.（错误）心理压力也能导致高血压，在工业社会和非工业社会都会发生。

B.（错误）San 的低盐饮食，不是因为他们喜欢，而是因为在那些区域盐的数量很有限。

C.（错误）San 的一些成员被发现遭受了循环系统疾病而非高血压。

D.（正确）San 的成员比大多数工业社会的成员更容易进行体力劳动。

E.（错误）并非所有高血压患者都肥胖。

解析：　D：该选项说明，San 的成员之所以健康，是因为体力劳动多，而不仅仅因为饮食健康，可以解释为什么工业社会采取了 San 的饮食习惯后依然没有变得更健康，正确。

A：该选项无法说明为什么非工业社会的高血压和肥胖症发病率低，不选。

B：San 的成员为什么少吃盐与本文无关，不选。

C：本文讨论的疾病仅限于高血压和肥胖症，与循环系统疾病无关。

E：高血压患者是否同时患有肥胖症与本文无关，不选。

06

原文翻译

科洛尼亚的经济在过去八年里一直处于衰败之中。大多数没有被迫破产的公司都得以幸存，这要归功于它们留下来的员工的高效率，这有助于公司控制成本。但是，在最近几个月，科洛尼亚的经济开始复苏，公司开始扩充劳动力。因此，科洛尼亚很快就会经历工人平均效率的下降，因为 _____。

3s 版本

公司扩充劳动力导致平均劳动效率下降。

题目讲解

6. 下列哪一项，如果正确，能够最有逻辑地完成上文论证?

A.（错误）在经济衰落期间被雇佣的人，毫无疑问会持续被雇佣。

B.（错误）科洛尼亚被认为会开始从其他国家进口更多商品。

C.（正确）大多数公司会发现极少数可以被雇佣的员工能够比经济衰落期留下来的工人一样高效率。

D.（错误）在经济衰落期间，工人的工资没有任何上涨。

E.（错误）很多在过去八年里被迫破产的公司有很多高效率工人。

解析：　C：该选项说明能够雇佣的新员工效率不如之前被留下来的员工，因此稀释了平均工作效率，正确。

A：衰落期被雇佣的工人很高效，他们继续被雇佣，无法说明为什么工人的平均效率会下降，不选。

B：工人效率和进口商品没有关系，不选。

D：根据本文，工作效率和工资上涨没有关系，不选。

E：该选项重复原文，不选。

 07

原文翻译

最近从古代迦太基遗址出土的一堆硬币上有一张人脸的轮廓，脸颊部分似乎有一颗大痣。艺术家不太可能把如此具体的细节放在对人脸的概括性绘画中，因此一些考古学家认为这些硬币上画的是一个具体的人而非一个理想化的人物。但是，这一结论是站不住脚的，因为_____。

3s 版本

硬币上的脸颊似乎有一颗痣，但这也不能说明硬币上画的是一个具体的人。

题目讲解

7. 下列哪一项，如果正确，能够最有逻辑地完成上文论证？

A.（错误）考古学家无法仅仅从硬币上出现的肖像就确定被画的人的真实身份。

B.（错误）无法明确迦太基遗址的艺术家是否在整体上比其他文明更加不擅长人脸绘画。

C.（错误）没有任何其他被发现的迦太基遗址硬币的设计特征是一张脸上有一颗痣。

D.（错误）在古代，一个城市或国家流通的货币中包括起源于其他主权的货币是很正常的。

E.（正确）迦太基遗址的硬币模子使用的相对柔软的金属有时会导致生产出来的一系列硬币有出乎意料的凸起。

解析：E：该选项说明，硬币上的痣实际上是因为模子太软而在上面留下的凸起，并非真的是画了一个长有痣的人，正确。

A：该选项的说法中所包含的假设就是这个硬币已经被确定画的就是一个具体的人，但是本文想要证明的是硬币上画的不是具体的人，与文章结论矛盾，不选。

B：硬币上画的是否是具体的人和艺术家是否善于画人脸无关，不选。

C：本文讨论的就是迦太基遗址的硬币，与其他文明无关。

D：就算被发现的迦太基遗址的硬币是起源于其他主权的，但是我们并不知道其他主权的货币上画的究竟是不是具体的人。

 08

原文翻译

政府太空项目第一次向尚未受雇于该计划的大学生物学家提供资金，用于设计在太空飞行期间进行的实验。然而，从这个提议几乎没有引起人们的兴趣这一事实来看，我们不能认为几乎唯一对这些实验可以解决的研究感兴趣的生物学家就是那些早就受聘于太空项目的生物学家，因为_____。

3s 版本

大学生物学家对太空项目的经费不感兴趣，但这并不意味着唯一对这笔经费感兴趣的生物学家就是太空项目里面的生物学家。

题目讲解

8. 下列哪一项，如果正确，能够最有逻辑地完成上文论证？

A.（错误）相对少数的被太空项目雇佣的生物学家在大学中拥有职位。

B.（正确）在工业中的科研生物学家比大学里的多。

C.（错误）生物学家并不是唯一对在太空中进行实验感兴趣的科学家。

D.（错误）太空项目只雇佣了少数被政府聘请的科研生物学家。

E.（错误）目前很多被政府太空项目资助的生物学研究关注在失重环境下的生物影响。

解析：B：该选项说明，除了太空项目和大学的生物学家，还有在工业中的生物学家，他们有可能对经费感兴趣，可以解释原文，正确。

A：该选项只是说明太空项目的生物学家和大学生物学家的区别，无法解释为什么太空项目生物学家并不是唯一对经费感兴趣的，不选。

C：本文的讨论仅限于生物学家这一领域，与其他领域科学家无关，不选。

D：该选项还是在讲太空项目本身，无法解释为什么太空项目生物学家并不是唯一对经费感兴趣的，不选。

E：本文与太空项目具体研究什么无关，不选。

09

原文翻译

黄灯笼辣椒是一种只生长在南美洲的当地野生植物。鸟类会吞下这种辣椒的整个果实，从而给这种植物提供了传播种子的机会。在加勒比岛和南美都发现了种植的黄灯笼辣椒品种。尽管我们不知道黄灯笼辣椒是什么时候被引入这些岛屿的，但是这些物种的引入有可能是人类活动导致的，因为 _____。

3s 版本

鸟类可以传播黄灯笼辣椒的种子，但是种植的黄灯笼辣椒品种是人类活动引入的。

题目讲解

9. 下列哪一项，如果正确，能够最有逻辑地完成这篇文章？

A.（正确）种植品种的果实对鸟类来说太大了以至于吞不下去。

B.（错误）黄灯笼辣椒在加勒比岛生长的环境类似于野生品种生长的环境。

C.（错误）这种辣椒是加勒比岛做饭的重要成分。

D.（错误）大多数加勒比岛的植物物种起源于南美。

E.（错误）很多在加勒比岛发现的鸟类物种只在那里过冬。

解析：A：因为鸟类吞不下这些果实，所以不可能是鸟类传播的，这加强了人类传播的可能性。正确。

　　　B：无关选项。

　　　C：无关选项。

　　　D：不能解释为什么是人类引入的。

　　　E：无论在哪里过冬，鸟类依然有可能传播种子，不能解释文章。

10

....

原文翻译

> 关于行星形成的老观点认为木星大小的行星只会在比地球离太阳的距离还要远的轨道上形成。最近，天文学家发现一些行星尽管和木星一样大，但是它们与比太阳更老的恒星之间的距离小于地球与太阳之间的距离。尽管如此，大多数天文学家依然认为老观点是对的。

3s 版本

　　一些木星大小的行星与母星的距离小于地球到太阳的距离，但是木星大小的行星形成的距离就是应该大于地球与太阳的距离。

题目讲解

10. 下列哪一项，如果正确，可以支持天文学家认为老观点依然是对的这一论断？

A.（错误）用于发现围绕其他恒星的行星的设备不能发现比木星小的行星。

B.（错误）只有少量的恒星拥有可以被研究的行星。

C.（错误）在形成之后，像地球那么小的行星会被吸引到大行星，最终成为其卫星。

D.（错误）关于为什么更老的恒星比年轻的恒星更有可能有行星的原因依然未知。

E.（正确）随着时间的流逝，行星会更靠近母星。

解析：E：因为行星靠近了母星，所以天文学家才发现那些行星离得那么近。其实形成的时候离的还是远的，这解释了为什么老观点依然是对的。

　　　A：文中讨论的就是木星大小的行星，与比木星小的行星能都被发现无关。

　　　B：无关选项。

　　　C：该选项讨论的是小的行星被吸引到大的行星，这无法解释为什么大的行星的轨道反而变近了。

　　　D：无关选项。

Unit 07

结论题

题目原文下载1　　题目原文下载2

GRE 不仅是考试，也是一个重新认识自己的绝佳机会，相信自己！

——肖力坚

电子科技大学

微臣教育彩虹书读者

2018 年 9 月 GRE 考试 Verbal 161

录取学校：南洋理工大学

结论题方法论

🔍 题型标志

① conclude/conclusion，如：

Which of the following conclusions can be properly drawn at the basis of the statements above?

② infer，如：

Which of the following can be properly inferred from the statements above?

③ support（结论题问的是原文可以支持下列哪个选项，而加强题问的是哪个选项可以支持原文，注意这种区别），如：

If the information above is correct, which of the following conclusions does it best support?

🔍 解题方法

尽管此类题型名为"结论题"，但此处的"结论"并非指文章的"主旨"，而指的是根据原文给出的一系列原因，最终可以推理得出的"结论"。

推理方式通常有如下两种：

① 原文信息：A→B，B→C。推得结论：A→C。例如：

原文：某种化学物质在红葡萄酒中存在，但是不存在于白葡萄酒中。红葡萄酒的原料是完整的葡萄，而白葡萄酒的原料中没有葡萄皮。

结论：这种化学物质存在于葡萄皮里。

推理过程：红葡萄酒来自完整葡萄，红葡萄酒有这种化学物质→完整葡萄中有这种化学物质

白葡萄酒来自去皮葡萄，白葡萄酒没有这种化学物质→这种化学物质存在于葡萄皮里

② 原文信息：y=F(x), x=a，结论：y=F(a)。例如：

原文：普通人都需要劳动，我是普通人。

结论：我需要劳动。

推理过程："普通人都需要劳动"相当于 y=F(x)，"我是普通人"相当于 x=a，"我需要劳动"相当于 y=F(a)。

综上，结论题所能得出的原文一定是通过汇总原文所有信息所能得到的内容。需要指出的是，这里所谓"汇总原文所有信息"并非指的是可以重复原文信息，而是缺少原文任何一个信息都无法得到的结论。因此，对于结论题来说，出现原文以外的信息的选项在结论题中必然是错误的。

🔍 例题

▣ 原文翻译

关于月亮起源的一个理论认为，地球在发展初期是一个由融化岩石组成的快速旋转的天体，其中大多数的铁元素都沉淀到核心部分；其中一些液体从旋转物体的表面甩了出去，然后凝结形成月亮。

文章点拨

大多数的铁沉淀到核心部分，证明地球表面含铁量很少，而含铁量少的表面物质会被甩出去形成月亮，因而本文能得到的结论就是月亮含铁量少。

题目讲解

下列哪一项结论可以最好地被上文关于月亮起源的理论所支持？

A. （错误）月亮是唯一体积相当的围绕地球运转的天体。

B. （正确）月亮的核心部分在比例上比地球的铁含量更少。

C. （错误）月亮表面在地球表面凝固之后才凝固。

D. （错误）大多数从地球甩出去的液体会被散布到外太空。

E. （错误）月亮，就像地球一样，有凝固的表面和融化的核心。

解析： B：该选项与本文能够得出的结论一致，正确。

A：本文没有讨论月亮的体积大小问题，属于原文以外信息，不选。

C：本文无法得出两个天体的表面凝固先后顺序，不选。

D：本文无法看出到底有多少液体用于形成月亮，有多少液体散布到了外太空，不选。

E：本文看不出地球表面和核心的状态，不选。

结论题例题解析

原文翻译

如果家用漂白剂中加入烤箱清洁剂，那么混合物会释放出氯气。浴缸清洁剂和家用漂白剂的混合物也会释放出氯气。如果家用漂白剂加入普通肥皂，不会释放出任何气体。当家用漂白剂中加入一种未知的清洁剂，不会释放任何气体。

文章点拨

oven cleaner+household bleach→Cl_2

bathtub cleaner+household bleach→Cl_2

ordinary soap+household bleach→X

?+household bleach→X

由此能得到的结论只能是未知的清洁剂是除了烤箱清洁剂和浴缸清洁剂之外的东西。

题目讲解

1. 如果上文论述正确的话，下列哪一项关于未知清洁剂的表述是正确的？

   A.（错误）它是普通肥皂。

   B.（错误）它是烤箱清洁剂或者浴缸清洁剂。

   C.（正确）它既不是烤箱清洁剂也不是浴缸清洁剂。

   D.（错误）它包含普通肥皂以及烤箱清洁剂或浴缸清洁剂。

   E.（错误）它包含普通肥皂以及既不是烤箱清洁剂也不是浴缸清洁剂的东西。

解析： C：该选项与文章结论一致，正确。

   A：未知清洁剂不一定就是普通肥皂，不选。

   B：如果是烤箱清洁剂或浴缸清洁剂，那么与家用漂白剂混合后会产生氯气，与原文矛盾，不选。

   D：不能包含烤箱清洁剂或浴缸清洁剂，不选。

   E：一定需要包含普通肥皂，不选。

原文翻译

通常，Emmenathe penduliflora 的种子会休眠数年，只有在大火烧毁它们的栖息地时才会发芽。烟里面的二氧化氮会促使种子的萌发。火可以清理掉灌木，使发芽的种子获取生长所需的阳光。这些植物会快速成长，产生种子，然后死亡。然而，在汽车交通繁忙的区域，种子会在没有火的情况下发芽，因为汽车尾气会提供所需的二氧化氮。

文章点拨

二氧化氮可以促进植物种子的萌发，在这一点上，大火和汽车尾气会起到同样的作用。但是大火的另外一个作用，烧掉灌木进而为种子提供生长所需的阳光，这一点汽车尾气做不到。因此从本文可以推测出的结论是，在植物的生长阶段，汽车尾气未必能够取代大火。

题目讲解

2. 上述信息如果正确的话，最能支持下列哪一个假说？

A.（错误）Emmenathe Penduliflora 的栖息地的火并没有完全破坏植物的种子，即使在火烧的最严重的地方。

B.（错误）汽车尾气中的二氧化氮不能破坏萌发后的 Emmenathe Penduliflora 植物。

C.（错误）如果人类的干预减少了 Emmenathe Penduliflora 的栖息地的火灾数量，那么汽车尾气可以复制植物用来生存的条件。

D.（错误）在 Emmenathe Penduliflora 的栖息地内，自然条件引发的火在交通繁忙的区域比其他区域更加频繁。

E.（正确）除非发芽了的 Emmenathe Penduliflora 种子能够在阴影中生存，否则汽车尾气会威胁到交通繁忙区域的植物的长期生存。

解析：E：如果植物能够在阴影环境下生长，那么汽车尾气在促使了植物发芽后，并没有威胁到其生存；如果植物无法在阴影环境下生长，同时交通繁忙的环境无法破坏灌木来为植物提供阳光，那么便是在威胁植物生存，正确。

A：根据原文，因为火会促进种子的萌发，因此火必然没有破坏种子。可是不能证明火烧的最严重的地方都没有破坏种子，不选。而且，火灾破坏种子这件事情是文章之外的信息。

B：本文只提到二氧化氮可以促进种子发芽，至于植物发芽后的情况，已经和二氧化氮无关。

C：汽车尾气确实可以复制植物的发芽条件，但是植物后期的生长则还要取决于光照条件，不选。

D：文章并没有把不同区域的火灾频率进行比较，属于文章以外的信息，不选。

03

原文翻译

几乎所有形式的大规模发电都会污染环境；因此，电力消耗越少，产生的污染就越少。普通冰箱占普通美国家庭年用电量的15%至25%，但是节能冰箱比普通冰箱可以少用20%至30%的电。

文章点拨

既然节能冰箱比普通冰箱消耗更少的电量，而耗电量和污染成正比，那么使用节能冰箱可以减少污染。

题目讲解

3. 如果上文信息正确的话，下列哪一个结论可以被最好地支持？

A.（正确）节能冰箱越来越普遍的使用会保证从现在起 20 年内产生的污染小于当下产生的污染。

B.（错误）如果所有的家庭都用节能冰箱取代现在的冰箱，美国家庭能源消耗会减少 20% 至 30%。

C.（错误）在未来，人们会购买更小的冰箱，并且只把少部分食物放到冰箱里。

D.（错误）节能冰箱取代普通冰箱可以帮助减少新污染物的量。

E.（错误）节能冰箱的花费通常比普通冰箱高很多。

解析： A：该选项和原文结论一致，正确。

B：该结论能够成立的前提是，现在美国所有家庭的冰箱都是普通冰箱。但是文章没说有多少家庭现在用的是普通冰箱，多少家庭是节能冰箱，因此该结论未必成立，不选。

C：食物属于文章以外信息，不选。

D：新污染属于原文以外信息，不选。

E：花费属于原文以外信息，不选。

04

原文翻译

> 未来的深海潜水器外壳将会用玻璃制造，而不是使用特种金属或铝合金。原因在于金属有颗粒状的微观结构，这使得金属外壳容易在深海压强下在颗粒间形成裂缝。玻璃外壳可以避免这一问题，因为尽管玻璃外观上是固态，但是可以被认为是流体，因为它在压力下是可以流动的。

文章点拨

金属因为微观上有颗粒结构，所以不如玻璃，而玻璃是流体，因此流体没有微观的颗粒结构。

题目讲解

4. 下列哪一项可以从上文中推测出来？

A.（正确）流体缺少颗粒状的微观结构。

B.（错误）所有所谓的固体都是极其缓慢流动的流体。

C.（错误）唯一曾经裂开过的玻璃是微观上有颗粒的玻璃。

D.（错误）作为建材，玻璃要优越于金属和铝合金。

E.（错误）玻璃外壳在最近的深海航行中都比金属外壳表现好。

解析： A：该选项和原文结论保持一致，正确。

B：本文只是说玻璃这种固体其实是流体，不意味着所有固体都是流体，不选。

C：本文没有提到玻璃开裂过。

D：本文的讨论范围仅限于潜水器，与建材无关，不选。

E：文章没提最近的深海航行，不选。

05

原文翻译

> 一部3个小时的电影取代了3个定期播出的电视节目。电影只有2次同样长度的广告时间，而不是电视节目中的5次同样长度的广告时间。然而，电影中用于广告的时间和电视节目中的广告时间通常是相等的。

文章点拨

电影中广告的播放次数少了，但是总时间还是和电视节目中的广告一样，因此可以推出，电影中每次广告的时间更长了。

题目讲解

5. 如果上述论述正确的话，下列哪一项一定是正确的?

A.（错误）电影中的广告的平均长度比电视节目的广告短。

B.（错误）在电影中，只有一家赞助商的广告被展示了，而在电视节目中，超过一家赞助商的广告被展示。

C.（错误）在电影中放广告的赞助商和在电视节目中放广告的赞助商不一样。

D.（正确）电影中的每次广告间隙都比电视节目中每一次广告时间长。

E.（错误）电影广告只会针对一种产品，而电视节目中的广告关注于多种产品。

解析：D：该选项与原文结论一致，正确。

A：平均长度比电视更短，只会导致电影广告总时间少于电视，与原文矛盾，不选。

B：广告赞助商属于原文以外内容，不选。

C：广告赞助商属于原文以外内容，不选。

E：广告的产品是原文以外的内容，不选。

原文翻译

关于财政上的不当行为的流言蜚语损害了银行的名誉。如果管理者没有尝试去反驳这些谣言，那么这些谣言就会传播开来，并且最终摧毁客户的信心。但是如果管理者有效地阻止了这些谣言，这种辟谣行为招致的怀疑会多于它所减少的怀疑。

文章点拨

辟谣，则导致更多的怀疑，进而更大地损害银行名誉；不辟谣，也会损害名誉，因此管理者无法在不损害名誉的情况下还能辟谣。

题目讲解

6. 如果上面所有的论述都是正确的，那么下列哪一个结论一定是正确的?

A.（错误）银行的名誉不会被大型的广告活动影响。

B.（错误）有关财政不当行为的真实谣言对银行客户信心的伤害不如虚假谣言那么严重。

C.（错误）银行经理面对关于财政不当行为的虚假谣言所能采取的最佳策略是直接处理它们。

D.（正确）管理者不能阻止已经存在的关于财政不当行为的虚假谣言而又不威胁银行的名誉。

E.（错误）一家银行在财政责任方面的名誉可以由口碑来促进。

解析：D：该选项与原文结论一致，正确。

A：大型广告活动是文章以外的信息，不选。

B：真实的谣言属于原文以外的信息，不选。

C：根据原文，反驳谣言反而会对名誉造成更严重的损害，因此直接处理谣言并非是最佳策略，不选。

E：口碑属于文章以外的信息，不选。

原文翻译

经济学家：任何一个经济运行高效的国家都会创造财富。只要财富被平均分配，这样国家的政治才能保持稳定。财富的平均分配使冒险行为得以停止，而冒险行为是经济高效运行的必备条件。

文章点拨

冒险↑→经济效率↑→财富↑→财富平均分配→政治稳定→冒险↓→经济效率↓→财富↓→政治不稳定

由上述过程可知，政治稳定和经济效率无法兼得。

题目讲解

7. 下列哪一个结论可以从文中得出？

A.（正确）没有一个国家可以无限期地既保持经济高效，又保持政治稳定。

B.（错误）没有一个国家可以无限期地既保持政治不稳定，又保持财富。

C.（错误）经济效率是一个国家创造财富的必备条件。

D.（错误）任何一个财富平均分配的国家都会无限期地保持政治稳定。

E.（错误）经济效率的增长会鼓励冒险，这会反过来进一步推动经济效率。

解析：　A：该选项和原文结论一致，正确。

B：当财富没有被平均分配时，一个国家可以无限期地保持政治不稳定和财富。

C：根据本文，经济效率是创造财富的充分条件，但未必是不可分割的必备条件，不选。

D：根据原文，平均分配财富→政治稳定→冒险↓→经济效率↓→财富↓→政治不稳定，所以财富平均分配的国家都会无限期地保持政治稳定，不选。

E：文章看不出经济效率的增长会鼓励冒险，不选。

原文翻译

大多数电视观众通过电视新闻节目中对某一特定类型的事故或犯罪的广泛讨论来估计其发生的频率。电视新闻节目更多地报道包括火灾和车祸等有刺激场面的故事，而不是像做假账这样没有视觉效果的更常见的故事。

文章点拨

一个事件被报道得越多，就越会被观众认为发生的频率越高。根据本文，火灾和车祸被报道得多，于是观众认为发生得也多；做假账被报道得少，于是观众认为实际发生得少。但是根据 common 一词可知，现实情况下做假账发生的频率高，火灾和车祸发生的频率低。因此，火灾和车祸的发生频率被观众高估了，做假账的发生频率则被低估了。

题目讲解

8. 如果上面的论述是正确的，下列哪一个结论也是正确的？

A. （错误）电视新闻记者花在调查新闻报道上的时间直接关系到受新闻报道中类似事件影响的观众人数。

B. （错误）像做假账这样的犯罪比纵火这样的犯罪更容易不被起诉。

C. （错误）每一个电视新闻报道包括了火灾或车祸的刺激性图像后，火灾和车祸发生的数量会显著上升。

D. （正确）相对于做假账的数量而言，电视新闻节目的观众会高估火灾和车祸发生的数量。

E. （错误）电视新闻节目对新闻故事的选择是由可供分配的新闻记者的数量决定的。

解析：D：该选项和原文所能得到的结论一致，正确。

A：调查新闻的时间是原文之外的信息，不选。

B：起诉是原文之外的信息，不选。

C：本文看不出电视新闻节目的报道会对某事件的真实发生频率产生影响，不选。

E：分配记者是原文之外的信息，不选。

原文翻译

> 计算机程序是非常特殊的，因为它们几乎是唯一的既会被专利保护又会被版权保护的产品。专利保护一项发明背后的思想，而版权保护的是思想的表达。然而，为了同时获得这两种保护，必须能够清楚地区分思想和思想的表达。

文章点拨

为了得到专利和版权的两种保护，思想和其表达必须要进行区分，而计算机程序就是既有专利有又版权，因此计算机程序的思想和思想的表达是可以进行清晰区分的。

题目讲解

9. 下列哪一项可以从上文推断出来？

A. （正确）某些计算机程序背后的思想可以和思想的表达进行区分。

B. （错误）任何写了计算机程序的人都是程序思想的发明人。

C. （错误）大多数有版权保护的产品都有专利保护思想的表达。

D. （错误）很少有发明人是专利和版权的同时拥有者。

E. （错误）计算机程序获得专利不比获得版权难。

解析：A：该选项和原文结论一致，正确。

B：本文看不出写了程序的人和程序的思想是什么关系，不选。

C：该选项的意思就是大多数产品，既有专利保护又有版权保护。但是根据原文，计算机程序有这两种保护是很罕见的，因此该选项错误，不选。

D：根据原文，程序员就有可能既是专利的拥有者又是版权的拥有者，不选。

E：版权和专利的获取难度属于文章以外的信息，不选。

Unit 08

Boldface 题

题目原文下载1　　题目原文下载2

当你开始准备 GRE 的时候，你就已经踏上了成为精英的道路。

——黄泽榕

东北大学

微臣教育线下 325 班学员

2018 年 9 月 GRE 考试 Verbal 162

Boldface 题方法论

题型标志

1. 原文文本会有两句话被标成黑体。其实本题型的名字"boldface"，其本意就是"黑体字"。

2. 题干会问原文中标黑体的两句话之间的关系是什么。常用的说法是：In the argument given, the two highlighted portions play which of the following roles?

解题方法

1. 判断说话人。

解 Boldface 题时，先判断出标黑体的两个句子分别是谁说的。

例 1：Critics of the hospital have concluded that **the uninsured patients are not receiving proper medical care**. 这个黑体字就是 critics of the hospital 说的。

但有的时候黑体字所在的句子本身看不出是谁说的，我们就默认是文章的作者说的。

例 2：However, **this conclusion is almost certainly false**. 在这句话中就是作者在评价前文出现的 **this conclusion**。

2. 判断因果。

判断出两个黑体部分分别是谁说的之后，还要再判断出这两个黑体部分分别表示原因还是结论。因果关系通常会有明显的标志体现出来，如 because、thus、so、therefore 等。

例 1：Critics of the hospital have <u>concluded</u> that **the uninsured patients are not receiving proper medical care**. 这句话的黑体部分跟在 concluded 之后，因此可知是结论。

例 2：<u>Therefore</u>, **it is reasonable to think that the reported declines did not happen**. 这句话的黑体部分跟在 Therefore 之后，因此也是结论。

例 3：It is commonly thought that this happens <u>because</u> **aging by itself brings about a loss of creative capacity**. 这句话的黑体部分跟在 because 之后，因此是原因。

但有的时候，黑体部分的因果关系没有办法通过其所在的句子看出来，那么这个时候可以从上下句寻找一些线索。

例 4：**Village census records for the last half of the 1600's are remarkably complete.** This very completeness makes one point stand out. 这句话的黑体部分本身没有 because 这样的表示因果关系的标志词出现。但是下一句的 This very completeness 指的就是黑体字，makes one point stand out（使一个论点突显出来），能够使论点突显出来的，其自身必是原因。因此黑体部分是原因。

3. 判断同反。

我们还需要判断出两个黑体部分之间的句间关系是同向还是反向。具体的句间关系判定方法可以参考本书的"GRE 阅读方法论"部分。但是在解 Boldface 题时，只需要掌握 But、Yet、However、Nevertheless 这四个句间取反的标志即可。如果两个黑体字句子之间出现了这四个单词当中的一个，则认为两句话取反，否则取同。

4. 正确答案就是上述三方面的英文翻译。

Boldface 题的选项往往写成：The first sentence...; the second...。因此正确答案就是把这两个黑体部分分别是谁说的、分别是原因还是结论、两句之间取同还是取反用英文翻译一遍，而且这种翻译通常会用非常固定的语言。如果某句话是原因，那么选项中通常会用如下词汇表示原因：reason、evidence、assumption、context 等。如果是结论，则会用：conclusion、position 等。如果两句话之间是同向关系，那么正确选项会用如下字眼来体现这种取同关系：support、illustrate、demonstrate 等。如果取反，则会出现：oppose、challenge、argue against 等。

5. 注意事项。

Boldface 题本质上考查的是对文章中句子功能的判断，因此通常不需要通读全文，只需要按照上文的方法，判断出两个黑体部分的三方面即可。但也有例外，而这种例外往往会存在于第三步，即判断同反。上文的判断同反的方法只有 But、Yet、However、Nevertheless 这四个词，但如果两个黑体字句子之间是通过"换对象""负态度"来进行取反，甚至是两句之间发生了 But 封装（详见本书的"GRE 阅读方法论"部分），那么两个黑体字句子之间的句间关系就会被判断错。但如果按部就班地阅读每一句话，就有可能做不完题。因此，推荐大家先按照上文的方法，不看全文，快速选出答案，如果做题时间尚有剩余，则通读文章，验证两句黑体字之间的句间关系是否如你刚刚选出的选项那般。

例题

原文翻译

文体证据和实验室证据有力地支持了一个观点：著名的画作《伊甸园》（*Garden of Eden*）是佛兰德大师范·艾克的作品。然而，**这幅画作一定是其他人的作品，因为任何一个有一点历史和动物学知识的人在单单看画作的时候就可以得出这个结论。画作中的动物都是真实动物的生动写照，包括犰狳**。然而，犰狳只在美国本土生长，范·艾克在欧洲人到达美洲之前几十年就去世了。

文章点拨

本文两个黑体句子都是作者说的。第一个黑体字结束后的"as"一词表明第一个黑体句是结论；第二句讲的是画上都有什么动物，因此只是用来支持上一句的原因。两个黑体字之间是顺承关系。

题目讲解

在上面的文章中，两个黑体部分的作用分别是什么？

A.（错误）第一个是文章想要反驳的结论；第二个是文章用来反驳那个结论的证据。

B.（错误）第一个和第二个黑体部分都是证据用来支持文章要反驳的观点。

C.（正确）第一个黑体部分呈现了文章的主要结论；第二个黑体部分提供了证据来支持那个结论。

D.（错误）第一个是一个评价充当了文章主要结论的原因；第二个阐述了文章主要结论。

E.（错误）第一个是一个间接结论用来支持文章的进一步结论；第二个提供证据来支持那个间接结论。

解析：C：第一个黑体部分是本文结论，分号之前正确。第二个黑体部分与第一个黑体部分顺承，并且还是证据，分号之后正确。该选项正确。

　　A：第二个黑体部分确实是证据，但是它应该支持第一个黑体部分，而非反对，所以分号之后错误。不选。

　　B：第一个黑体部分是结论而非证据，不选。

　　D：第一个黑体部分是结论而非原因，该选项错误。

　　E：第一个黑体部分就是这篇文章的结论，不存在间接结论，该选项错误。

Boldface 题例题解析

原文翻译

在大多数沿海地区，海平面相对于地面正在每年上升一到两毫米，这种趋势可以被一个假说解释：在南北两极，夏季融化的冰的数量现在超过了冬天形成的冰的数量。这一假说并没有被一些观察所削弱：**海平面相对于斯堪的纳维亚海岸每年下降四毫米**。很多北半球的地面正在上升，包括斯堪的纳维亚，因为那些在上一个冰川时代曾经覆盖这些土地的冰的巨大重量使得这些土地得以解放，并且，**在斯堪的纳维亚，土地现在上升得比海洋更快**。

文章点拨

第一个黑体部分是一些观察，两个黑体部分之间没有发生转折，因此第二个黑体部分是对第一个黑体部分的解释。

题目讲解

1. 文中两个黑体部分起到了下列哪种作用？

A.（错误）第一部分陈述了一些观察，其准确性在文中被反驳；第二部分是这种反驳所基于的部分原因。

B.（错误）第一部分陈述了一些观察，根据这篇文章，这些观察和某个假说是无法统一的；第二部分是一部分原因，用来支持对假说的修正。

C.（正确）第一部分陈述了一些观察，根据这篇文章，这些观察可以和某个假说统一；第二部分描述了一个现象，这个现象是统一性的事实依据。

D.（错误）第一部分呈现了一个现象，关于这一现象的两个相互对立的解释在文中被提出；第二部分是文章认为对这一现象的解释是正确的。

E.（错误）第一部分提供了证据来反驳一个观点；第二部分是那个观点。

解析：C：第一部分是一些观察，而这些观察不会削弱文中的假说，因此可以相互统一，分号前正确。第二部分可以用来解释第一部分，因此可以充当第一部分的事实依据，分号后正确。

A：本文一直在解释第一个黑体部分的观察，而非反驳。

B：根据全文第二句，文中的假说（在南北两极，夏季融化的冰的数量现在超过了冬天形成的冰的数量）不会被这些观察所削弱，因此观察和假说是可以统一的，因此分号前错误。文章也并没有对这个假说进行修正，分号后错误。

D：文章关于"海平面相对于斯堪的纳维亚海岸每年下降四毫米"这一现象并没有提出相互对立的解释。文章只是在最后一句给出了一种解释：土地从冰的重量中得到解放而上升。分号前错误，分号后可以认为是正确的。

E：整篇文章不存在起到反驳作用的句子，选项 E 错误。

02 ....

🔊 **原文翻译**

　　被雨水浸泡的土壤比干一些的土壤含氧量更少。**瓜类植物的根在雨水浸泡的土壤中的低氧条件下生长效率更低**。当瓜类植物根部的生长效率受损时，根部无法给植物提供足够的营养用于进行正常水平的光合作用。因此，**当瓜类植物的根处于雨水浸泡的土壤中，它们的光合作用速率比平常要低**。当植物的光合作用减慢时，果实中储存的糖就会流失，用来补充植物的能量。因此，经过长时间的大雨后收割的成熟的瓜类会不如其他成熟瓜类甜。

🔊 **文章点拨**

　　本文中间没有任何取反，最后一句开头的 Therefore 证明最后一句是全文最终的结论，因此前面所有的句子都用来支持这一最终结论。

　　本文的论证流程如下：

　　雨水浸泡的土壤氧气少+瓜类植物的根在低氧环境下效率低→光合所需能量不足→在雨水浸泡土壤中光合速率下降+糖分流失→雨后瓜类不甜。

🔊 **题目讲解**

2.　在上文的论述中，两个黑体部分起到了下列哪种作用？
　　A.（错误）第一部分陈述了文章的结论；第二部分给该结论提供了支持。
　　B.（错误）第一部分支持了文章整体的结论；第二部分提供了证据来支持对该结论的反驳。
　　C.（正确）第一部分为一个间接结论提供了支持，这一间接结论支持了一个进一步的结论；第二部分阐述了该进一步的结论。
　　D.（错误）第一部分为一个间接结论提供了支持，这一间接结论支持了一个进一步的结论；第二部分陈述了文章整体所要反对的观点。
　　E.（错误）第一部分陈述了文章整体所要反对的观点；第二部分支持了文章的结论。

解析：　C：根据【文章点拨】中的论证流程，第一部分是一个客观原理，用来支持下一句话：光合作用所需能量不足。而这一间接结论又支持了下一句话：在雨水浸泡土壤中的植物的光合速率下降。因此选项C正确。
　　　　A：本文的结论只有最后一句，因此分号前错误，分号后正确。
　　　　B：分号前可以认为是正确的。但是全文顺承关系，不存在反驳，所以分号后错误。
　　　　D：分号前正确。全文是顺承关系，不存在反对，分号后错误。
　　　　E：全文是顺承关系，不存在反对。分号前错误，分号后可以认为是正确的。

03 ....

 原文翻译

　　科学家通常会在四十岁之前完成最有创造力的工作。人们普遍认为这是因为**变老本身会导致创造力的下降**。然而，研究表明，**在四十岁以后从事高度创造性工作的科学家，有相当一部分人是在比通**

常年龄更大的时候进入他们的领域的。 因为在四十岁时，大多数的科学家已经在他们的领域工作了至少十五年，所以研究结果极大地表明了四十岁以上的科学家很少会完成高度创造性的工作的真实原因并非仅仅是变老，而是他们总体上已经在特定领域工作太久了。

文章点拨

由第一个黑体部分前面的 because 可知，第一部分是原因，第二个黑体部分是一项研究发现。两句话之间的 However 证明两部分是取反关系。

题目讲解

3. 在上文的论述中，两个黑体部分起到了下列哪种作用？

   A.（错误）第一部分是文章整体所要反对的观点；第二部分是一个反驳，用于质疑文中所支持的一个观点。

   B.（错误）第一部分是一个用于支持一个观点的声称，而这一观点被文章反对；第二部分是一项发现，这一发现被用于支持该观点。

   C.（错误）第一部分是文章所要反对的解释；第二部分是用于支持该解释的一项发现。

   D.（正确）第一部分是文章所要反对的解释；第二部分是该反对所基于的一项发现。

   E.（错误）第一部分是文章支持的一个解释；第二部分是用于反对该解释的一项发现。

解析： D：第一部分是原因，而这一原因在 However 之后被文章反驳。第二部分是一项可用于反驳第一部分解释的发现，正确。

A：第一部分是原因，而非观点；第二部分反驳的是文章之前给的一个解释，而非质疑结论（explanation 也可以指代原因）。

B：第二部分用于反驳第一部分给出的解释，而非支持第一部分的观点。

C：第一部分是原因，而这一原因在 However 之后被文章反驳。第二部分反驳了该解释。

E：第一部分是文章反对的解释，分号后正确。

04

原文翻译

市政府官员：在市立医院，没有保险的病人比有保险的病人在医院待的时间更短并且经历的治疗流程更少，尽管平均来看，有保险的病人在进入医院的时候比没有保险的病人症状更轻。对医院的批评者得出结论：**没有保险的病人并没有得到适当的治疗。** 然而，**这种结论几乎可以确定是不对的。** 最近的仔细调查表明了两件事：有保险的病人喜欢在医院停留比必要时间更长的时间，而且喜欢享有超出必需量的治疗流程。

文章点拨

第一个黑体部分是医院批评者所说的，并且通过 concluded 一词可以确定是结论。第二个黑体部分是本文作者，即市政府官员所说的，也是结论。两部分中间的 However 可以确定两部分之间是取反关系。

题目讲解

4. 在市政府官员的论述中，两个黑体部分起到了下列哪种作用?

   A.（错误）第一部分阐述了市政府官员的论述中的结论；第二部分给该结论提供了支持。

   B.（错误）第一部分被用来支持市政府官员的论述的结论；第二部分阐述了该结论。

   C.（错误）第一部分被用来支持医院批评者得到的结论；第二部分阐述了市政府官员所要反驳的观点。

   D.（错误）第一部分被用来支持医院批评者得到的结论；第二部分支持了市政府官员所要反驳的观点。

   E.（正确）第一部分阐述了市政府官员的论述所要反对的观点；第二部分阐述了市政府官员的论述的结论。

解析：E：第一部分是医院批评者的结论，而这一结论确实被市政府官员反对。第二部分确实是市政府官员的结论。正确。

　　　A：第一部分是医院批评者的结论，而非市政府官员的结论。第二部分本身是结论。如果说成是支持一个观点，那么第二部分本身就变成了原因。

　　　B：第一部分是结论，如果用来支持结论，那么自己就变成了原因。第二部分确实是市政府官员的结论。

　　　C：分号前错误，原因同选项B。第二部分本身就是市政府官员的结论，而非其所反驳的结论。

　　　D：分号前错误，原因同选项B。第二部分本身是结论，如果用来支持结论，则自己变成了原因。

05

原文翻译

> 　　在地球历史上的某段时期，大气中几乎没有氧气，尽管当时植物正产生着大量的氧气。作为调和这两个事实的一种方式，科学家们认为几乎所有正在被产出的氧气都被地球表面的铁吸收了。然而，显然，**这种解释是不充分的。**新的研究表明**地球表面的铁含量不足以吸收任何地方产生的氧气。**因此，除了地球表面的铁以外，一定有其他东西吸收了植物产生的大部分氧气。

文章点拨

　　本文第一个黑体部分是对前文解释的评价，认为前文解释不充分，因此是本文作者提出的观点。第二部分结束后出现了 Therefore，由此可知是原因。两部分之间没有出现转折标志，因此取同。

题目讲解

5. 在上文中，两个黑体部分分别起到了下列哪种作用?

   A.（错误）第一部分是文章用来支持某一观点的声称；第二部分是该观点。

   B.（错误）第一部分是文章关于某种解释的评价；第二部分是该解释。

   C.（错误）第一部分表达了文章对其想要确立的观点的反驳的反对；第二部分是该观点。

   D.（正确）第一部分总结了文章关于某个假说的观点；第二部分提供了该观点基于的原因。

   E.（错误）第一部分是文章所做的让步，即文章一开始对其想要确立的观点的表述需要修正；第二部分呈现了修正后的观点。

解析：D：第一部分确实是一个观点，即前文的解读不充分。选项中的"某个假说"便是指氧气被铁吸收。第二部分是原因，同时两个黑体部分为同向，因此第二部分是第一部分的观点所基于的原因。

A：首先，第二部分是原因而非结论，可直接判定该选项错误。其次，第一部分用来反驳前文给出的观点：氧气被铁吸收。

B：第一部分确实是对某种解释的评价，这种解释指的是前文观点：氧气被铁吸收。评价是"这种解读不充分"。但是第二部分并不是被第一部分所评价的那个解释。

C：首先，第二部分是原因而非结论，可直接判定本选项错误。其次，本文并不存在对其想要确立的观点（即铁以外的东西吸收了氧气）的反驳。

E：文章本身不存在让步语气的句子，而且第一部分所在句子中有 however 这个句间取反的标志，其语气远远强于让步。

原文翻译

> 　　美国大型新闻杂志因为减少了用于报道国际新闻的版面而受到批评。然而，根据这些编辑所说，读者应该为这些版面的减少负全部责任。编辑们指出，毕竟，**以国际新闻为主要内容的杂志的销量显著下降**，并且下降的销量反映出读者兴趣的下降。但是就算这是真的，这一证据也无法反驳一种观点，那就是编辑仅仅消极地应对读者的兴趣。这很明显是一个站不住脚的观点，因为**编辑们可以通过频繁的报道来增强读者对某一新闻话题的兴趣**。

文章点拨

　　通过两个黑体部分之间的 Yet 可知，两部分取反，因此选项 C、D、E 可以排除。第一部分是编辑们所说，第二部分是作者所说。很多考生可能会通过第一部分前面的 point out 来断定第一部分是结论，其实不然。第一部分讲的是"以国际新闻为主要内容的杂志的销量显著下降"，这是个数据。数据无法成为结论，只能充当原因去支持一个结论。而在第一部分中，这个数据支持的是编辑们的观点——销量下降要怪读者。第二部分前面有 since，可以说明它是一个原因。

题目讲解

6. 从全文来看，两个黑体部分起到了下列哪种作用？

A.（正确）第一部分是一个证据，用来支持文章反对的观点；第二部分是文章提出的论点，用来质疑支持该观点的论证。

B.（错误）第一部分是一个声称，其真实性在文章里进行了评价；第二部分是用来质疑该声称的信息。

C.（错误）第一部分是一个声称，其真实性在文章里进行了评价；第二部分提供了支持来支持该声称。

D.（错误）第一部分引用了证据去支持文章的主要结论；第二部分陈述了该结论。

E.（错误）第一部分陈述了一个前提假设，这一假设用来支持文章的主要结论；第二部分是文章整体所要反对的观点。

解析：A：如【文章点拨】中所说，第一部分是数据，因此只能充当原因去支持结论。该选项中被数据支持的结论是"读者应该为这些版面的减少负全部责任"，而这正是全文所要反对的。第二部分是文章提出的，用来反驳编辑们的观点。

B：第一部分是数据，在 GRE 考试中默认是客观事实，因此无法进行评价。只有主观推断才能进行评价。

C：分号前面的错误原因同选项 B。两个部分是取反的关系，但分号之后说第二部分支持了第一部分，不正确。

D：第一部分支持的是编辑的观点而非文章的观点；第二部分是原因而非结论。

E：第一部分支持的是编辑的观点而非文章的结论；第二部分就是文章支持的内容。

原文翻译

历史学家：在Drindian Empire，每年都会进行人口普查来确定每个村子的人口。**17世纪后半叶的村子人口调查记录十分完整**。这一完整性说明了一个重点：在五个不同的年份里，绝大多数的村子记录了明显的人口下降。引人注目的是，这五年里的每一年都发生在Drindian某种税的上调之后。这种针对村子征收的税，由中央政府利用每年普查数据进行计算。很明显的是，只要税收上升，村子出于经济动机会去尽量减少他们所记录的人口数量；并且向政府调查员隐藏村子的人口规模是很容易的。因此，**被报道的人口下降并没有发生**，这一点是合理的。

文章点拨

全文都是历史学家说的话，文中没有出现转折标志，因此两个黑体部分之间为取同关系。通过文章第三句 This very completeness makes one point stand out 可知，第一个黑体部分应该是原因。第二个黑体部分通过前面的 Therefore 可知是结论。但是如果仔细读完文章，我们可能会产生这种理解：第一个黑体部分提到的 census 表明人口下降，但是第二个黑体部分又说这种下降并没有发生，因此我们会觉得两个部分是取反关系。但实际上，本文的推理逻辑如下：

记录完整（背景）→记录表明有五年人口下降（证据 1）

+下降发生在税收上调之后（证据 2）

+为了经济发展而隐瞒人口（前提假设）

→实际上人口没有下降（历史学家的结论）

本题问的是两个黑体部分之间的关系。第一部分是在讲调查记录很完整。如果最后一句话反驳了第一部分，则最后一句话应该说这些记录不完整。最后一句话就算有反驳的功能，充其量也是在反驳这些记录的真实性，而非完整性。

题目讲解

7.　在历史学家的论述中，两个黑体部分起到了下列哪种作用？

A.（错误）第一部分为历史学家的论述提供了背景；第二部分承认了一种考虑，这种考虑被用来反对历史学家想要确立的观点。

B.（错误）第一部分呈现了支持历史学家想要确立的观点的证据；第二部分承认了一种用来反驳该观点的考虑。

C.（正确）第一部分为某些证据提供了背景，这些证据支持了历史学家所要确立的观点；第二部分是该观点。

D.（错误）第一部分是历史学家支持的观点；第二部分是一个前提假设，为该观点提供了依据。

E.（错误）第一部分是历史学家提出的用来支持某一观点的前提假设；第二部分承认了质疑这一假设的考虑。

解析： C：根据【文章点拨】中的推理流程可知，选项 C 正确。

A：分号前正确；分号后，第二部分本身就是历史学家的观点。

B：第一个黑体部分严格来说是推理的背景，而非直接支持历史学家观点的证据，但是两者区别不大，因此分号前可以认为是对的。第二部分本身就是历史学家的观点，因此分号后错误。

D：第一部分是文章的背景，而非观点。观点只有最后一句。本文的前提假设是本文倒数第二句。

E：第一部分是客观事实，无法充当前提假设；第二部分也没有质疑第一部分。

08

📖 原文翻译

> 在石棉被广泛应用于建设的Seligia国，这种使用即将被禁止，因为建筑工人接触石棉会患有某种癌症。我们能够预测，**这项禁令将使这种癌症在Seligia的发病率降低50%**。诚然，**在死于这种癌症的Seligia的人的死亡证明中，不超过30%的死亡证明中的职业被列为"建筑行业"**。然而，这种癌症从接触到发展大约需要20年的时间，而在建筑行业中工作的Seligia人普遍会随着年龄的增长而转向不那么辛苦的行业。Seligia的死亡证明只表明死者生前的最后一份职业。

🔖 文章点拨

第一个黑体部分是作者提出的一项预测，这一预测最终被文章支持。第二部分 it is true that 表明是让步，同时是一个数据充当了证据，在程度上削弱第一个黑体部分。但是文章第四句的 however 反驳了第二部分的让步。因此三、四两句可以"封装"起来，支持作者在第一个黑体部分所做的预测。

作者的预测是禁止接触石棉会使癌症发病率降低 50%，也就是说 10 个得癌症的人中有 5 个是因为接触了石棉。而下一句话又告诉我们 10 个癌症死者中只有不超过 3 个是因为接触了石棉，所以这一数据有可能反对了作者的预测。接下来的转折句则告诉我们，死亡证明体现的只是死者临终前的工作，并不能代表所有接触过石棉的人。

📝 题目讲解

8. 在上文的论述中，两个黑体部分起到了下列哪种作用？

A.（正确）第一部分是文章想要支持的一个预测；第二部分提供了证据，而这个证据如果无法被补充，则会质疑这个预测。

B.（错误）第一部分是文章想要支持的一个预测；第二部分是一项发现，其准确性被文章质疑。

C.（错误）第一部分是被文章反驳的一个预测；第二部分提供了该反驳基于的证据。

D.（错误）第一部分是文章想要支持的一个预测；第二部分是证据，表明这种支持最多也只能成功一部分。

E.（错误）第一部分是一个预测，被引用来支持一个被陈述的结论；第二部分是一个考虑，被用来反驳该结论。

解析： A：第一部分确实是作者所做的预测。第二部分如果没有 however 之后的补充，又确实会起到反驳作者预测的作用。因此选项 A 正确。

B：分号前正确。第二部分可以认为是一项发现，但这一发现是客观数据，其准确性没有被质疑。

C：第一部分是文章所要支持的预测，选项 C 错误。

D：分号前正确。第二部分确实是一个证据，但是这个证据想要直接反驳作者的预测，而无法证明文章后面对作者预测的支持只能成功一部分。

E：第一部分是作者的预测，但是前面找不到 a stated conclusion，因此选项 E 不正确。

原文翻译

需要保持闭合才能愈合的伤口普遍使用线来进行缝合。然而，削减医疗成本的压力逐渐上升。因此，**一种新开发出来的粘合剂很可能会成为保持大多数种类的伤口闭合的常规手段**。新的粘合剂会使大多数种类伤口闭合的效果不亚于用线缝合的效果，并且使用粘合剂的成本和使用线的成本相当。但是，尽管线通常需要在伤口愈合后由医护人员拆掉，但是粘合剂自己就能脱落。因此，**对于任何用粘合剂和线都能闭合的伤口来说，用粘合剂更加实惠**。

文章点拨

本题属于 Boldface 题中比较难的情况：文中出现了"封装"现象。下面是文中 6 句话的 3s 版本：

1. 用线来闭合伤口。

2. However 需要削减医疗成本（即，线不好）。

3. 可以用粘合剂取代线。

4. 线和粘合剂的共同优点。

5. But 粘合剂有自己独特的优点。

6. 粘合剂会取代线。

因此 4、5 两句应该封装，与 3 取同，因此本文最终结论还是粘合剂可以取代线。第一个黑体部分中的 likely 一词证明，用粘合剂闭合伤口只是一种可能的预测。而第二个黑体部分前面的 Thus 证明它是结论，而这个结论印证了第一部分的预测。

题目讲解

9. 在上文中，两个黑体部分起到了下列哪种作用？

A.（错误）第一部分是文章反对的声称；第二部分提供了证据用来反对该声称。

B.（错误）第一部分是一个声称，被用作文章主要结论的支持性证据；第二部分是该主要结论。

C.（错误）第一部分是一个声称，被用作文章主要结论的支持性证据；第二部分是用于支持该主要结论的结论。

D.（正确）第一部分介绍了文章做出预测的一种行为；第二部分是基于该预测的结论。

E.（错误）第一部分介绍了文章做出预测的一种行为；第二部分是一个评价，用于支持该预测。

解析：D：第一部分确为文章所做的预测，其预测的行为指的是"用粘合剂"；第二部分是文章的结论，支持了这个预测。

A：第一部分其实是文章所支持的；第二部分是结论而非证据。

B：第一部分前面的 Consequently 证明它是结论，而非证据。

C：选项 C 的错误原因同选项 B。

E：选项中的 used to support 是指被用于支持其他人的，那么自己的肯定是原因，但是第二部分在文中是结论。

附录一　练习答案

文章＼题目	1	2	3	4
阅读篇				
必做 30 篇				
001	B	D	B	
002	AC	C	C	AC
003	ABC	D		
004	A	E	E	
005	BC	B		
006	A	C		
007	D	A	B	
008	A	D	C	
009	E	D		
010	D	A		
011	E	E		
012	C	A	D	
013	C	C	A	
014	B	AB	E	
015	C	D		
016	D	E	B	
017	C	A		
018	C	B		
019	D	B		
020	A	AB		
021	E	B		
022	B	D		
023	B	A	E	
024	E	E	B	
025	C	B	E	
026	C	A		

（续表）

文章 \ 题目	1	2	3	4
027	C	B	D	
028	C	E	D	C
029	A	E	D	A
030	D	B	E	A
Easy 模式				
031	A	B		
032	C	D		
033	AC	E		
034	E	D		
035	A	B		
036	第❹句	C		
037	A	B		
038	E	B		
039	D	ABC		
040	A	A		
041	B	A		
042	C	B	E	
043	B	A	AC	
044	E	C	D	
045	B	D		
046	D	C		
047	D	第❷句		
048	B	D		
049	AC	C		
050	第❷句	E		
051	AB	D		
052	B	C		
053	D	A	C	
Medium 模式（上）				
054	AB	B		
055	AB	B		
056	B	C		
057	B	B		

文章＼题目	1	2	3	4
058	E	AC		
059	B	D		
060	D	B		
061	D	E		
062	C	C		
063	B	E		
064	BC	C		
065	B	D		
066	D	C		
067	D	C		
068	AC	E		
069	AB	A		
070	B	ABC		
071	B	E		
072	B	C		
0730	C	D		
074	C	B	E	
075	D	第❺句	A	
076	C	C	C	
077	A	C		
078	D	A	C	
079	C	ABC	A	
080	D	E	E	
081	B	E	C	
082	D	C	C	
083	E	C	A	
084	E	A		
085	C	D		
086	A	D		
087	A	AB		
088	D	E		
Medium 模式（下）				
089	AC	B		
090	A	第❹句		

（续表）

文章 \ 题目	1	2	3	4
091	A	D		
092	B	C		
093	B	D		
094	C	AC		
095	B	E		
096	C	D		
097	B	C		
098	B	B		
099	B	D	E	
100	ABC	C		
101	ABC	B		
102	A	B		
103	A	B		
104	C	E		
105	B	A	D	
106	A	D	E	
107	A	AC		
108	D	E	E	
109	D	C	D	
110	C	A	D	
111	A	C	AC	
112	C	B	E	
113	BC	第❶句	E	
114	B	C	A	
115	第二段第❶句	E	C	
116	B	C		
117	B	C		
118	D	B	C	
119	A	D	C	
120	C	D	B	
Hard 模式				
121	D	A		
122	C	E	C	D
123	B	D	E	B

文章 \ 题目	1	2	3	4
124	E	B	A	B
125	C	C	A	B
126	A	A	E	C
127	D	E	E	A
128	E	A	B	
129	C	E	A	
130	B	C	B	E
131	AB	C		
132	B	D	A	
133	B	E		
134	B	C	D	E
135	C	D	C	E
136	D	E	C	A
137	B	C	C	D
138	E	D	B	C
139	E	A	B	A
Practice Tests–套数–Section–文章编号				
Practice Tests-1-1-1	B	A		
Practice Tests-1-1-2	D	D	B	E
Practice Tests-1-1-3	B			
Practice Tests-1-1-4	C	第❷句	D	
Practice Tests-1-2-1	D	B		
Practice Tests-1-2-2	B	B	E	
Practice Tests-1-2-3	B			
Practice Tests-1-2-4	B	D		
Practice Tests-1-2-5	B	E		
Practice Tests-2-1-1	D	ABC		
Practice Tests-2-1-2	B	B	C	C
Practice Tests-2-1-3	B			
Practice Tests-2-1-4	D	C	B	
Practice Tests-2-1-5	AB	A		
Practice Tests-2-2-1	B	C		
Practice Tests-2-2-2	D	B	E	
Practice Tests-2-2-3	E			

题目 文章	1	2	3	4
Practice Tests-2-2-4	AC	E		
Practice Tests-2-2-5	B	AB		
Practice Tests-3-1-1	D	D		
Practice Tests-3-1-2	A	C	E	
Practice Tests-3-1-3	A			
Practice Tests-3-1-4	B	B		
Practice Tests-3-1-5	D	A		
Practice Tests-3-2-1	A	E		
Practice Tests-3-2-2	D	D	A	
Practice Tests-3-2-3	A			
Practice Tests-3-2-4	E	C		
Practice Tests-3-2-5	D	C		
Practice Tests-4-1-1	B	A		
Practice Tests-4-1-2	A	E	B	
Practice Tests-4-1-3	B			
Practice Tests-4-1-4	E	B		
Practice Tests-4-1-5	C	C		
Practice Tests-4-2-1	B	D		
Practice Tests-4-2-2	E	C	B	
Practice Tests-4-2-3	D			
Practice Tests-4-2-4	E	C		
Practice Tests-4-2-5	E	C		
逻辑篇				
削弱题				
1	B			
2	C			
3	E			
4	D			
5	C			
6	D			
7	D			
8	E			
9	A			

文章 \ 题目	1	2	3	4
10	A			
11	A			
12	D			
13	A			
14	E			
假设题				
1	D			
2	C			
3	C			
4	C			
5	D			
6	A			
7	C			
8	D			
9	A			
10	D			
11	C			
12	D			
13	B			
14	E			
15	C			
加强题				
1	A			
2	B			
3	D			
4	E			
5	B			
6	D			
7	B			
8	D			
9	B			
10	E			
11	A			
12	C			

（续表）

文章＼题目	1	2	3	4
评价题				
1	E			
2	C			
3	C			
解释题				
1	E			
2	E			
3	D			
4	C			
5	D			
6	C			
7	E			
8	B			
9	A			
10	E			
结论题				
1	C			
2	E			
3	A			
4	A			
5	D			
6	D			
7	A			
8	D			
9	A			
Boldface 题				
1	C			
2	C			
3	D			
4	E			
5	D			
6	A			
7	C			

文章＼题目	1	2	3	4
8	A			
9	D			

附录二 文章及题型难度分类

编号	3s 版本	文章难度	第一题	难度	第二题	难度	第三题	难度	第四题	难度
				必做 30 篇						
1	民法为什么研究得晚	2	推断题	2	功能题	2	推断题	4		
2	彗星是不纯洁的	2	细节题	3	细节题	2	功能题	2	推断题	3
3	麦卡锡杂文中的小说更值得关注，并对杂文创作起到积极作用	2	细节题	3	词汇题	4				
4	人类的主观意志被挑战	4	推断题	3	词汇题	2	功能题	2		
5	没有阳光（但有液态水）的情况下也可能存在生命，并推测木卫二可能有生命	2	细节题	3	功能题	5				
6	希拉·奥格尔维认为不需要培训这一观点不对	3	功能题	2	削弱题	3				
7	关于火星北部盆地的形成过程提出了三个可能性	5	主旨题	3	推断题	2	推断题	5		
8	科学被理想化了，科学自带不稳定性、争议性和社会性	5	主旨题	3	推断题	2	功能题	3		
9	美国民权运动极大地归功于非裔美国人报纸	3	主旨题	4	细节题	1				
10	引用了不同的关于抵制运动起源地的观点	1	主旨题	3	功能题	3				
11	解释为什么拉尔夫·艾里森拒绝将自己的作品视觉化	3	功能题	2	推断题	3				
12	由热带树木在温度不同的年份生长速率不同得出结论：热的时候树木释放 CO_2 导致温度上升	4	主旨题	4	推断题	2	推断题	2		
13	女性摄影历史的研究情况很令人困惑	1	功能题	3	推断题	2	词汇题	4		

编号	3s 版本	文章难度	第一题	难度	第二题	难度	第三题	难度	第四题	难度
14	政府投资给了工厂，而这些工厂不能刺激经济	3	主旨题	3	细节题	2	功能题	5		
15	科学家通过研究岛屿生态系统，将结果运用于陆地	1	推断题	4	词汇题	3				
16	介绍星际颗粒的形成过程	2	功能题	2	类比题	2	推断题	2		
17	陶罐在烧制之后被改变的原因并非是为了修正缺陷	1	功能题	2	细节题	3				
18	本杰明·富兰克林并非是独立科学家	2	功能题	2	功能题	2				
19	尽管大卫·贝拉斯科的作品引发了轰动，但是被那些崇尚极简主义的评论家所嘲讽	1	推断题	2	推断题	2				
20	马蒂斯的艺术不好研究	3	推断题	2	推断题	2				
21	用政治任命来达成的统治方式比通过谈判的方式更有效	3	类比题	1	功能题	5				
22	落后农业时期通过生产陶器来弥补农业不足	2	功能题	2	词汇题	2				
23	玻璃天花板这一说法是错误的	3	主旨题	3	细节题	2	找共同点题	4		
24	将塞涅卡视作八部悲剧的作者的证据并不充分	3	功能题	3	细节题	3	推断题	5		
25	波动资源获得理论可以统一关于生物入侵的相互冲突的理论	4	主旨题	3	推断题	3	细节题	3		
26	品种增多不会增加消费者喜好被匹配的概率	3	假设题	2	功能题	5				
27	水稻种植很有可能起源于长江	5	削弱题	3	细节题	3	推断题	4		
28	GRIP 的观点是对的，间冰期气候是波动的	4	主旨题	2	类比题	4	细节题	2	推断题	4
29	土著文化导致欧洲教堂变了	5	主旨题	5	推断题	2	加强题	5	细节题	2
30	历史事件的发生原因不可以被排序	5	主旨题	2	细节题	1	细节题	3	主旨题	3

（续表）

编号	3s 版本	文章难度	第一题	难度	第二题	难度	第三题	难度	第四题	难度
			Easy 模式							
31	文学性格的重要性被多学派研究	1	主旨题	1	推断题	1				
32	文化人类学应该是主观的	1	推断题	1	细节题	1				
33	两种北极海冰的区分方式	1	细节题	2	词汇题	2				
34	学者们开始研究女性游行的缺点	1	推断题 / 异同题	1	推断题	1				
35	迪尔沃斯的初级读物强调让孩子去理解他们所读的内容，而以前的人不强调理解	1	细节题	1	推断题	1				
36	Mahafale 放牧者依赖仙人掌来度过旱季的行为影响了放牧者的饮食和移动性	1	句子选择题	1	细节题	1				
37	打猎导致海牛减少	2	推断题	1	细节题	1				
38	针对超新星暗淡这一现象的两种解释都不对	2	细节题	1	推断题	1				
39	玛雅水控制系统对于缺水的地方来说给精英统治提供了基础，但是这不适用于不缺水的地方	1	推断题	1	细节题	2				
40	马尔文·格雷·约翰逊的绘画不写实	1	主旨题	2	功能题	1				
41	很难验证关于鬃毛可以保护雄狮子的预测	1	功能题	1	细节题	2				
42	莱维特的技术是客观的，但是内容是主观的	2	细节题	2	细节题	1	细节题	1		
43	用潜热或显热来储存太阳能	1	主旨题	1	细节题	2	推断题	2		
44	《艰难时世》的内容和结构使其不受欢迎	2	推断题	2	功能题	1	排除题	1		
45	文学和历史的学科差异导致历史学家很少研究文学评论	1	细节题	1	细节题	1				
46	野猫不太可能被驯养	1	细节题	1	功能题	1				
47	玛莱妮解释为什么土著人不吃高脂肪的鱼	1	主旨题	1	句子选择题	1				

（续表）

编号	3s 版本	文章难度	第一题	难度	第二题	难度	第三题	难度	第四题	难度
48	气候变化使得辅助迁徙对物种保护是必要的	1	推断题	1	推断题	1				
49	用英语写作的古巴裔美国作家不应该被忽视	1	细节题	2	词汇题	1				
50	更多的研究开始关注候选人的性别差异，但是不应忽略南方的注册和投票性别差异	1	句子选择题	1	细节题	2				
51	创始者突变发生率高，并且其携带者会得到好处	1	推断题	2	功能题	1				
52	乔治·米尔纳针对"认为卡霍基亚是国家而非酋邦"提出了一些问题	1	主旨题	2	推断题	1				
53	挪威平等主义的起源	1	主旨题	1	细节题	1	推断题	1		
Medium 模式（上）										
54	麦迪斯认为睡眠起到保护作用的假说不对	1	细节题	2	功能题	2				
55	柚木是橡木的理想替代品	1	推断题	3	词汇题	1				
56	岩龙虾入侵加剧鲍鱼减少	2	细节题	1	细节题	2				
57	火星表面有水	1	细节题	1	推断题	3				
58	地震之间是有相互作用的	1	细节题	2	推断题	1				
59	资源强化应对的是外来人口	2	细节题	1	功能题	1				
60	解释为什么岛屿上大象会变小	1	主旨题	3	细节题	1				
61	人类的农业活动在更早之前已经导致全球变暖了	2	功能题	2	功能题	2				
62	社会传统和习惯导致人类赢不了蚊子	2	主旨题	2	主旨题	2				
63	甲烷菌产生的甲烷导致地球在太阳亮度不高的时候还是热的	2	功能题	2	推断题	2				
64	土壤依赖植物来提供营养	2	细节题	2	推断题	2				
65	欧洲人没有美洲原住民的移动性导致欧洲人在资源上失败了	1	推断题	2	功能题	3				

（续表）

编号	3s 版本	文章难度	第一题	难度	第二题	难度	第三题	难度	第四题	难度
66	大黄蜂工蜂的体型差异可能是出于功能上的考虑	2	推断题 / 态度题	3	词汇题	1				
67	食肉动物挑食	2	问答题	2	主旨题	3				
68	尝试将弗恩的两种特点进行统一	3	推断题	2	推断题	2				
69	彼得森的作品和福斯特的作品研究对象一样，但是方法不同	2	推断题	2	推断题	5				
70	对费尔普斯早期作品的研究证明她合理化了有争议的美国女医生这一职业	3	推断题	2	推断题	2				
71	难以定义狩猎采集者	2	主旨题	2	词汇题	4				
72	鲁宾关于小行星热量的解释是更可信的	3	推断题	2	推断题	3				
73	华莱士·萨宾在解决建筑物回声的问题方面处于领先地位	2	推断题	2	推断题	4				
74	蓝色离散星是一群恒星作用而成的	3	功能题	1	细节题	2	推断题	2		
75	讨论了对麦考密克"党派周期模式"的反驳	3	主旨题	2	句子选择题	1	词汇题	2		
76	1960 年代之前对女性作家的研究是不全面的	2	细节题	1	推断题	2	态度题	3		
77	作家应该用旧风格，可是实际上用的还是新风格	3	推断题	4	词汇题	5				
78	埃德里安娜·肯尼迪背离了非裔美国人戏剧现实主义的传统	2	主旨题	2	细节题	2	加强题	4		
79	岛屿的非陆地资源可以使得人类不需要刻意适应岛屿的低生物多样性	3	主旨题	2	细节题	2	推断题	3		
80	卡洛威认为英国封锁土地是为了保留土著人的土地，但是贝林认为这么做是为了英国人自己的商业利益	2	主旨题	2	功能题	2	推断题	4		
81	历史上对邓巴的评价的演变过程	2	细节题	2	推断题	2	推断题	2		

编号	3s 版本	文章难度	第一题	难度	第二题	难度	第三题	难度	第四题	难度
82	分析美国原住民在州政府和当地政府工作中比例代表制的水平是很重要的	2	主旨题	3	功能题	3	推断题	4		
83	解释为什么 Pueblo Bonito 找到的灶台证据很少	3	推断题	3	推断题	3	推断题	3		
84	日本纺织工业的三个部门应该放到一起研究	1	细节题	1	推断题	3				
85	以男性革命为背景分析奥斯汀的小说	2	功能题	2	推断题	1				
86	保险公司利用中间人获得可靠信息	1	主旨题	1	推断题	3				
87	杜波依斯认为社会学应该关注个体行为而非单纯的理论	1	推断题	2	推断题	2				
88	当把简·亚当斯放到历史背景中去研究时，她的思想是受到其他人影响的	2	主旨题	2	细节题	1				
Medium 模式（下）										
89	火灾之后的森林有自我再生能力	1	细节题	2	推断题	2				
90	红松鼠无法弥补灰松鼠的减少带来的损失	1	推断题	1	句子选择题	4				
91	笔饰可以用来确定手稿的完成时间和地点	2	功能题	1	细节题	3				
92	北极植物在第三纪的蔓延路径是未知的	2	细节题	2	词汇题	2				
93	以前的人们喜欢说教文学，直到 20 世纪，说教变得不受欢迎了	2	功能题	2	词汇题	2				
94	所有全球变暖都不是人为的	1	推断题	2	推断题	3				
95	海洋生态系统很难既做到生物多样性又做到提供足够的食物	2	主旨题	3	细节题	2				
96	理解数字和识别手指这两项功能是相关的	2	功能题	2	功能题	3				
97	昆虫出现时间的变化导致鸟类减少	1	功能题	2	细节题	4				

（续表）

编号	3s 版本	文章难度	第一题	难度	第二题	难度	第三题	难度	第四题	难度
98	狼对黄石国家公园的生态起到重要作用	3	细节题	1	推断题	3				
99	解释为什么热木星离恒星这么近	2	功能题	2	异同题	2	推断题 / 异同题	3		
100	外来害虫对丛林生态系统产生短期和长期的影响	2	细节题	2	功能题	4				
101	三个原因解释为什么北极温度上升更快	2	细节题	1	功能题	5				
102	其实不存在筑堤海狸和岸边海狸的区别	3	细节题	1	推断题	4				
103	环境并非是谷物种植的决定因素，因此中国南方的谷物种植比北方晚	2	推断题	3	推断题	3				
104	海洋生态系统变化快	2	主旨题	3	推断题	3				
105	赫斯顿的自传应该描写她的碎片化的生活	2	主旨题	2	推断题	2	主旨题	2		
106	解释为什么更多耐寒动物从冷的地方迁徙到温暖的地方	2	细节题	2	推断题	2	细节题	2		
107	巢穴大小不同的影响因素	3	推断题	1	推断题	5				
108	科顿·马瑟的关于马萨诸塞湾殖民者的传记是真实的	1	主旨题	3	推断题	3	细节题	2		
109	伊丽莎白·巴尔内斯因为凯瑟琳·斯丁普森的方法太主观而批判之	4	细节题	1	功能题	2	推断题	2		
110	一颗脉冲星没有行星，另一颗有	2	主旨题	3	结构题	3	推断题	1		
111	除了气候，人为因素也会影响山体滑坡，我们需要应对这一问题	2	功能题	2	细节题	2	推断题	3		
112	列举了不同的对勃朗特的观点	3	主旨题	3	细节题	1	推断题	3		
113	女性乡村小说描述了乡村的多样性	3	细节题	1	句子选择题	3	推断题	4		
114	云无法被用于判断全球气候变化	2	主旨题	3	推断题	3	推断题	3		

编号	3s 版本	文章难度	第一题	难度	第二题	难度	第三题	难度	第四题	难度
115	赫斯顿还写了另一个版本的《骡子与人》可以表明赫斯顿领先时代	3	句子选择题	2	推断题	3	词汇题	3		
116	鲶鱼喜欢朝向东南方向筑巢，但是这么做的原因是未知的	3	主旨题	2	功能题	2				
117	克莱兹默与其他音乐风格还是有区别的	2	推断题	2	推断题	3				
118	即使黑猩猩经历青春期生长加速，但是这种加速和人类的不同	2	主旨题	2	细节题	2	推断题	2		
119	所有权的法律概念可以用于确定作品的著作权和继承者	2	功能题	2	主旨题	2	细节题	2		
120	早期社会环境会影响社会学习的能力	2	主旨题	3	推断题	2	推断题	4		
	Hard 模式									
121	新仙女木期的发生并非由于冰湖水的释放	2	推断题	4	主旨题	4				
122	灵长类动物中雄性对婴儿的照顾并不罕见，且雄性照顾与一夫一妻制的关系并不明确	4	功能题	2	细节题	2	推断题	3	削弱题	3
123	总结了大众和评论家对1820年至1870年的女性小说的评价	4	主旨题	2	功能题	2	推断题	3	推断题	3
124	休斯采取民乐布鲁斯流派，并将这种布鲁斯成功地写成了诗歌	5	主旨题	2	功能题	5	推断题	3	细节题	3
125	简·奥斯汀是浪漫主义的	5	主旨题	4	细节题	3	细节题	3	推断题	3
126	森林既会影响土地维持生命的能力，也会影响二氧化碳	5	主旨题	4	细节题	3	推断题	5	段落主旨题	3
127	大冲撞可以解释月球及其他行星的奇怪特征	4	细节题	2	细节题	2	推断题	3	段落主旨题	2
128	虽然爵士音乐人早就开始迁往洛杉矶，但是旧金山的巴巴里海岸的关闭是向南迁移的决定事件	3	主旨题	3	细节题	2	推断题	5		
129	纽霍尔的《这是美国的土地》满足了第二标准，不满足第一和第三标准	3	细节题	4	细节题	4	推断题	3		

（续表）

编号	3s 版本	文章难度	第一题	难度	第二题	难度	第三题	难度	第四题	难度
130	作者认为盖茨利用"声音"来评价《紫色》的做法是不合适的，应该关注《紫色》的不现实	5	推断题	2	段落主旨题	3	细节题	3	推断题	3
131	诗人的动机不是忏悔，而是审美	1	推断题	4	推断题	5				
132	两个原因解释为什么蜥蜴离家越远，回家成功率越低	4	主旨题	3	假设题	2	推断题	4		
133	解释为什么很少有与竞争有关的灭绝	5	主旨题	5	功能题	5				
134	解释为什么德兰德拉林地比南部高原有更多的地面觅食者	4	段落结构题	2	功能题	3	推断题	3	推断题	3
135	格蒂斯恢复了"GDM"这一解读	5	主旨题	2	推断题	2	推断题	3	削弱题	4
136	女性对早期历史学研究做了贡献	5	功能题	2	推断题	3	功能题	3	推断题	3
137	描写了对南方统一者的研究态度的变化	5	主旨题	3	推断题	2	推断题	2	功能题	4
138	意大利文艺复兴时期的建筑设计不体现建材的本质	5	主旨题	4	推断题	3	功能题	3	推断题	4
139	沃斯通克拉夫特对女性的观点是非传统的	5	推断题	3	功能题	3	推断题	3	推断题	4
Practice Tests–Set One–Section 1										
1	科学和工程之间没有界限	2	主旨题	2	功能题	2				
2	现代的研究者只关注了荷兰绘画的象征性而没有关注多样性	5	主旨题	3	功能题	3	功能题	2	推断题	3
3	削弱题									
4	不应该忽略史密斯和克莱顿提供的影响非裔美国人的因素	3	主旨题	3	句子选择题	1	推断题	3		
Practice Tests–Set One–Section 2										
1	女性的有偿劳动被低估了	1	细节题	1	推断题	2				
2	蝙蝠创造了面包树林，玛雅人使用并管理了这些树林	2	功能题	2	推断题	2	推断题	2		

编号	3s 版本	文章难度	第一题	难度	第二题	难度	第三题	难度	第四题	难度
3	解释题									
4	受欢迎的建筑不见得是建得好的建筑	2	功能题	2	推断题	2				
5	用实验反驳了蜜蜂是色盲这一观点	3	功能题	4	推断题	2				
Practice Tests–Set Two–Section 1										
1	关于在距离奥尔梅克很远的地方发现类似陶瓷的原因有不同观点	3	推断题	3	推断题	4				
2	鲍尔和斯穆茨发现自我设障和角色对调对狗的游戏并非必要	5	主旨题	3	推断题	1	功能题	4	推断题	3
3	评价题									
4	学者应该开始研究欧洲对美洲原住民文学的影响	2	主旨题	3	细节题	2	功能题	3		
5	伊丽莎白·毕肖普故意拒绝扩大自己作品的数量	3	推断题	1	词汇题	3				
Practice Tests–Set Two–Section 2										
1	法国调料变了	2	细节题	1	词汇题	4				
2	直立人会故意用火	2	主旨题	2	功能题	2	推断题	2		
3	削弱题									
4	无法用大型动物的骨头来推断气候，而应该用小动物的骨头	2	细节题	2	功能题	4				
5	化学失衡不见得表明生命的存在	1	功能题	2	细节题	2				
Practice Tests–Set Three–Section 1										
1	解释为什么章鱼也会有复杂的认知能力	3	功能题	3	推断题	2				
2	市场对女性的迎合使得人们对女性的印象固化	2	细节题	4	功能题	4	细节题	1		
3	Boldface 题									
4	摩根的理论被反驳	2	推断题	3	功能题	2				

（续表）

编号	3s 版本	文章难度	第一题	难度	第二题	难度	第三题	难度	第四题	难度
5	梅尔佐夫的解释不对	2	细节题	4	推断题	3				
	Practice Tests–Set Three–Section 2									
1	尽管印象派受其他人影响，但是印象派确实创造了新东西	2	功能题	3	推断题	1				
2	一些假说被菲律宾果蝠的研究证实，更多的假说被推翻	3	主旨题	3	功能题	3	推断题	3		
3	假设题									
4	实验室观察的个体识别在自然环境中很难发生	2	主旨题	3	推断题	2				
5	美国废奴主义者开始支持罗切斯特派	2	功能题	2	推断题	3				
	Practice Tests–Set Four–Section 1									
1	气候变暖导致鼠兔消失	2	加强题	2	功能题	2				
2	婚姻走向商业化这一趋势并不存在	3	主旨题	3	细节题	2	功能题	4		
3	削弱题									
4	让读者接受印刷书籍的过程	2	推断题	2	功能题	2				
5	牧草变化并非仅仅由土拨鼠导致	2	功能题	2	推断题	2				
	Practice Tests–Set Four–Section 2									
1	凯瑟琳·林奇认为女性参与自治组织是参与公共生活的一种方式	3	细节题	3	推断题	4				
2	解释野兔数量呈周期性变化以及不同地域之间的同步	2	推断题	1	细节题	1	推断题	1		
3	解释题									
4	赞助会一直存在下去	1	功能题	1	功能题	1				
5	道伊认为工时下降导致英国经济下滑的理论是不对的	2	加强	3	推断题	3				

附录三 重点短语

短语	含义	文章编号
a clump of	一丛	Practice Tests-1-2-2
a hard-and-fast line	明确的界限	Practice Tests-1-1-1
accede to	同意	119
as long as	只要	078
assimilate into	同化为	082
at the expense of	以……为代价	108
attest to	证实	086
break new ground	开辟先河	137
by no means	绝不	123
call for	倡导	109
cast sb. as	给某人分配角色	137
cease to do	停止做	Practice Tests-2-1-5
commitment to	承诺	048
compensate for	弥补	114
cut across	超越	139
delve into	钻研	137
depart from	背离，离开	130
derive from	起源于	130
equate A with B	把 A 等同于 B	139
figure in	算上	Practice Tests-2-2-1
fly in the face of	超越	119
force out	强制退出	033
give way to	让位于	Practice Tests-4-1-2
grapple with	克服	124
hold up	支撑起	136

（续表）

短语	含义	文章编号
identify A with B	认为 A 是 B	137
in conjunction with	与……有关	090
in response to	为了应对	090
in tension with	与……关系紧张	105
in the juxtaposition of	与……并排放置	129
in the vicinity of	在……附近	132
incompatible with	与……不兼容	135
lump into	归类	137
not so much A as B	与其说是 A 不如说是 B	Practice Tests-4-2-4
off-the-cuff	即兴的	042
peripheral to	对……来说是次要的	077
pertaining to	关于	079
plunge into	投入／跳入	121
prefer A over B	比起 B 更喜欢 A	098
rallying cry	战斗口号	136
reminiscent of sb./sth.	令人想起／令人回忆起	117
resort to	使用；求助于	013
rule out	排除	Practice Tests-2-2-2
screen out	过滤	038
seal off	封锁	080
set apart	使……不同	111
set out to do sth.	开始着手做	136
shed light on/shed light upon	澄清，解释清楚	130
siphon off	吮吸	075
spell doom	给……造成灭顶之灾	098
strip away	剥除	127
take over	取代	123
take stand on	表明立场	139
tantamount to	相当于	Practice Tests-4-2-4

短语	含义	文章编号
to one's advantage	对……有好处	139
trade-off	权衡，妥协	132
turned out to be	结果是	110